letras mexicanas

MÉXICO EN LA OBRA DE OCTAVIO PAZ

III

MÉXICO EN LA OBRA DE
OCTAVIO PAZ
III

OCTAVIO PAZ

Los privilegios de la vista

Arte de México

Edición de
OCTAVIO PAZ

letras mexicanas

FONDO DE CULTURA ECONÓMICA

Primera edición, 1987
Primera reimpresión, 1987

Sp1
N
6550
.P27
1987

R0074657065

D.R. © 1987, Fondo de Cultura Económica, S.A. de C.V.
Av. de la Universidad, 975; 03100 México, D.F.

ISBN 968-16-2572-2 (Obra completa)
ISBN 968-16-2575-7 (Tomo III, rústica)
ISBN 968-16-2638-9 (Tomo III, pasta dura)

Impreso en México

ADVERTENCIA

Los privilegios de la vista reúne textos de Octavio Paz publicados con anterioridad. No obstante, al preparar la presente edición, el autor los ha revisado y ha introducido cambios de diversa índole (en la estructura, el desarrollo o la presentación) en la gran mayoría.

Al final de los ensayos que integran este volumen — salvo en los que aparecieron por vez primera en revistas o publicaciones periódicas— encontrará el lector unas iniciales que corresponden, en cada caso, al título del libro original del que procede cada texto. A continuación, la lista de esos títulos con los lugares y las fechas de las primeras ediciones:

CA = *Corriente alterna*, Siglo XXI, México, 1967

IN = *In/mediaciones*, Seix Barral, Barcelona, 1979

PC = *Puertas al campo*, UNAM, México, 1966

PM = *Pintado en México*, Fundación Banco Exterior de España, Madrid, 1983

PO = *Las peras del olmo*, UNAM, México, 1957

RV = *Remedios Varo* (Autores: O.P. y Roger Caillois), Era, México, 1966

SG = *El signo y el garabato*, Joaquín Mortiz, México, 1973

SO = *Sombras de obras*, Seix Barral, Barcelona, 1983

Respecto a la sección ''Tributos'' de este tomo, véase la antología *Poemas (1935-1975)*, Seix Barral, Barcelona, 1979.

ejecutoriando en la revista
todos los privilegios de la vista

LUIS DE GÓNGORA

REPASO EN FORMA DE PREÁMBULO

LAS relaciones entre la poesía moderna y las otras artes han sido íntimas, constantes. Baudelaire no es menos leído por sus poemas que por sus reflexiones sobre la pintura; tampoco es fácil olvidar que le debemos varios ensayos memorables en torno a Wagner y la música. Esta doble afición reaparece en Mallarmé. No es excepcional la actitud de los dos poetas: todos hemos sentido la atracción, a veces simultánea, hacia el color y hacia la nota. Al mismo tiempo: es claro que hay periodos en los que la poesía está más cerca de la música y otros de la pintura. El simbolismo, por ejemplo, tuvo afinidades profundas con la música; la pintura misma fue vista, en esa época, como música para los ojos. (Pienso en Monet.) En el periodo siguiente, con la aparición del cubismo, la relación se invierte y la pintura desplaza a la música. No enteramente, como lo muestran, entre otros, los casos de Stravinsky y Schönberg. El poeta representativo de este momento, Apollinaire, es el autor de un libro que fue el manifiesto de los nuevos artistas: *Les peintres cubistes* (1913). Un poco más tarde, como siempre, los surrealistas extremaron la nota. Mejor dicho: el color. Fueron sordos, no ciegos: Breton escribió *Le surréalisme et la peinture* pero no dijo una palabra de la música. Después de la Segunda Guerra los lazos entre las artes del oído, los ojos y la palabra se han aflojado aunque, aquí y allá, no han faltado las tentativas por rehacer el triángulo de Baudelaire. Un triángulo que es un misterio como el de la Trinidad: poesía, música y pintura son tres artes distintas y una sola verdadera.

La comunidad de ideas y ambiciones estéticas de los artistas y los poetas fue el resultado espontáneo de una situación histórica que no es fácil que se repita. Entre 1830 y 1930 los artistas formaron una sociedad dentro de la sociedad o, más exactamente, frente a ella. La rebelión de las comunidades artísticas contra el gusto de la Academia y de la burguesía se manifestó, con brillo y coherencia, en la obra crítica de algunos poetas: Baudelaire, Apollinaire, Breton. He mencionado únicamente a poetas franceses porque el fenómeno se produjo más acusada y decisivamente en París, que fue durante ese siglo el centro del arte moderno. Estos poetas fueron no sólo la voz sino la conciencia de los artistas. Después de la segunda Guerra Mundial el foco artístico mundial se desplazó hacia Nueva York. Ahora bien, sería inútil buscar en la tradición angloamericana una relación semejante a la que unió, en las grandes ciudades del continente europeo, a los poetas con los músicos, los pintores y los escultores. No hay en lengua inglesa ningún gran poeta que sea, como Baudelaire, también un gran crítico de arte. Lo más grave fue el cambio de la situación social de los artistas: en Nueva York las galerías de arte, unidas estrechamente a los grandes consorcios económicos, dirigen y promueven los movimientos artísticos (a veces los inventan), dominan a los museos y se han apropiado de las funciones que antes correspondían a los críticos. Los poetas han dejado de ser la conciencia del arte moderno. (Pero ¿el arte moderno tiene todavía conciencia?) La gran rebelión del arte y la poesía comenzó con el romanticismo; un siglo y medio después los artistas han sido asimilados e integrados en el proceso circular del mercado. Son un tornillo más del engranaje financiero.

En México se repitió el fenómeno francés aunque en escala reducida y con ciertas diferencias, una de ellas considerable. Nuestro primer poeta realmente moderno fue

José Juan Tablada. No es extraño que también haya sido un crítico de arte agudo y vivaz. Crítico no de oficio sino en el sentido de la tradición iniciada por Baudelaire: la pintura vista desde la poesía. Aparte de haber escrito el primer libro en castellano sobre Hiroshigé (1914), temprano e insigne descubrimiento, fue autor de una *Historia del Arte de México* que todavía puede leerse con provecho. Otro y no pequeño mérito: fue uno de los primeros en defender y exaltar a Orozco y a Rivera, después a Tamayo y a Covarrubias. Algunos de los poetas de la generación siguiente —Gorostiza, Villaurrutia, Cuesta— comenzaron escribiendo con inteligencia y tino sobre los pintores de su época. El único que persistió fue Villaurrutia; fue asimismo el más agudo y sensible, el más luminoso. A la misma generación pertenece otro poeta y crítico que, aunque nacido de Guatemala, es también mexicano: Luis Cardoza y Aragón. Sus textos, menos precisos que los de Villaurrutia, son más vastos y, a veces, más inspirados. Villaurrutia no tocó, por timidez o por desdén, varios temas primordiales y su crítica sufre por esta limitación; a la de Cardoza, en cambio, la daña la bandería ideológica.

Más arriba aludí a una diferencia de monta entre la situación de México y la de París. Esa diferencia fue la función preponderante, exagerada y al fin nociva de la ideología política. La relación de los pintores muralistas con los poetas abundó en equívocos y en conflictos, incluso con el más cercano a ellos: Cardoza y Aragón. Los pintores no toleraban sino de mala gana a los poetas. Éstos hablaban y opinaban no en nombre de una doctrina sino de su gusto, que es lo más libre, individual y caprichoso. Los pintores pretendían ser, al mismo tiempo, artistas, críticos y doctrinarios. En París la comunidad de ideas y gustos entre los cubistas y el poeta Reverdy fue real e íntima; nada más natural que fuese el teórico de las nuevas concepciones estéticas. Pero el cubismo no era un partido político ni estaba al servicio de una ideología: las opiniones de Reverdy no eran artículos de fe. En cambio, Rivera, Siqueiros y el mismo Orozco —que fue el menos dogmático— cubrían de oprobio a los que no compartían sus ideas. A pesar de estas escaramuzas —unas pintadas y otras rimadas— la crítica de los poetas es parte de la historia del arte moderno de México. Así lo dirá el estudio que un día ha de escribir sobre estos temas un norteamericano o un japonés. (Los mexicanos han mostrado desgano congénito para estas tareas.) Tablada, Villaurrutia y Cardoza supieron ver, comprender y decir lo que vieron.

A ejemplo y semejanza de estos poetas mexicanos, durante muchos años he escrito sobre pintura y escultura. Aunque me he ocupado también de las artes y los artistas de fuera, una y otra vez he regresado a México, polo magnético. Además de la pintura y la escultura, he tenido otras dos pasiones: la arquitectura y la música. Hay entre ellas un parentesco indudable y no vale la pena repetir una demostración hecha varias veces, algunas inolvidables como aquella que compuso Valéry en su diálogo *Eupalinos o el arquitecto*. Todos sabemos que las dos artes se fundan en el número y la proporción. Cierto, las otras participan también de estas propiedades y sin ellas no serían *artes*; sin embargo, en ninguna se confunden tan plenamente con su ser mismo como en la música y la arquitectura: ambas *son* proporción y número.

Además, en su otro extremo, las dos artes colindan con la política. Platón y Confucio insistieron en las virtudes políticas de la música. En efecto, no sólo es capaz de excitar o de calmar las pasiones colectivas sino que, por ser número y medida, es una expresión sensible de la justicia. Impartir justicia es introducir la armonía entre los hombres. Por su parte, el arquitecto construye casas de gobierno, templos, escuelas, plazas públicas, teatros, jardines, estadios, fortalezas; en todos esos edificios el espacio puro, geometría de figuras abstractas regidas por el número y la proporción, se convierte en un espacio público poblado por los hombres y sus pasiones. Destino terrible de la arquitectura: en la plaza perfecta como un círculo o un cuadrilátero, ante el Palacio de la Justicia y el Templo, geometrías vueltas bulto y presencia, el pueblo vitorea al demagogo, apedrea al hereje, condena al sabio o es asesinado por la soldadesca. La arquitectura es testigo, no cómplice de estos extravíos; y más, es un silencioso reproche: aquellos que son sabios y buenos ven en el equilibrio de sus formas a la imagen de la justicia.

Desde mi adolescencia he visitado muchos monumentos, unos en pie y otros caídos; los tratados y las historias de la arquitectura me han fascinado siempre, no tanto por sus teorías e hipótesis como por sus láminas que, inmediatamente, nos hacen visible la virtud cardinal del arte de la construcción: la creación de un espacio puro dentro del espacio natural; al trato con los arquitectos le debo placer y enseñanzas; ahora mismo, desde hace quince años, soy amigo del arquitecto Teodoro González de León —una inteligencia clara y ordenada como una arquitectura de Paladio y afinada como una sonata... Pero una cosa es la afición y otra la competencia: escribir sobre la arquitectura exige conocimientos que no tengo y una entrega total.

Sucede lo mismo con la música. A veces he pensado, vanidosamente, que quizá en algunos de mis poemas podrían percibirse ecos de lo que he sentido y pensado al oír a Haendel o a Webern, a Gesualdo o a una *raga* india. Pero nunca creí que pudiera escribir con dignidad sobre temas musicales. No sentí esta duda ante la pintura: ¿por qué? Tal vez porque el código de la pintura es más sensual, menos abstracto y riguroso que el de la música. El

15

lenguaje de la pintura —líneas, colores, volúmenes— entra literalmente por los ojos: su código es primordialmente sensible; el de la música está hecho de unidades sonoras abstractas: la gama de las notas. Los significados de la pintura están *a la vista;* los de la música no son inmediatamente traducibles a ningún otro sistema de significación. Es inimaginable un Panofsky de la música, capaz de desentrañar el origen y el significado de cada figura sonora. La iconología estudia representaciones estáticas y la música es tiempo, movimiento.

La paradoja de la música, arte temporal como la poesía, consiste en que su manera propia de transcurrir es la recurrencia. El parentesco entre la música y la poesía consiste en ser ambas artes temporales, artes de la sucesión: tiempo. En las dos la recurrencia, la frase que vuelve y se repite, es un elemento esencial; los motivos se enlazan y desenlazan para volver a enlazarse, son un camino que sin cesar regresa al punto de partida sólo para partir de nuevo y volver otra vez.* La diferencia entre ambas está en el código: la gama de las notas y la palabra. La poesía está hecha de frases rítmicas (versos) que no sólo son unidades sonoras sino palabras, racimos de sentidos. El código de la música —la gama de las notas— es abstracto: unidades sonoras vacías de significado. Por último, la música es arquitectura hecha de tiempo. Pero arquitectura invisible e impalpable: cristalización del instante en formas que no vemos ni tocamos y que, siendo tiempo puro, *suceden.* ¿Donde? Fuera del tiempo... Por todo esto no me he atrevido a hablar de ella.

Para *ver* de verdad hay que comparar lo que se ve con lo

* Me he ocupado del tema en "Intermedio discordante", en *Claude Lévi-Strauss o el nuevo festín de Esopo*, México, 1967.

que se ha visto. Por esto ver es un arte difícil: ¿cómo comparar si se vive en una ciudad sin museos ni colecciones de arte universal? Las exposiciones itinerantes de los grandes museos son un fenómeno nuevo; cuando yo era un muchacho sólo disponíamos de unos cuantos libros y de un puñado de reproducciones mediocres. Ni yo ni nadie entre mis amigos habíamos visto nunca un Tiziano, un Velázquez o un Cézanne. Nuestro saber era libresco y verbal. Sin embargo, nos rodeaban muchas obras de arte, la mayoría modestas, algunas considerables y unas pocas excelsas. Yo crecí en Mixcoac, un pueblo que hoy es un suburbio de la ciudad de México. Los balcones de mi casa daban a la Plazuela de San Juan. Aunque la infame manía gubernamental le ha arrancado su viejo nombre, todavía están en pie los fresnos eminentes, el solar de muros rosados del siglo XVIII y la pequeña iglesia del XVII. Unos quinientos metros más allá se encuentra la blanca Capilla de San Lorenzo, que es la más antigua del barrio. Es una suerte de palomar para ángeles de juguetería. Hacia el sur, a quince minutos de marcha, hay otra plaza vasta y aireada; la limitan, en un costado, los muros rojos de una fábrica del siglo XVIII y, enfrente, las tapias y verjas de viejas casas del siglo pasado; al fondo se levanta un convento dominico del XVI. El claustro es noble y severo; la iglesia, esbelta y graciosa; el atrio, enorme y con seis árboles venerables.

Abundaban las villas, casi todas de inspiración francesa, construidas al finalizar el siglo pasado y rodeadas de jardines con altos árboles melancólicos. Los jardineros de Mixcoac eran famosos y uno de ellos, obligado a emigrar por los trastornos revolucionarios, ganó reconocimiento y desahogo en Los Ángeles. Mixcoac había sido un cacicazgo indígena antes de la Conquista y poseía, en una de sus orillas, una pirámide diminuta como la Iglesia de San Juan.

El arqueólogo Manuel Gamio, que comenzaba entonces sus trabajos, era amigo de mi familia y nos visitaba. Con la tropilla de mis primos y primas, yo lo acompañé varias veces al viejo santuario. Se levantaba en un llano amarillo y reseco que antes había sido un lugar acuático. Era difícil, al ver aquella desolación, imaginar el brillo de la laguna, los juncos, las cañas y las yerbas, los pájaros y las atareadas piraguas. Mixcóatl, la divinidad tutelar, era un dios celeste y guerrero; su cuerpo azul era el firmamento y los círculos blancos pintados en su pecho simbolizaban las constelaciones. A lo lejos, un bulto enorme y violáceo: el Ajusco y sus confederaciones de nubes flotantes.

Me falta mencionar otra enseñanza de Mixcoac: la feria y los fuegos de artificio. Más allá de la Plazuela de San Juan, alrededor de la Capilla de San Lorenzo, al lado de unas enormes excavaciones hechas por una fábrica de adobes y ladrillos (hoy, felizmente, convertidas en el parque Urbina), había un barrio en donde vivían y trabajaban familias de coheteros. El oficio era todavía hereditario y familiar. Entre ellos había una familia de artífices impares: los Pereira. Los días de los santos patrones y los aniversarios patrióticos, los llamaban de muchos municipios. En aquellos años los habitantes del Distrito Federal no habíamos perdido el derecho democrático más elemental: elegir a nuestros alcaldes y regidores. Se olvida con frecuencia que el derecho a elegir nuestras autoridades incluye la libertad de honrar, en público y a nuestra manera, a nuestros héroes y a nuestras divinidades. En Mixcoac los coheteros de San Lorenzo eran, naturalmente, los encargados de la pirotecnia en los días de fiesta. Todavía recuerdo maravillado sus invenciones, como aquella cascada de plata y oro, un 12 de diciembre, cayendo sobre la fachada de la iglesia: agua de luz sobre la piedra, bautismo de fuego inocuo sobre las torres y los follajes verdinegros de los fresnos... Así comenzó mi aprendizaje. Los primeros objetos que vi fueron las muestras humildes y dispares del arte indígena y del español, del criollo y del afrancesado de nuestros abuelos. No fue un mal comienzo.

El pueblo de Mixcoac no era una excepción. Las otras poblaciones de las cercanías —Tacubaya, San Ángel, Coyoacán, Tlalpan— tenían también sus conventos y sus iglesias, sus casas solariegas y sus viejas haciendas, sus santuarios y ruinas prehispánicas. Lo mismo puede decirse de la mayoría de las ciudades y villas del Valle de México y, en verdad, de casi todo el territorio patrio. Hoy siguen en pie muchos de esos edificios, pero son incontables los que han sido demolidos o deshonrados por la barbarie, la incuria y el afán de lucro.

En 1930 comencé a estudiar el bachillerato en el Colegio de San Ildefonso (Escuela Nacional Preparatoria). Durante esos dos años y los cinco siguientes, pasados en facultades universitarias, me familiaricé con el barrio que hoy llaman "el centro histórico de la ciudad": palacios, iglesias, edificios públicos, conventos, mercados. En muy pocas ciudades del mundo pueden verse, en un espacio relativamente reducido, tantas obras de mérito, casi todas regidas por la misma estética y, no obstante, cada una distinta y singular. Algunas son soberbias —la Plaza del Zócalo y los edificios que la limitan, sobre todo la masa ondulada y rosa del Sagrario—, otras íntimas —el jardín y la Iglesia de Loreto— o nobles como el edificio de la Inquisición o suntuosas como el palacio de los condes de Calimaya. En la antigua Casa de Moneda —patio de arena roja, palmeras y grandes macetas con plantas verdes— habían instalado las antigüedades mexicanas. Allí pude ver por primera vez, con horror y pasmo, la escultura precolombina. La admiré sin entenderla: no sabía que cada una de esas piedras era un prodigioso racimo de símbolos. Poco a poco entreví sus enigmas. Entre mis compañeros había un joven interesado en nuestro pasado artístico: Salvador Toscano. Con él y otros recorrí, los domingos y días de asueto, el Valle de México y distintos lugares de Puebla y Morelos: pirámides, conventos, iglesias, capillas abiertas. Toscano murió pronto pero, al menos, tuvo tiempo para escribir y publicar, en 1944, su *Arte Precolombino de México y América Central,* primera tentativa de comprensión estética y no meramente arqueológica de las culturas mesoamericanas.

Mi relación con el arte moderno de México fue íntima y diaria. Todos los días, mientras estudié en San Ildefonso, veía los murales de Orozco. Al principio con extrañeza e incredulidad, después con más y más comprensión y entusiasmo. Además de las pinturas de Orozco, que no sólo son las más numerosas sino las más originales y potentes, hay murales de Fernando Leal, Fermín Revueltas y otros. En el colegio "chico" David Alfaro Siqueiros dejó unos murales; no llegó a terminarlos pero son notables por su energía casi escultórica. En el Anfiteatro Bolívar del colegio está el primer mural de Diego Rivera, pintado a la encáustica, lleno de reminiscencias, de Picasso a Puvis de Chavannes.

Tal vez no sea ocioso recordar que José Vasconcelos fue el iniciador del movimiento muralista. Era ministro de Educación Pública del régimen de Álvaro Obregón y en 1921 decidió encargar a los pintores más conocidos en esos días la decoración mural de varios edificios públicos. Ministro de una Revolución triunfante, soñaba con el renacer de nuestro pueblo y de nuestra cultura. Probablemente es más exacto hablar de fundación que de renacimiento; aunque la base de la construcción histórica que soñaba era nuestro pasado indoespañol, el Vasconcelos de esos años estaba poseído por un ideal que no es exagerado llamar cósmico. Sus modelos eran no los imperios mundiales del pasado sino las grandes construcciones religiosas, y sus héroes se llamaban Cristo, Buda, Quetzalcóatl. Su llamamiento a los pintores correspondía a la visión de un arte orgánico, por decirlo así, que fuese la natural expresión de la nueva sociedad universal que comenzaba en México y que se extendería a toda la América hispana y lusitana. En su decisión influyó sin duda el antecedente del *Quattrocento* y, sobre todo, el del arte bizantino. Su visita a Santa Sofía lo movió a escribir páginas exaltadas y luminosas. También debe de haber pesado en su ánimo el ejemplo de los conventos de Nueva España, muchos de ellos decorados con pinturas murales. Idea admirable aunque puede dudarse de su tino: ¿por qué entregar los muros de San Ildefonso y de San Pedro y San Pablo, monumentos de nuestro pasado, a la furia creadora pero irreverente de unos artistas jóvenes? Quizá porque no había otros edificios disponibles. Sin embargo, por encima de esta incongruencia estética, Vasconcelos nos legó una lección ética y política: dejó en libertad a los artistas a sabiendas de que sus ideas eran muy distintas a las suyas.

Las primeras pinturas murales son las de San Ildefonso y fueron pintadas a la encáustica por Fernando Leal, Fermín Revueltas, David Alfaro Siqueiros y Diego Rivera. El primer fresco de verdad, en el mismo edificio, fue obra de Jean Charlot, pero usó cemento y otros ingredientes que dañaron los colores. En realidad, el primer fresco fue el de Ramón Alva de la Canal. Tuvo el buen sentido de escuchar a uno de los albañiles que trabajaban con él y se sirvió de la técnica popular con que se pintaban las pulquerías. Rivera aprovechó más tarde, con talento, esta técnica. Por desgracia, antes de adoptarla, en varios muros de la Secretaria de Educación Pública usó un compuesto de jugo de nopal y colorantes. Fue idea de Xavier Guerrero, según parece; el resultado fue una pifia: al cabo de poco tiempo las pinturas se cubrieron de ampollas y para salvarlas hubo que cubrirlas con una delgada capa de cera. ¿Por cuánto tiempo? El fresco de Alva de la Canal, terminado en 1922, es excelente. Está en el pasaje que conduce del patio central a la calle, enfrente del mural de Revueltas: *Alegoría de la Virgen de Guadalupe*.

Al lado de San Ildefonso se encuentran la iglesia y el convento de San Pedro y San Pablo. Fue escuela de los jesuitas y allí estudió en el siglo XVII, entre otros, el Padre Antonio Núñez de Miranda, el severo director espiritual de Sor Juana. En mi tiempo el convento se había convertido en escuela secundaria. En la iglesia Roberto Montenegro terminó, en 1921, el primer mural del movimiento. Lo pintó al temple y pronto empezó a desprenderse. En el convento antiguo, Atl pintó unos murales curiosos (pero nada más curiosos) y Montenegro su *Fiesta de la Santa Cruz*. En un extremo aparecía José Vasconcelos, el gran protector de los muralistas. Más tarde, según parece por órdenes de otro ministro de Educación, Narciso Bassols, se borró la figura de Vasconcelos y se pintó en su lugar la de una mujer. Nadie, que yo sepa, protestó.*

Mis vagabundeos me llevaron a recorrer no sólo el México del Palacio Nacional, la catedral, Santo Domingo y sus alrededores sino otros barrios alejados del centro y de la zona del sur, que hasta entonces había sido mi patria chica: Tacubaya, Mixcoac, San Ángel, Tizapán, Coyoacán, Tlalpan. A veces me aventuraba por el norte, que en aquellos años terminaba pronto en la desolación de salitre y arenales que había dejado la desecación de los lagos. Uno de mis paseos favoritos rehacía el itinerario de los derrota-

* Véase Laurence E. Schmeckebier: *Modern Mexican Art*, The University of Minnesota Press, Minneapolis, 1939.

22

dos españoles en su huída durante la Noche Triste. Al anochecer, con algún amigo, dejaba San Ildefonso y discurría por la calle de Tacuba, llena de ecos y presencia del antiguo México, el precortesiano y el de Nueva España, pero también de algunos palacios de fines del siglo XIX, en los que triunfa, como en los cuerpos y las modas femeninas de esa época, una estética de formas opulentas y perifollos que ayer nos hacía sonreír y hoy nos emociona. Nos demorábamos en las librerías de viejo de la avenida Hidalgo, entre las dieciochescas espesuras de la Alameda Central y la pequeña y más bien melancólica plaza de San Juan de Dios: a sus costados, frente a frente, dos iglesias hundidas a medias como pesados barcos encallados. Una de ellas está consagrada a San Antonio, patrón de las casaderas, las abandonadas y las de vida airada. Seguíamos y, al llegar al Jardín y Panteón de San Fernando, hacíamos un alto para conversar y descansar. Las altas verjas, las estatuas y la pompa republicana bajo la arboleda sombría me hacían pensar, más que en la gesta de los liberales, en un poema de Gutiérrez Nájera:

> ¿No ves cual prende la flexible hiedra
> entre las grietas del altar sombrío?
> Pues como enlaza la marmórea piedra
> quiero enlazar tu corazón, bien mío.

Proseguíamos y, casi sin darnos cuenta, llegábamos al Puente de Alvarado, lugar famoso en donde Tonatiuh, el conquistador rubio, salvó la vida al apoyarse en su lanza, como el atleta en su garrocha, para saltar de un borde al otro del canal cenagoso. Un poco más lejos estaba otro edificio memorable: Mascarones. Este antiguo palacio hospedó durante unos años a la Facultad de Filosofía y Letras, a la que yo, al final de este periodo, concurría a veces para oír a los maestros españoles y conversar con José Luis Martínez, recién llegado de Guadalajara. El edificio de piedra rojiza es al mismo tiempo severo y fastuoso; a pesar de la suntuosa fachada, tiene una suerte de reserva como la de los criollos ceremoniosos y soberbios que la construyeron. Pero la severidad y el empaque desaparecían apenas trasponía la gran 'puerta. En el primer patio habían trazado un diminuto jardín que me encantaba por la perfección de sus proporciones y por la serenidad casi espiritual que lo envolvía. Todavía, si cierro los ojos, respiro el aire fresco, oigo las voces y las risas de los muchachos y muchachas conversando acodados en los barandales, veo un cielo azul y unas bancas rojas, veo un arbolillo de un verde transparente que se mece en la luz de octubre y que casi habla y casi vuela.

Más allá de Mascarones comenzaban otros mundos. Los recorría con los amigos, que vivían en esos barrios. Uno era San Rafael, todavía rico en suntuosos vestigios porfirianos, aunque ya dañados irreparablemente por la incuria; el otro, la secreta Santa María. Con su Alameda provinciana, su extraño Museo y su parroquia, Santa María es un pueblo más que un barrio. Al recorrer sus calles solitarias, invariablemente recordaba a López Velarde. Allá vivían, entre otros notables, el novelista Mariano Azuela, el poeta modernista Rafael López y Carlos González Peña, al que debemos la *única* historia moderna de nuestra literatura. Esos interminables paseos eran propicios al intercambio de ideas y confidencias, a las controversias y a las repentinas y efímeras iluminaciones. La conversación es el gran don que ofrecen las relaciones entre los hombres, cuando se olvidan de Etéocles y de Polinices, de Abel y de Caín. La amistad: el fervor compartido ante un poema, una novela, una admiración, una idea, una indignación. Al filo de la media noche, yo dejaba a mis amigos y, con la cabeza en llamas, cruzaba las calles desiertas para alcanzar, más allá del Paseo de la Reforma, entre Chapultepec e Insurgentes, el último tranvía rumbo a Mixcoac.

Pero nuestras correrías no eran visitas arqueológicas ni confundíamos a la ciudad con un museo. Todo nos llamaba y todo, por un instante, nos retenía: las ferias y las fiestas de cada barrio, las cantinas y las cervecerías, los cafés y las fondas modestas, los bailes de las vecindades, la salida de las escuelas de muchachas, los cines y el *burlesque*, los parques y las callejuelas solitarias...

Multitude-solitude: termes égales et convertibles. Y Baudelaire añade: "aquel que no sabe poblar su soledad tampoco sabe estar solo en medio de la muchedumbre". Pero no todo era sublime en esos callejeos. Tampoco sórdido. Entre uno y otro extremo se extendía el territorio impreciso e inmenso del aburrimiento. Enfermedad de los adolescentes: el aburrimiento abre con gesto distraído las puertas de la poesía o las del libertinaje, las de la meditación solitaria o las de las diversiones crueles y estúpidas.

El mercado Abelardo Rodríguez fue decorado en 1933 por un grupo de discípulos y seguidores de Diego Rivera. Aunque entre esas pinturas hay una, primeriza, de un gran artista: Isamo Noguchi, las recuerdo ahora por Pedro Rendón. Era un muchacho carirredondo, de ojos humildes, ademanes tímidos, ropa estrecha y olor a fritura. No caminaba: rodaba lentamente y con cierto ritmo de globo. Su mansedumbre nos parecía bovina, pero tal vez era angelical. Era el bobo del barrio. También era pintor y poeta. Hacía poco había tenido su día de gloria. No sé si movido por su amor a la mistificación y a imitación de las *blagues* del Montparnasse de su juventud o para fastidiar a los artistas de la nueva generación, Diego Rivera proclamó a Pedro Rendón como el mejor pintor joven. A instancias suyas las crédulas autoridades municipales le dieron un muro del mercado para que lo pintase. Al poco tiempo, con la misma desenvoltura con que lo había encumbrado, Diego lo dejó caer. La gente comprendió vagamente que había sido víctima de una farsa y Pedro se encontró de pronto sin amigos ni valedores. ¿Se dio cuenta alguna vez de que era el hazmerreír del barrio universitario? No lo creo. Pero en su desvalimiento, acuciado por la necesidad, recorría las escuelas y facultades con sonrisa plácida y ojos ansiosos. A veces conseguía que lo invitasen a comer un taco y beber un tepache. A cambio, tenía que escribir un soneto en el que era obligatorio que figurase el nombre del benefactor o el de algún amigo o amiga. Pedro lo escribía como el perrito salta el aro y menea la cola. ¿Cuántos sonetos escribió para mí y mis amigos? Pedro: perdónalos, perdóname. Como el burrito de Tablada en su paraíso de alfalfa, tú estás ahora en una alta y reluciente taquería en donde, al fin en paz, ya lejos de la mofa y del escarnio, comes las tortas compuestas del otro barrio.

A un paso de San Ildefonso, en la Secretaría de Educación Pública, podíamos ver los frescos de Rivera, una de sus obras más logradas. Sólo la supera, quizá, la capilla de Chapingo. En los frescos de Educación Pública las numerosas influencias de Diego, lejos de ahogarlo, le prestan alas y le permiten manifestar sus grandes dones. Esas pinturas son como un inmenso abanico desplegado que muestra, sucesivamente, al artista vario y único: al retratista que en ciertos momentos hace pensar en Ingres; al diestro discípulo del *Quattrocento* que, si a veces se acerca al severo Duccio, otras reinventa —ésa es la palabra— el arte colorido de Benozzo Gozzoli y su seductora combinación de naturaleza física, animal y humana; al artífice de los volúmenes y las geometrías que fue capaz de trasladar al muro la lección de Cézanne; al pintor que prolongó la visión de Gauguin —árboles, hojas, agua, flores, cuerpos, frutos— y la hizo reflorecer; y, en fin, al dibujante, al maestro de la línea melodiosa. Regalos del tiempo: en esos años Rivera pintaba los muros del Palacio Nacional y yo pude verlo, encaramado en un andamio, vestido con un astroso *overall* iridiscente, armado de gruesos pinceles y rodeado de botes de pintura, ayudantes y curiosos atónitos.

Los azares de las amistades literarias y artísticas me hicieron conocer a varios pintores y visitar sus talleres. Uno de ellos fue Manuel Rodríguez Lozano, cuyos cuadros de grandes dimensiones me recordaron inmediatamente los del Picasso neoclásico, que yo había podido conocer gracias a las reproducciones que entonces empezaban a circular. Rodríguez Lozano fue un excelente dibujante, un artista incorruptible y un hombre de rara y cáustica inteligencia. En las salas de exposiciones y en otros sitios públicos entreví en varias ocasiones a Julio Castellanos, Agustín Lazo y Carlos Orozco Romero. Años después los vería y conversaría con ellos en el Café París, en la tertulia que presidía Octavio G. Barreda. Ellos me mostraron que la pintura no era ni podía ser únicamente la pintura mural: había otros mundos, otros planetas, otras revelaciones. En esos años llegó de Guadalajara un joven brillante, casi un adolescente: Juan Soriano. Pronto fuimos amigos. Su conversación era un surtidor de fuegos de todos los colores, algunos quemantes; su pintura tenía la poesía de los patios con altos barandales por donde se asoman, ojos grandes y moños enormes, niñas con cara de vértigo.

En 1937 estuve en España y vislumbré los museos de París y Nueva York. A mi regreso, comenzaron a cambiar mis ideas políticas y estéticas. Contribuyó a ese cambio la amistad con varios poetas y escritores españoles que, huyendo de la guerra y la dictadura de Franco, se habían instalado en México. Después, un encuentro que me afectó profundamente: llegaron a nuestro país el poeta surrealista Benjamin Péret, el peruano César Moro, el escritor revolucionario Víctor Serge, Jean Malaquais y otros. Trabé amistad con ellos, abrí los ojos y vi con extrañeza al mundo que me rodeaba: era el mismo y era otro. Mi admiración por los muralistas se transformó primero en impaciencia y, después, en reprobación. Con la excepción honorable de Orozco, unos eran los apologistas y otros las tapaderas de la dictadura burocrática de Stalin. Además, se habían vuelto la nueva academia, más intolerante que la otra. Me parecían el equivalente estético del Partido Nacional Revolucionario, que en esos días había cambiado su nombre, no su composición, por el de Partido de la Revolución Mexicana. Mis reservas frente a los muralistas eran políticas, morales y estéticas pero, sobre todo, eran legítimas y necesarias: su retórica ahogaba a los artistas jóvenes. Yo quería respirar el aire libre del mundo. No tardé en respirarlo.

En 1943 abandoné México por muchos años. Viví los dos primeros en los Estados Unidos, al principio en San Francisco y después en Nueva York. Allá comenzó mi segundo aprendizaje. Pasaba mañanas enteras, una o dos veces por semana, en el Museo de Arte Moderno. Iba también al Metropolitano y a los otros museos, aunque no con tanta frecuencia. Ante los cuadros de Picasso, Braque y Gris —sobre todo del último, que fue mi silencioso maestro— entendí al fin, lentamente, lo que había sido el cubismo. Fue la lección más ardua; después fue relativamente fácil ver a Matisse y Klee, a Rousseau y a Chirico. Los cuadros de Kandinsky me parecieron girándulas y me recordaron los fuegos de artificio que había visto en las noches de feria de Mixcoac:

> Astros de plata que en lucientes giros
> batieron, con alterno pie, zafiros.

Mi aprendizaje fue también un desaprendizaje. Nunca me gustó Mondrian pero en él aprendí el arte del despojamiento. Poco a poco tiré por la ventana la mayoría de mis creencias y dogmas artísticos. Me di cuenta de que la modernidad no es la novedad y que, para ser realmente moderno, tenía que regresar al comienzo del comienzo. Un encuentro afortunado confirmó mis ideas: en esos días conocí a Rufino Tamayo y a Olga, su mujer. Los había visto fugazmente en México, unos años antes, pero sólo entonces pude tratarlos de verdad. Ante su pintura percibí, clara e inmediatamente, que Tamayo había abierto una brecha. Se había hecho la misma pregunta que yo me hacía y la había contestado con aquellos cuadros a un tiempo refinados y salvajes. ¿Qué decían? Yo traduje sus formas primordiales y sus colores exaltados a esta fórmula: la conquista de la modernidad se resuelve en la exploración del subsuelo de México. No el subsuelo histórico y anecdótico de los muralistas y los escritores realistas sino el subsuelo psíquico. Mito y realidad: la modernidad era la antigüedad más antigua. Pero no era una antigüedad cronológica, no estaba en el tiempo de antes, sino en el ahora mismo, dentro de cada uno de nosotros. Ya estaba listo para comenzar. Y comencé...

Llegué a París en diciembre de 1945. Continuación del aprendizaje/desaprendizaje. El surrealismo me atrajo. ¿A destiempo? Yo diría: contra el tiempo. Fue un antídoto contra los venenos de esos años: el realismo socialista, la literatura comprometida a la Sartre, el arte abstracto y su pureza estéril, el mercantilismo, la idolatría de los grandes tirajes, la publicidad, el éxito. Contra el tiempo: contra la corriente. Aprendizajes y desaprendizajes:

Recorrer con André Breton las salas de una exposición de arte esquimal y recordar ahora no lo que dijo sino el tono grave de su voz, su actitud de reverencia y nostalgia ante la lejanía *otra*: el antiguo espacio sagrado poblado de seres cambiantes, territorio de las metamorfosis;

oír a Kostas Papaioannou hablar del arte bizantino como la transubstanciación de la materia temporal en vibración luminosa —el ser en su esencia es claridad radiante, luz inteligente— y un mes después contemplar, en Ravena, los mosaicos de San Vitale;

la aparición repentina, en los llanos de Madhya Pradesh, del castillo de Datia, joya negra engastada sobre una peña;

las correrías en Afganistán con Marie José y, una mañana de 1965, en las ruinas de Surkh Kotal, la visión de las cabras negras sobre las colinas quemadas, frente a las terrazas construidas por el rey Kanishka (en Mathura vimos, esculpida en piedra roja, su estatua decapitada de guerrero nómada);

los tres minutos de recogimiento en Basho An, la diminuta choza sobre la colina de pinos y rocas en las inmediaciones del templo Kampuji, cerca de Kioto, en donde vivió Basho una temporada, reconstruida un siglo después por Buson —al verla me dije: "no es más grande que un haikú" y compuse estas líneas que clavé mentalmente en uno de los pilares:

> El mundo cabe
> en dieciséis sílabas
> tú en esta choza;

el desembarco en Bombay, en 1952, y en la cueva de Elefanta mi pasmo ante la energía cósmica hecha piedra y la piedra hecha cuerpo vivo;

la lectura deslumbrada, irritada, escéptica, entusiasmada, en 1948, de *La monnaie de l'absolu* de André Malraux;

la velada en una casita de Utopia Road, tediosa como un argumento de filosofía utilitaria —pero en el *basement*

Marie José y yo vimos a Joseph Cornell inventar, con tres canicas, un mapa del cielo y dos viejas fotografías, jardines astronómicos donde Almendrita juega al aro con los anillos de Saturno;

el periplo de veinticinco años: circulaciones, circunnavegaciones, circunvalaciones y circunvuelos en Asia, Europa y América:

la exploración del túnel de las correspondencias, la excavación de la noche del lenguaje, la perforación de la roca: la búsqueda del comienzo, la búsqueda del agua.

Mis primeras notas sobre temas de arte son de 1940: las últimas, de hace quince días. Nunca quise ser sistemático ni limitarme a este o aquel asunto: lo mismo escribí un libro sobre Marcel Duchamp que un poema en honor de mi amigo Swaminathan, pintor-poeta. Escribí movido por la admiración, la curiosidad, la indignación, la complicidad, la sorpresa; para comentar una exposición o para presentar a un amigo; a pedido de un museo o de una revista. Ahora, al reunir mis dispersos trabajos sobre el arte y los artistas de México, me afligen las insuficiencias y las ausencias. Son muchas y grandes. En mi defensa aclaro que no intenté escribir una historia del arte de mi país sino, al margen de su historia, anotar unos cuantos comentarios rápidos: signos de admiración de un viajero.

Nada diré de mis escritos sobre el arte antiguo: su índole misma explica (y quizá justifica) que en uno de sus extremos sean esquemáticos y, en el otro, fragmentarios. Diré menos aún acerca de mi silencio sobre el arte de Nueva España. En otros trabajos me he referido, aunque haya sido de paso, a la arquitectura novohispana, que es, para mí, con su poesía, la gran creación de esa época. Agrego: grande en México y en el mundo. Al llegar al neoclasicismo y al romanticismo, las lagunas se hacen inmensas: me siento lejos del arte anémico de nuestro siglo XIX. Pero me fastidia no haber dicho nada de José María Estrada y de los pintores populares. Otro pesar: me hubiera gustado saber más del olvidado Mariano Silva Vandeira, curioso pintor descubierto por Montenegro y sobre el que escribió Villaurrutia dos páginas lúcidas. ¿Y Ruelas? Quizá murió demasiado pronto. ¿Y Clausell? Quizá llegó demasiado tarde.

Mis remordimientos aumentan ante el periodo contemporáneo. Confieso que me duelen más las ausencias que las insuficiencias. Estas últimas son congénitas, pertenecen a mi naturaleza; en cambio, las ausencias son pecados aunque, la mayor parte, pecados involuntarios. Me siento en deuda, sobre todo, con Carlos Mérida, Julio Castellanos, Agustín Lazo y Alfonso Michell. No me perdono no haber escrito nada sobre dos mujeres. Una es Frida Kahlo, a la que admiré intensamente desde que vi por primera vez un cuadro suyo en aquella exposición surrealista en 1938, en la galería de Inés Amor. La otra es María Izquierdo, que todavía espera reconocimiento. Las ausencias más sensibles son las de algunos pintores que hoy están en su madurez. No los mencionaré para no avergonzarme aún más. Sin embargo, debo citar al menos dos nombres: el de Vicente Rojo y el de Brian Nissen. El primero es riguroso como un geómetra y sensible como un poeta; el segundo es un inventor de formas sólidas que de pronto, arrebatadas por un soplo entusiasta, se echan a volar: súbito polen multicolor. Una y otra vez he intentado escribir sobre estos artistas; una y otra vez he desistido. Todavía espero la media hora favorable.*

* A medida que pasa el tiempo, aumentan mis deudas con los artistas y mi incapacidad para satisfacerlas: Ya en prensa este libro, visité una notable exposición de Arnaldo Coen. No fue un descubri-

32

La omisión de los jóvenes es natural. No me he sentido con autoridad ni conocimiento para hablar de obras y personalidades en gestación.

A pesar de tantos defectos y lagunas, no todo ha sido pérdida. Combatí por la libertad del arte cuando los dogmáticos y las diaconisas delirantes distribuían anatemas y excomuniones como pan maldito; defendí a Tamayo, a Gerzso y a los otros artistas independientes cuando los cuestores y los censores con su tropa de alguaciles y alguacilas los amenazaban con el sambenito y la coraza de los herejes y los relapsos; me negué a confundir la bandera tricolor con la pintura y a los catecismos del realismo socialista con la estética. Fue una pelea solitaria, pero a la mitad aparecieron aliados inesperados: Alberto Gironella, José Luis Cuevas y, un poco después, los pintores que surgieron hacia 1960. Esta nueva generación tuvo la fortuna de encontrar un crítico generoso e inteligente: Juan García Ponce. Desde entonces hemos sido testigos de muchos cambios. No los apruebo todos. Incluso, lo confieso, algunos me aterran. Quizá no sea ocioso que me arriesgue una vez más y diga lo que pienso del panorama actual.

La pintura moderna mexicana se inició hacia 1920. Nació bajo el patrocinio del Estado; no contó con un mercado interno apreciable pero sí conquistó en los Estados Unidos un público devoto, críticos entusiastas y mecenas generosos. Orozco, Rivera y Siqueiros pintaron murales en Nueva York, Chicago, Los Ángeles y otras ciudades, mientras sus obras de caballete figuraron en muchas colecciones privadas y fueron colgadas en los principales museos. Además, varios artistas norteamericanos que después

miento —conocía y estimaba su obra anterior— sino la *revelación* de un pintor ya dueño de sus medios y de sus obsesiones. Algo semejante me ha ocurrido con otro artista excelente: Roger von Gunten.

33

serían famosos trabajaron al lado de ellos o sufrieron su influencia. Éste es un capítulo de la historia del arte de los dos países que todavía está por escribirse. El segundo periodo no fue menos brillante y está representado sobre todo por un nombre: Rufino Tamayo. Rebelde solitario, rompió con el arte oficial y el nacionalismo epidérmico. No temió quedarse solo; sufrió en México la indiferencia de unos y la hostilidad de otros; fuera del país lo supieron reconocer, primero en los Estados Unidos y después en el mundo entero. Hoy sus obras figuran en las grandes colecciones privadas y en las de los principales museos de América, Europa y Asia. Los artistas que llegaron después han encontrado más y más difícil penetrar en el ámbito internacional. Estas dificultades se han vuelto poco menos que insuperables para los más jóvenes. ¿Descenso del talento creador y de la fantasía? No: los artistas jóvenes de los otros países —salvo los agraciados por la fortuita conjunción del mercado y las galerías— se enfrentan a los mismos obstáculos.

Estamos ante un fenómeno histórico —quiero decir: estético, social, económico y espiritual— que afecta a todas las artes y que, en verdad, es un aspecto de la crisis universal de la civilización moderna. En la esfera del arte vivimos desde hace años la declinación de la vanguardia, enferma hasta la raíz de dos males gemelos aunque antitéticos: la autoimitación académica y la proliferación de estilos y maneras. La pintura, la escultura y la novela han sido más dañadas que la música y la poesía porque dependen más estrechamente de los manejos mercantilistas y financieros. El movimiento moderno nació un poco antes de la Primera Guerra y en diversos sitios a la vez: París, Milán, Colonia, Berlín, Petrogrado. No tardó en extenderse al continente americano y su primer centro realmente original y vivo estuvo en México, entre 1920 y 1940. Poco

34

a poco, por diversas causas, esos centros se extinguieron, mientras crecía la influencia de Nueva York, que hoy es hegemónica. En esa gran ciudad nació el expresionismo abstracto; después fue el teatro de las actividades de no pocos artistas de indudable talento y originalidad, como Robert Rauschenberg y Jaspers Johns. Al mismo tiempo, el mercado artístico se ha transformado radicalmente: antes seguía los cambios del arte, ahora los dirige. En el Renacimiento nació una forma de producción y distribución de las obras de arte que hoy se extingue. No insistiré sobre el tema: lo he tratado en otros escritos. Tampoco me extenderé sobre el remedio: la resurrección o el nacimiento de centros locales frente a la impersonalidad del mercado internacional y sus modas.*

Apenas si necesito decir que no predico un nacionalismo anacrónico; creo y he creído siempre que las artes traspasan todos los muros, aduanas y fronteras. Pero la creación artística nunca es imitación pasiva: es lucha, pelea. El artista verdadero es aquel que dice *no* incluso cuando dice *sí*. El remedio que propongo es simple aunque de difícil ejecución: si México quiere ser, tiene que volver a ser, como ya empieza a ocurrir en otras partes del mundo, un centro autónomo de creación y distribución de obras de arte. Autónomo no quiere decir cerrado sino independiente. En el pasado el Estado fue el gran protector de las artes; hoy esta tarea le corresponde a la sociedad entera. Es arduo, no imposible: el paso que se ha dado en el campo de la literatura puede darse en el de la pintura, la escultura y la música. Al comenzar estas páginas aludí a la libre comunidad de los artistas con la que se inició el movimiento moderno: poetas, músicos, pintores y escultores.

* Véase en este volumen ''El precio y la significación'' y ''Pintura mexicana contemporánea'', pp. 373-395 y 468-474 respectivamente.

Fue una sociedad dentro de la sociedad y unida a ella por los lazos, a veces polémicos y contradictorios, de la convivencia. Rehacer esa comunidad será, otra vez, regresar al comienzo. Recomienzo: creación y participación.

México, a 1 de marzo de 1986

ARTE PRECOLOMBINO

EL ARTE DE MÉXICO:
MATERIA Y SENTIDO*

DIOSA, DEMONIA, OBRA MAESTRA

EL 13 DE agosto de 1790, mientras ejecutaban unas obras municipales y removían el piso de la Plaza Mayor de la ciudad de México, los trabajadores descubrieron una estatua colosal. La desenterraron y resultó ser una escultura de la diosa Coatlicue, "la de la falda de serpientes". El virrey Revillagigedo dispuso inmediatamente que fuese llevada a la Real y Pontificia Universidad de México como "un monumento de la antigüedad americana". Años antes Carlos III había donado a la Universidad una colección de copias en yeso de obras grecorromanas y la *Coatlicue* fue colocada entre ellas. No por mucho tiempo: a los pocos meses, los doctores universitarios decidieron que se volviese a enterrar en el mismo sitio en que había sido encontrada. La imagen azteca no sólo podía avivar entre los indios la memoria de sus antiguas creencias sino que su presencia en los claustros era una afrenta a la idea misma de la belleza. No obstante, el erudito Antonio de León y Gama tuvo tiempo de hacer una descripción de la estatua y de otra piedra que había sido encontrada cerca de ella: el Calendario Azteca.

Las notas de León y Gama no se publicaron sino hasta 1804 en Roma. El barón Alejandro de Humboldt, duran-

* Prólogo al catálogo de la Exposición de Arte Mexicano en Madrid, 1977.

te su estancia en México, el mismo año, muy probablemente las leyó en esa traducción italiana.* Pidió entonces, según refiere el historiador Ignacio Bernal, que se le dejase examinar la estatua. Las autoridades accedieron, la desenterraron y, una vez que el sabio alemán hubo satisfecho su curiosidad, volvieron a enterrarla. La presencia de la estatua terrible era insoportable.

La *Coatlicue Mayor* —así la llaman ahora los arqueólogos para distinguirla de otras esculturas de la misma deidad— no fue desenterrada definitivamente sino años después de la Independencia. Primero la arrinconaron en un patio de la Universidad; después estuvo en un pasillo, tras un biombo, como un objeto alternativamente de curiosidad y bochorno; más tarde la colocaron en un lugar visible, como una pieza de interés científico e histórico; hoy ocupa un lugar central en la gran sala del Museo Nacional de Antropología consagrada a la cultura azteca. La carrera de la *Coatlicue* —de diosa a demonio, de demonio a monstruo y de monstruo a obra maestra— ilustra los cambios de sensibilidad que hemos experimentado durante los últimos cuatrocientos años. Esos cambios reflejan la progresiva secularización que distingue a la modernidad. Entre el sacerdote azteca que la veneraba como una diosa y el fraile español que la veía como una manifestación demoníaca, la oposición no es tan profunda como parece a primera vista; para ambos la *Coatlicue* era una presencia sobrenatural, un "misterio tremendo". La divergencia entre la actitud del siglo XVIII y la del siglo XX encubre asimismo una semejanza: la reprobación del primero y el entusiasmo del segundo son de orden predominantemer.te intelectual y estético. Desde fines del siglo XVIII la *Coa-*

* Cf. Gutierre Tibón, *Historia del nombre y de la fundación de México*, FCE, México, 1975.

tlicue abandona el territorio magnético de lo sobrenatural y penetra en los corredores de la especulación estética y antropológica. Cesa de ser una cristalización de los poderes del otro mundo y se convierte en un episodio en la historia de las creencias de los hombres. Al dejar el templo por el museo, cambia de naturaleza ya que no de apariencia.

A pesar de todos estos cambios, la *Coatlicue* sigue siendo la misma. No ha dejado de ser el bloque de piedra de forma vagamente humana y cubierto de atributos aterradores que untaban con sangre y sahumaban con incienso de copal en el Templo Mayor de Tenochtitlan. Pero no pienso únicamente en su aspecto material sino en su irradiación psíquica: como hace cuatrocientos años, la estatua es un objeto que, simultáneamente, nos atrae y nos repele, nos seduce y nos horroriza. Conserva intactos sus poderes, aunque hayan cambiado el lugar y el modo de su manifestación. En lo alto de la pirámide o enterrada entre los escombros de un *teocalli* derruido, escondida entre los trebejos de un gabinete de antigüedades o en el centro de un museo, la *Coatlicue* provoca nuestro asombro. Imposible no detenerse ante ella, así sea por un minuto. Suspensión del ánimo: la masa de piedra, enigma labrado, paraliza nuestra mirada. No importa cuál sea la sensación que sucede a ese instante de inmovilidad: admiración, horror, entusiasmo, curiosidad —la realidad, una vez más, sin cesar de ser lo que vemos, se muestra como aquello que está más allá de lo que vemos. Lo que llamamos "obra de arte" —designación equívoca, sobre todo aplicada a las obras de las civilizaciones antiguas— no es tal vez sino una configuración de signos. Cada espectador combina esos signos de una manera distinta y cada combinación emite un significado diferente. Sin embargo, la pluralidad de significados se resuelve en un *sentido* único, siempre el mismo. Un sentido que es inseparable de lo sentido.

El desenterramiento de la *Coatlicue* repite, en el modo menor, lo que debió haber experimentado la conciencia europea ante el descubrimiento de América. Las nuevas tierras aparecieron como una dimensión desconocida de la realidad. El Viejo Mundo estaba regido por la tríada: tres tiempos, tres edades, tres humores, tres personas, tres continentes. América no cabía, literalmente, en la visión tradicional del mundo. Después del descubrimiento, la tríada perdió sus privilegios. No más tres dimensiones y una sola realidad verdadera: América añadía otra dimensión, la cuarta, la dimensión desconocida. A su vez, la nueva dimensión no estaba regida por el principio trinitario sino por la cifra cuatro. Para los indios americanos el espacio y el tiempo, mejor dicho: el espacio/tiempo, dimensión una y dual de la realidad, obedecía a la ordenación de los cuatro puntos cardinales: cuatro destinos, cuatro dioses, cuatro colores, cuatro eras, cuatro trasmundos. Cada dios tenía cuatro aspectos; cada espacio, cuatro direcciones; cada realidad, cuatro caras. El cuarto continente había surgido como una presencia plena, palpable, henchida de sí, con sus montañas y sus ríos, sus desiertos y sus selvas, sus dioses quiméricos y sus riquezas contantes y sonantes —lo real en sus expresiones más inmediatas y lo maravilloso en sus manifestaciones más delirantes. No otra realidad sino el otro aspecto, la otra dimensión de la realidad. América, como la *Coatlicue*, era la revelación visible, pétrea, de los poderes invisibles.

A medida que las nuevas tierras se desplegaban ante los ojos de los europeos, revelaban que no sólo eran una naturaleza sino una historia. Para los primeros misioneros españoles, las sociedades indias se presentaron como un misterio teológico. La *Historia general de las cosas de Nueva España* es un libro extraordinario, una de las obras con que comienza —y comienza admirablemente— la ciencia antropológica, pero su autor, Bernardino de Sahagún, creyó siempre que la religión de los antiguos mexicanos era una añagaza de Satanás y que había que extirparla del alma india. Más tarde el misterio teológico se transformó en problema histórico. Cambió la perspectiva intelectual, no la dificultad. A diferencia de lo que ocurría con persas, egipcios o babilonios, las civilizaciones de América no eran más antiguas que la europea: eran diferentes. Su diferencia era radical, una verdadera *otredad*.

Por más aislados que hayan estado los centros de civilización en el Viejo Mundo, siempre hubo relaciones y contactos entre los pueblos del Mediterráneo y los del Cercano Oriente y entre éstos y los de la India y el Extremo Oriente. Los persas y los griegos estuvieron en la India y el budismo indio penetró en China, Corea y Japón. En cambio, aunque no es posible excluir enteramente la posibilidad de contactos entre las civilizaciones de Asia y las de América, es claro que estas últimas no conocieron nada equivalente a la transfusión de ideas, estilos, técnicas y religiones que vivificaron a las sociedades del Viejo Mundo. En la América precolombina no hubo influencias exteriores de la importancia de la astronomía babilonia en el Mediterráneo, el arte persa y griego en la India budista, el budismo mahayana en China, los ideogramas chinos y el pensamiento confuciano en Japón. Según parece, hubo contactos entre las sociedades mesoamericanas y las andinas, pero ambas civilizaciones poco o nada deben a las influencias extrañas. De las técnicas económicas a las formas artísticas y de la organización social a las concepciones cosmológicas y éticas, las dos grandes civilizaciones americanas fueron, en el sentido nato de la palabra, originales: su origen está en ellas. Esta originalidad fue, precisamente, una de las causas, quizá la decisiva, de su pérdida. Originalidad es sinónimo de *otredad* y ambas de aislamiento. Las dos civilizaciones americanas jamás conocieron algo que fue una experiencia repetida y constante de las sociedades del Viejo Mundo: la presencia del *otro*, la intrusión de civilizaciones y pueblos extraños. Por eso vieron a los españoles como seres llegados de otro mundo, como dioses o semidioses. La razón de su derrota no hay que buscarla tanto en su inferioridad técnica como en su soledad histórica. Entre sus ideas se encontraba la de otro mundo y sus dioses, no la de otra civilización y sus hombres.

La conciencia histórica europea se enfrentó desde el principio a las impenetrables civilizaciones americanas. A partir de la segunda mitad del siglo XVI se multiplicaron las tentativas para suprimir unas diferencias que parecían negar la unidad de la especie humana. Algunos sostuvieron que los antiguos mexicanos eran una de las tribus perdidas de Israel; otros les atribuían un origen fenicio o cartaginés; otros más, como el sabio mexicano Sigüenza y Góngora, sobrino del gran poeta por el lado materno, pensaban que la semejanza entre algunos ritos mexicanos y cristianos era un eco deformado de la prédica del Evangelio por el apóstol Santo Tomás, conocido entre los indios bajo el nombre de Quetzalcóatl (Sigüenza también creía que Neptuno había sido un caudillo civilizador, origen de los mexicanos); el jesuita Atanasio Kircher, enciclopedia andante, atacado de egiptomanía, dictaminó que la civilización de México, como se veía por las pirámides y otros indicios, era una versión ultramarina de la de Egipto —opinión que debe haber encantado a su lectora y admiradora, Sor Juana Inés de la Cruz... Después de cada una de estas operaciones de encubrimiento, la *otredad* americana reaparecía. Era irreductible. El reconocimiento de esa diferencia, al expirar el siglo XVIII, fue el comienzo de la verdadera comprensión. Reconocimiento que implica una paradoja: el puente entre yo y el otro no es una semejanza sino una diferencia. Lo que nos une no es un puente sino un abismo. El hombre es plural: los hombres.

LA PIEDRA Y EL MOVIMIENTO

El arte sobrevive a las sociedades que lo crean. Es la cresta visible de ese iceberg que es cada civilización hundida. La recuperación del arte del antiguo México se realizó en el siglo XX. Primero vino la investigación arqueológica e histórica; después, la comprensión estética. Se dice con frecuencia que esa comprensión es ilusoria: lo que sentimos ante un relieve de Palenque no es lo que sentía un maya. Es cierto. También lo es que nuestros sentimientos y pensamientos ante esa obra son reales. Nuestra comprensión no es ilusoria: es ambigua. Esta ambigüedad aparece en todas nuestras visiones de las obras de otras civilizaciones e incluso frente a las de nuestro propio pasado. No somos ni griegos, ni chinos, ni árabes; tampoco podemos decir que comprendemos cabalmente la escultura románica o la bizantina. Estamos condenados a la traducción y cada una de nuestras traducciones, trátese del arte gótico o del egipcio, es una metáfora, una transmutación del original.

En la recuperación del arte prehispánico de México se conjugaron dos circunstancias. La primera fue la Revolución Mexicana, que modificó profundamente la visión de nuestro pasado. La historia de México, sobre todo en sus dos grandes episodios: la Conquista y la Independencia, puede verse como una doble ruptura: la primera con el pasado indio, la segunda con el novohispano. La Revolución Mexicana fue una tentativa, realizada en parte, por reanudar los lazos rotos por la Conquista y la Independencia. Descubrimos de pronto que éramos, como dice el poeta López Velarde, ''una tierra castellana y morisca, rayada de azteca''. No es extraño que, deslumbrados por los restos brillantes de la antigua civilización, recién desenterrados por los arqueólogos, los mexicanos modernos hayamos querido recoger y exaltar ese pasado grandioso. Pero este cambio de visión histórica habría sido insuficiente de no coincidir con otro cambio en la sensibilidad estética de Occidente. El cambio fue lento y duró siglos. Se inició casi al mismo tiempo que la expansión europea y sus primeras expresiones se encuentran en las crónicas de los navegantes, conquistadores y misioneros españoles y portugueses. Después, en el XVII, los jesuitas descubren la civilización china y se enamoran de ella, una pasión que compartirán, un siglo más tarde, sus enemigos, los filósofos de la Ilustración. Al comenzar el XIX los románticos alemanes sufren una doble fascinación: el sánscrito y la literatura de la India —y así sucesivamente hasta que la conciencia estética moderna, al despuntar nuestro siglo, descubre las artes de África, América y Oceanía. El arte moderno de Occidente, que nos ha enseñado a ver lo mismo una máscara negra que un fetiche polinesio, nos abrió el camino para comprender el arte antiguo de México. Así, la *otredad* de la civilización mesoamericana se resuelve en lo contrario: gracias a la estética moderna, esas obras tan distantes son también nuestras contemporáneas.

He mencionado como rasgos constitutivos de la civilización mesoamericana la originalidad, el aislamiento y lo que no he tenido más remedio que llamar la *otredad*. Debo añadir otras dos características: la homogeneidad en el espacio y la continuidad en el tiempo. En el territorio mesoamericano —abrupto, variado y en el que coexisten todos los climas y los paisajes— surgieron varias culturas cuyos límites, *grosso modo*, coinciden con los de la geografía: el Noroeste, el Altiplano central, la costa del Golfo de México, el valle de Oaxaca, Yucatán y las tierras bajas del Sureste hasta Guatemala y Honduras. La diversidad de culturas, lenguas y estilos artísticos no rompe la unidad esencial de la civilización. Aunque no es fácil confundir una obra maya con una teotihuacana —los dos polos o extremos de Mesoamérica— en todas las grandes culturas aparecen ciertos elementos comunes. A continuación enumero los que me parecen salientes:

el cultivo del maíz, el frijol y la calabaza;

la ausencia de animales de tiro y, por lo tanto, de la rueda y del carro;

una tecnología más bien primitiva y que no llegó a rebasar la edad de piedra, salvo en ciertas actividades, como los exquisitos trabajos de orfebrería;

ciudades-Estados con un sistema social teocrático-militar y en las que la casta de los comerciantes ocupaba un lugar destacado;

escritura jeroglífica; códices; un complejo calendario basado en la combinación de un ''año'' de 260 días y otro, el solar, de 365 días;

el juego ritual con una pelota de hule (este juego es el antecedente de los deportes modernos en que dos equipos se disputan el triunfo con una pelota elástica, como el básquetbol y el futbol);

una ciencia astronómica muy avanzada, inseparable como en Babilonia de la astrología y de la casta sacerdotal;

centros de comercio no sin analogías con los modernos ''puertos libres'';

una visión del mundo que conjugaba las revoluciones de los astros y los ritmos de la naturaleza en una suerte de danza del universo, expresión de la guerra cósmica que, a su vez, era el arquetipo de las guerras rituales y de los sacrificios humanos en grande escala;

un sistema ético-religioso de gran severidad y que incluía prácticas como la confesión y la automutilación;

una especulación cosmológica en la que desempeñaba una función cardinal la noción del tiempo, impresionante por su énfasis en los conceptos de movimiento, cambio y catástrofe —una cosmología que, como ha mostrado Jacques Soustelle, fue también una filosofía de la historia;

un panteón religioso regido por el principio de la metamorfosis: el universo es tiempo, el tiempo es movimiento y el movimiento es cambio, ballet de dioses enmascarados que danzan la pantomima terrible de la creación y destrucción de los mundos y los hombres;

un arte que maravilló a Durero antes de asombrar a Baudelaire, y en el que se han reconocido temperamentos tan diversos como los surrealistas y Henry Moore;

una poesía que combina la suntuosidad de las imágenes con la penetración metafísica.

La continuidad en el tiempo no es menos notable que la unidad en el espacio: cuatro mil años de existencia desde el nacimiento en las aldeas del neolítico hasta la muerte en el siglo XVI. La civilización mesoamericana, en sentido estricto, comienza hacia 1200 antes de Cristo con una cultura que, *faute de mieux*, llamamos *olmeca*. A los olmecas se les debe, entre otras cosas, la escritura jeroglífica, el calendario, los primeros avances en la astronomía, la escultura monumental (las cabezas colosales) y el impar, salvo en China, tallado del jade. Los olmecas son el tronco común de las grandes ramas de la civilización mesoamericana: Teotihuacan en el Altiplano, El Tajín en el Golfo, los zapotecas (Monte Albán) en Oaxaca, los mayas en Yucatán y en las tierras bajas del Sureste, Guatemala y Honduras. Este periodo es el del apogeo. Se inicia hacia 300 después de Cristo y se caracteriza por la formación de Estados-ciudades gobernados por teocracias poderosas. Al final de esta época, aparecen los bárbaros por el Norte y crean nuevos Estados. Comienza otra etapa, acentuadamente militarista. En 856, en el Altiplano, a imagen y semejanza de Teotihuacan —la Alejandría y la Roma mesoamericana—, se funda Tula. Su influencia se extiende, en el siglo X, hasta Yucatán (Chichen Itzá). En Oaxaca declinan los zapotecas, desplazados por los mixtecas. En el Golfo: huastecas y totonacas. Derrumbe de Tula en el siglo XII. Otra vez los "reinos combatientes", como en la China anterior a los Han. Los aztecas fundan México-Tenochtitlan en 1325. La nueva capital está habitada por el espectro de Tula que, a su vez, lo estuvo por el de Teotihuacan. México-Tenochtitlan fue una verdadera ciudad imperial y a la llegada de Cortés, en 1519, contaba con más de medio millón de habitantes.

En la historia de Mesoamérica, como en la de todas las civilizaciones, hubo grandes agitaciones y revueltas pero no cambios sustanciales como, por ejemplo, en Europa, la transformación del mundo antiguo por el cristianismo. Los arquetipos culturales fueron esencialmente los mismos desde los olmecas hasta el derrumbe final. Otro rasgo notable y quizás único: la coexistencia de un indudable primitivismo en materia técnica —ya señalé que en muchos aspectos los mesoamericanos no rebasaron el neolítico— con altas concepciones religiosas y un arte de gran complejidad y refinamiento. Sus descubrimientos e inventos fueron numerosos y entre ellos hubo dos realmente excepcionales: el del cero y el de la numeración por posiciones. Ambos fueron hechos antes que en la India y con entera independencia. Mesoamérica muestra, una vez más, que una civilización no se mide, al menos exclusivamente, por sus técnicas de producción sino por su pensamiento, su arte y sus logros morales y políticos.

En Mesoamérica coexistió una alta civilización con una vida rural no muy alejada de la que conocieron las aldeas arcaicas antes de la revolución urbana. Esta división se refleja en el arte. Los artesanos de las aldeas fabricaron objetos de uso diario, generalmente en arcilla y otras materias frágiles, que nos encantan por su gracia, su fantasía, su humor. Entre ellos la utilidad no está reñida con la belleza. A este tipo de arte pertenecen también muchos objetos mágicos, transmisores de esa energía psíquica que los estoicos llamaban la "simpatía universal", ese fluido vital que une a los seres animados —hombres, animales, plantas— con los elementos, los planetas y los astros. El otro arte es el de las grandes culturas. El arte religioso de las teocracias y el arte aristocrático de los príncipes. El primero fue casi siempre monumental y público; el segundo, ceremonial y suntuario. La civilización mesoamericana, como tantas otras, no conoció la experiencia estética pura; quiero decir, lo mismo ante el arte popular y mágico que ante el religioso, el goce estético no se daba aislado sino unido a otras experiencias. La belleza no era un valor aislado; en unos casos estaba unida a los valores religiosos y en otros a la utilidad. El arte no era un fin en sí mismo sino un puente o un talismán. Puente: la obra de arte nos lleva del aquí de ahora a un allá en otro tiempo. Talismán: la obra cambia la realidad que vemos por otra: Coatlicue es la tierra, el sol es un jaguar, la luna es la cabeza de una diosa decapitada. La obra de arte es un medio, un agente de transmisión de fuerzas y poderes sagrados, *otros*. La función del arte es abrirnos las puertas que dan al otro lado de la realidad.

He hablado de belleza. Es un error. La palabra que le conviene al arte mesoamericano es *expresión*. Es un arte que *dice*, pero lo que dice lo dice con tal concentrada energía que ese decir es siempre expresivo. Expresar: exprimir el zumo, la esencia, no sólo de la idea sino de la forma. Una deidad maya cubierta de atributos y signos no es una escultura que podemos leer como un texto sino un texto/escultura. Fusión de lectura y contemplación, dos actos disociados en Occidente. La *Coatlicue mayor* nos sorprende no sólo por sus dimensiones —dos metros y medio de altura y dos toneladas de peso— sino por ser un concepto petrificado. Si el concepto es terrible —la tierra, para crear, devora— la expresión que lo manifiesta es enigmática: cada atributo de la divinidad —colmillos, lengua bífida, serpientes, cráneos, manos cortadas— está representado de una manera realista, pero el conjunto es una abstracción. La *Coatlicue* es, simultáneamente, una charada, un silogismo y una presencia que condensa un "misterio tremendo". Los atributos realistas se asocian conforme a una sintaxis sagrada y la frase que resulta es una metáfora que conjuga los tres tiempos y las cuatro direcciones. Un cubo de piedra que es asimismo una metafísica. Cierto, el peligro de este arte es la falta de humor, la pedantería del teólogo sanguinario. (Los teólogos sostienen, en todas las religiones, relaciones íntimas con los verdugos.) Al mismo tiempo, ¿cómo no ver en este rigor una doble lealtad a la idea y a la materia en que se manifiesta: piedra, barro, hueso, madera, plumas, metal? La "petricidad" de la escultura mexicana que tanto admira Henry Moore es la otra cara de su no menos admirable rigor conceptual. Fusión de la materia y el sentido: la piedra dice, es idea; y la idea se vuelve piedra.

El arte mesoamericano es una lógica de las formas, las líneas y los volúmenes que es asimismo una cosmología. Nada más lejos del naturalismo grecorromano y renacentista, basado en la representación del cuerpo humano, que la concepción mesoamericana del espacio y del tiempo. Para el artista maya o zapoteca el espacio es fluido, es tiempo vuelto extensión; y el tiempo es sólido: un bloque, un cubo. Espacio que transcurre y tiempo fijo: dos extremos del movimiento cósmico. Convergencias y separaciones de ese ballet en el que los danzantes son astros y dioses. El movimiento es danza, la danza es juego, el juego es guerra: creación y destrucción. El hombre no ocupa el centro del juego pero es el dador de sangre, la substancia preciosa que mueve al mundo y por la que el sol sale y el maíz crece.

Paul Westheim señala la importancia de la greca escalonada, estilización de la serpiente, del zig-zag del rayo y del viento que riza la superficie del agua y hace ondular el sembrado de maíz. También es la representación del grano de maíz que desciende y asciende de la tierra como el sacerdote sube y baja las escaleras de la pirámide y como el sol trepa por el oriente y se precipita por el poniente. Signo del movimiento, la greca escalonada es la escalera de la pirámide y la pirámide no es sino tiempo vuelto geometría, espacio. La pirámide de Tenayuca tiene 52 cabezas de serpientes: los 52 años del siglo azteca. La de Kukulkán en Chichén Itzá tiene nueve terrazas dobles (los 18 meses del año) y las gradas de sus escaleras son 364 más una de la plataforma superior (los 365 días del calendario solar). En Teotihuacán las dos escaleras de la pirámide del Sol tienen cada una 182 gradas (364 más una de la plataforma de la cúspide) y el templo de Quetzalcóatl ostenta 364 fauces de serpientes. En El Tajín la pirámide tiene 364 nichos más uno escondido. Nupcias del espacio y el tiempo, representación del movimiento por una geometría pétrea. ¿Y el hombre? Es uno de los signos que el movimiento universal traza, borra, traza, borra... "El Dador de Vida — dice el poema azteca — escribe con flores". Sus cantos sombrean y colorean a los que han de vivir. Somos seres de carne y hueso pero inconsistentes como sombras pintadas y coloreadas: "solamente en tu pintura vivimos, aquí en la tierra".

El arte de la Nueva España y el del México independiente no necesitan una presentación extensa. Abarcan un periodo de cuatrocientos cincuenta años, mientras que el de Mesoamérica dura tres milenios.

El siglo XVI fue el siglo de la gran destrucción y, asimismo, el de la gran construcción. Siglo conquistador y misionero pero también arquitecto y albañil: fortalezas, conventos, palacios, iglesias, capillas abiertas, hospitales, colegios, acueductos, fuentes, puentes. Fundación de ciudades, a veces sobre las ruinas de las ciudades indias. En general, la traza era la cuadriculada, con la plaza al centro, de origen romano. En los sitios montañosos se acudió a la traza mora, irregular. Trasplante de los estilos artísticos de la época pero con cierto retraso y anarquía: el mudéjar, el gótico, el plateresco, el renacentista. Esta mezcla es muy hispánica y le convino perfectamente a México, tierra en la que se despliega como en ninguna la dialéctica, hecha de conjunciones y disyunciones, de los opuestos: la luz y la sombra, lo femenino y lo masculino, la vida y la muerte, el sí y el no. El siglo XVII adopta y adapta el barroco, estilo que ha dejado en México muchas obras de verdad memorables. El barroco, combinado con un churrigueresco que exagera al de España, continúa felizmente hasta bien entrado el XVIII. Este siglo, me parece, es más rico y fecundo, en materia de arquitectura, en Nueva España que en España. La Independencia nos sorprende en pleno neoclasicismo, un estilo que no se adaptaba ni a la tradición mexicana ni al momento que vivía el país. El último testimonio sobre la ciudad de México es de Humboldt. La llama ''la ciudad de los palacios''. El elogio era exagerado pero contenía un adarme de verdad: Boston era en aquellos años una aldea grande.

El arte de Nueva España comenzó por ser un arte transplantado. Pronto adquirió características propias. Inspirados en los modelos españoles, los artistas novohispanos fueron probablemente los más españolizantes de todo el continente; al mismo tiempo, hay algo en sus obras, difícilmente definible, que no aparece en sus modelos. ¿Lo indio? No. Más bien una suerte de desviación del arquetipo hispánico, ya sea por exageración o por ironía, por la factura cuidadosa o por el giro insólito de la fantasía. La voluntad de estilo rompe la norma al subrayar la línea o complicar el dibujo. El arte de Nueva España delata un deseo de ir más allá del modelo. El criollo se siente como carencia: no es sino una aspiración a ser y sólo llega a ser cuando ha tocado los extremos. De ahí sus oscilaciones psíquicas, sus entusiasmos y sus letargos, su amor a las formas que le dan seguridad y decoro y su amor a distender y complicar esas mismas formas hasta dislocarlas.

Nueva España produjo una muy decorosa pintura, aunque inferior a la de España, una excelente escultura y una arquitectura realmente extraordinaria. Una civilización no es solamente un conjunto de técnicas. Tampoco es una visión del mundo: es un mundo. Un todo: utensilios, obras, instituciones, colectividades e individuos regidos por un orden. Las dos manifestaciones más perfectas de ese orden son la ciudad y el lenguaje. Por sus ciudades y por sus obras poéticas Nueva España fue una civilización. En el dominio del lenguaje se observa el mismo fenómeno que en el de la arquitectura: un cierto *décalage* entre el tiempo de Europa y el de México. Esta diferencia no siempre fue desafortunada. Por ejemplo, la decadencia de la poesía barroca en España, a fines del siglo XVII, coincide con el apogeo en México de la misma manera: a las *Soledades* de Góngora, el poema central del XVII en España, corresponde —o, más bien, responde— cincuenta años más tarde

54

el *Primero sueño* de Sor Juana Inés de la Cruz. ¿La obra de la monja mexicana representa un fin o un comienzo? Desde el punto de vista de la historia de los estilos, con ella acaba una gran época de la poesía de nuestra lengua; desde la perspectiva de la historia del espíritu humano, con ella comienza algo que todavía no termina: el feminismo. Fue la primera mujer de nuestra cultura que no sólo tuvo conciencia de mujer y escritora sino que defendió su derecho a serlo. Sería apasionante emprender un estudio comparativo de las dos grandes figuras femeninas de América durante el periodo colonial: Juana Inés de la Cruz, la Décima Musa mexicana, y Ann Bradstreet, la Décima Musa norteamericana. El contraste entre la arquitectura de la ciudad de México y la de Boston —una monumental, complicada y ricamente ornamental como una fiesta barroca, y la otra simple, desnuda y entre utilitaria y ascética— se reproduce en las obras de estas dos notables mujeres.

El siglo XIX fue un siglo de luchas, invasiones, desgarramientos, mutilaciones y búsquedas. Una época desdichada, como en España y en la mayoría de los pueblos de nuestra cultura. Al final, surge un gran artista: José Guadalupe Posada. En el prólogo a su *Antología del humor negro*, André Breton observa que el humor, salvo en la obra de Goya y de Hogarth, no aparece en la tradición de las artes visuales de Occidente. Y agrega: "El triunfo del humor al estado puro y pleno, en el dominio de la plástica, debe situarse en una fecha más próxima a nosotros y reconocer como a su primer y genial artesano al artista mexicano José Guadalupe Posada...". Más adelante Breton no vacila en comparar los grabados en madera de Posada, en blanco y negro, con ciertas obras surrealistas, especialmente los *collages* de Max Ernst. Añado que con Posada no sólo comienza el humor en las artes plásticas modernas sino también el movimiento pictórico mexicano. A pesar de que murió en 1913, Diego Rivera y José Clemente Orozco lo consideraron siempre no como un precursor sino como un contemporáneo suyo. Tenían razón. Me atreveré a decir que incluso Posada me parece más moderno que ellos. Entre los pintores mexicanos, José Clemente Orozco es el más cercano a Posada; pero en Orozco el humor negro de Posada se transforma en sarcasmo, es decir, en idea. Y la idea, la carga ideológica y didáctica, es el obstáculo que se interpone con frecuencia entre el espectador moderno y la pintura de Rivera, Orozco y Siqueiros. Sobre esto hay que repetir, una vez más, que la pintura no es la ideología que la recubre sino las formas y colores con que el pintor, muchas veces involuntariamente, se descubre y nos descubre su mundo.

La pintura mexicana moderna es el resultado de la confluencia, como en el caso del descubrimiento del arte prehispánico, de dos revoluciones: la social de México y la artística de Occidente. Rivera participó en el movimiento cubista. Siqueiros se interesó en los experimentos futuristas y Orozco presenta más de una afinidad con los expresionistas. Al mismo tiempo, los tres vivieron intensamente los episodios revolucionarios y sus secuelas. Rivera y Siqueiros fueron hombres de partido con programas y esquemas estéticos y políticos; Orozco, más libre y puro, anarquista y conservador a un tiempo, solitario, fue un verdadero rebelde. A pesar de que gran parte de la obra de estos tres pintores es un comentario plástico de nuestra historia y especialmente de la Revolución Mexicana, su importancia no reside en sus opiniones y actitudes políticas. La obra misma, en los tres casos —aunque con diferencias capitales entre ellos—, es notable por su energía plástica y su diversidad. Tres pintores poderosos, inconfundibles, desiguales.

En su momento, los tres ejercieron una gran influencia, dentro y fuera de México. Por ejemplo, la presencia de Siqueiros es visible en las primeras obras de Pollock y la de Orozco en el Tobey de los comienzos. El escultor y pintor Noguchi fue ayudante y colaborador de Rivera durante algún tiempo. La lista podría alargarse. Está todavía por escribirse el capítulo de la influencia de los pintores mexicanos sobre los norteamericanos antes de que éstos abrazasen el "expresionismo abstracto". Al mismo tiempo, la obra de los tres está unida a la historia moderna de México y en esta dependencia del acontecimiento se encuentra, contradictoriamente, su grandeza y su limitación. Encarnan los dos momentos centrales de la Revolución Mexicana: la vuelta a los orígenes, el redescubrimiento del México humillado y ofendido; y, en Orozco sobre todo, la desilusión, el sarcasmo, la denuncia —y la búsqueda. La pintura mexicana, claro está, no termina con ellos. Son su comienzo, su pasado inmediato. Entre 1925 y 1930 surgió un nuevo grupo de pintores, Rufino Tamayo y otros pocos más. Con ellos se inicia otra pintura, la actual. No fueron incluidos en esta exposición porque se prepara otra consagrada exclusivamente al arte mexicano contemporáneo.

La tradición del arte popular —otra denominación vaga— es muy antigua en México y remonta al neolítico. Una continuidad de verdad impresionante. En el periodo novohispano los artesanos mexicanos, después de haber adoptado las formas y motivos importados de España, recibieron influencias orientales: chinas, filipinas y aun de la India. El arte popular del siglo XIX, como el de nuestros días, es el resultado del cruce de todos estos estilos, épocas y civilizaciones. En el arte popular de México, como en los grabados de Posada, lo familiar se alía a lo fantástico, la utilidad se funde con el humor. Esos objetos son utensilios y son metáforas. Fueron hechos hoy mismo por artesanos anónimos que son, simultáneamente, nuestros contemporáneos y los de los artistas de las aldeas precolombinas. En verdad, esos objetos no son ni antiguos ni modernos: son un presente sin fechas.

Sin duda el espectador español experimentará, ante muchos de esos objetos, un sentimiento de familiaridad mezclado con otro de extrañeza. Por una parte, se reconocerá en ellos, por la otra, tendrá la sorpresa de lo inesperado. Entre estos polos se despliega la exposición de arte mexicano que se presenta este año de 1977 en Madrid y Barcelona: reconocimiento y descubrimiento. España puede verse en el espejo de esta exposición y, simultáneamente, descubrir otra dimensión de la realidad y del arte. Una dimensión ajena y suya. La mezcla de lo ya visto y lo nunca visto, de lo sólito y lo insólito, ¿no es lo que llamamos *iluminación* poética o estética? Rimbaud lo descubrió y lo dice, inolvidablemente, en una de sus *iluminaciones*: "Este ídolo, ojos negros y crin rubia, sin padres ni corte, más noble que la fábula, mexicana y flamenca...". El arte de la fiesta y el culto a la muerte como otro arte lujoso y en el que participan la sensualidad y la imaginación, fueron dones que Borgoña transmitió a España. Llegaron a México con los españoles de Carlos V y aquí encontraron a la danza india, los mantos de plumas, las máscaras de jade y los cráneos de turquesas. México y Flandes: dos extremos de España.

México, 1 de septiembre de 1977
Sábado 1, México, 19 de noviembre de 1977

58

OBRAS MAESTRAS DE MÉXICO
EN PARÍS*

HACE unos veinticinco años Toynbee reducía a seis las civilizaciones realmente originales: la egipcia, la sumeria, la sínica, la minoica, la maya y la andina. Las cuatro primeras, o sus descendientes, pronto entraron en relación, al grado de que la historia de los tres continentes en que nacieron es una historia común. Sería inútil hacer un catálogo de lo que deben los griegos a los egipcios, los chinos a los indios, los persas a los babilonios, los indios a los griegos, los europeos a los chinos. En cambio, la civilización de los Andes y la mesoamericana, que Toynbee llama con inexactitud maya, nacieron solas y solas crecieron. Separados del resto del mundo por dos océanos, aislados entre ellos por desiertos, montañas y selvas, sin disponer de ninguno de los animales domésticos de los otros continentes, menos afortunados que Robinson, dueño de los despojos de su barco, los indios americanos no tuvieron más remedio que inventarlo todo, desde la agricultura y las armas hasta la escritura, los dioses y la astronomía. Inclusive comenzaron antes del comienzo: el maíz, base de su alimentación durante milenios, no es una planta silvestre sino un híbrido, producto del ingenio humano. Haber ''inventado'' el maíz es una hazaña más sorprendente que la cons-

*Crónica sobre la exposición de arte mexicano celebrada en París en 1962. Escrito para un semanario de esa ciudad, este texto no podía ser un examen del arte precortesiano desde el punto de vista de la historia de la civilización mesoamericana y de sus estilos sino una presentación de orden general.

trucción de sus pirámides o la creación de sus mitos y poemas. No es extraño que lo hayan divinizado. Si el destino del hombre es adorar a sus criaturas, nada más legítimo que hacer del maíz una divinidad. Y la maravilla mayor consiste en que, verdaderamente, es un dios comestible.

El maíz no sólo es la semilla de la vida: es el arquetipo de las creaciones humanas. Las figurillas femeninas de Tlatilco son representaciones simbólicas de los granos; por eso, a veces, brotan dos caras sonrientes de un mismo cuerpo. En los relieves mayas se ve subir al joven dios del maíz desde las profundidades subterráneas por un árbol o una escalera de jade. Su crecimiento rige la sucesión de los ritos y el ritmo de las imágenes del poema; sus formas y colores inspiran todas las artes, desde las suntuarias hasta la escultura. Es el lugar de encuentro de las fuerzas naturales y sobrenaturales: está hecho de agua, tierra, sangre y sustancia divina. Tiene todos los colores; en su madurez es la deidad amarilla, como el sol. Sería falso, no obstante, reducir las concepciones religiosas de Mesoamérica a un mero culto agrícola. Los mayas, más atentos a la historia del cielo que a la de la Tierra, concibieron una religión que era también una astronomía y, a su manera, una filosofía de la historia. En Teotihuacan se elaboró una teología dualista y un ascetismo espiritual. Entre los toltecas encontramos un dios que se humaniza, reina entre los hombres, peca, se inmola voluntariamente y se transfigura en la estrella de la mañana. Los huastecos tenían una diosa de la confesión que era asimismo la patrona del placer carnal...

Nada más complejo que la religión de estos pueblos. Nada más preciso. Conciben al universo como movimiento; el mundo, en su origen, es dualidad: gemelos que se enlazan o combaten, sus abrazos y separaciones engendran las cuatro direcciones del espacio, los cuatro colores, los cuatro paraísos, los cuatro dioses, los cuatro destinos. Cada hombre nace en una fecha que es también un dios, un punto del espacio, un destino. La cifra cuatro es la cifra del universo; en el centro, ombligo o sexo del cosmos, está el punto fijo, el cinco, sol del movimiento. Nada reposa, excepto el centro; todo regresa y todo recomienza: los dioses nacen, crecen, envejecen, perecen, renacen. El hombre es un fragmento de la realidad: sobre sus hombros reposa la terrible carga de alimentar al movimiento universal. De ahí la necesidad de la penitencia, el sacrificio y la "guerra florida", doble terrestre de la guerra cósmica. La representación más perfecta del movimiento circular del universo es el calendario: la sustancia de la realidad es el tiempo actualizado y encarnado en un espacio. Cada división espacial está animada, imantada por un tiempo; el universo es un espacio-tiempo y su movimiento engendra distintos significados. Los antiguos mexicanos vivían en un mundo regido por la analogía, hecho de contradicciones y correspondencias.

Entre los mayas cada día era un dios, portador de una "carga de tiempo" fasto, nefasto o indiferente. Gracias a una ingeniosa combinación del calendario, cada 260 años terminaba un ciclo y comenzaba otro, siempre en el día *Ahau* (dios sol). Trece divinidades regían sucesivamente los periodos de 20 años en que estaba dividido cada ciclo. Obsesionados por la idea del tiempo, los mayas querían saber *de dónde venía* cada fecha, para utilizar su "carga" benéfica o, si era adversa, para neutralizarla por medio de ritos y sacrificios. El presente y el futuro eran el fatal resultado del pasado: no el de los hombres sino el de los astros. En una estela hay una inscripción que registra una fecha vertiginosa: 400 000 000 de años. Fue lo más lejos que llegaron en su exploración del pasado. La tentativa no era descabellada: les parecía la única manera de enfrentarse al presente y apoderarse del futuro. Esta inmensa investigación mágico-matemática al fin se reveló estéril: el tiempo es insondable.

Por más extraña que nos parezca la concepción del tiempo de los mayas, no deja de tener analogía con la nuestra. También para nosotros el tiempo se ha vuelto substancia impregnada de sentido; también nosotros queremos fabricar el futuro o, al menos, conjurarlo. Tiempo histórico o tiempo sagrado, filosofía de la historia y tecnología o pensamiento cosmológico son expresiones de una misma obsesión. La preocupación por el "fin del mundo" (o por el comienzo de otra era) es, quizá, lo que nos acerca a los antiguos mexicanos y nos hace ver con otros ojos sus creaciones. Ya no son, como hace un siglo, obras peregrinas, bárbaras o maravillosas. Son los signos de un destino. Imagen cifrada de la catástrofe, estas obras nos enseñan a mirar frente a frente las constelaciones y su movimiento. Pasamos del horror a la fascinación, de la fascinación a la contemplación. El arte vuelve a ser espejo del cosmos.

Un arte poseído por especulaciones de esta índole parecería estar condenado a ignorar la sonrisa y la sensualidad. Lo primero que nos sorprende, en el alba de esta civilización, es una serie de figurillas de muchachas, desnudas, danzantes y sonrientes. Inmersas en un presente dichoso, no les preocupa el movimiento de los astros sino la plenitud de un instante. Es notable también la extraña abundancia de enanos y otros seres disformes, misterio que aún no nos han explicado del todo los arqueólogos. Pero la nota que predomina es una suerte de alegría paradisiaca. La misma sensualidad y el mismo realismo ingenuo se advierten en las figuras de la costa del Pacífico.[1] Seducción de la

[1] Llamar "cultura de Occidente", como llaman nuestros arqueólogos al noroeste, zona marginal de la civilización mesoamericana, pue-

llamada "doncella de Occidente", desnuda como sólo están desnudas las mujeres y las flores y, como ellas, entreabierta: los cuerpos y la risa no se someten a la tiranía de las estrellas. Con mayor mesura y elegancia, las terracotas de Jaina se inspiran también en la vida diaria: un dios joven surge entre los pétalos de una flor y sonríe. Entre los totonacas la sonrisa se vuelve risa franca: cada figurilla agita una sonaja de fertilidad; todas ríen y cada risa es distinta. No sabíamos, ahogados por los símbolos, que la vida fuese tan variada. Arte dichoso o triste, pero que huye siempre de la solemnidad de la religión y de la política. Más que el realismo, la naturalidad; más que el símbolo, la fantasía. La sonrisa, hierática en Teotihuacan, desaparece casi completamente en la época histórica, a partir de Tula. El pueblo, no obstante, no la olvida en sus creaciones. Al margen de los estilos oficiales de las teocracias y los imperios, el arte popular es risueño hasta cuando es fúnebre. Aplastado por los dioses, los caudillos y los sistemas políticos y económicos, el pueblo mexicano produce desde hace miles de años obras frágiles y sonrientes. Con ellas nos dice que la vida cotidiana es maravillosa.

En el otro extremo, el arte monumental: la cabeza "olmeca", el "atlante" de Tula, el *Chac-Mool* maya-tolteca, el monumento conmemorativo de la construcción del Templo Mayor de Tenochtitlan... La cabeza "olmeca" no es una escultura: es un gigantesco fruto de piedra caído del cielo. El "atlante" tolteca provoca la sorpresa, no la admiración: es grande sin grandeza. Tula muestra el tránsito del arte sagrado al oficial: todo lo que se me ocurre decir de esa piedra es que mide cinco metros y pesa siete toneladas. El *Chac-Mool*, obra de la misma tradición, nos conduce de nuevo al arte propiamente dicho: hieratismo sin

de ser exacto desde el punto de vista de la geografía nacional pero revela una soberana indiferencia por la historia universal.

pesadez. Dentro de esta línea estética —y ya en pleno periodo histórico: recreación en arte y sincretismo en religión—, una de las piezas más impresionantes es el monumento que erigieron los aztecas en 1507 para conmemorar la edificación del Gran Teocalli. El signo de "agua quemada" (lucha de los contrarios hasta su sangrante fusión) se impone con una plenitud y una ferocidad grandiosas. Imposible describirlo: no es un monumento sino un poema. Más que contemplarlo hay que leerlo; cada línea posee un significado, cada figura es un manojo de símbolos. Como en el arte "olmeca", no es escultura en piedra sino piedra-escultura.

El arte que yo prefiero, equidistante del arcaico-popular y del monumental, nos fascina sin aplastarnos. Es grave sin pesadez y posee una voluntad de estilo, una conciencia, ausente de las figurillas de Tlatilco y de la costa del Pacífico. Es un arte que pertenece a todas las culturas y a todos los estilos. Lo encontramos en todos los momentos de la historia precolombina: desde los "olmecas" hasta los aztecas. Mencionaré en primer término a las esculturas huastecas y totonacas, que para el público francés constituyen, sin duda, una verdadera sorpresa.[2] Es la tradición más próxima a los "olmecas" y, para mí, la más pura. Una de las obras más hermosas de este grupo es la llamada "Lápida de Xólotl": el dios, estrella de la tarde, conduce al sol agonizante. A su lado, la estatua de la diosa del maíz se impone con la simplicidad todopoderosa de la presencia.

Si la geometría inspira a las mejores esculturas huastecas, en el arte totonaca la línea posee una vibración que

[2] Llamo "olmecas" y "totonacas" a ciertas obras, a sabiendas de que el primer término es incierto (hay unos olmecas históricos) y que se pone en tela de juicio que hayan sido los totonacas los creadores de la "cultura de El Tajín".

es la de la vida misma. Hachas, "yugos", "palmas", objetos rituales en piedra dura, todos admirables por la fantasía de sus símbolos y la nobleza de su hechura. Cada pieza se ofrece como un acertijo; apenas la contemplamos con atención, se transforma en respuesta evidente: no había otra solución. Esas piedras están animadas, habitadas por un ánima. Al lado de las obras totonacas habría que colocar el pectoral "olmeca" y a varias estatuas, más bien pequeñas, en jadeíta: la piedra ha sido pulida de tal modo que invita a la caricia. Estas figuras presentan más de un enigma: ¿niños-jaguares, enanos, eunucos, gnomos, magos? Sabemos muy poco de los "olmecas", a pesar de que sus sucesores les deben el jade, el sistema cronológico, el culto al jaguar y muchas otras cosas...

Destaco en la sala maya el vaso de ofrenda: la deidad solar sale entre las fauces del monstruo de la tierra y su tocado está hecho de aves y hombres, verdadera historia de la creación; a la cabeza del guerrero decapitado de la cripta de Palenque y al relieve del jugador de pelota. En la sección azteca, a la escultura de Quetzalcóatl-Ehécatl con la máscara bucal de pico de pato, a la de Xipe revestido con la piel de un adolescente y a la de Xochipilli, sentado sobre un trono de flores y mariposas... En estas obras, de origen, época y significado diversos, la escultura indígena se despliega como un abanico solar. Pero sería injusto olvidar, como ejemplos de geometría delirante, a la máscara de turquesa de Teotihuacan y a la zapoteca, de jade, que representa al dios murciélago. Artesanía preciosa e imaginación preciosa: la orfebrería mixteca. El vaso de pulque en piedra verde, también mixteco, es otro objeto sorprendente: en sus paredes el artífice grabó un cráneo descarnado.

Todas estas obras representan apenas una porción de la herencia artística indígena. No he hablado de la pintura.

El espectador puede ver algunos códices, para mi gusto tan hermosos como los manuscritos persas y medievales, y una copia de los murales de Bonampak. Por cierto, la copia es excelente; sin embargo, confieso que su exactitud me parece engañosa: sea por los colores, la animación de las líneas o por otras circunstancias, ofrece notables diferencias con las fotografías de esos mismos murales. ¿Por qué? Sospecho que, una vez más, el intangible "espíritu de la época" se mostró más poderoso que la maestría, la cultura y las buenas intenciones del artista copista. No se trata de un caso aislado: lo mismo ha ocurrido en Ajanta y otros sitios. De ahí el peligro de las reconstrucciones. Todos sabemos que hablamos y pensamos de una manera muy distinta a la de los hombres de otras civilizaciones, pero pocos recuerdan que también *vemos* de manera no menos distinta. A lo que se parecen las copias de los muros de Bonampak, más que a los originales, es a ciertos frescos de Diego Rivera que, a su vez, se parecen a veces a los murales de Ajanta. No es indescifrable el secreto de estos parecidos: las pinturas indias fueron restauradas por expertos italianos que, impresionados por algunas afinidades entre los fresquistas renacentistas y los indios, exageraron las semejanzas; Rivera, por su parte, recoge en su obra mural la tradición de los fresquistas italianos; por último, no es descabellado suponer que el copista, al ejecutar su trabajo, tuvo presente, inconsciente e involuntariamente, los murales de Rivera.

Los museos son engañosos: damos tres pasos y saltamos un milenio y cuatro estilos. Esta circunstancia aumenta la sensación de pluralidad de tendencias y direcciones. Aunque la civilización mesoamericana es una, parece dispersarse en el arte de cada pueblo y aun de cada ciudad. Durante más de dos mil años muchos grupos y naciones fundaron ciudades, destruyeron otras o asistieron a la destrucción de las suyas; crearon un estilo, copiaron el de otros, impusieron el suyo a los vencidos o trabajaron como artífices al servicio de sus vencedores. (Se olvida a veces que el arte azteca es obra de artistas originarios de pueblos sometidos.) La variedad de formas no debe ocultarnos la unidad de la civilización. Los monumentos de Teotihuacan, El Tajín y Tikal no se parecen entre sí, pero la pirámide trunca es común a todos esos centros religiosos. Todas las obras mesoamericanas poseen un inconfundible aire de familia y un espíritu común las anima. Así, no hay que caer en la trampa de la historia de los estilos o en la más obvia del catálogo de las técnicas. Las formas artísticas, las técnicas y los mitos son el lenguaje cifrado de las civilizaciones. ¿Cómo descifrar ese idioma? La civilización mesoamericana es un hecho estético, histórico, económico, religioso— y algo más: una visión del mundo. Si nos aproximamos al arte de México desde esta perspectiva veremos una danza sorprendente.

A la sucesión de los días en el año corresponde la aparición, la desaparición y la reaparición de los dioses enmascarados. El "juego de pelota", parte esencial de todos los centros religiosos, es un arquetipo cósmico: los dioses juegan y ese juego culmina en un sacrificio. La máscara del dios revela sus atributos y oculta su vacío. No hay nada detrás: el dios también es una invención del tiempo. Todo es una representación: la lluvia, el trueno, el rayo, la vida colectiva y la individual, el nacimiento de un niño y la construcción de un templo, la llegada de la primavera y la guerra ritual. La ciencia más alta, el saber sagrado (la cuenta y el peso de los días, el calendario y la astronomía), es un rito, un baile de enmascarados. Cada fecha es un nombre y cada nombre una máscara. ¿Qué hay detrás de cada máscara? Otra. Un juego, un rito, una visión rítmica del cosmos. Una representación. Sin embargo, aquél no fue un mundo de fantasmas. Las pasiones eran fuertes y terribles, la sensualidad estaba siempre despierta, el placer no era una abstracción, ni el amor, el odio o la cólera. Los mayas eran moderados pero amaban el lujo; los huastecos eran libertinos, pero sus dioses eran los patronos del ascetismo. Pueblo realista e iluso, tenaz y apático, feroz y suave. Aunque casi siempre estas contradicciones desgarran a los hombres, hay una esfera en la que la lucha se convierte en danza, el caos en orden, el movimiento en ritmo. El arte de los antiguos mexicanos nos revela que para ellos la vida se resolvía en imagen danzante: los cuatro puntos cardinales que giran en torno a un sol de vida. Si el hombre no es el centro del universo, participa en la danza de los elementos. La muerte noble lo transforma en estrella. Volver a ser sol: destino de los mejores, sin excluir a los prisioneros inmolados en la piedra del sacrificio. Transfiguración: tal vez la palabra concentra el sentido de su arte y el significado que otorgaban a la vida. Si queremos juzgarlos, usemos esta medida. Es la única que conocían.

Sólo una pequeña parte de la exposición del Petit-Palais está dedicada al arte de la Nueva España y al del México moderno. Desdeñarlos sería un error. El arte de la época colonial posee un carácter propio. No es una mera variedad del español, aunque sus raíces estén en España. El arte de nuestros siglos XVII y XVIII es un capítulo muy valioso del barroco universal. Lo más característico y brillante es, quizá, la versión popular, espontánea y directa, de un estilo que en Europa fue ''cultista'' y refinado. Interpretado por los artesanos mexicanos, el barroco se aligera de citas clásicas y se enriquece con hallazgos poéticos. Los frutos vuelven a ser frutos, los ángeles son adolescentes fabulosos, las vírgenes ríen o bailan. La erudición mitológica del barroco se transforma en fantasía popular: una feria, una fiesta. Así pues, el arte de la Nueva España continúa, a su manera, el precolombino. No es una tradición que se prolonga sino una sensibilidad que reaparece y que, al adaptarse a las nuevas formas, las cambia. Los pintores populares del siglo pasado fueron el puente entre los artistas contemporáneos y el barroco. Después, hacia 1920, los artistas mexicanos descubren su pasado y el presente del mundo. No es necesario hablar de Rufino Tamayo, gran pintor bien conocido en Francia.[3] En cambio, es indispensable destacar la presencia de un humilde grabador que es, al mismo tiempo, un artista de genio: José Guadalupe Posada. Pero la peor injusticia sería no mencionar al gran creador anónimo, al pueblo, que desde hace siglos no deja de sorprendernos con tantos objetos y juguetes prodigiosos. No tengo la superstición del folklore y creo, como Ortega y Gasset, que las raíces del arte popular se encuentran en la imitación de un gran estilo histórico. Y esto es lo que me seduce en las obras de nuestros artesanos: la continuidad de una tradición que ayer no fue popular sino simbólica y religiosa, culta. Otra circunstancia me hace amar a esos objetos: son una réplica viva a la fealdad del mundo moderno y sus eficaces artefactos. Su misma fragilidad es una burla a nuestros museos y colecciones.

PC

París, marzo de 1962

---

[3] La limitación del espacio impidió una presentación más completa de la pintura contemporánea. Entre tantas ausencias yo lamento la de dos grandes solitarios: Carlos Mérida y Juan Soriano.

DOS APOSTILLAS

AL RELEER mi artículo sobre la exposición mexicana en París (1962) encuentro, aparte de otros y más obvios defectos, dos afirmaciones que necesitan ciertas aclaraciones. La primera: mi tendencia a ver el arte antiguo de México desde la perspectiva de las concepciones cosmogónicas prevalecientes a la llegada de los españoles; la segunda: la originalidad de la civilización mesoamericana, afirmada con demasiado énfasis en los primeros párrafos del artículo.

EL PUNTO DE VISTA NAHUA

Todas las culturas indígenas de México son ramas de una misma civilización. Puede discutirse si nacieron de una raíz común —los "olmecas" y la gente del preclásico— o si hubo brotes independientes, aunque más o menos simultáneos, en las distintas zonas; no puede discutirse la relación íntima entre ellas, tanto en el tiempo como en el espacio. Por lo primero, la civilización mesoamericana presenta una continuidad mayor de dos milenios; por lo segundo, una contigüidad geográfica no menos definida. Parece inútil extenderse sobre este punto. Técnicas, concepciones religiosas, instituciones sociales y estilos artísticos se presentan ante el espectador como partes de un mundo coherente y dueño de una acusada unidad. Inclusive podría decirse que lo sorprendente no son las diferencias sino las semejanzas. El arte maya del periodo clásico, por ejemplo, parece el antípoda del teotihuacano de la misma época, pero

70

esas diferencias no son mayores de las que separan, en Occidente, al gótico florido del renacentista, al barroco del neoclásico. En la esfera de las ideas religiosas y de su fundamento o substrato psíquico, las creencias cosmogónicas, la uniformidad no es menos visible: si los dioses y las fuerzas que mueven al cosmos y a los hombres cambian de nombre y atributos en Monte Albán, Palenque, El Tajín o Teotihuacan, la visión del mundo y del trasmundo es análoga.

Una vez aceptado el principio de la unidad de la civilización mesoamericana, desde los ''olmecas'' hasta los aztecas, la prudencia aconseja matizar esta afirmación. Se trata de una unidad fluida: una corriente más que un esquema, una sensibilidad más que un estilo, una visión del mundo más que una teología. O para decirlo con los términos de la lingüística, aplicados con tanto brillo por Lévi-Strauss a la antropología: la civilización mesoamericana es un sistema de signos cuyas combinaciones producen textos diferentes aunque correspondientes, como las variaciones de una composición musical o las imágenes y ritmos de un poema. La aparición de un nuevo grupo dominante alteraba la jerarquía de las deidades: cambiaba la distribución de los elementos del cuadro, no las relaciones contradictorias y complementarias entre sus componentes. El ascenso de los aztecas provocó, como si se tratase de una rima, el de Huitzilopochtli, antes obscuro dios tribal: se modificó la posición de los elementos, no la lógica del sistema. Soustelle sostiene que todo el esfuerzo sincretista de la casta sacerdotal mexica tenía por objeto insertar a sus dioses, celestes y guerreros, en el panteón de las antiguas divinidades agrarias de Anáhuac. Algo semejante debe haber ocurrido en Tula. La leyenda de Quetzalcóatl es tanto el relato mítico de una guerra intestina como de una disputa teológica. En suma, me parece imposible desdeñar las variaciones y modificaciones, a veces verdaderas rupturas, que sufrieron las creencias e instituciones de los mesoamericanos en el transcurso de cerca de tres mil años de vida.

En los últimos años se tiende a interpretar la civilización mesoamericana *desde* los textos e informaciones recogidos por los misioneros españoles en el siglo XVI. Esta tendencia, por supuesto, es más común entre los historiadores y críticos de arte que entre los arqueólogos y antropólogos. Los admirables trabajos de Ángel Garibay K. y Miguel León Portilla, que nos han revelado un mundo de imágenes y pensamientos de extraordinaria riqueza, han contribuido a popularizar y justificar lo que llamaría el *punto de vista nahua*. Sus ventajas son innegables y no las discutiré. Tenemos una idea bastante completa del periodo mexica y es legítimo compararlo con una atalaya, desde la cual podemos contemplar y aun reconstruir un paisaje que se extiende durante milenios. Pero los peligros y limitaciones de este punto de vista también me parecen innegables. El primero es el de confundir la parte con el todo; el segundo, suprimir las variaciones y rupturas, es decir, anular el movimiento de una civilización. El ejemplo de la India me servirá para aclarar el sentido de mi reserva.

La unidad de la civilización de la India no es menos acentuada que la de Mesoamérica. Al mismo tiempo, su flexibilidad y su resistencia han sido mayores. La primera invasión, la de los arios, se remonta al segundo milenio antes de Cristo; la última, la de los europeos, se inicia en el siglo XVI y aún no termina (cesó la ocupación física, no la cultural y la psíquica). A pesar de tantas intromisiones e influencias extrañas, el substrato mental, la visión del cosmos y las divinidades populares, no ha variado fundamentalmente durante más de cuatro mil años: el dios asceta y fálico y la diosa de fecundidad de Mohenjodaro son el origen de los que hoy veneran los campesinos de Travancor y los bramines de Bengala.[1] Por otra parte, entre la religión védica y la de la India moderna se interponen dos acontecimientos de primera magnitud, para no hablar de otros cambios menores: la reforma budista y la contrarreforma hindú. Estos hechos son de tal importancia que ignorarlos sería tanto como ignorar en qué consiste realmente la civilización india: una continuidad de milenios y una ruptura, una permanencia y una contradicción . Esta continuidad y esa ruptura, simultáneamente, son la civilización de la India; la primera hace inteligible a la segunda y viceversa. Todo estudio de un periodo determinado de la historia del subcontinente debe tener en cuenta, al mismo tiempo, ambos puntos de vista.

Los presupuestos del budismo y el hinduísmo son los mismos: transmigración, concepción cíclica del tiempo, ausencia de la noción de un dios creador, indiferencia ante la historia, prácticas ascéticas y místicas análogas. Pero el mismo alfabeto —y más: el mismo repertorio de frases— en un contexto distinto produce significados diferentes. Otro tanto puede decirse de la especulación filosófica y religiosa. La filosofía de Sankara es el pensamiento de Nagarjuna al revés; en esto radica precisamente su originalidad: allí donde el teólogo budista escribe *sunya* (vacuidad), Sankara dice *ser*, unidad. Una y otra afirmación deben verse como oposición de términos excluyentes; asimismo, esa oposición es la continuidad de la filosofía india: ambos pensadores hablan de lo mismo y su querella es un diálogo en el interior de un lenguaje. Si por una catástrofe semejante

[1] La civilización del valle del Indo es y no es india. Sus afinidades con Mesopotamia son mayores que con el mundo ario, que la sustituye en el subcontinente. No obstante, después de un periodo que llamaríamos subterráneo, sus dioses reaparecen en los cultos populares y, más tarde, entre las castas superiores.

a la conquista española hubiese desaparecido la literatura budista, ¿sería lícito acercarse al arte de Gandhara o al de Sanchi desde la perspectiva de la literatura religiosa de la India medieval? El crítico que tomase como guía a los *Puranas* correría el riesgo de confundir un bodisatva con una representación de Visnú o de Shiva. Sería tanto como tratar de identificar a los personajes de un mosaico bizantino por medio de un libro de oraciones protestante. El historiador que no advirtiese que las imágenes de Buda y Shiva son *contradictorias y complementarias,* ignoraría el sentido de la tradición india, la lógica que une y separa, alternativamente, al budismo y al hinduísmo. No niego la relación filial entre las *yakshas* de Bharhut y las figuras femeninas de Konarak: afirmo que sus diferencias me hacen más sensible su continuidad. Son su continuidad.

En Mesoamérica ocurrieron revoluciones y cambios que, dentro del ámbito cerrado de esa civilización, no fueron menos profundos que la reforma budista y la contrarreforma hinduista. En nuestra historia prehispánica hay una gran ruptura: la desaparición, hacia el siglo IX, de las sociedades que los historiadores modernos llaman "teocráticas", creadoras de los rasgos esenciales de la civilización mesoamericana, y la aparición, un poco más tarde, de nuevos Estados militaristas que inauguran el periodo propiamente histórico. La expresión más perfecta e impresionante de las sociedades teocráticas fue, en el centro de México, la gran metrópoli de Teotihuacan; a su vez, dos ciudades-Estados encarnan, también en el Altiplano, el nuevo estilo histórico: Tula primero y después México-Tenochtitlan. Ambas fueron nahuas. En Tula los nahuas, nómadas y guerreros, adaptan y reelaboran la versión de la civilización mesoamericana creada por los pueblos sedentarios del Altiplano y del Golfo de México. Esta síntesis, de la que no estaban ausentes ni el sincretismo religioso ni el hibridismo estético, constituyó lo que se llama "cultura tolteca", que fue el modelo que inspiraría posteriormente a los aztecas. En efecto, si Tula fue una versión rústica de Teotihuacan, México-Tenochtitlan fue una versión imperial de Tula. Ignoramos las causas y motivos de la ruina de Teotihuacan pero, en cambio, sabemos que Tula, después de un breve periodo de esplendor, fue destruida por una guerra intestina que fue asimismo un cisma religioso. Por desgracia, el único documento que poseemos acerca de este acontecimiento extraordinario —salvo los testimonios arqueológicos— es un poema o leyenda que enfrenta a dos figuras míticas: Quetzalcóatl y Tezcatlipoca. Su lucha, la victoria de Tezcatlipoca y la fuga de Quetzalcóatl constituyen simultáneamente un mito que cuenta la guerra entre dos magos o dioses, encarnaciones de principios religiosos antagonistas, y la historia de la ruina de Tula.[*]

Ante la ausencia de documentos históricos, lo primero que deberíamos hacer es preguntarnos qué sentido tiene la oposición mítica entre Quetzalcóatl y Tezcatlipoca y cuál es la realidad histórica que esconde. Tal vez el primero representa la tradición religiosa de las grandes teocracias y el segundo la religión de los nuevos pueblos, guerreros y nómadas. El culto de Quetzalcóatl es muy antiguo y tuvo su origen en la costa del Golfo de México; desde ahí ascendió, por decirlo así, al Altiplano y a Teotihuacan. Los nahuas de Tula, los llamados "toltecas", adoptaron esta divinidad de modo tan completo que su caudillo y reformador religioso Topiltzin se llamó también Quetzalcóatl. Por supuesto, es arriesgado hablar de conversión en el sentido usual de la palabra y tal vez lo contrario sea lo cierto: la conversión fue la del dios. Quiero decir: aquel que se

---

[*] Los historiadores discuten todavía si los pueblos mesoamericanos tuvieron el concepto de *historia*, tal como se entiende en Occidente desde el Renacimiento.

convierte a otra religión también transforma al culto que adopta.¿Topiltzin-Quetzalcóatl representa la intrusión de creencias anteriores, pertenecientes al periodo clásico teocrático, que encontraron resistencia en poderosos núcleos conservadores, representados a su vez por Titlahuacán-Tezcatlipoca? A estas interpretaciones historicistas del mito se enfrenta otra hipótesis: ¿no podría ser la dualidad Tezcatlipoca/Quetzalcóatl una de las manifestaciones de ese dualismo religioso que, según parece, es un rasgo *permanente* de las culturas americanas? Krickeberg cita como ejemplo de paralelismo entre las creencias y costumbres de los indígenas de Norte y Mesoamérica "la división de la tribu en un pueblo de la tierra y otro del sol, cuya rivalidad es necesaria para el florecimiento del cosmos". Lévi-Strauss destaca también esta concepción dualista o binaria, no sin analogías con el yin y yang de los chinos, entre las tribus de Amazonia. Así, a través de la estructura invariante del mito habría que reconstruir los gestos históricos e irrepetibles del acontecimiento —adivinar en la rígida máscara del mito los rasgos variables e instantáneos de la historia. Se trata de una tarea que está, por ahora, más allá de las posibilidades de los historiadores y los antropólogos.*

No acertamos a comprender el fondo de la lucha civil y religiosa de Tula porque, entre otras cosas, ignoramos cuál era la relación entre la religión de Quetzalcóatl, tal como fue interpretada por los toltecas, y las religiones de las grandes teocracias, especialmente la de Teotihuacan. Nada podemos afirmar con certeza, excepto que el relato mítico alude a un hecho histórico cierto, confirmado por la arqueología: la destrucción de Tula. Pero la ruina de Tula no es sino un episodio frente a un hecho de mayores

* Recientemente lo ha intentado Nigel Davies. (Véase su ensayo "Vuelta a Tula", en *Vuelta* 74, México, enero de 1983.)

proporciones y que divide en dos la historia antigua de México: la extinción de las viejas sociedades teocráticas que representan el mediodía de la civilización mesoamericana. Aunque sabemos poquísimo de la historia de las grandes teocracias (inclusive si realmente lo fueron) no parece aventurado pensar que no fue ajena a su fin una crisis espiritual y política, acompañada o precedida o seguida por una material. Esa crisis no debe haber sido menos grave que la de Tula. ¿Cisma, revolución religiosa, revuelta popular? Lo único que podemos decir es que el fin de las grandes teocracias fue una ruptura. Tula no es una mera continuación de Teotihuacan sino el comienzo de algo distinto.

Nuestra ignorancia de la historia del periodo clásico o teocrático explica que se nos escape, en buena parte, el sentido de sus creaciones. Ante las ruinas ''olmecas'' o frente a Teotihuacan, la posición del crítico recuerda a la de un lingüista inclinado sobre un texto en un idioma desconocido: a pesar de que distingue los signos, vislumbra sus relaciones y adivina que esa compacta escritura encierra una gramática, una sintaxis y una visión del mundo, no sabe qué es lo que dicen exactamente esos trazos extraños. En ese momento de perplejidad interviene el punto de vista nahua. Apenas utilizamos su clave las formas cobran sentido, el conjunto adquiere coherencia y el texto se vuelve inteligible. Temo que se trate de una comprensión engañosa. El punto de vista nahua, *por ser el de la ruptura*, anula las diferencias entre una época y otra, nos da la parte por el todo. A un tiempo aclara y desfigura la visión, quita con una mano lo que nos regala con la otra. Si aceptamos que la unidad de la civilización mesoamericana es fluida —o sea: que está hecha de variaciones—, el punto de vista nahua nos da la ilusión de una realidad estática y uniforme. Y agregaré: tendenciosa.

Entre Tula y México-Tenochtitlan hay un interregno de varios siglos turbulentos. Diversas naciones se disputan la herencia de Tula y sólo al final de esa lucha emerge como vencedor el pueblo mexica o azteca y, así, como el heredero de la cultura tolteca. Sabemos que los aztecas no sólo reelaboraron por su cuenta las antiguas creencias sino que reinventaron su historia, movidos sin duda por un sentimiento de ilegitimidad frecuente entre bárbaros y usurpadores. Nada más natural: entre todos los pueblos aspirantes a la supremacía política y cultural en el Altiplano, los aztecas eran el de pasado bárbaro más reciente. Aconsejado por Tlacaélel, el cuarto tlatoani, Itzcóatl, ordenó la quema de los códices. Con este acto se inició una inmensa tarea que en términos modernos llamaríamos de rectificación de la historia. La desfiguración y enmienda de las tradiciones, los mitos y la teología tuvieron el doble propósito de borrar los orígenes rústicos del pueblo mexica y de sus dioses y, así, legitimar su pretensión de ser los herederos de los toltecas. La decisión de Itzcóatl hace pensar en las falsificaciones de la historia de la Revolución rusa durante la época de Stalin y, sobre todo, en la destrucción de los libros clásicos ordenada en 213 a.c., por Shih Huang Ti a instigación de un consejero que, como Tlacaélel, era también un intelectual: el ministro Li Ssu. Pero la quema de los libros tuvo en China un sentido distinto; con ella el fundador de la dinastía Ch'in afirma que con él comienza una época y de ahí que se haya hecho llamar el primer emperador. La ruptura quiso ser total y absoluta: borrón y cuenta nueva (por eso fracasó). En Tenochtitlan la ruptura se propone santificar una tradición: los aztecas son los sucesores legítimos de Tula. La ruptura afirma la continuidad. En realidad la medida inspirada por Tlacaélel es comparable a la sistemática deformación de la historia espiritual de la India llevada a cabo por la casta de los bramines durante el llamado periodo medieval. Como en el caso de los aztecas, la reinterpretación del pasado se aliaba a una especulación sincretista tendiente a absorber dioses y creencias en una suerte de magma espiritual, el hinduísmo. Para muchos bramines Buda no es sino uno de los avatares de Visnú; la misma lógica vital lleva a los aztecas a levantar el templo de su dios tribal enfrente del santuario de Tláloc, adorado desde tiempos inmemoriales por todos los pueblos del México antiguo.

La quema de libros y el sincretismo azteca son apenas un episodio que refleja otro hecho, éste sí capital en la historia mesoamericana: la disgregación de las grandes teocracias. Sobre esto los aztecas y las otras fuentes contemporáneas nada nos dicen. Teotihuacan era un mundo tan desconocido para ellos como lo es para nosotros. Todos sus esfuerzos tendían a establecer su identidad filial con los toltecas, esto es, con aquella sociedad que es el punto de división, la ruptura entre las culturas clásicas y las históricas. Si debemos usar los textos aztecas con cierta reserva para comprender el periodo tolteca y el de Culhuacan, ¿qué decir cuando se pretende que nos sirvan de guías para estudiar el arte de las épocas anteriores? Compararé de nuevo la civilización mesoamericana con un texto cifrado del que sólo conocemos, así sea de manera incompleta y tendenciosa, la mitad de la clave. Con esa mitad podemos interpretar los signos del periodo histórico, desde Tula hasta Tenochtitlan. Aplicarla a otras épocas o a zonas distantes, como la mayatolteca (esta última plantea problemas específicos), es como ennegrecer las tinieblas. ¿Quiero decir que debemos confiar únicamente en los trabajos de la arqueología? No; el punto de vista nahua puede ser decisivo en la lectura de la mitad aún ilegible —a condición de que se le utilice como *hipótesis contradictoria*. Dentro de la unidad fluida que es la civilización mesoamericana, lo nahua expresa una ruptura: es el punto de vista *contrario* al de las épocas clásicas. *

ASIA Y AMÉRICA

La civilización del México antiguo no fue enteramente original: ningún especialista niega las relaciones e influencias entre las culturas de Norte, Sur y Mesoamérica. Por otra parte, el hombre americano es de origen asiático. Los primeros inmigrantes, que deben haber llegado a Norteamérica hacia el fin del pleistoceno, sin duda traían ya con ellos los rudimentos de una cultura. Entre esos rudimentos se encontraba, en gérmenes, una visión del mundo —algo infinitamente persistente y que, a fuerza de ser pasivo e inconsciente, resiste con mayor éxito a los cambios que las técnicas, las filosofías y las instituciones sociales. El origen asiático de los americanos explica tal vez las numerosas similitudes que se han observado entre la China pre-confuciana y las civilizaciones americanas. Por ejemplo, para limitarme sólo a México, citaré unas cuantas entre las que menciona Miguel Covarrubias: la decoración abstracta que oculta casi enteramente el tema, verdadera máscara conceptual, tanto entre los mexicanos como entre los antiguos chinos; los vasos de la zona del Golfo y los de los periodos Shan y Chou; la crianza de perritos comestibles, usados también como víctimas en ciertos sacrificios funerarios. El simbolismo cosmogónico ofrece un parecido aún más notable: el dualismo (yin y yang entre los chinos, la divinidad dual en México), el monstruo de la tierra, la ser-

* Un ejemplo impresionante de la coexistencia de distintos vocabularios estéticos son los relieves de Xochicalco y los murales de Cacaxtla, ambos inconfundiblemente mayas, dentro de un contexto nahua.

piente o el dragón emplumados, el calendario astrológico. En *La pensée cosmologique des anciens mexicains*, Jacques Soustelle presenta un cuadro comparativo de las ideas de los chinos y los mexicanos sobre los mundos y trasmundos inferiores y superiores: división del espacio en cuatro regiones, cada una dotada de una significación y dueña de un color emblemático; propiedades de cada una de esas regiones; divinidades que las personifican; pisos del mundo; interrelación de las ideas de espacio y tiempo, de modo que a cada época corresponde una orientación espacial... Las diferencias son menos turbadoras que las semejanzas: diría que se trata de versiones distintas de una misma concepción. Estas analogías no significan forzosamente que haya habido influencia directa de la civilización china en América. Las creencias chinas cosmogónicas son anteriores a la reforma de Confucio, es decir, pertenecen a una época en la que el escaso adelanto del arte de la navegación prohíbe pensar en la posibilidad de relaciones marítimas entre ambos continentes. En consecuencia, es lícito inferir que los parecidos entre las creencias de los indios americanos y las de la China arcaica se explican por ser desarrollos independientes de una misma semilla. Así pues, cuando los historiadores hablan de la originalidad de los indios americanos debemos entender que afirman una originalidad relativa; lo que se quiere decir es que Mesoamérica no tuvo contactos con las altas civilizaciones de China, India y el Sudeste asiático. Pero aun esta opinión debe someterse a examen más detenido.

Walter Krickeberg observa que las culturas de América aparecen bruscamente, casi sin antecedentes, como Huitzilopochtli y Palas Atenea, que nacieron ya adultos y armados de punta en blanco, uno del vientre de Coatlicue y la otra de la frente de Zeus. El profesor alemán cita como ejemplos a las que podríamos llamar las matrices de las civilizaciones americanas: la cultura "olmeca" entre nosotros y la del Chavín en los Andes. Por su parte, Covarrubias subraya que es igualmente repentina la aparición de la cultura del periodo preclásico. En efecto, no se han encontrado restos de una época arcaica que hubiese preparado el florecimiento de Zacatenco y Tlatilco. Estos hiatos y saltos preocupan a los entendidos y no han faltado historiadores, extranjeros y mexicanos, que los atribuyan a un influjo exterior. Descartado el Occidente, desde los viajes de los nórdicos hasta el descubrimiento español, han vuelto los ojos hacia el Asia: los cambios súbitos son la consecuencia de la influencia de las altas civilizaciones asiáticas. Esta hipótesis tiene la ventaja, además, de explicar muchas analogías y semejanzas que nos intrigan, lo que no ocurre con la teoría de los contactos entre América y los pueblos del Pacífico.[2]

Empezaré por decir que la explicación asiática, para llamarla de algún modo, no me parece tan convincente como parece a primera vista. En primer término: la idea de una evolución lineal y gradual cada día tiene menos partidarios, lo mismo en la esfera de las ciencias naturales que en las del hombre. Los genetistas piensan que la evolución no es gradual sino por mutaciones más o menos bruscas (microevolución). Lo mismo sucede en la prehistoria y en la historia: la revolución del neolítico fue un salto y otro salto fue la irrupción de las grandes civilizaciones urbanas en Sumeria, Egipto y el valle del Indo. La lingüística y la antropología confirman que el tránsito de lo simple a lo complejo no es un hecho constante: las lenguas de los llamados primitivos no son menos complejas que las de los

[2] Sobre la escasa influencia de las expediciones polinesias en América, véase Walter Krickeberg, *Las antiguas culturas mexicanas*, México, FCE, 1964.

civilizados; algo parecido ocurre con las instituciones sociales: el sistema de intercambio matrimonial de los aborígenes de Australia es bastante más complicado que el de las sociedades modernas. Lejos de ser algo anormal o misterioso, el salto es la forma del movimiento histórico. Yo diría: la historia está hecha de saltos repentinos y bruscas caídas en la inmovilidad.

La teoría asiática presenta otro inconveniente: explica un misterio por otro más grande. Si hubo esos contactos, ¿cómo es posible que unos y otros, americanos y asiáticos, los hayan olvidado? Se dirá que la sensibilidad histórica es una adquisición relativamente moderna, patrimonio de los pueblos de Occidente. Si no hubiera sido por los historiadores griegos no sabríamos que Alejandro cruzó el Indo y llegó hasta el Pendjab: no hay una sola mención india de la expedición griega. El desdén de los indios por la historia es pasmoso: inclusive olvidaron la existencia de Ashoka, que ahora se ha vuelto una de las glorias nacionales del país. Sin los embajadores, conquistadores y viajeros griegos, chinos, persas, árabes y europeos nada sabríamos de lo que ocurrió en el subcontinente durante milenios. Pero los chinos no comparten esta indiferencia por la realidad. Parte de su literatura está compuesta por libros de historia y de viaje; son famosos los relatos de los peregrinos que, después de atravesar el Asia Central, descendieron hasta el Ganges y hasta Ceilán en busca de manuscritos budistas. Me parece increíble que el encuentro con otro mundo no haya dejado ninguna huella ni en China ni en el Sudeste asiático. Pasemos a otro punto.

Covarrubias advierte cierta relación entre las pirámides mexicanas, los montículos funerarios del norte de América y las pirámides egipcias. Krickeberg destaca la semejanza entre las pirámides mesoamericanas y los edificios escalonados de Angkor —sólo que, como los segundos son posteriores en varios siglos a los monumentos mexicanos, extiende su comparación hasta las estupas y los zigurats babilonios. ¿No es ir demasiado lejos? La analogía que destaca Covarrubias es engañosa. Los montículos funerarios, origen remoto de las pirámides egipcias, se encuentran en muchas otras partes del mundo y de ahí que el parecido no indique contacto directo o indirecto entre las de Egipto y las de Mesoamérica. Por otra parte, los monumentos mexicanos son templos mientras que los egipcios son sepulturas. En los primeros, el culto es al aire libre; en los segundos, la idea dominante es la del otro mundo como algo aparte y subterráneo. En realidad, las pirámides mexicanas, como los zigurats del Asia Menor, las estupas y las pagodas, son desarrollos y versiones independientes de una creencia primitiva: ver al mundo como montaña escalonada. La verdadera semejanza no reside en las formas y estructuras arquitectónicas sino en la concepción del mundo. No se trata de una influencia sino, como en el caso de las creencias cosmogónicas de chinos y americanos, de distintos desarrollos de una idea antiquísima, probablemente oriunda de Asia. En cuanto al zigurat babilonio y la estupa budista, observo lo siguiente: no está demostrado que la visión del mundo como una montaña (monte Meru), arquetipo de la estupa y del templo escalonado en India, sea de origen sumero-babilonio; tampoco hay una relación directa entre la estupa y el zigurat. Por último, la primera es un monumento redondo que contiene reliquias; la función del segundo, que es una construcción cuadrada, fue la de un santuario: templo y no tumba.

Krickeberg cita otros ejemplos pertenecientes al Sudeste asiático: balaustradas de serpientes, atlantes, medias columnas como adorno de fachadas, etc. Todos ellos aparecen en India y el Sudeste de Asia *después* que en Mesoamérica, según lo reconoce el mismo sabio alemán.

Afirma, no obstante, que esos elementos tienen una mayor antigüedad en Asia, sólo que, por haber sido hechos de madera, han desaparecido. De nuevo: un misterio se explica con otro. En este caso el misterio es el de los orígenes del arte indio. La idea de que la arquitectura y la escultura india en madera son el origen del arte budista se ha puesto en boga para explicar otro salto: el de la aparición súbita de la escultura de piedra en Sanchi y Bharhut.[3] Más lógica me parece la opinión de los primeros historiadores europeos del arte indio: juzgan que Sanchi y Bharhut fueron la respuesta nativa ante el estímulo del arte persa y griego. La corte de los Maurya estaba impregnada de cosmopolitismo y en ella predominaban las influencias helenas y persas. Las primeras obras del arte indio propiamente dicho, salvo las estupas, son ligeramente posteriores a las Maurya y pueden considerarse como una reacción contra el cosmopolitismo de esta dinastía. Pero la disgregación del imperio Maurya no preservó a la India de influencias extrañas sino que abrió de par en par las puertas a los griegos y, más tarde, a los *kushanes* helenizados. Por ejemplo, Bharhut fue terminado precisamente cuando el rey griego Meneandro, hacia 150 a. C., conquistaba la región en que se encuentra esa localidad. Entre la invasión de Alejandro en el Pendjab y las conquistas de Meneandro transcurrieron cerca de doscientos años: ¿cómo afirmar que el arte indio no debe nada al griego? Admito las semejanzas entre ciertas obras mesoamericanas e indias pero, puesto que las primeras no tienen nada de griego ni de persa, no me queda más remedio que suponer

---

[3] Sabemos por Megástenes —embajador del griego Seleuco ante el rey indio Chandragupta— que Pataliputra, capital de Imperio Maurya, estaba construida en madera. Pero no sabemos cómo eran las formas arquitectónicas y escultóricas.

algo poco creíble: las relaciones entre India y América fueron anteriores al nacimiento de la escultura en piedra en la llanura del Ganges. Pasemos.

¿No es desconcertante que los mesoamericanos se hayan apropiado únicamente de ciertos elementos decorativos de las civilizaciones del Asia y hayan desdeñado los esenciales? En general, toda influencia exterior afecta a las técnicas y a las concepciones religiosas. Apenas es necesario recordar el punto flaco de los mesoamericanos: la existencia de una técnica relativamente primaria al lado de concepciones artísticas y religiosas de extrema complicación y refinamiento. ¿Por qué no asimilaron las técnicas asiáticas si adoptaron con tanta fortuna las formas artísticas? Resulta igualmente extraordinaria su indiferencia ante las religiones de sus visitantes. En Cambodia florecieron dos religiones que habrían servido admirablemente a los intereses de las grandes teocracias mesoamericanas: el culto del *raja lingam* y, bajo Jayarvaman VII, el budismo mahayana. Se trata, es cierto, de una época tardía. Pero si se escoge cualquier otro periodo, desde la aparición del budismo y el hainismo en el siglo VI a. C. hasta el fin del imperio Kmer, en el siglo XIII, la objeción no pierde validez: no hay la menor huella de esas religiones en América. Algo semejante sucede con las ideas y creencias de China, trátese del confucionismo o del taoísmo.

¿Cómo explicar entonces los parecidos? No lo sé. Por esto no digo que la teoría asiática es falsa: afirmo que sus hipótesis son frágiles y sus pruebas insuficientes. Confieso, en fin, que siempre me ha maravillado precisamente lo contrario de lo que intriga a los partidarios de las relaciones con Asia: el carácter cerrado de la civilización mesoamericana, la ausencia de cambios de orientación, el movimiento circular de su evolución histórica. Los ''olmecas'', cuyo pleno florecimiento se sitúa un poco antes de nuestra era, son un repentino y brillante comienzo. Las llamadas culturas clásicas (teocráticas) reciben esa herencia y la desarrollan, no sin interrupciones y lagunas, durante cerca de un milenio hasta el siglo IX. Durante todo este tiempo no hay saltos ni cambios notables de dirección. Hay, sí, momentos de apogeo, caídas y rupturas. Los primeros son desarrollos y variaciones, todo lo brillantes que se quiera, de una herencia común; las segundas fueron el resultado de discordias intestinas o de la irrupción de tribus bárbaras. En el Viejo Mundo, desde el Mediterráneo hasta China, hubo un continuo intercambio de bienes, usos, estilos, dioses e ideas; en el Nuevo Mundo las grandes teocracias no se enfrentaron a otras civilizaciones sino a hordas bárbaras que, luego de asolar las ciudades-Estados y los imperios, reedificaban por su cuenta la misma civilización. En América hubo cambios, algunos decisivos, pero ninguno fue comparable a los que experimentaron las civilizaciones de Asia y el Mediterráneo. Más que de mutaciones habría que hablar de variaciones y superposiciones. La gran ruptura —el fin de las teocracias y el nacimiento de Tula, que inaugura un nuevo estilo histórico— fue una transformación de primera magnitud *dentro* de la civilización mesoamericana, no el principio de *otra* civilización. Los pueblos americanos no conocieron nada que se pareciese a esa inyección de ideas, religiones y técnicas extrañas que fertilizan y cambian una civilización, tales como el budismo en China, la astrología babilonia en el Mediterráneo, la filosofía y las letras chinas en Japón, el arte griego en la India.

La civilización mesoamericana no sólo aparece más tarde que las del Viejo Mundo sino que su caminar fue más lento. O más exactamente: fue un constante recomenzar, un marchar en círculos, un levantarse, caer y levantarse para volver a empezar. Acepto que simplifico y aun que exagero. No demasiado. Entre los "olmecas" y los aztecas transcurren cerca de dos mil años; aunque las diferencias entre unos y otros son numerosas y decisivas, son mucho menores de las que dividen, en un lapso semejante, a la India védica de la budista y a ésta de la hindú, a la China feudal del imperio Han y a éste de la dinastía Tang... Escojo ejemplos de civilizaciones más o menos cerradas y de trote pausado; la comparación habría sido más impresionante si hubiese citado a los pueblos del Oriente clásico y del Mediterráneo, con sus cruzamientos y cambios súbitos de ideas e instituciones. Si del tiempo pasamos al espacio, la sensación de estabilidad se transforma en la de uniformidad: por más alejadas que hayan estado las creencias mayas de las de zapotecas o teotihuacanos, todos pertenecían a una misma civilización; en cambio, indios y chinos, sumerios y egipcios, persas y griegos constituían mundos distintos y en perpetuo choque y cruce. En suma, lo que me asombra no son los saltos de Mesoamérica sino que hayan sido saltos en el mismo sitio.

El movimiento circular de la civilización mesoamericana se debe, en primer término, a limitaciones de orden físico y material (la ausencia de animales de tiro, por ejemplo); en seguida, a causas de orden social e histórico bien conocidas (la primera: la permanente presión de los bárbaros). Ninguna de estas circunstancias, sin embargo, fue tan importante como su aislamiento. Podemos discutir si ese aislamiento fue absoluto o parcial; no podemos negar que fue la razón determinante de su perpetuo marcar el paso durante siglos y siglos. El Viejo Mundo fue una pluralidad de civilizaciones; en América crecieron plantas distintas pero semejantes de una raíz única. Si ha habido civilizaciones realmente originales, ésas fueron las americanas. Y en esto radica su gloria —y su condenación: ni fecundaron ni fueron fecundadas. Sucumbieron ante los europeos no sólo por su inferioridad técnica, resultado de su aislamiento, sino por su soledad histórica: no tuvieron nunca, hasta la llegada de los españoles, la experiencia del *otro*.

La teoría asiática no me convence pero me impresiona. Si la reprueba mi razón, mi sensibilidad la acoge. Y el testimonio de los sentidos, para mí, no es menos decisivo que el del juicio. Desde hace unos años vivo en el Oriente: imposible no ver las numerosas semejanzas entre México y la India. Muchas de ellas, como algunos guisos y ciertas costumbres, nacen de similares condiciones de vida y clima; otras son importaciones posteriores al descubrimiento de América y deben atribuirse al comercio entre Oriente y las colonias americanas de España y Portugal. Lo mismo diré del aire de familia entre las artes populares: no es exclusivo de India y México, sino universal. El culto de Kali me recuerda a Coatlicue y la constante presencia de la gran diosa, bajo esta o aquella forma, me trae a la memoria nuestra devoción por Guadalupe-Tonantzin. Nada de esto tiene que ver con el tema de esta nota. Tampoco el parentesco entre ciertos tipos físicos: es un hecho estudiado por la etnología y que no tiene relación directa con los supuestos contactos históricos entre Asia y América, que deben haber ocurrido muchísimo después de las emigraciones de la prehistoria.

¿Y el arte de la India? Lo primero que me asombra es su falta de parecido con el del Extremo Oriente. El área geográfica en que predomina —del valle del Indo a Ceilán, Indonesia y Cambodia— es un mundo claramente distinto al del centro y el este asiático. Es verdad que en algunos lugares hubo fusión o enlace; en Nepal, por ejemplo, el encuentro entre la India y el Extremo Oriente fue particularmente feliz, algo así como el abrazo de lo español y lo indígena en México. Pero la influencia india fue mayor en el Extremo Oriente que a la inversa. En cambio, el subcontinente indio recibió desde el principio de su historia la influencia del Asia Menor y del Mediterráneo: la ruta de las invasiones fue también la del arte. La presencia sumero-babilonia en Mohenjodaro y Harappa es palpable. Esas ciudades pueden considerarse una prolongación de las civilizaciones de Mesopotamia tanto o más que el lejano preludio de la civilización india. No menos profundas, y más duraderas y decisivas, fueron las influencias persas y griegas, especialmente las últimas. Ya sé que no está de moda pensar así. Apenas si discutiré las razones de los críticos que en los últimos años han tratado de atenuarlas. En el caso de los historiadores indios, es el fruto de un nacionalismo ingenuo y un poco *déplacé*. En los otros obedece a un prejuicio intelectual: la idea de que los estilos y formas artísticas son la expresión de un alma nacional, una raza o una civilización. Sin negar la parte de la sensibilidad racial y la importancia de la tradición local, observo que los estilos, como las filosofías, las técnicas y las religiones, son viajeros. Y viajeros que se establecen en los países que visitan: verdaderos inmigrantes.

La influencia del arte persa, él mismo cruzado de babilonio y griego, fue palaciega; la del griego, más amplia y determinante, operó de dos maneras: como un estímulo y como un arquetipo. Ejemplo de lo primero: los relieves de Sanchi y Bharhut; y de lo segundo: el llamado arte de Ghandara. Los relieves de Sanchi y Bharhut son las primeras obras del arte indio y en ellas alcanza ya su perfección. Se dirá que nada tienen de griego; replico que fueron hechas poco después del encuentro entre ambos mundos y *frente* a los modelos griegos y greco-persas. Todos los críticos admiten que los indios no tuvieron arquitectura ni escultura en piedra sino hasta que entraron en relación con el arte de los aqueménidas y los griegos: ¿cómo iban a apropiarse de las técnicas sin dejarse penetrar por las formas artísticas?|Un poco más tarde, en Mathura y en Amaravati, los artistas indios vuelven a responder al reto griego con creaciones espléndidas, aunque no sin antes haber asimilado aún más totalmente la lección de los extraños. La significación del arte de Ghandara es distinta; más que una influencia es la adaptación india de los modelos del helenismo.[4] Por lo demás, en Mathura y en Amaravati coexisten, lado a lado, el estilo que llamaríamos nacional y el grecobudista.

Las influencias griegas y persas contribuyen a explicar el nacimiento del arte indio, pero sería absurdo reducir una de las creaciones más originales y poderosas del genio humano a una simple derivación del helenismo oriental. A medida que se deja el noroeste de la India y se avanza hacia la costa oriental o hacia el centro y el sur, los arquetipos artísticos, sin cambiar nunca, se transforman insensiblemente y de una manera imponderable. Si la escultura de Mathura es ya una vigorosa réplica al arte helenístico, aunque se apropie de su naturalismo y haga suya

[4] Nuestras ideas sobre el arte greco-(romano)-budista se han ampliado considerablemente gracias a los estudios y trabajos de Daniel Schlumberger, director de la Misión Arqueológica Francesa en Afganistán. El descubrimiento de Surkh-Kothal y, el año pasado (1964), el de una ciudad griega a las orillas del Amu-Darya (Oxus), dan la razón a Foucher, que fue el primero en sostener el origen griego del arte de Ghandara. Esta tesis fue criticada por sir Mortimer Wheeler y otros arqueólogos ingleses, que vieron en el arte de Ghandara una mera prolongación del arte romano de la época de Augusto, transportado al valle del Indo y al actual Afganistán por la vía marítima. Los descubrimientos de Schlumberger demuestran que el estilo nació en Bactriana, bajo la dominación griega de esa región, y que desde allí se extendió hasta Mathura, en el periodo Kuchán. Véase "Descendants nonméditerranéens de l'art grec", París, 1960 (sobretiro de la revista *Syria*).

la noción de movimiento, ¿qué decir de las estatuas de Orissa, el Decán o el extremo sur? No es que aparezcan nuevos elementos: surge otra sensibilidad. Es el mismo arte de la llanura del Ganges, sólo que más plenamente dueño de sí. El mismo mundo y otro mundo. Pero las diferencias con el arte del Extremo Oriente, lejos de atenuarse, son igualmente acusadas y netas. En cambio, otro parecido empieza a despuntar. Muchas veces, en mis correrías por la India, al visitar sus viejos templos, las estatuas y relieves me recordaron vagamente otros, vistos en los llanos y selvas de México. Apenas los examinaba con espíritu crítico, el parecido se desvanecía. Sin embargo, algo perduraba, indefinible.

Mi sensación de extrañeza —quiero decir: sorprendida familiaridad— aumentó cuando abandoné el subcontinente y me interné en las zonas marginales de la civilización india. En Polannaruwa ciertas esculturas me *obligaron* a pensar en los mayas. En Angkor la sensación se volvió obsesionante. Allí encontré un arte que tenía un indudable parecido con el de los mayas. No pienso únicamente en la similitud de ciertos elementos —templos escalonados, serpientes, atlantes, posiciones de las estatuas— sino en la sensibilidad que modeló la piedra y en la visión que distribuyó los espacios: delirio y razón, geometría y sensualidad. El paisaje, por otra parte, contribuye a acentuar la sensación de semejanza. En Angkor, como en Palenque, la inmortalidad vegetal lucha contra la eternidad de la piedra. Al vencerla, la cambia, le da otra belleza. Bodas enigmáticas y fúnebres de la selva y la arquitectura, estatuas estranguladas por las lianas, aplastadas por las raíces enormes y, así, más hermosas, como si esas mutilaciones y cicatrices fuesen los signos de la identidad última entre las formas humanas y las naturales. Transfiguración de la piedra en dios, del dios en árbol. ¿Sólo somos naturaleza? Pensé en Pellicer y en su poema "Esquemas para una oda tropical". El poeta mexicano afirma la primacía de otra acción sobre la ciega actividad de la naturaleza y de la historia, la vía de salida de Buda y, tal vez, de Quetzalcóatl.

> ...las pasiones
> crecen hasta pudrirse. Sube entonces
> el tiempo de los lotos y la selva
> tiene ya en su poder una sonrisa.
> De los tigres al boa hormiguea
> la voz de la aventura espiritual.

En Angkor tuve la suerte de encontrar al señor Bernard Philip Groslier, director de los trabajos de restauración —obra maestra de la arqueología contemporánea— y reputado especialista del arte khmer. Naturalmente le confié mis impresiones y le pregunté si creía en la posibilidad de una relación entre el Sudeste asiático y América. En contra de lo que me esperaba, su respuesta fue dubitativa: nada cierto se podía decir, pero las palpables analogías hacían vacilar las convicciones científicas más arraigadas. Me contó que varios americanistas, mexicanos y extranjeros, le habían hecho la misma pregunta. La parecía dificilísimo probar la realidad de esos contactos, a pesar de que el descubrimiento de la dirección de los vientos monzónicos había hecho progresar muchísimo, desde una época remota, el arte de la navegación en esa parte del mundo. Le repuse que el comercio marítimo se hacia con el Mediterráneo y con China: si las fuentes históricas se refieren a ese intercambio ¿por qué no dicen nada de América? Asintió y me dijo que quizás habría que comenzar por un análisis comparado de los ritos y los mitos: "Por ejemplo, el de *El Volador*, estudiado en México por mi compatriota Strasser-Pean, y el de Krisna..." Este último es una de las divinidades más antiguas de la India y el sincretismo hindú lo ha convertido en un avatar de Visnú. En todos los santuarios en que se le rinde culto figura un columpio, a veces cuna del niño dios y otras, para mayor confusión de los misioneros cristianos, mecedora propicia a los juegos eróticos del divino adolescente. La analogía señalada por el señor Groslier me hizo pensar inmediatamente en otra: Krisna es un dios negro o azul (los primeros antropólogos vieron en su color una prueba más de su origen preario); si se recuerda que Mixcóatl es también un dios azul, como Huitzilopochtli y otras divinidades celestes, no será arbitrario inferir que Krisna fue igualmente una deidad del cielo nocturno. El columpio y el juego ritual del Volador; dioses celestes, azules o negros, que descienden a la Tierra.. Mi conversación con el señor Groslier, lejos de calmar mis dudas, las avivó.

Volví a perderme entre los follajes, las terrazas y las torres de Banyon. Cada punto del espacio: una gigantesca cabeza de Buda. Los bosques de columnas y árboles poco a poco se convirtieron en una selva de semejanzas. Repeticiones, juegos de espejos de los troncos y los torsos, las raíces aéreas y las balaustradas de serpientes. Juego de espejos de la memoria: todo lo que veía se parecía a Palenque y también a un cuadro de Max Ernst (*La ville entière*). Esa tela —una de las primeras obras que me abrieron la vía hacia el surrealismo— había suscitado en mí, con la violencia de lo visto en sueños, la imagen de una ciudad sumergida en las aguas vegetales de las selvas americanas. Años después, conversando con Ernst, le confié que su cuadro me había producido una suerte de estupor verde y ocre, semejante a la impresión que tuve al ver por primera vez las ruinas de El Tajín. Rio y me repuso: "Es un *frottage*. Traté de adivinar lo que me decían las formas que me ofrecía el azar. Es una construcción imaginaria: podría estar en Asia. O aquí." Al recordar las palabras del pintor descubrí otra coincidencia. El *frottage*, juego infantil y método surrealista, es también un procedimiento tradicional de la pintura en China y en el Sudeste asiático... En el laberinto de árboles y torres que son caras de Buda, delirio de piedra entre hojas delirantes, comprobé que el verdadero realismo es imaginario. También la selva es arquitecto y escultor y sus construcciones no son menos fantásticas que las nuestras. ¿O debo decir que nuestras creaciones más extrañas, los surtidores pasionales, los chorros de vapor de la fiebre, son tan naturales como la vegetación de los trópicos y la geometría de las estepas? Bandadas de pensamientos y de nombres. Círculos, dispersión, reunión. Pellicer, Max Ernst, Angkor, Palenque: puentes suspendidos sobre los siglos y los mares que en un instante de exaltación se cruzaron en mi frente. Más allá de verdad o error —la discusión sigue abierta—, la teoría asiática nos hace ver con otros ojos las obras de los antiguos americanos. Es un puente.

Delhi, 29 de septiembre de 1965

PC

RISA Y PENITENCIA*

AL ALBA, un escalofrío recorre a los objetos. Durante la noche, fundidos a la sombra, perdieron su identidad; ahora, no sin vacilaciones, la luz los recrea. Adivino ya que esa barca varada, sobre cuyo mástil cabecea un papagayo carbonizado, es el sofá y la lámpara; ese buey degollado entre sacos de arena negra, es el escritorio; dentro de unos instantes la mesa volverá a llamarse mesa... Por las rendijas de la ventana del fondo entra el sol. Viene de lejos y tiene frío. Adelanta un brazo de vidrio, roto en pedazos diminutos al tocar el muro. Afuera, el viento dispersa nubes. Las persianas metálicas chillan como pájaros de hierro. El sol da tres pasos más. Es una araña centelleante, plantada en el centro del cuarto. Descorro la cortina. El sol no tiene cuerpo y está en todas partes. Atravesó montañas y mares, caminó toda la noche, se perdió por los barrios. Ha entrado al fin y, como si su propia luz lo cegase, recorre a tientas la habitación. Busca algo. Palpa las paredes, se abre paso entre las manchas rojas y verdes del cuadro, trepa la escalinata de los libros. Los estantes se han vuelto una pajarera y cada color grita su nota. El sol sigue buscando. En el tercer estante, entre el Diccionario Etimológico de la Lengua Castellana y *La garduña de Sevilla y anzuelo de bolsas*, reclinada contra la pared recién encalada, el color ocre atabacado, los ojos felinos, los párpados levemente hin-

* Prólogo a *Magia de la risa*: textos de O.P. y Alfonso Medellín Zenil, fotografías de Francisco Berevido, Colección de Arte de la Universidad Veracruzana. México, 1962.

chados por el sueño feliz, tocada por un gorro que acentúa la deformación de la frente y sobre el cual una línea dibuja una espiral que remata en una vírgula (ahí el viento escribió su verdadero nombre), en cada mejilla un hoyuelo y dos incisiones rituales, la cabecita ríe. El sol se detiene y la mira. Ella ríe y sostiene la mirada sin pestañear.

¿De quién o por qué se ríe la cabecita del tercer estante? Ríe con el sol. Hay una complicidad, cuya naturaleza no acierto a desentrañar, entre su risa y la luz. Con los ojos entrecerrados y la boca entreabierta, mostrando apenas la lengua, juega con el sol como la bañista con el agua. El calor solar es su elemento. ¿Ríe de los hombres? Ríe para sí y porque sí. Ignora nuestra existencia; está viva y ríe con todo lo que está vivo. Ríe para germinar y para que germine la mañana. Reír es una manera de nacer (la otra, la nuestra, es llorar). Si yo pudiese reír como ella, sin saber por qué... Hoy, un día como los otros, bajo el mismo sol de todos los días, estoy vivo y río. Mi risa resuena en el cuarto con un sonido de guijarros cayendo en un pozo. ¿La risa humana es una caída, tenemos los hombres un agujero en el alma? Me callo, avergonzado. Después, me río de mí mismo. Otra vez el sonido grotesco y convulsivo. La risa de la cabecita es distinta. El sol lo sabe y calla. Está en el secreto y no lo dice; o lo dice con palabras que no entiendo. He olvidado, si alguna vez lo supe, el lenguaje del sol.

La cabecita es un fragmento de un muñeco de barro, encontrado en un entierro secundario, con otros ídolos y cacharros rotos, en un lugar del centro de Veracruz. Tengo sobre mi mesa una colección de fotografías de esas figurillas. La mía fue como una de ellas: la cara levemente levantada hacia el sol, con expresión de gozo indecible; los brazos en gesto de danza, la mano izquierda abierta y la derecha empuñando una sonaja en forma de calabaza; al cuello y sobre el pecho, un collar de piedras gruesas; y por toda vestidura, una estrecha faja sobre los senos y un faldellín de la cintura a la rodilla, ambos adornados por una greca escalonada. La mía, quizá, tuvo otro adorno: líneas sinuosas, vírgulas y, en el centro de la falda, un mono de los llamados ''araña'', la cola graciosamente enroscada y el pecho abierto por el cuchillo sacerdotal.

La cabecita del tercer estante es contemporánea de otras criaturas turbadoras: deidades nariagudas, con un tocado en forma de ave que desciende; esculturas de Xipe-Tlazoltéotl, dios doble, vestido de mujer, cubierta la parte inferior del rostro con un antifaz de piel humana; figuras de mujeres muertas en el parto (cihuateteos), armadas de escudo y macana; ''palmas'' y hachas rituales, en jade y otras piedras duras, que representan un collar de manos cortadas, un rostro con máscara de perro o una cabeza de guerrero muerto, los ojos cerrados y en la boca la piedra verde de inmortalidad; Xochiquetzal, diosa del matrimonio, con un niño; el jaguar de la tierra, entre las fauces una cabeza humana; Ehécatl-Quetzalcóatl, señor del viento, antes de su metamorfosis en el Altiplano, dios con pico de pato... Estas obras, unas aterradoras y otras fascinantes, casi todas admirables, pertenecen a la cultura totonaca —si es que fue realmente totonaca el pueblo que, entre el siglo I y el IX de nuestra era, levantó los templos de El Tajín, fabricó por miles las figuritas rientes y esculpió ''yugos'', hachas y ''palmas'', objetos misteriosos sobre cuya función o utilidad poco se sabe pero que, por su perfección, nos iluminan con la belleza instantánea de lo evidente.

Como sus vecinos los huastecas, nación de ilusionistas y magos que, dice Sahagún, ''no tenía la lujuria por pecado'', los totonacas revelan una vitalidad menos tensa y más dichosa que la de los otros pueblos mesoamericanos. Quizá por esto crearon un arte equidistante de la severidad teotihuacana y de la opulencia maya. El Tajín no es, como Teotihuacan, movimiento petrificado, tiempo detenido: es geometría danzante, ondulación y ritmo. Los totonacas no son siempre sublimes pero pocas veces nos marean, como los mayas, o nos aplastan como los del Altiplano. Ricos y sobrios a un tiempo, heredaron de los "olmecas" la solidez y la economía, ya que no la fuerza. Aunque la línea de la escultura totonaca no tiene la concisa energía de los artistas de La Venta y Tres Zapotes, su genio es más libre e imaginativo. Mientras el escultor "olmeca" extrae sus obras, por decirlo así, de la piedra (o como escribe Westheim: "No crea cabezas, crea cabezas de piedra"), el totonaca transforma la materia en algo distinto, sensual o fantástico, y siempre sorprendente. Dos familias de artistas: unos se sirven de la materia, otros son sus servidores. Sensualidad y ferocidad, sentido del volumen y de la línea, gravedad y sonrisa, el arte totonaca rehúsa lo monumental porque sabe que la verdadera grandeza es equilibrio. Pero es un equilibrio en movimiento, una forma recorrida por un soplo vital, como se ve en la sucesión de líneas y ondulaciones que dan a la pirámide de El Tajín una animación que no está reñida con la solemnidad. Esas piedras están vivas y danzan.

¿El arte totonaca es una rama, la más próxima y vivaz, del tronco "olmeca"? No sé cómo podría contestarse a esta pregunta. ¿Quiénes fueron los "olmecas", cómo se llamaban realmente, qué idioma hablaban, de dónde venían y adónde se fueron? Algunos arqueólogos han señalado presencias teotihuacanas en El Tajín. Por su parte, Medellín Zenil piensa, y sus razones son buenas, que también hubo influencias totonacas en Teotihuacan. ¿Y quiénes fueron, cómo se llamaban, de dónde venían, etc., los constructores de Teotihuacan? Jiménez Moreno aventura que tal vez fue obra de grupos nahua-totonacas... "Olmecas'', totonacas, popoloca-mazatecos, toltecas: nombres. Los nombres van y vienen, aparecen y desaparecen. Quedan las obras. Entre los escombros de los templos demolidos por el chichimeca o por el español, sobre el montón de libros y de hipótesis, la cabecita ríe. Su risa es contagiosa. Ríen los cristales de la ventana, la cortina, el Diccionario Etimológico, el clásico olvidado y la revista de vanguardia; todos los objetos se ríen del hombre inclinado sobre el papel, buscando el secreto de la risa en unas fichas. El secreto está afuera. En Veracruz, en la noche rojiza y verde de El Tajín, en el sol que sube cada mañana la escalera del templo. Regresa a esa tierra y aprende a reír. Mira otra vez los siete chorros de sangre, las siete serpientes que brotan del tronco del decapitado. Siete: el número de la sangre en el relieve del Juego de Pelota en Chichen-Itzá; siete: el número de semillas en la sonaja de fertilidad; siete: el secreto de la risa.

La actitud y la expresión de las figurillas evocan la imagen de un rito. Los ornamentos del tocado, subraya Medellín Zenil, corroboran esta primera impresión: las vírgulas son estilizaciones del mono, doble o nahual de Xochipilli; los dibujos geométricos son variaciones del signo *nahui ollín*, sol del movimiento; la Serpiente Emplumada, es casi innecesario decirlo, designa a Quetzalcóatl; la greca escalonada alude a la serpiente, símbolo de fertilidad... Criaturas danzantes que parecen celebrar al sol y a la vegetación naciente, embriagadas por una dicha que se expresa en todas las gamas del júbilo, ¿cómo no asociarlas con la divinidad que más tarde, en el Altiplano, se llamó Xochipilli (*1 Flor*) y Macuilxóchitl (*5 Flor*)? No creo, sin embargo, que se trate de representaciones del dios. Probablemente son figuras de su séquito o personajes que, de una manera u otra, participan en su culto. Tampoco me parece que sean retratos, como se ha insinuado, aunque podrían inclinarnos a aceptar esta hipótesis la individualidad de los rasgos faciales y la rica variedad de las expresiones risueñas, a mi juicio sin paralelo en la historia entera de las artes plásticas. Pero el retrato es un género profano, que aparece tarde en la historia de las civilizaciones. Los muñecos totonacas, como los santos, demonios, ángeles y otras representaciones de lo que llamamos, con inexactitud, "arte popular", son figuras asociadas con alguna festividad. Su función en el culto solar, al cual indudablemente pertenecen, oscila tal vez entre la religión propiamente dicha y la magia. Procuraré justificar mi suposición más adelante. Por lo pronto diré que su risa, contra el fondo de los ritos de Xochipilli, posee una resonancia ambivalente.

El oficio que desempeña entre nosotros la causalidad lo ejercía entre los mesoamericanos la analogía. La causalidad es abierta, sucesiva y prácticamente infinita: una causa produce un efecto que a su vez engendra otro... La analogía o correspondencia es cerrada y cíclica: los fenómenos giran y se repiten como en un juego de espejos. Cada imagen cambia, se funde a su contraria, se desprende, forma otra imagen, se une de nuevo a otra y, al fin, vuelve al punto de partida. El ritmo es el agente del cambio. Las expresiones privilegiadas del cambio son, como en la poesía, la metamorfosis; como en el rito, la máscara. Los dioses son metáforas del ritmo cósmico; a cada fecha, a cada compás de la danza temporal, corresponde una máscara. Nombres: fechas: máscaras: imágenes. Xochipilli (su nombre en el calendario es *1 Flor*), numen del canto y de la danza, que empuña un bastón con un corazón atravesado, sentado sobre una manta decorada por los cuatro puntos cardinales, sol niño, es también, sin dejar de ser él mismo, Cintéotl, la deidad del maíz naciente. Como si se tratase de la rima de un poema, esta imagen convoca a la de Xipetótec, dios del maíz pero asimismo del oro, dios solar y genésico (''nuestro señor el desollado'' y ''el que tiene el miembro viril''). Divinidad que encarna el principio masculino, Xipe se funde con Tlazoltéotl, señora de las cosechas y del parto, de la confesión y de los baños de vapor, abuela de dioses, madre de Cintéotl. Entre este último y Xilomen, diosa joven del maíz, hay una estrecha relación. Ambos están aliados a Xochiquetzal, arrebatada por Tezcatlipoca al mancebo Piltzintecutli —que no es otro que Xochipilli. El círculo se cierra. Es muy posible que el panteón del pueblo de El Tajín, en la gran época, haya sido menos complicado que lo que deja entrever esta apresurada enumeración. No importa: el principio que regía a las transformaciones divinas era el mismo.

Nada menos arbitrario que esta alucinante sucesión de divinidades. Las metamorfosis de Xochipilli son las del sol. También son las del agua, o las de la planta del maíz en las distintas fases de su crecimiento y, en suma, las de todos los elementos, que se entrelazan y separan en una suerte de danza circular. Universo de gemelos antagonistas, gobernado por una lógica rigurosa, precisa y coherente como la alternancia de versos y estrofas en el poema. Sólo que aquí los ritmos y las rimas son la naturaleza y la sociedad, la agricultura y la guerra, el sustento cósmico y la alimentación de los hombres. Y el único tema de este inmenso poema es la muerte y la resurrección del tiempo cósmico. La historia de los hombres se resuelve en la del mito y el signo que orienta sus vidas es el mismo que dirige a la totalidad: *nahui ollín*, el movimiento. Poesía en acción, su metáfora final es el sacrificio real de los hombres.

La risa de las figurillas empieza a revelarnos toda su insensata sabiduría (uso con reflexión estas dos palabras); apenas se recuerdan algunas de las ceremonias en que interviene Xochipilli. En primer término, la decapitación.

Sin duda se trata de un rito solar. Aparece ya en la época "olmeca", en una estela de Tres Zapotes. Por lo demás, la imagen del sol como una cabeza separada de su tronco representa espontáneamente a todos los espíritus. (¿Sabía Apollinaire que repetía una vieja metáfora al terminar un célebre poema con la frase: *Soleil cou coupé?*) Algunos ejemplos: el Códice Nutall muestra a Xochiquetzal degollada en el Juego de Pelota, y en la fiesta consagrada a Xilonen se decapitaba a una mujer, encarnación de la diosa, precisamente en el altar de Cintéotl. La decapitación no era el único rito. Diosa lunar, arquera y cazadora como Diana, aunque menos casta, Tlazoltéotl era la patrona del sacrificio por flechamiento. Sabemos que este rito era originario de la costa, precisamente de la región huasteca y totonaca. Parece inútil, por último, detenerse en los sacrificios asociados a Xipe el Desollado,* vale la pena, en cambio, señalar que esta clase de sacrificios formaba parte también del culto a Xochipilli: el Códice Magliabecchi representa al dios de la danza y la alegría revestido de un pellejo de mono. Así pues, no es descabellado suponer que las figurillas ríen y agitan sus sonajas mágicas en el momento del sacrificio. Su alegría sobrehumana celebra la unión de las dos vertientes de la existencia, como el chorro de sangre del decapitado se convierte en siete serpientes.

El Juego de Pelota era escenario de un rito que culminaba en un sacrificio por decapitación. Pero se corre el riesgo de no comprender su sentido si se olvida que este rito era efectivamente un juego. En todo rito hay un elemento lúdico. Inclusive podría decirse que el juego es la raíz del rito. La razón está a la vista: la creación es un juego; quiero decir: lo contrario del trabajo. Los dio-

---

* En los sacrificios asociados a Xipetótec "mataban y desollaban muchos esclavos y cautivos… y vestían sus pellejos". (Fray Bernardino de Sahagún, *Historia de las cosas de la Nueva España*, libro II.)

ses son, por esencia, jugadores. Al jugar, crean. Lo que distingue a los dioses de los hombres es que ellos juegan y nosotros trabajamos. El mundo es el juego cruel de los dioses y nosotros somos sus juguetes. En todas las mitologías el mundo es una creación: un acto gratuito. Los hombres no son necesarios; no se sostienen por sí mismos sino por una voluntad ajena: son una creación, un juego. El rito destinado a preservar la continuidad del mundo y de los hombres es una imitación del juego divino, una representación del acto creador original. La frontera entre lo profano y lo sagrado coincide con la línea que separa al rito del trabajo, a la risa de la seriedad, a la creación de la tarea productiva. En su origen todos los juegos fueron ritos y hoy mismo obedecen a un ceremonial; el trabajo rompe todos los rituales: durante la faena no hay tiempo ni espacio para el juego. En el rito reina la paradoja del juego: los últimos serán los primeros, los dioses sacan al mundo de la nada, la vida se gana con la muerte; en la esfera del trabajo no hay paradojas: ganarás el pan con el sudor de tu frente, cada hombre es hijo de sus obras. Hay una relación inexorable entre el esfuerzo y su fruto: el trabajo, para ser costeable, debe ser productivo; la utilidad del rito consiste en ser un inmenso desperdicio de vida y tiempo para asegurar la continuidad cósmica. El rito asume todos los riesgos del juego y sus ganancias, como sus pérdidas, son incalculables. El sacrificio se inserta con naturalidad en la lógica del juego; por eso es el centro y la consumación de la ceremonia: no hay juego sin pérdida ni rito sin ofrenda o víctima. Los dioses se sacrifican al crear el mundo porque toda creación es un juego.

La relación entre la risa y el sacrificio es tan antigua como el rito mismo. La violencia sangrante de bacanales y saturnales se acompañaba casi siempre de gritos y grandes risotadas. La risa sacude al universo, lo pone fuera de sí, revela sus entrañas. La risa terrible es manifestación divina. Como el sacrificio, la risa niega al trabajo. Y no sólo porque es una interrupción de la tarea sino porque pone en tela de juicio su seriedad. La risa es una suspensión y, en ocasiones, una pérdida del juicio. Así retira toda significación al trabajo y, en consecuencia, al mundo. En efecto, el trabajo es lo que da sentido a la naturaleza; transforma su indiferencia o su hostilidad en fruto, la vuelve productiva. El trabajo humaniza al mundo y esta humanización es lo que le confiere sentido. La risa devuelve el universo a su indiferencia y extrañeza originales: si alguna significación tiene, es divina y no humana. Por la risa el mundo vuelve a ser un lugar de juego, un recinto sagrado, y no de trabajo. El nihilismo de la risa sirve a los dioses. Su función no es distinta a la del sacrificio: restablecer la divinidad de la naturaleza, su inhumanidad radical. El mundo no está hecho para el hombre; el mundo y el hombre están hechos para los dioses. El trabajo es serio; la muerte y la risa le arrebatan su máscara de gravedad. Por la muerte y la risa, el mundo y los hombres vuelven a ser juguetes.

Entre hombres y dioses hay una distancia infinita. Una y otra vez, por los medios del rito y el sacrificio, el hombre accede a la esfera divina —pero sólo para caer, al cabo de un instante, en su contingencia original. Los hombres pueden parecerse a los dioses; ellos nunca se parecen a nosotros. Ajeno y extraño, el dios es la "otredad". Aparece entre los hombres como un *misterio* tremendo, para emplear la conocida expresión de Otto. Encarnaciones de un más allá inaccesible, las representaciones de los dioses son terribles. En otra parte, sin embargo, he tratado de distinguir entre el carácter aterrador del numen y la experiencia, acaso más profunda, del horror sagrado.[1] Lo tremendo y

[1] *El arco y la lira* (pp. 123-131), México, 1956.

terrible son atributos del poder divino, de su autoridad y soberbia. Pero el núcleo de la divinidad es su misterio, su "otredad" radical. Ahora bien, la "otredad" propiamente dicha no produce temor sino fascinación. Es una experiencia repulsiva o, más exactamente, revulsiva: consiste en un abrir las entrañas del cosmos, mostrar que los órganos de la gestación son también los de la destrucción y que, desde cierto punto de vista (el de la divinidad), vida y muerte son lo mismo. El horror es una experiencia que equivale, en el reino de los sentimientos, a la paradoja y a la antinomia en el espíritu: el dios es una presencia total que es una ausencia sin fondo. En la presencia divina se manifiestan todas las presencias y por ella todo está presente; al mismo tiempo, como si se tratase de un juego, todo está vacío. La *aparición* muestra el anverso y el reverso del ser. Coatlicue es lo demasiado lleno y colmado de todos los atributos de la existencia, presencia en la que se concentra la totalidad del universo; y esta plétora de símbolos, significaciones y signos es también un abismo, la gran boca maternal del vacío. Despojar a los dioses mexicanos de su carácter terrible y horrible, como lo intenta a veces nuestra crítica de arte, equivale a amputarlos doblemente: como creaciones del genio religioso y como obras de arte. Toda divinidad es tremenda, todo dios es fuente de horror. Y los dioses de los antiguos mexicanos poseen una carga de energía sagrada que no merece otro calificativo que el de fulminante. Por eso nos fascinan.

Presencia tremenda, el dios es inaccesible; misterio fascinante, es incognoscible. Ambos atributos se funden en la impasibilidad. (La *pasión* pertenece a los dioses que se humanizan, como Cristo.) Los dioses están más allá de la seriedad del trabajo y por eso su actividad es el juego; pero es un juego impasible. Cierto, los dioses griegos del periodo arcaico sonríen; esa sonrisa es la expresión de su indiferencia. Están en el secreto, saben que el mundo, los hombres y ellos mismos nada son, excepto figuras del Hado; para los dioses griegos bien y mal, muerte y vida, son palabras. La sonrisa es el signo de su impasibilidad, la señal de su infinita distancia de los hombres. Sonríen: nada los altera. No sabemos si los dioses de México ríen o sonríen: están cubiertos por una máscara. La función de la máscara es doble; como un abanico, esconde y revela a la divinidad. Mejor dicho: oculta su esencia y manifiesta sus atributos terribles. De ambas maneras interpone entre los hombres y la deidad una distancia infranqueable. En el juego de las divinidades impasibles, ¿qué lugar tiene la risa?

Las figurillas totonacas ríen a plena luz y con la cara descubierta. No encontramos en ellas ninguno de los atributos divinos. No son un misterio tremendo ni una voluntad todopoderosa las anima; tampoco poseen la ambigua fascinación del horror sobrenatural. Viven en la atmósfera divina pero no son dioses. No se parecen a las deidades que sirven, aunque una misma mano las haya modelado. Asisten a sus sacrificios y participan en sus ceremonias como supervivientes de otra edad. Pero si no se parecen a los dioses, tienen un evidente aire de familia con las estatuillas femeninas del periodo ''pleclásico'' del centro de México y de otros lugares. No quiero decir que sean sus descendientes sino, apenas, que viven en el mismo ámbito psíquico, como las innumerables representaciones de la fecundidad en el área mediterránea y, asimismo, como tantos objetos del ''arte popular''. Esa mezcla de realismo y mito, de humor y sensualidad inocente, explica también la variedad de las expresiones y de los rasgos faciales. Aunque no son retratos, denotan una observación muy viva y aguda de la movilidad del rostro, una *familiaridad* ausente casi siempre en el arte religioso. ¿No encontramos el mismo espíritu en muchas de las creaciones de nuestros artesanos contemporáneos? Las figurillas pertenecen, espiritualmente, a un época anterior a las grandes religiones rituales —antes de la sonrisa indiferente y de la máscara aterradora, antes de la separación de dioses y hombres. Vienen del mundo de la magia, regido por la creencia en la comunicación y transformación de los seres y las cosas.[2]

Talismanes, amuletos de la metamorfosis, las terracotas rientes nos dicen que todo está animado y que todos son todo. Una sola energía anima la creación. Mientras la magia afirma la fraternidad de todas las cosas y criaturas, las religiones separan al mundo en dos porciones: los creadores y su creación. En el mundo mágico la comunicación y, en consecuencia, la metamorfosis, se logra por procedimientos como la imitación y el contagio. No es difícil descubrir en las figurillas totonacas un eco de estas recetas mágicas. Su risa es comunicativa y contagiosa; es una invitación a la *animación general*, un llamado tendiente a restablecer la circulación del soplo vital. La sonaja encierra semillas que, al chocar unas contra otras, imitan los ruidos de la lluvia y la tormenta. La analogía con los ''tlaloques'' y sus vasijas salta a los ojos: no sería improbable que existiese una relación más precisa entre las estatuillas y Tláloc, una de las divinidades más antiguas de Mesoamérica. Y hay más: ''El número siete'', dice Alfonso Caso, ''significa semillas''. Era un número fasto. Aquí me parece que evoca la idea de fertilidad y abundancia. Entre la seriedad contraída del trabajo y la impasibilidad divina, las figuritas nos revelan un reino más antiguo: la risa mágica.

[2] No quiero decir que, literalmente, la magia sea anterior a la religión, como creía Frazer. En toda religión hay elementos mágicos y viceversa. Ahora bien, la actitud mágica, desde el punto de vista psicológico, es el sustento de la religiosa y, en ese sentido, es anterior a esta última.

La risa es anterior a los dioses. A veces los dioses ríen. Burla, amenaza o delirio, su risa estentórea nos aterra: pone en movimiento a la creación o la desgarra. En otras ocasiones, su risa es eco o nostalgia de la unidad perdida, es decir, del mundo mágico. Para tentar a la diosa-sol, escondida en una cueva, la diosa Uzumé "descubrió sus pechos, se alzó las faldas y danzó. Los dioses empezaron a reír y su risa hizo temblar los pilares del cielo". La danza de la diosa japonesa obliga al sol a salir. En el principio fue la risa; el mundo comienza con un baile indecente y una carcajada. La risa cósmica es una risa pueril. Hoy sólo los niños ríen con una risa que recuerda a la de las figuritas totonacas. Risa del primer día, risa salvaje y cerca todavía del primer llanto: acuerdo con el mundo, diálogo sin palabras, placer. Basta alargar la mano para coger el fruto, basta reír para que el universo ría. Restauración de la unidad entre el mundo y el hombre, la risa pueril anuncia también su definitiva separación. Los niños juegan a mirarse frente a frente: aquel que ría primero, pierde el juego. La risa se paga. Ha dejado de ser contagiosa. El mundo se ha vuelto sordo y de ahora en adelante sólo se conquista con el esfuerzo o con el sacrificio, con el trabajo o con el rito.

A medida que se amplía la esfera del trabajo, se reduce la de la risa. Hacerse hombre es aprender a trabajar, volverse serio y formal. Pero el trabajo, al humanizar a la naturaleza, deshumaniza al hombre. El trabajo literalmente desaloja al hombre de su humanidad. Y no sólo porque convierte al trabajador en asalariado sino porque confunde su vida con su oficio. Lo vuelve inseparable de su herramienta, lo marca con el hierro de su utensilio. Y todas las herramientas son serias. El trabajo devora al ser del hombre: inmoviliza su rostro, le impide llorar o reír. Cierto, el hombre es hombre gracias al trabajo; hay que añadir que sólo logra serlo plenamente cuando se libera de la faena o la trasmuta en el juego creador. Hasta la época moderna, que ha hecho del trabajo una suerte de religión sin ritos pero con sacrificios, la vida superior era la contemplativa; y hoy mismo la rebelión del arte (tal vez ilusoria y, en todo caso, aleatoria) consiste en su gratuidad, eco del juego ritual. El trabajo consuma la victoria del hombre sobre la naturaleza y los dioses; al mismo tiempo, lo desarraiga de su suelo nativo, seca la fuente de su humanidad. La palabra placer no figura en el vocabulario del trabajo. Y el placer es una de las claves del hombre: nostalgia de la unidad original y anuncio de reconciliación con el mundo y con nosotros mismos.

Si el trabajo exige la abolición de la risa, el rito la congela en rictus. Los dioses juegan y crean el mundo; al repetir ese juego, los hombres danzan y lloran, ríen y derraman sangre. El rito es un juego que reclama víctimas. No es extraño que la palabra danza, entre los aztecas, significase también penitencia. Regocijo que es penitencia, fiesta que es pena, la ambivalencia del rito culmina en el sacrificio. Una alegría sobrehumana ilumina el rostro de la víctima. La expresión arrobada de los mártires de todas las religiones no cesa de sorprenderme. En vano los psicólogos nos ofrecen sus ingeniosas explicaciones, valederas hasta que surge una nueva hipótesis: algo queda por decir.* Algo indecible. Esa alegría extática es insondable como el gesto del placer erótico. Al contrario de la risa contagiosa de las figurillas totonacas, la víctima provoca nuestro horror y nuestra fascinación. Es un espectáculo intolerable y del que, no obstante, no podemos apartar los ojos. Nos atrae y repele y de ambas maneras

* Una hipótesis reciente atribuye la expresión de dicha extática de muchas de las figurillas a los efectos de una droga ingerida antes del sacrificio.

crea entre ella y nosotros una distancia infranqueable. Y sin embargo, ese rostro que se contrae y distiende hasta inmovilizarse en un gesto que es simultáneamente penitencia y regocijo, ¿no es el jeroglífico de la unidad original, en la que todo era uno y lo mismo? Ese gesto no es la negación sino el reverso de la risa.

"La alegría es una", dice Baudelaire; en cambio, "la risa es doble o contradictoria; por eso es convulsiva".[3] Y en otro pasaje del mismo ensayo: "En el paraíso terrenal (pasado o por venir, recuerdo o profecía, según lo imaginemos como teólogos o como socialistas)... la alegría *no* está en la risa." Si la alegría es una, ¿cómo podría estar excluida la risa del paraíso? La respuesta la encuentro en estas líneas: la risa es satánica y "está asociada al accidente de la antigua caída... la risa y el dolor se expresan por los órganos donde residen el gobierno y la ciencia del bien y del mal: los ojos y la boca". Entonces, ¿en el paraíso nadie ríe porque nadie sufre? ¿Será la alegría un estado neutro, beatitud hecha de indiferencia, y no ese grado supremo de felicidad que sólo alcanzan los bienaventurados y los inocentes? No. Baudelaire dice que la alegría paradisíaca no es humana y que trasciende las categorías de nuestro entendimiento. A diferencia de esta alegría, la risa no es divina ni santa: es un atributo humano y por eso reside en los órganos que, desde el principio, han sido considerados como el asiento del libre albedrío: los ojos, espejos de la visión y origen del conocimiento, y la boca, servidora de la palabra y del juicio. La risa es una de las manifestaciones de la libertad humana, a igual distancia de la impasibilidad divina y de la irremediable gravedad de los animales. Y es satánica porque es una de las marcas de la ruptura del pacto entre Dios y la criatura.

[3] *Curiosités esthétiques: de l'essence du rire et généralment du comique dans les arts plastiques* (1855).

La risa de Baudelaire es inseparable de la tristeza. No es la risa pueril sino lo que él mismo llama "lo cómico". Es la risa moderna, la risa humana por excelencia. Es la que oímos todos los días como desafío o resignación, engreída o desesperada. Esta risa es también la que ha dado al arte occidental, desde hace varios siglos, algunas de sus obras más temerarias e impresionantes. Es la caricatura y, asimismo, es Goya y Daumier, Brueghel y Jerónimo Bosch, Picabia y Picasso, Marcel Duchamp y Max Ernst... Entre nosotros es José Guadalupe Posada y, a veces, el mejor Orozco y el Tamayo más directo y feroz. La antigua risa, revelación de la unidad cósmica, es un secreto perdido para nosotros. Entrevemos lo que pudo haber sido al contemplar nuestras figurillas, la risa fálica de ciertas esculturas negras y tantos otros objetos insólitos, arcaicos o remotos, que apenas empezaban a penetrar en la conciencia occidental cuando Baudelaire escribía sus reflexiones. Por esas obras adivinamos que la alegría efectivamente era una y que abrazaba muchas cosas que después parecieron grotescas, brutales o diabólicas: la danza obscena de Uzumé ("baile de mono", dicen los japoneses), el alarido de la ménade, el canto fúnebre del pigmeo, el príapo alado del romano... Alegría es unidad que no excluye ningún elemento. La conciencia cristiana expulsa a la risa del paraíso y la tranforma en atributo satánico. Desde entonces es signo del mundo subterráneo y de sus poderes. Hace apenas unos cuantos siglos ocupó un lugar cardinal en los procesos de hechicería, como síntoma de posesión demoniaca; confiscada hoy por la ciencia, es histeria, desarreglo psíquico, anomalía. Y sin embargo, enfermedad o marca del diablo, la antigua risa no pierde su poder. Su contagio es irresistible y por eso hay que aislar a los "enfermos de risa loca".

La risa une; lo "cómico" acentúa nuestra separación.

Nos reímos de los otros o de nosotros mismos y en ambos casos, señala Baudelaire, afirmamos que somos diferentes de aquello que provoca nuestra risa. Expresión de nuestra distancia del mundo y de los hombres, la risa moderna es sobre todo la cifra de nuestra dualidad: si nos reímos de nosotros mismos es porque somos dos. Nuestra risa es negativa. No podía ser de otro modo, puesto que es una manifestación de la conciencia moderna, la conciencia escindida. Si afirma esto, niega aquello, no asiente (eres como yo), disiente (eres diferente). En sus formas más directas, sátira, burla o caricatura, es polémica: acusa, pone el dedo en la llaga; alimento de la poesía más alta, es risa roída por la reflexión: ironía romántica, humor negro, blasfemia, epopeya grotesca (de Cervantes a Joyce); pensamiento, es la única filosofía crítica porque es la única que de verdad disuelve los valores. El saber de la conciencia moderna es un saber de separación. El método del pensamiento crítico es negativo: tiende a distinguir una cosa de la otra; para lograrlo, debe mostrar que esto *no* es aquello. A medida que la meditación se hace más amplia, crece la negación: el pensamiento pone en tela de juicio a la realidad, al conocimiento, a la verdad. Vuelto sobre sí mismo, se interroga y pone a la conciencia en entredicho. Hay un instante en que la reflexión, al reflejarse en la pureza de la conciencia, se niega. Nacida de una negación de lo absoluto, termina en una negación absoluta. La risa acompaña a la conciencia en todas sus aventuras: si el pensamiento se piensa, ella se ríe de la risa; si piensa lo impensable, ella se muere de risa. Refutación del universo por la risa.

La risa es el más allá de la filosofía. El mundo empezó con una carcajada y termina con otra. Pero la risa de los dioses japoneses, en el seno de la creación, no es la misma del solitario Nietzsche, libre ya de la naturaleza, "espíritu que juega inocentemente, es decir, sin intención, por exceso de fuerza y fecundidad, con todo lo que hasta ahora se ha llamado lo santo, lo bueno, lo intangible y lo divino...'' (*Ecce homo*). La inocencia no consiste en la ignorancia de los valores y de los fines sino en saber que los valores no existen y que el universo se mueve sin intención ni propósito. La inocencia que busca Nietzsche es la conciencia del nihilismo. Ante la vertiginosa visión del vacío, espectáculo realmente único, la risa es también la única respuesta. Al llegar a este punto extremo (más allá sólo hay: nada), el pensamiento occidental se examina a sí mismo, antes de disolverse en su propia transparencia. No se juzga ni condena: ríe. La risa es una proposición de esa *ateología* de la totalidad que desvelaba a Georges Bataille. Proposición que, por su naturaleza misma, no es fundamental sino irrisoria: no funda nada porque es insondeable y todo cae en ella sin tocar nunca el fondo. ''¿Quién reirá hasta morir?'', se pregunta Bataille. Todos y ninguno. La antigua receta racional y estoica, era reírse de la muerte. Pero si, al reír, morimos: ¿somos nosotros o es la muerte la que se ríe?

El sol no se va. Sigue en la pieza, terco. ¿Qué hora es? Una cifra más o una menos adelanta o retrasa mi hora, la de mi pérdida definitiva. Porque estoy perdido en el tiempo infinito, que no tuvo comienzo ni tendrá fin. El sol vive en otro tiempo, es otro tiempo, finito e inmortal (finito: se acaba, se gasta; inmortal: nace, renace con la risa pueril y el chorro de sangre). Sol degollado, sol desollado, sol en carne viva, sol niño y viejo, sol que está en el secreto de la verdadera risa, la de la cabecita del tercer estante. Para reír así, después de mil años, hay que estar absolutamente vivo o totalmente muerto. ¿Sólo las calaveras ríen perpetuamente? No: la cabecita está viva y ríe. Sólo los vivos ríen así. La miro de nuevo: sobre su tocado una línea dibuja una espiral que remata en una vírgula. Ahí el viento escribió su verdadero nombre: me llamo liana enroscada en los árboles, mono que cuelga sobre el abismo verdinegro; me llamo hacha para hendir el pecho del cielo, columna de humo que abre el corazón de la nube; me llamo caracol marino y laberinto del viento, torbellino y cruce de caminos; me llamo nudo de serpientes, haz de siglos, reunión y dispersión de los cuatro colores y de las cuatro edades; me llamo noche e ilumino como el pedernal; me llamo día y arranco los ojos como el águila; me llamo jaguar y me llamo mazorca. Cada máscara, un nombre; cada nombre, una fecha. Me llamo tiempo y agito una sonaja de barro con siete semillas adentro.

PC   París, 4 de febrero de 1962

ESCULTURA ANTIGUA DE MÉXICO

LA seducción que ejercen los llamados pueblos primitivos sobre los modernos es la de la libertad. En esas viejas culturas —de estructura mucho más simple que la nuestra— el artista moderno encuentra que lo individual y lo social no se oponen sino se completan. De este equilibrio brota la obra de arte con plena naturalidad, como un fruto: nada parece conseguido por el esfuerzo o el rigor y todo —la vasija, el lienzo, la danza— posee esa gracia, libre y fatal al mismo tiempo, de la hoja, el fruto y la flor. La imaginación y la realidad se dan la mano y se confunden: ya no se sabe dónde termina la primera y dónde principia la segunda. Ninguna regla, ninguna convención parecen servir de contrapeso al soplo de la fantasía; este mundo de correspondencias mágicas está regido por la imaginación en libertad; gracias a ella la diosa de la muerte es también la de la vida, la serpiente es alada como las águilas, una pluma desprendida del sol fecunda a la estéril y hace nacer al héroe...

Es posible que esta concepción de las culturas primitivas refleje, más que la realidad, los sueños de los modernos, cansados de una vida que ha perdido ya, simultáneamente, el gusto por el orden y el goce de la libertad. Aunque las antiguas culturas mesoamericanas no pueden llamarse primitivas, es cierto que en ellas el equilibrio entre la sociedad y el individuo no se había roto; no es menos cierto que ese equilibrio se lograba a través de la absorción del hombre por el Estado-Iglesia. Se trataba de una servidumbre —voluntaria, sí, pero no por eso menos rígida y total. En todas las obras que conocemos de los antiguos indios no alienta ningún rasgo personal; el artista lo sacrificaba todo —y en primer término a sí mismo— a una concepción estética que no era suya sino de su ciudad. El estilo no es el hombre: el estilo es la sociedad. Y quizá la fuerza extraordinaria de la escultura precortesiana brote de ese rigor despiadado del artista para consigo mismo, de su absoluta sumisión al genio de su pueblo y de su decisión implacable de servir a sus dioses.

Empeñado en expresar una realidad siempre en movimiento y en la que todo —el viento, el fuego, la semilla— poseía una significación religiosa, el indio crea un arte realista y abstracto a la vez. Aprehende lo general a través de lo concreto —máscara de la realidad— y expresa conjuntamente al movimiento y al reposo, formas de una misma totalidad. Todos los elementos de la realidad son sagrados porque en cada fragmento alienta el todo, no de una manera simbólica sino efectivamente. Por eso se ve constreñido a simplificar sin eliminar y a reducir cada cosa a su forma más elemental. De allí también que se vea obligado a someter todos los elementos dispersos que componen la realidad a un orden superior y que no tiene relación ya con la realidad que ven los ojos de carne. La acumulación de formas y elementos deja de ser una simple acumulación porque la geometría reduce todo ese conjunto a sus leyes. Este rigor geométrico da unidad a cada creación y la hace universal. Pero el arte indio no es solamente realista y abstracto, intelectual y concreto; también y sobre todo es un arte que no se satisface con un pedazo del mundo sino con la totalidad. Cada obra es un mundo en sí y no un fragmento, como ocurre con frecuencia en la escultura occidental.

Aunque están muy lejos de nosotros —al menos en apariencia— las creencias y concepciones de los antiguos mexicanos, su visión del mundo resulta extrañamente moderna. Hay en la escultura azteca —además de este gusto por la abstracción que la acerca al arte actual— un sentimiento del horror que aparece también en algunos grandes artistas contemporáneos. Horror que es una especie de vértigo frente al abismo de la realidad: el hombre ve a esa realidad, eternamente cambiante, como una gran boca hambrienta y vacía, que terminará por devorar a todos, tumba y matriz al mismo tiempo. El valor mágico de la sangre, capaz de divinizar a la víctima y al sacrificador; la ausencia de todo antropocentrismo, base del arte clásico y renacentista; el gusto por una belleza que no excluya lo horrible y lo grotesco; y la fascinación que ejerce sobre el hombre desvalido una realidad siempre a punto de destruirlo y a la que hay que comprar con sangre, son rasgos que aproximan el arte precortesiano al de ciertos pintores y escultores contemporáneos.

Todas estas afinidades no nos pueden hacer olvidar una diferencia fundamental: mientras las obras de arte contemporáneas son hijas del esfuerzo de una conciencia individual, muchas veces en lucha con la misma sociedad que la ha engendrado, las del antiguo México son el fruto de la identificación del artista con la sociedad. Sus creaciones no solamente estaban destinadas al culto público: expresaban el gusto público. Su desaparición —a la llegada de los conquistadores— significó una catástrofe, no para una minoría, sino para todo el pueblo, que veía en ellas algo más que formas artísticas: la substancia misma de su cultura y la promesa de su perdurabilidad. Cuando cayeron los dioses cayó todo un pueblo en ellos.

París, abril de 1947

Sur, Buenos Aires, Junio de 1947

LA SEMILLA

Las obras de las grandes civilizaciones históricas, sin excluir a las de la América precolombina, pueden despertar
en nosotros admiración, entusiasmo y aun arrobo, pero
nunca nos impresionan como un arpón esquimal o una
máscara del Pacífico. Digo *impresionan* no sólo en el sentido de ser algo que nos causa una emoción sino en el de
la "huella o marca que una cosa deja en la otra al apretar-
la". El contacto es físico y la sensación se parece a la congoja. El espacio exterior o interior, el más allá o el más
acá, se manifiesta como peso y nos oprime. La obra es un
bloque de tiempo compacto, tiempo que no transcurre y
que, a pesar de ser intangible como el aire o el pensamiento, pesa más que una montaña. ¿Es la antigüedad, la carga de milenios acumulada en un poco de materia? No lo
creo. Las artes de los llamados primitivos (hay que resig-
narse a usar ese término) no son las más antiguas. Aparte
de que muchos de esos objetos fueron creados apenas ayer,
no me atrevería a llamar primitivo al arte más antiguo de
que tenemos noticia: el del periodo paleolítico. Los animales pintados en las cavernas de España, Francia y otros
lugares se parecen, si tienen parecido con algo, a la gran
pintura figurativa que decora los muros de templos y palacios de las épocas clásicas. Y no sólo por su forma sino
por su función: la hipótesis que veía en esas figuras representaciones mágicas, alusiones a ritos de caza, cede hoy
el sitio a la idea de que se trata de una pintura religiosa,
a un tiempo naturalista y simbólica. Para un especialista
como André Leroi-Gourham esas cavernas son una suerte

119

de catedrales del hombre del paleolítico. Tampoco me parecen primitivas las obras de los grandes centros del neolítico en Asia y Europa y sus correspondientes (Tlatilco y otros sitios) en Mesoamérica. Si el acuerdo entre el hombre y el mundo y entre el hombre y los hombres fue una realidad y no un sueño de Rousseau, las figurillas femeninas del neolítico encarnan ese instante dichoso. No, el tiempo de que son cifra viviente las creaciones de los primitivos no es la antigüedad; mejor dicho, esas obras revelan otra antigüedad, un tiempo anterior a la cronología. Anterior a la idea misma de antigüedad: el verdadero tiempo anterior, aquel que siempre está *antes*, cualquiera que sea el momento en que acaece. Una muñeca hopi o una pintura navajo no son más antiguas que las cuevas de Altamira o Lascaux: son *anteriores*.

La obra del primitivo revela el tiempo de antes. ¿Cuál es ese tiempo? Es casi imposible describirlo con palabras y conceptos. Yo diría: es la metáfora original. La semilla primera en la que todo lo que será más tarde la planta —raíces, tallo, hojas, frutos y la final pudrición— vive ya con una vida no por futura menos presente. El tiempo de antes es el de la inminencia de un presente desconocido. Y más exactamente: es la inminencia de lo desconocido —no como presencia sino como expectación y amenaza, como vacío. Es la irrupción del ahora en el aquí, el presente en toda su actualidad instantánea y en toda su virtualidad vertiginosa y agresiva: ¿qué esconde este minuto? El presente se revela y oculta en la obra del primitivo como en la semilla o en la máscara: es lo que es y lo que no es, la presencia que está y no está ante nosotros. Este presente nunca sucede en el tiempo histórico o lineal; tampoco en el religioso o cíclico. En el tiempo profano y en el sagrado los intermediarios —sea el dios o el concepto, la fecha mítica o la manecilla del reloj— nos preservan del zarpazo del presente. Entre nosotros y el tiempo bruto hay algo o alguien que nos defiende: el calendario abre una vía en la espesura, hace navegable la inmensidad. La obra del primitivo niega la fecha o, más bien, es anterior a toda fecha. Es el tiempo anterior al antes y al después.

La semilla es la metáfora original: cae en el suelo, en una hendidura del terreno y se nutre de la sustancia de la tierra. La idea de caída y la de espacio desgarrado son inseparables de nuestra imagen de la semilla. Si pensamos el tiempo animal como un presente sin fisura —todo es un ahora inacabable— el tiempo humano se nos aparece como un presente escindido. Separación, ruptura: el ahora se abre en antes y después. La hendidura en el tiempo anuncia el comienzo del reinado del hombre. Su manifestación más perfecta es el calendario; su objeto no es tanto dividir el tiempo como trazar puentes entre el precipicio del ayer y el del mañana. El calendario nombra al tiempo y así, ya que no puede dominarlo del todo, *aleja* al presente. La fecha encubre el instante original: ese momento en que el primitivo, al sentirse fuera del tiempo animal o natural, se palpa como extrañeza y caída en un ahora literalmente insondable. A medida que el hombre se interna en su historia, la hendidura se hace más grande y más honda. Calendarios, dioses y filosofías caen, uno a uno, en el gran agujero. Suspendidos sobre el hoyo, hoy la caída nos parece inminente. Nuestros instrumentos pueden medir el tiempo, pero nosotros ya no podemos pensarlo: se ha vuelto demasiado grande y demasiado pequeño.

La obra del primitivo nos fascina porque la situación que revela es análoga, en cierto modo, a la nuestra: el tiempo sin intermediarios, el agujero temporal sin fechas. No tanto el vacío como la presencia de lo desconocido, inmediato y brutal. Durante milenios lo desconocido tuvo un nombre, muchos nombres: dioses, cifras, ideas, sistemas.

Hoy ha vuelto a ser el agujero sin nombre, como antes de la historia. El principio se parece al fin. Pero el primitivo es un hombre menos indefenso, espiritualmente, que nosotros. Apenas cae en el hoyo, la semilla rellena la hendidura y se hincha de vida. Su caída es resurrección: la desgarradura es cicatriz y la separación, reunión. Todos los tiempos viven en la semilla.

Un himno funerario pigmeo —para mi gusto de una hermosura más tensa que gran parte de nuestra poesía clásica— expresa mejor que cualquier disquisición esta visión global en la que caída y resurrección son simultáneas:

El animal nace, pasa, muere,
y es el gran frío,
el gran frío de la noche, lo negro.

El pájaro pasa, vuela, muere.
Y es el gran frío,
el gran frío de la noche, lo negro.

El pez huye, pasa, muere.
Y es el gran frío,
el gran frío de la noche, lo negro.

El hombre nace, come, duerme.
Y es el gran frío,
el gran frío de la noche, lo negro.

El cielo se enciende, lo ojos se apagan,
brilla el lucero.
Abajo el frío, la luz arriba.

Pasó el hombre, el preso está libre,
se disipó la sombra...

El poema o la escultura del primitivo es la semilla henchida, la plétora de formas: nudo de tiempos, lugar de reunión de todos los puntos del espacio. Me pregunto si la famosa escultura de *Coatlicue* que se encuentra en nuestro Museo Nacional, enorme piedra repleta de símbolos y atributos, no merecería el calificativo de primitiva —aunque pertenezca a una época histórica bien determinada. No: se trata de una obra bárbara, como muchas de las que nos dejaron los aztecas. Bárbara porque no tiene la unidad del objeto primitivo, que nos presenta la realidad contradictoria como una totalidad instantánea, según se ve en el poema pigmeo; bárbara, asimismo, porque ignora la pausa, el espacio vacío, la transición entre un estado y otro. Lo que distingue al arte clásico del primitivo es la intuición del tiempo no como instante sino como sucesión, simbolizada en la línea que encierra una forma sin aprisionarla: pintura gupta o renacentista, estatuaria egipcia o huasteca, arquitectura griega o teotihuacana. No olvido que la *Coatlicue,* más que una forma sensible, es una idea petrificada. Si la vemos como discurso en piedra, simultáneamente himno y teología, su rigor puede parecernos admirable. Nos impresiona como haz de significados, nos deslumbra por su riqueza de atributos e inclusive su pesadez geométrica, no exenta de grandeza, puede aterrorizarnos u horrorizarnos —función cardinal de la presencia sagrada. Imagen religiosa, *Coatlicue* nos anonada. Si la *vemos realmente,* en lugar de pensarla, nuestro juicio cambia. No es una creación sino una construcción. Los distintos elementos y atributos que la componen no se funden en una forma. Esa masa es una superposición; más que un amontonamiento es una yuxtaposición. Ni semilla ni planta: ni primitiva ni clásica. Tampoco es barroca. El barroco es el arte que se refleja a sí mismo, la línea que se acaricia o se desgarra, algo así como el narcisismo de las formas. Voluta, espiral, juego de espejos, el barroco es un arte temporal: sensualidad y reflexión, arte con que se engaña el desengañado. Abigarrada, congestionada, la *Coatlicue* es obra de bárbaros semicivilizados: quiere decirlo todo y no repara en que la mejor manera de decir ciertas cosas es callarlas. Desdeña el valor expresivo del silencio: la sonrisa del griego arcaico, los espacios desnudos de Teotihuacan, la línea danzante de El Tajín. Rígida como un concepto, ignora la ambigüedad, la alusión, el decir indirecto.

La *Coatlicue* es una obra de teólogos sanguinarios: pedantería y ferocidad. En este sentido es plenamente moderna pues también ahora construimos objetos híbridos que, como ella, son meras yuxtaposiciones de elementos y formas. Esta tendencia, hoy triunfante en Nueva York y que se extiende por todo el mundo, tiene un doble origen: el *collage* y el objeto dadaísta. Pero el *collage* pretendía ser fusión de materias y formas dispersas: una metáfora, una imagen poética; y el objeto dadaísta se proponía arruinar la idea de utilidad en las cosas y la de valor en las obras artísticas. Al concebir al objeto como algo que se autodestruye, Dadá erige lo *inservible* como el anti-valor por excelencia y así no sólo arremete contra el objeto sino *contra el mercado*. Hoy los epígonos deifican el objeto y su arte es la consagración del artefacto. Las galerías y museos de arte moderno son las capillas del nuevo culto y su dios se llama la *cosa*; algo que se compra, se usa y se desecha. Por obra de las leyes del mercado, la justicia se restablece y los productos artísticos corren la misma suerte que los demás objetos mercantiles: gastarse sin nobleza. La *Coatlicue* no se gasta. No es un objeto sino un concepto pétreo, una idea terrible de la divinidad terrible. Advierto su barbarie, no niego su poderío. Su riqueza me parece abigarrada, pero es verdadera riqueza. Es una diosa, una gran diosa.

¿Podemos escapar de la barbarie? Hay dos clases de bárbaros: el que sabe que lo es (un vándalo, un azteca) y pretende apropiarse de un estilo de vida culto; y el civilizado que vive un "fin de mundo" y trata de escaparse mediante una zambullida en las aguas del salvajismo. El salvaje no sabe que es salvaje: la barbarie es la vergüenza o la nostalgia del salvajismo. En ambos casos, su fondo es la inautenticidad. Un arte realmente moderno sería aquel que, lejos de enmascarar el vacío, lo manifieste. No el objeto-máscara sino la obra abierta, desplegada como un abanico. ¿No fue esto lo que quiso el cubismo y, más radicalmente, Kandinsky: la revelación de la esencia? Para el primitivo la máscara tiene por función revelar y ocultar una realidad terrible y contradictoria: la semilla que es vida y muerte, caída y resurrección en el ahora insondable. Hoy la máscara no esconde nada. Quizá en nuestra época el artista no puede convocar la presencia. Le queda el otro camino, abierto por Mallarmé: manifestar la ausencia, encarnar el vacío.

Delhi, 1965

CA

REFLEXIONES DE UN INTRUSO
Post-scriptum

DESDE mi adolescencia me fascinó la civilización del antiguo México. Fascinación en todos los sentidos de la palabra: atracción, repulsión, hechizo. Varias veces, no sin temor, me he atrevido a escribir sobre ese mundo y sus obras; o más exactamente: sobre ese mundo de obras, casi siempre enigmáticas y con frecuencia admirables. Naturalmente, mis reflexiones sobre el arte de Mesoamérica han sido notas al margen, reflexiones individuales de un escritor, no juicios de un especialista. Sin embargo, en esos escritos procuré siempre atenerme a las pautas de los historiadores modernos, incluso cuando sus clasificaciones y nomenclaturas me parecían demasiado generales o vagas, confusas. Por ejemplo, llamar *clásico* al periodo del apogeo de la civilización mesoamericana, entre el siglo II y el X, implica cierto desdén por las distintas acepciones que ha tenido y tiene el término en la historia de las artes. Acepto que el estilo de Teotihuacan, forzando un poco el sentido del vocablo, pudiera llamarse *clásico,* pero ¿su contemporáneo, el arte maya, lujurioso y delirante? Lo mismo digo de la expresión ''cultura de Occidente'' para designar a la de los pueblos más bien rústicos del oeste de México. No sólo las palabras sino los conceptos han provocado mis dudas. Nunca creí que fuesen realmente *teocracias* los regímenes imperantes en las sociedades del llamado periodo clásico. Aún menos que esas ''teocracias'' fuesen pacíficas. En esto último seguí la opinión de algunos historiadores mexicanos —Caso, Toscano, Westheim—

que no compartían, sobre todo después del descubrimiento de los frescos de Bonampak, en 1946, las ideas de Thompson, Morley y otros sobre el carácter pacífico de las "teocracias" mayas. Otro tanto debe decirse de Teotihuacan, ciudad imperialista como la llama Ignacio Bernal en un luminoso ensayo sobre este tema.*

Mis ensayos y notas fueron escritos, el primero, hace más de veinte años y el último en 1977. Desde entonces, paulatinamente, los estudios en epigrafía e iconografía mayas han modificado nuestra visión de ese mundo. Aunque en las zonas del centro, Veracruz y Oaxaca los cambios no han sido tan radicales, es imposible pasar por alto las investigaciones de Dillon y Sanders en Teotihuacan, Matos en el Templo Mayor de México y, en Tula, las de Nigel Davies. Este último es autor de ensayos penetrantes sobre el fin de la sociedad tolteca y acerca de las ideas que tenía ese pueblo de su propio pasado, curiosa combinación de mito e historia, tiempo circular y tiempo lineal. Entre todos estos trabajos —y otros más que no menciono en aras de la brevedad— los de la zona maya han sido, como ya dije, los de mayor alcance. Este deslumbrante conjunto de hallazgos ha culminado en la reciente y extraordinaria exposición de arte dinástico y ritual maya organizada por Linda Schele y Mary Ellen Miller en Fort Worth, bajo los auspicios del Museo Kimball. Las señoras Schele y Miller son también autoras de *The Blood of Kings, Dinasty and Ritual in Maya Art* (1986), obra notable tanto por su texto como por las ilustraciones y dibujos que lo acompañan.

El asombroso desciframiento de la escritura maya, una tarea que todavía no termina, nos hace ver con ojos nuevos más de mil años de la historia de ese pueblo. La

* "Teotihuacan", *Plural*, números 21, 22 y 23 de los meses de junio, julio y agosto de 1973.

primera y más notable sorpresa: los mayas no estaban dedicados únicamente a estudiar en el cielo los movimientos de los astros y los planetas, como se pensaba hace quince años todavía, sino que sus inscripciones y relieves relatan las historias del ascenso, las batallas, las victorias, las ceremonias y la muerte de muchos reyes. Entre ellos la del gran Pacal, que gobernó Palenque cerca de setenta años (615-683). El primer paso lo dio el lingüista ruso Yuri V. Knorosov, que tuvo "la audacia de revivir el desacreditado *alfabeto* que nos había dejado Fray Diego de Landa".*
Aunque Knorosov fracasó en sus tentativas, su hipótesis era básicamente acertada: la escritura maya combina, como la japonesa, los ideogramas con los signos fonéticos. Algunos investigadores recogieron esta hipótesis y en 1958 Heinrich Berlin, en su análisis del sarcófago de Pacal, en el Templo de las Inscripciones de Palenque, mostró que los glifos se referían a las figuras que adornan la gran lápida. En 1960 Tatiana Proskousiakoff, de la Universidad de Harvard, afirmó que las inscripciones mayas eran primordialmente de carácter histórico. En la década siguiente "fue posible la reconstrucción, completa o parcial, de la historia dinástica de distintas ciudades mayas... y en Palenque, por ejemplo, se han reconstruido doce generaciones reales."**
La historia de estas investigaciones y descubrimientos ha sido muy rica y variada pero no tengo espacio para examinarla ahora. El lector puede encontrar una información muy amplia en el prefacio de Coen a *The Blood of Kings* y en el capítulo final de ese libro, "The Hieroglyphic Writing System". Por último, a pesar de los progresos alcanzados, hay que decir que todavía estamos lejos de una comprensión cabal de la escritura maya. Se han logrado

---

* Michael D. Coen, prefacio a *The Blood of Kings*.
* * *The Blood of Kings*

leer muchas inscripciones porque éstas aparecen en los relieves, las estelas y las pinturas de los vasos al lado de representaciones de escenas en las que participan varios personajes. La función de las inscripciones es análoga a la de las leyendas y títulos al pie de una fotografía o de un grabado. La representación iconográfica es el tema, invariablemente, de la inscripción. Los textos son, por la naturaleza de su función, extremadamente simples, aunque con cierta frecuencia el amor de los escribas mayas por los juegos de palabras dificulta la recta comprensión de los glifos. Las autoras de *The Blood of Kings* confiesan que los "textos que no están acompañados por una imagen directamente relacionada con su asunto, no son descifrables".

La primera consecuencia de estos hallazgos ha sido el desvanecimiento de la hipótesis de las "teocracias pacíficas". En su lugar aparece un mundo de ciudades-Estados en perpetua guerra unas contra otras y regidas por reyes que se proclaman de sangre divina. Las guerras no tenían por objeto la anexión de territorios sino la imposición de tributos y la captura de prisioneros. La guerra era el deber y el privilegio de los reyes y de la nobleza militar. Los prisioneros pertenecían a esta clase y su destino final era el sacrificio, ya en lo alto de la pirámide o en el juego de pelota. Este último no era tanto un juego, en la acepción moderna de la palabra, como una ceremonia ritual que terminaba casi siempre en el sacrificio por decapitación, según puede verse en el relieve de Chichen Itzá y en otros sitios, dentro y fuera de la zona maya. (El impresionante relieve del juego de pelota de El Tajín es un ejemplo notable.) El rito, común a toda Mesoamérica, podría asemejarse, a primera vista, al sacrificio gladiatorio romano. Hay una diferencia esencial: este último era profano mientras que el del juego de pelota era un ritual que se insertaba dentro de la lógica religiosa de la "guerra florida". Las ciudades-Estados mayas y sus luchas intestinas hacen pensar en las ciudades griegas, en los Reinos Combatientes de la antigua China, en las monarquías medievales del fin de la Edad Media y en la repúblicas y principados italianos del Renacimiento. Sin embargo, al contrario de lo que ocurrió en otras partes, todos esos siglos de guerras no desembocaron en la constitución de un Estado hegemónico o en un Imperio universal. La historia maya tiene un carácter, a la vez, alucinante y circular.

Schele y Miller subrayan la función central de la institución monárquica entre los mayas y el carácter dinástico de su historia. En efecto, la mayoría de las inscripciones se refieren a los hechos de los soberanos; asimismo, muchas de las figuras que aparecen en los relieves de los monumentos y en las estelas son representaciones estilizadas de los reyes, sus mujeres y sus séquitos. Es un arte dinástico afín al de los faraones de Egipto y al de los *rajas* de la antigua Kampuchea. También recuerda al de los monarcas absolutos de Europa, como el Rey Sol de Francia en el siglo XVII. ¿Palenque fue el Versalles de Pacal? Sí y no. Las ciudades mayas eran algo más que residencias del rey y de su corte. Cierto, quien dice monarquía dice corte; los reyes mayas fueron el centro de una sociedad aristocrática y refinada, compuesta de altos dignatarios, sus mujeres y su parentela. Es indudable que esos cortesanos eran guerreros: se trata de un rasgo común a todas las monarquías de la historia. Otra nota que aparece en ese tipo de sociedades: la existencia de cofradías militares y semisacerdotales formadas por la aristocracia. Los admirables frescos del santuario-fortaleza de Cacaxtla, de clara factura maya, son representaciones de las dos órdenes militares, la de los guerreros jaguares y la de las águilas. La continua presencia de representaciones de estas dos órdenes en distintos sitios y en monumentos de épocas diferentes es un indicio de que se trata de un elemento permanente y, por decirlo así, constitutivo de las sociedades mesoamericanas.

Una vez que aceptamos la visión del mundo maya que nos proponen los nuevos historiadores, debemos matizarla. La concepción puramente dinástica y guerrera tiene obvias limitaciones. Llevadas por su legítimo entusiasmo descubridor, Schele y Miller minimizan a veces, en algunos pasajes de su notable y revolucionario libro, ciertos rasgos de la cultura maya que me parecen no menos determinantes. Su pintura del mundo maya es, a ratos, una imagen invertida de la que tenían Thompson y Morley. Para aquéllos, la verdadera historia maya era la del cielo; aquí abajo, bajo el dominio de las ''pacíficas teocracias'', no pasaba nada. Para la nueva concepción, la historia desciende del cielo y regresa a la Tierra: aquí abajo pasan muchas cosas. Lo malo es que siempre son la misma cosa: reyes que ascienden al trono, combaten, triunfan o son vencidos, mueren. Se substituye así una generalización por otra. Aclaro: la imagen que nos presentan Schele y Miller es verdadera pero recubre realidades más complejas. El subtítulo mismo de su libro, por lo demás, lo dice: *dinastía y ritual* en el arte maya. El elemento dinástico se inserta en el rito; a su vez, el rito nace de una cosmogonía, es su representación simbólica.

Hasta hace poco se creía que las ciudades mesoamericanas no eran realmente ciudades sino centros ceremoniales habitados únicamente por los sacerdotes y algunos funcionarios. Ahora sabemos que eran verdaderas ciudades, es decir, centros de actividad económica, política, militar y religiosa. Uno de los descubrimientos más notables de los últimos años es la existencia de una agricultura intensiva, sin la cual es imposible la supervivencia de los cen-

131

tros urbanos. Aparte de la agricultura: la producción artesanal y el comercio. Los trabajos de René Dillon en Teotihuacan han mostrado que esa gran ciudad era un centro manufacturero y comercial de primer orden. En Teotihuacan había barrios de extranjeros, compuestos por artesanos y artífices cuyos productos, desde la cerámica hasta las armas y las piedras finas talladas, eran distribuidos por todo el territorio mesoamericano. El caso de Teotihuacan no es único: los grandes centros urbanos de Mesoamérica fueron también centros de producción artesanal en gran escala y de distribución internacional de esos productos.

El comercio requiere la existencia de una clase especializada en esa actividad: los comerciantes. A su vez, el comercio internacional es indistinguible de la política exterior de una nación. Por último, la política internacional y la guerra son dos manifestaciones del mismo fenómeno, los dos brazos del Estado al proyectarse hacia el exterior. No sólo hay una relación estrecha entre la clase de los guerreros y la de los comerciantes sino que, con frecuencia, hay fusión entre ellas. La acción de los comerciantes se vierte hacia el exterior como la de los guerreros, aunque no para combatir al extraño y dominarlo sino para negociar con él. En Tenochtitlan los comerciantes formaban una clase aparte y sus actividades incluían el espionaje. La figura del cortesano se desdobla en la del guerrero y en la del comerciante.

Para los pueblos mesoamericanos el comercio y la guerra eran inseparables de la religión. Es imposible no advertir la función capital de los ritos en las actividades de los guerreros y los comerciantes. Ser guerrero o comerciante no sólo era una categoría social sino religiosa. Para comprender la función social de los guerreros y comerciantes hay que interrogar a los ritos que estaban asociados a esas profesiones. Los ritos son manifestaciones de los mitos y los mitos son expresiones de las cosmogonías. Lo que sabemos de las religiones mesoamericanas nos permite decir que, a pesar de la diversidad de los nombres de los dioses y de otras diferencias (por ejemplo, el lugar inusitado de Huitzilopochtli en el panteón azteca), todas ellas son variaciones de los mismos mitos cosmogónicos y de la misma teología. El fondo religioso común a todos los pueblos mesoamericanos es un mito básico: los dioses se sacrificaron para crear al mundo; la misión de los hombres es preservar la vida universal, incluso la suya propia, alimentando a los dioses con la sustancia divina: la sangre. Este mito explica el lugar central del sacrificio en la civilización mesoamericana. Así, la guerra no es sólo una dimensión política y económica de las ciudades-Estados sino una dimensión religiosa. La guerra y el comercio son una política y, al mismo tiempo, un ritual.

El triángulo se dibuja: comerciantes, guerreros y sacerdotes. En el centro: el monarca. El rey es guerrero, sacerdote y, en ciertos momentos del rito, es una divinidad. En el ensayo más arriba citado, Bernal dice que ''en Tula y en Tenochtitlan había una continua simbiosis entre el jefe, el sacerdote y el guerrero''. Apenas si necesito recordar que los *tlatoanis* mexicas no sólo eran los jefes militares y civiles de Tenochtitlan sino sus sacerdotes supremos. Por su parte, Linda Schele señala que los reyes mayas aparecen siempre con los atributos y signos de las divinidades. En resumen: la ciudad nos llevó al comercio, el comercio a la política y a la guerra, la guerra a la religión, la religión al sacrificio. En el mito mesoamericano de la creación aparece con toda claridad la doble naturaleza del sacrificio: los dioses, para crear al mundo, derramaron su sangre; los hombres, para mantener al mundo, deben derramar su sangre, que es el alimento de los dioses. La figura del monarca-dios es la manifestación visible de la dualidad del sacrificio: el rey es guerrero (sacrifica prisioneros) y es dios (derrama su propia sangre). El sacrificio de los otros se realiza en "la guerra florida"; el autosacrificio en las prácticas ascéticas de los monarcas.

El arte maya ha expresado en obras inolvidables —relieves, frescos, pinturas, dibujos e incisiones en jade, hueso y otros materiales— las dos formas del sacrificio. La manifestación guerrera y caballeresca aparece con fuerza extraordinaria en numerosos relieves y sobre todo —al menos para una imaginación y una sensibilidad modernas— en los frescos de Cacaxtla. Este santuario-fortaleza, enclavado muy lejos del área maya, me recuerda los castillos de los templarios en el Cercano Oriente: edificios a un tiempo militares y religiosos, conventos que son plazas de armas rodeadas de enemigos y palacios habitados por hermandades aristocráticas de guerreros-sacerdotes. En Cacaxtla dos pinturas murales, una frente a otra, nos presentan en vivos colores y perfecto aunque recargado dibujo, los númenes de las dos órdenes militares, los águilas y los jaguares. En la explanada central hay un vasto fresco —en parte dañado— que tiene por tema una batalla. El conjunto hace pensar en ciertas composiciones de Ucello, tanto por el ritmo y la disposición de las figuras como por el juego de oposiciones complementarias de colores, líneas y formas. Brillo de los ropajes de los combatientes, relampagueo de lanzas, escudos, macanas y flechas: la batalla evoca el fasto de los torneos del gótico florido. Ballet de formas y colores vívidos, danza alucinante y atroz: estandartes, ondear de plumas verdiazules, charcos de sangre, hombres destripados, rostros deshechos. El fresco glorifica la "guerra florida" y su fúnebre cosecha de flores: los corazones de los prisioneros. El torneo medieval era una fiesta cortesana, erótica y cruel; la batalla de Cacaxtla es la representación de un rito terrible, un drama que termina con el sacrificio de los cautivos.

La otra cara del sacrificio no es menos impresionante: las prácticas ascéticas y penitenciales de los reyes y sus mujeres. Los monarcas eran de sangre divina; nada más natural, por lo tanto, que en ciertas ceremonias derramasen su sangre. El rito repetía el mito de la creación del universo y, al *re-producirlo*, aseguraba la continuidad de la vida. La sangre del príncipe y la de su consorte reanimaban los lazos sociales, fertilizaban a la tierra y aseguraban la victoria sobre los enemigos. En Kampuchea se identificó el culto al *lingam* (miembro viril) del dios Shiva con la persona del rey: el monarca *era* el *lingam* divino. Entre los mayas, la sangre del monarca era la sangre de los dioses: por esto tenía que derramarla. El autosacrificio era el privilegio del monarca y de sus consortes pero se extendía también a la clase sacerdotal y a la nobleza: hay varias representaciones de altos señores practicando el rito sangriento. El sacrificio era, literalmente, un sacramento: por eso no es extraño que los instrumentos para realizarlo (una lanceta, generalmente la espina dorsal de la raya) fuesen deificados. Las incisiones y perforaciones podían hacerse en todo el cuerpo pero sobre todo en tres zonas: los lóbulos de las orejas, la lengua de las mujeres y el pene (el prepucio) de los hombres.* Con las lancetas sagradas los reyes mayas, sus mujeres y sus cortesanos perforaban y laceraban sus cuerpos. La sangre se recogía en vasijas también sagradas y que contenían trozos de papel que, durante el sacrificio, se encendían. Unión de la sangre y el fuego.

* Se han estudiado apenas la anatomía y la fisiología de los mayas, sin duda mágicas y simbólicas, asociadas a mitos cosmogónicos. El historiador López Austin ha realizado estudios valiosos en el área nahua.

Las ceremonias eran privadas y públicas. Las primeras se celebraban en el interior de los templos y en el secreto de las cámaras reales, presenciadas quizá por un reducido número de sacerdotes y cortesanos. Uno de los relieves de Yaxchilán (Dintel 24)* es un retrato estilizado del rey Escudo de Jaguar y su mujer, la señora Xoc. El atuendo del Rey es el de los penitentes; cubre su cabeza un penacho de plumas y lleva en la espalda la encogida cabeza de una víctima sacrificada. El Rey empuña una enorme antorcha, sin duda porque la ceremonia se celebró en la noche o en una cámara subterránea. La antorcha ilumina una extraña escena: la reina Xoc está arrodillada, vestida con gran pompa: diadema, rico huipil de dibujos geométricos, aretes, collares, ajorcas. Tiene los ojos en blanco y tira de una larga cuerda con espinas a través de su lengua perforada. La cuerda cae en una canasta que contiene papel empapado de sangre. Los glifos indican la fecha de la ceremonia (28 de octubre de 709), los nombres de los penitentes y el acto ritual de sacar sangre de su propio cuerpo.

En otro relieve se ve a Pájaro Jaguar, hijo de Escudo de Jaguar, practicando el mismo rito. Lo acompaña su *cahal*, es decir, el gobernador de un territorio dependiente. El Rey está vestido de una manera suntuosa y en su espalda lleva como adorno una máscara de su padre, Escudo de Jaguar. El pene del monarca, cubierto por una lanceta divinizada que remata en un penacho de plumas, gotea sangre que Pájaro Jaguar esparce con las manos y deja caer en una canasta que contiene papel que después será quemado. Tal vez esta ceremonia se realizó en público y en un sitio abierto. Imaginemos la escena: el sol, el cielo inmaculado, las altas pirámides pintadas en los vivos colo-

* Museo Británico, Londres.

136

res rituales, la multitud, la blancura de las mantas y el colorido de los penachos, los músicos y los danzantes, los plumajes y los braseros de copal, los nobles y los sacerdotes. Entre estos últimos, muchos habían pasado por un periodo de ayunos, privaciones y pérdida de sangre en ceremonias análogas a las que he descrito. En el momento justo, en la hora favorable, escogida por la conjunción feliz de los astros y los planetas, aparecen el Rey y la Reina. Vestidos con ropajes rituales que revelan su naturaleza divina, se plantan en el centro de la alta plataforma y "a la vista de todos, él lacera su pene y ella su lengua". La sangre empapa largas tiras de papel que los acólitos colocan en vasijas y braseros. Se enciende el fuego y la sangre, vuelta columna de humo, asciende al cielo. Los participantes, dice Linda Schele, estaban preparados psicológica y fisiológicamente —los ayunos, las sangrías, la fe, el entusiasmo, el terror— para experimentar un trance visionario.

Las sangrías rituales tenían un doble objeto: asegurar la continuidad de la vida por un rito que era la reproducción simbólica de la creación divina y provocar una visión del otro mundo. Es sabido que una pérdida considerable de sangre produce reacciones químicas y psíquicas propicias a la experiencia alucinatoria. Además, los mayas usaban drogas y acudían a los enemas para suscitar estados visionarios.

Aunque el arte maya ha dejado numerosas representaciones de estas experiencias, sólo ahora podemos comprender con cierta claridad su sentido. Este es, sin duda, uno de los mayores méritos de Schele y de Miller. En un relieve de Yaxchilán (Dintel 25)* que pertenece a la serie de Escudo de Jaguar, figura la misma reina Xoc en un trance (24 de octubre de 681). Está de nuevo arrodillada, cu-

* Museo Británico, Londres.

bierta por un huipil y tocada por una diadema constelada de símbolos. La adornan un largo collar de jade, un pectoral del dios Sol y otros atavíos. Con la mano izquierda sostiene una patena con papel ensangrentado y dos lancetas; extiende la derecha en ademán de dádiva. A sus pies, como siempre, la canasta con los papeles manchados de sangre, las lancetas del autosacrificio y la cuerda de espinas. De la canasta brota una fantástica serpiente de dos cabezas que se tuerce en el aire. La sangre vuelta fuego y el fuego vuelto humo se han materializado en una visión. Xoc mira hacia arriba: entre las fauces enormes de la serpiente aparece un guerrero con los atributos de Tláloc, armado de un escudo y de una lanza con la que apunta a la Reina. ¿El guerrero es un antepasado o un dios? Tal vez los dos: Xoc era de sangre divina. El dios que la visita es uno de sus manes.

La visión de la serpiente fantástica aparece en relieves, estelas, pinturas de vasos y otros objetos. Entre todas estas obras hay una admirable: un caracol marino. Por medio de incisiones y dibujos, el artista ha dado al caracol la forma de una cabeza humana que representa al dios que anuncia la aparición de la serpiente divina. El objeto puede llamarse, sin exageración, la escultura del grito; quiero decir: el grito, en lugar de perderse en el aire, encarna en un rostro humano. En un pliegue del caracol hay varias líneas entrelazadas que forman un dibujo finísimo. Vistas desde un ángulo, las líneas componen la figura de un joven héroe, sentado en un cojín que le sirve de trono y, enfrente, el signo de la diosa lunar. Visto desde el ángulo opuesto, las líneas trazan otra figura: un joven que abraza una serpiente fantástica, la cabeza levantada y en espera de la aparición a través de las fauces del prodigioso reptil. El joven héroe no es otro que Hun-Ahu, uno de los gemelos divinos del *Popol Vuh*. Aquí el rito divino repite al humano: también los dioses laceran su cuerpo e invocan a la serpiente donadora de visiones. La imagen de la serpiente se repite con obsesiva frecuencia: las visiones no brotan de la imaginación individual sino que han sido codificadas en un ritual. Al contrario de nuestros sueños y visiones, son la expresión de creencias colectivas. La serpiente es un verdadero arquetipo. Canal de transmisión entre el mundo de los hombres y el mundo infernal, entre sus fauces aparecen los dioses y los antepasados.

El arte maya me sorprende de dos maneras. Una, por su realismo o, más exactamente, por su literalidad: las imágenes que nos presenta pueden *leerse*. No son ilustraciones de un texto: son el texto mismo. A la inversa de las del arte moderno, no son únicamente imágenes: son signos-imágenes. El artista, al agruparlas y disponerlas conforme a cierto orden, nos presenta un texto. Esta literalidad se refiere, en primer término, a los temas de asunto histórico y realista: batallas, procesiones de cautivos, sacrificios, escenas del juego de pelota o episodios de la vida cotidiana, unos tiernos, otros atroces y otros cómicos. Pero la literalidad se extiende también al mundo sobrenatural y a la sintaxis de los símbolos, es decir, a las formas en que éstos se enlazan hasta formar conjuntos que son verdaderos discursos y alegorías. Por ejemplo, al ver la danza triunfal del rey Chan-Bahlún en el mundo inferior, *leemos* que ha vencido a los dioses de la muerte y que ascenderá al mundo superior; la misma operación, a un tiempo sensible e intelectual, se repite ante la lápida de la tumba de Pacal, aunque aquí la complejidad de los símbolos es mucho mayor; de la misma manera, al contemplar la ceremonia de la reina Xoc, leemos su visión serpentina y oímos, figuradamente, el mensaje de su divino antepasado.

La otra manera, menos frecuente pero más plena e intensa, consiste en la transformación del realismo literal en un objeto que es una metáfora, un símbolo palpable. Los signos-imágenes, sin cesar de ser signos, se funden enteramente con las formas que los expresan y aun con la materia misma. Bodas de lo real y lo simbólico en un objeto único. La caracola marina que antes mencioné es un ejemplo notable. Su función práctica es ser una trompeta, probablemente usada en alguna ceremonia de autosacrificio. Pero la caracola trompeta se convierte en un dios, el dios en un grito y el grito en un rostro. No sólo se nos ofrece la cristalización de una idea en un objeto material sino que la fusión de ambos es una verdadera metáfora, no verbal sino sensible. La idea se transforma en materia: una forma que, al tocarla, se vuelve pensamiento, un pensamiento que podemos acariciar y hacer resonar.

La fusión entre lo literal y lo simbólico, la materia y la idea, la realidad natural y la sobrenatural, es una nota constante no sólo en el arte maya sino en el de todos los pueblos de Mesoamérica. Me parece que su arte es una clave para comprender un poco mejor a su civilización. Es imposible entender en términos puramente económicos, por ejemplo, la función del comercio y de los mercados precolombinos. Por un lado, como se ha visto, el comercio nos lleva a la política y la guerra; por el otro, a la religión y al rito. Lo mismo sucede con la guerra: no sólo es una dimensión de la política exterior de las ciudades-Estados sino que es una expresión religiosa, un rito. El eje de ese rito es doble: el sacrificio de los prisioneros y el autosacrificio. A su vez, las prácticas ascéticas se enlazan con visiones del otro mundo. Por último, lo imaginario sobrenatural ha sido codificado por un pensamiento religioso colectivo que nos sorprende por su rigor y por su fantasía.

La civilización mesoamericana es, como sus obras de arte, un complejo de formas animadas por una lógica extraña pero coherente: la lógica de las correspondencias y las analogías. La historia de estos pueblos —trátese de la economía, la política o la guerra— se expresa o, más bien, se materializa en ritos y símbolos. Como el caracol, su historia es un objeto material y un símbolo: un grito-escultura. La historia mesoamericana puede verse como una inmensa y dramática ceremonia ritual. El tema de esta ceremonia, repetido incansablemente en variaciones sin cuento, no es otro que el mito del origen: creación/destrucción/creación/destrucción/creación... Abolición del tiempo lineal y sucesivo: el mito (la historia) se repite una y otra vez como los días y las noches, los años y las eras, los planetas y las constelaciones.

En los últimos quince años los investigadores —casi todos norteamericanos— han aclarado grandes enigmas de la historia de Mesoamérica. Aunque su labor ha sido portentosa, muchas preguntas siguen sin contestar. Entre ellas hay una, capital, que se han hecho varias generaciones de historiadores: ¿cómo y por qué declinó de manera súbita la civilización mesoamericana del periodo clásico? En todo el territorio, casi al mismo tiempo, las ciudades-Estados se derrumban y en menos de un siglo se convierten en ruinas abandonadas. Los historiadores modernos todavía no han podido responder a esta pregunta. Sin embargo, sus descubrimientos han sido de tal modo substanciales que, al cambiar la perspectiva tradicional, nos obligan a formular esta pregunta de una manera radicalmente diferente. Me explicaré en seguida.

El tránsito entre las culturas del periodo clásico y las del posclásico se resumía hasta hace poco en esta simple fórmula: fin (inexplicado) de las teocracias y nacimiento de ciudades-Estados militaristas y expansivos. El arquetipo de estos últimos fue Tula y, después, a su imagen y semejanza, México-Tenochtitlan. Hoy sabemos que el periodo clásico fue también una época de guerras y que los protagonistas de esas luchas fueron ciudades-Estados con regímenes políticos no muy distintos a los del periodo posclásico. En uno y en otro periodo la realidad política central fue el rey rodeado de una clase militar-sacerdotal. Si de la política y la guerra se pasa a la religión y el arte, también las fronteras entre ambos periodos se adelgazan: tanto los mitos, los ritos y las cosmogonías como los estilos artísticos son muy parecidos. En general, las creaciones del posclásico son derivaciones y variaciones de las del clásico. Lo mismo puede decirse de la economía y de los otros aspectos de la vida social. Así pues, la oposición entre uno y otro periodo se atenúa y, a veces, desaparece del todo. Las viejas clasificaciones y nomenclaturas se derrumban: ¿no es hora de repensar la historia de Mesoamérica?

Después de la erosión de tantas ideas y conceptos, ¿qué es lo que todavía queda en pie? En primer lugar, la unidad de la civilización mesoamericana. Se trata de un hecho que no necesita demostración: salta a la vista. No sólo hubo continua interrelación e influencia entre las distintas sociedades y épocas —olmecas, mayas, zapotecas, gente de Teotihuacan y El Tajín, Tula, Cholula, Mitla, Tenochtitlan— sino que eran semejantes las formas y expresiones culturales, desde los mitos cosmogónicos y los estilos artísticos hasta las instituciones políticas y económicas. Al lado de la unidad, como su natural complemento, la extraordinaria continuidad. Fue una continuidad de más de dos milenios. Cierto, en Mesoamérica hubo cambios y alteraciones pero no las bruscas rupturas ni las transformaciones revolucionarias de los otros continentes. Mesoamérica no conoció mutaciones religiosas como el abandono del politeísmo pagano por el monoteísmo cristiano, la aparición del budismo o la del Islam. Tampoco hubo las revoluciones científicas, técnicas y filosóficas del Viejo Mundo.

No debemos confundir continuidad con inmovilidad. Las sociedades mesoamericanas se movían pero su proceso era circular. Con cierta cíclica regularidad, las ciudades-Estados caen, víctimas de transtornos internos o de otras causas; perpetuo recomenzar: pueblos nuevos y semibárbaros asimilan la cultura anterior y comienzan de nuevo. Cada recomienzo fue una re-elaboración y recombinación de principios, ideas y técnicas heredadas. Recreaciones y superposiciones: la historia mesoamericana tiene el carácter circular y obsesivo de sus mitos. Las causas de la circularidad del proceso son numerosas. No obstante, debo repetir lo que he dicho en otros escritos: la determinante fue la falta de contacto con otras civilizaciones. La historia de los pueblos es la historia de sus choques, encuentros y cruces con otros pueblos y con otras ideas, técnicas, filosofías y símbolos. Como en la esfera de la biología, la historia es repetición y cambio; las mutaciones son casi siempre el resultado de las mezclas y los injertos. La inmensa y prolongada soledad histórica de Mesoamérica es la razón de su grandeza y de su debilidad. Grandeza porque fue una de las pocas civilizaciones realmente originales de la historia: nada le debe a las otras; debilidad porque su aislamiento la hizo vulnerable frente a la experiencia capital lo mismo en la vida social que en la biológica: la del *otro*.

El aislamiento fue la causa principal de la caída de los pueblos mesoamericanos y de ella se derivan todas las otras, las biológicas y las técnicas, las militares y las políticas. La indefensión ante los virus y las epidemias europeas diezmó a los indígenas; su inferioridad técnica y cultural los hizo víctimas de las armas de fuego, la caballería de los conquistadores y las armaduras de hierro; no menos cruciales fueron sus rivalidades intestinas, aprovechadas con suprema habilidad por Cortés. Sobre esto último debo decir algo que en general los historiadores omiten: las divisiones entre los indios fueron el resultado natural del carácter circular de la historia mesoamericana. Las luchas entre las ciudades-Estados duraron lo que duró su civilización, es decir, dos mil años. Sin embargo, a diferencia de lo que ocurrió en otras partes del mundo, esas luchas no llevaron a la creación de un Estado universal. Ni México-Tenochtitlan ni sus antecesores —Tula y Teotihuacan— lo consiguieron. Pero ¿lo intentaron realmente? Lo dudo: entre las ideas filosóficas y políticas de los mesoamericanos no figuraba la noción de Imperio universal.

Me falta por mencionar lo más grave y decisivo: la parálisis psicológica, el estupor que los inmovilizó ante los españoles. Su desconcierto fue la terrible consecuencia de su incapacidad para *pensarlos*. No podían pensarlos porque carecían de las categorías intelectuales e históricas en las que hubiese podido encajar el fenómeno de la aparición de unos seres venidos de no se sabía dónde. Para clasificarlos no tenían más remedio que utilizar la única categoría a su alcance para dar cuenta de lo desconocido: lo sagrado. Los españoles fueron dioses y seres sobrenaturales porque los mesoamericanos no tenían sino dos categorías para comprender a los otros hombres: el civilizado sedentario y el bárbaro. O como decían los nahuas: el tolteca y el chichimeca. Los españoles no eran ni lo uno ni lo otro; por lo tanto, eran dioses, seres que venían del más allá. Durante dos mil años las culturas de Mesoamérica vivieron y crecieron solas; su encuentro con *el otro* fue demasiado tardío y en condiciones de terrible desigualdad. Por esto fueron arrasadas.

México, 25 de octubre de 1986

Vuelta 122, México, enero de 1987

ARTE MODERNO

YO, PINTOR,
INDIO DE ESTE PUEBLO...

AL disponerme a escribir estas páginas sobre Hermenegildo Bustos, volví a pensar en su caso y de nuevo me ma-
ravillé: ¿Cómo explicarlo? Estamos acostumbrados a ver
en cada hecho la consecuencia de otros hechos que, enlazados, lo determinan y en cierto modo lo producen. Los
historiadores discuten interminablemente acerca de las causas de la decadencia de Roma (incluso sobre si es pertinente
la noción misma de decadencia) pero ninguno de ellos
niega que cada hecho histórico es el resultado de la acción
conjunta de otros hechos, factores y causas. En el campo
del arte la concatenación entre las tradiciones y las escuelas, la sociedad y las personalidades no es menos visible
y determinante. Cierto, trátese de la política y los cambios sociales o de las artes y las ideas, la historia se resiste
siempre a las explicaciones rígidamente deterministas; en
cualquier fenómeno histórico hay siempre una parte imprevisible —la antigua fortuna, el accidente, el genio, el
temperamento individual. Pero la aparición del pintor Hermenegildo Bustos en el pueblecillo de la Purísima del Rincón, a mediados del siglo pasado, nos enfrenta a un hecho
realmente insólito. Bustos no es ni el heredero ni el iniciador de un movimiento pictórico: con él comienza su arte
y con él acaba. No tuvo maestros ni compañeros ni discípulos; vivió y murió aislado en un pueblo perdido del centro de México, un país también aislado, en esos años, de
las grandes corrientes artísticas. Sin embargo, la pintura
de Bustos —al mismo tiempo profundamente tradicional

e intensamente personal— se inserta en la gran tradición del retrato y, dentro de esa tradición, ocupa un lugar único.

Ante Bustos podemos repetir que "el Espíritu sopla donde quiere". Es una explicación que no ha cesado de escandalizar a los racionalistas, desde la Antigüedad. Ya Porfirio se burlaba de los cristianos y de los judíos que creían en un dios todopoderoso hacedor de milagros, como detener al sol, abrir en dos al mar o transformar las piedras en panes; no, Dios no quiere ni puede sino aquello que es verdadero, justo y bueno; Dios no puede violar el orden y las leyes del universo, como no puede negar los axiomas de la geometría: sería negarse a sí mismo. No me atrevo a desmentir al filósofo, pero lo cierto es que lo inesperado nos rodea y diariamente nos desafía; no solamente colinda con lo inexplicado sino que, a veces, se confunde con lo inexplicable. Para neutralizarlo acudimos a nombres y conceptos como lo fortuito, la casualidad, el accidente o la excepción. Estos términos revelan nuestra perplejidad pero no descifran los enigmas; son maneras de clasificar un hecho anormal, no de comprenderlo ni de comprender su razón de ser. Desde la perspectiva de la historia del arte, la pintura de Bustos me parece inexplicable. Al mismo tiempo, es una realidad visible y que tuvo un origen no milagroso sino cotidiano: un hombre que se llamó Hermenegildo Bustos y del que conocemos no sólo un puñado de fechas y anécdotas sino su retrato pintado por él mismo y que es una de sus obras maestras: ¿No es bastante?

A menos de treinta kilómetros de la ciudad de León, en el estado de Guanajuato, se encuentran dos pequeños pueblos colindantes: Purísima (Virgen) del Rincón y San Francisco del Rincón. Fueron fundados en 1603 con indios otomíes y tarascos. Todavía hasta la fecha la población es predominantemente indígena aunque los idiomas nativos han sido desplazados por el castellano. La región es rica por la agricultura y el comercio; en el pasado lo fue tambien por las minas de plata: en el siglo XVI los tres grandes centros mineros del mundo eran Guanajuato, Zacatecas y Potosí (Bolivia). La prosperidad minera duró, con altibajos, hasta comienzos del siglo XIX. En cambio, la agricultura sigue siendo, hasta nuestros días, el principal recurso de la población. "Los pueblos del Rincón —dice Raquel Tibol en la monografía que ha dedicado a Bustos— conocieron una estabilidad sin remecimientos: ni abismos de miseria ni prosperidad espectacular".* La Purísima creció más rápidamente que San Francisco y hacia 1860 tenía ya unos 16 000 habitantes. Aparte de las haciendas que lo rodeaban, el pueblo tenía huertos frutales, una artesanía floreciente y un comercio activo con la vecina León. La población vivía con modestia pero sin grandes apuros. La componían jornaleros, artesanos, pequeños y medianos propietarios, comerciantes y varios clérigos. Había una escuela de primeras letras, una orquesta y un grupo teatral de aficionados dirigidos por el cura. Eran frecuentes los desfiles cívicos y las procesiones religiosas, no había luz eléctrica y el pueblo estaba comunicado con León por un servicio de diligencias.

Aunque los vecinos de la Purísima participaron en los trastornos de la época y en las luchas entre conservadores y liberales, el rasgo que los define es el tradicionalismo. El núcleo de ese tradicionalismo era la religión católica en su versión hispano-mexicana: ritualismo, intensa piedad colectiva, culto a las imágenes, abundancia de fiestas y ceremonias. La Iglesia, lo mismo en el sentido material que en el institucional y el psicológico, era refugio, inspiración,

---

* R. Tibol: *Hermenegildo Bustos, pintor del pueblo*, Guanajuato, 1981.

pauta y conciencia. El otro eje de la vida pueblerina era la familia. Entre la vida pública y la familiar, los intereses y las pasiones tejían una red de afinidades y enemistades: intercambios de bienes y productos, jolgorios, matrimonios, bautizos, sepelios y también rivalidades entre clanes y familias, envidias y riñas. Vida rítmica pero sacudida por las pasiones y sus violencias, principalmente la lujuria y los celos: no eran infrecuentes las fugas de las enamoradas, los raptos y las venganzas sangrientas de padres, hermanos y esposos ofendidos. Al lado de las pasiones y sus estragos, las maravillas y los horrores de la naturaleza: eclipses, inundaciones, sequías, cometas.

Todas estas agitaciones, lo mismo las humanas que las naturales, estaban referidas a los valores y doctrinas tradicionales. Gracias a la Iglesia el mundo, aun en sus extravíos, poseía coherencia y sentido. La religión no sólo comunicaba al pueblo con las vastas fuerzas sobrenaturales y naturales que rigen el cosmos y a las almas, sino con el pasado y el presente de México. La historia de la nación se confundía con la de la religión católica. Por último, con sus instituciones y doctrinas pero también y sobre todo con sus imágenes —el Crucificado y su madre, los profetas y los mártires, los santos y las santas— la Iglesia unía a la Purísima y a su gente con Roma y el Viejo Mundo. El catolicismo hispano-mexicano, además de ser una visión del mundo y del trasmundo, una moral colectiva y un lazo de unión entre los mexicanos, era un puente entre México y la antigua cultura europea. Lo primero que vieron los ojos de Hermenegildo Bustos, indio puro como él decía con orgullo, fueron copias, reproducciones e imitaciones de las imágenes religiosas europeas.

El acta de nacimiento de Hermenegildo Bustos se ha perdido, pero sabemos por una relación escrita de mano de su padre que nació el 13 de abril de 1832. El minucioso

José María Bustos anotó el día del nacimiento de su hijo (un miércoles), la hora (11.30 de la mañana), el nombre de la partera, los de los padrinos y el del cura que lo bautizó ¡pero olvidó anotar el de su madre! Se llamaba Juana Hernández. El padre era campanero de la parroquia del pueblo. Hermenegildo también estuvo ligado a la iglesia. No sabemos si realmente fue sacristán de la parroquia, como dice algún crítico, o si desempeñó en ella diversos trabajos de restauración de los altares, los cuadros y las esculturas. También se ocupaba del arreglo de las imágenes y sus vestiduras así como del adorno de la iglesia durante las fiestas religiosas. Hermenegildo repartía su vida entre sus ocupaciones en la parroquia, a la que concurría por las mañanas, y sus trabajos profesionales por las tardes, en su pequeño taller.

Si es difícil establecer una relación cronológica de su vida y sus hechos, no lo es tener una idea de su carácter y actividades. Se conservan algunos papeles de Hermenegildo Bustos, entre ellos un calendario de 1894 en cuyas márgenes, con letra muy fina y menuda, anotó con maniática imparcialidad los acontecimientos de cada día, sobre todo los fenómenos de la naturaleza —nublados, heladas, lluvias— y los escándalos pueblerinos. Sus ocupaciones y preocupaciones durante los otros años no deben haber sido muy distintas: la vida en la Purísima fluía con la regularidad y la constancia de los rosarios de las beatas. Además, Bustos causó una profunda impresión entre sus coetáneos y dejó una leyenda que ha llegado hasta nosotros. No es difícil separar en ella la realidad de las quimeras. Su ferviente y fantasioso biógrafo Pascual Aceves Navarro le atribuye infinidad de talentos.* Sin duda exagera —es difícil que haya sido arquitecto, director de tea-

---

* *Hermenegildo Bustos, su vida y obra*, Guanajuato, 1956.

tro y relojero— pero no demasiado. Aunque su vocación profunda era la pintura, en el pueblo tradicional en que transcurrió su vida la especialización y la división del trabajo no habían llegado a los extremos actuales.

A los veintidós años se casó con Joaquina Ríos, que tenía apenas quince. Fue un matrimonio sin hijos, estable pero quizá no muy bien avenido: Bustos era enamoradizo, tuvo varias amantes y con una de ellas, María Santos Urquieta, uno o dos hijos. Poseía un huerto con árboles frutales y legumbres, que cultivaba él mismo ayudado por uno o dos jornaleros. Lujuria y excentricidad: vivía con un tecolote, un perro y un perico hablantín. Decía con cierta sorna que eran toda su familia. Fue un verdadero *bricoleur* y la variedad de sus ocupaciones y actividades no cesa de maravillarme: nevero, curandero, hortelano, prestamista, músico, hojalatero, maestro de obras, carpintero, escultor, pintor. En verano él y su mujer hacían nieve de limón que él mismo pregonaba por todo el pueblo; levantaba muros, reparaba techumbres y reconstruyó la capilla del Señor de las Tres Caídas; prestaba dinero bajo prenda, criaba sanguijuelas y las alquilaba; sus infusiones y cocimientos de hierbas aromáticas y medicinales eran célebres; rasgueaba la guitarra, tañía la mandolina, soplaba el saxofón y era miembro de la banda municipal que tocaba todos los domingos en la plaza; fabricó una clepsidra y corrigió el reloj de sol de la parroquia; sobresalió en los trabajos de capintería y fabricó mesas, camas, sillas, alacenas y, sobre todo, ataúdes —entre ellos el de su mujer y el suyo propio, que guardó hasta su muerte en su pequeño taller; fue sastre y él mismo cortaba y cosía sus trajes según el dictado de su fantasía eclesiástico-militar; también cortaba y arreglaba los ropajes de las vírgenes y los santos de los altares; fue hojalatero y, como director y jefe del batallón farisaico que desfilaba los días santos, fabricó las armaduras, los escudos y los cascos de los soldados y los oficiales; era orfebre y hacía collares, broches y rosarios; fue escultor y tallador: todavía se conservan algunas de sus esculturas en madera de santos, vírgenes, Cristos y un *Ecce Homo* que guarda la Parroquia de la Purísima; dejó una serie de máscaras que servían para las escenificaciones de la Semana Santa; no era un letrado pero su familiaridad con las cosas de la Iglesia —oía misa todos los días y comulgaba con frecuencia— lo hizo leer libros de devoción y aprender algunos latinajos.

Hombre de humor caústico, se le atribuyen salidas memorables. Por ejemplo, solía decir que en este mundo sólo había tres personas notables: su Santidad el Papa (Pío X), Porfirio Díaz, dictador de México y Hermenegildo Bustos, pintor y sabelotodo. Vestía trajes de su invención y se había hecho un vestido de gala compuesto de una casaca verde de corte militar y botones dorados, en el cuello tres cruces bordadas y su nombre: H. Bustos, otras dos cruces en el pecho, banda roja y pantalones de charro. El uniforme de una milicia mitad republicana y mitad celestial. Usaba un sombrero indochino de paja y entre sus instrumentos de música se encontraba un *pi-pa* chino. ¿Cómo llegaría a sus manos? Hay dos fotografías de Hermengildo y de Joaquina, su mujer. En una de ellas hay una inscripción que dice: ''Nos retrató el señor cura Gil Palomares, el 13 de abril de 1901''. Él tenía sesenta y nueve años y ella sesenta y dos. En una de las fotos la pareja está sentada; en la otra, la mejor, de pie. Joaquina viste como las lugareñas de entonces: falda larga y un ancho rebozo que. la arrebuja cubriéndole la cabeza y la mitad del cuerpo. Lo único visible es la cara: seria, surcada de arrugas y acentuadamente india. Hermenegildo viste su uniforme de gala, la famosa casaca verde que, semiabierta, deja ver una camisa plisada, un paliacate y una faja con borlas que no es difícil adivinar roja o morada. Hermenegildo no era muy alto y, tal vez para compensar esta desventaja, su brazo izquierdo descansa sobre los hombros de su mujer, gesto a un tiempo familiar e imperioso. La cabeza levantada; los ojos profundos y entrecerrados, como para ver mejor el lente de la cámara; entre las cejas una hondonada: el ceño, arruga geológica desde la que desciende majestuosa la nariz; el bigote espeso y entrecano; el labio inferior ancho; el mentón firme, los pómulos salientes, la frente amplia, el pelo ralo y muy corto. La cara de ella revela resignación, cansancio y cierta impasibilidad; la de él es enérgica e inteligente: piel soleada, músculos y huesos poderosos. Cara de indio pero también de tártaro. Cara de hombre-pájaro que ve de lejos y penetra hondo. Hermenegildo Bustos murió seis años después de tomada esta fotografía, en 1907, a los setenta y cinco años de edad, uno después de su mujer. Cuando ella murió, le pidió a un vecino que lo ayudase a amortajarla, cerró la casa sin dejar entrar a nadie y pasó la noche solo con ella. Con la misma serenidad y la misma reserva dispuso cómo debía ser enterrado... Excéntrico, caprichoso, avaro, diligente, reconcentrado, astuto, religioso, sarcástico, imaginativo, ceremonioso, lujurioso, devoto, perspicaz, penetrante: un verdadero *raro* o, como se decía en el siglo XVII: un monstruo.

No recordaríamos las excentricidades de Hermenegildo y sus habilidades en las artes mecánicas, unas y otras indudablemente magnificadas por la fantasía pueblerina, si no fuese por su excelencia como pintor. Mientras vivió, fue estimado y admirado por sus paisanos de la Purísima y de San Francisco del Rincón. Sin duda su fama rebasó los límites de los dos poblados y llegó a otros lugares cercanos; entre los retratos pintados por Bustos hay algunos de vecinos de León y de otros sitios contiguos. Su fama, sin embargo, fue local y reducida a una zona geográfica muy precisa: la Purísima y sus alrededores. Su clientela estuvo compuesta por sus coterráneos. También es notable que no haya estado circunscrita a una clase o a una categoría social; entre sus modelos hay clérigos, comerciantes, propietarios de huertas, agricultores, artesanos, familias de mediano pasar y muchas mujeres de distintas clases y condiciones: jóvenes, casadas, viudas, la dueña de una pulquería, beatas. Todos estos lugareños eran gente modesta, aunque, claro, había diferencias entre un simple agricultor y un comerciante más o menos acomodado. La actividad de Bustos se desplegaba en tres direcciones: cuadros y murales con asuntos religiosos, exvotos y retratos. Por las tres actividades recibía modestas remuneraciones y en ese sentido era un pintor profesional, aunque él siempre insistió —¿humildad o desafío?— en llamarse aficionado.

No se conservan muchos ejemplos de su pintura religiosa. No es extraño: por una parte, pintor cuidadoso y lento, su obra no es abundante; por otra, no debe haber tenido muchos encargos fuera de la Purísima y de San Francisco: su fama no era tan grande como para atraer a los altos prelados de León y Guanajuato. Además, en esos años la Iglesia ya había dejado de ser la gran protectora de las artes. Bustos pintó cuadros de caballete de asunto devoto y algunos murales. Entre los primeros es curiosa una alegoría, *La belleza vence a la fuerza,* en la que se ve a un león y a una linda muchacha que, armada de unas descomunales tijeras, recorta no se sabe si la melena o las garras de la fiera. ¿Reminiscencia de Santa María Egipcíaca? La voz pública quiere que la figura femenina sea la de su querida, María Santos Urquieta... Los murales en el Altar Dorado de la Parroquia de la Purísima representan escenas de la Pasión de Jesús y no fueron pintados enteramente por Bustos sino "retocados", como él mismo lo dice en una inscripción. Pero cuando Bustos habla de "retocación", observa con buen juicio Raquel Tibol, "se refiere a algo más que trabajos de restauración. Agrega trozos enteros de su invención. Por ejemplo, en el tablero del Vía Crucis en que Jesús encuentra a la Virgen, los rostros de las mujeres son suyos". Así es: esas fisonomías sólo podían ser de vecinas de la Purísima. En las pechinas de la cúpula de la Parroquia hay cuatro pinturas: San Bernardo, San Ildefonso, San Buenaventura y San Alfonso de Ligorio. Son indudablemente suyas, pues debajo del último aparece esta inscripción: "Los pintó Hermenegildo Bustos, aficionado y natural de este pueblo." Ni los óleos ni los murales son memorables: son ejemplos más bien impersonales de la pintura religiosa de esa época. Copias de copias europeas.

Los exvotos son mejores. Todos fueron pintados sobre lámina de latón de pequeñas dimensiones y representan sucesos dignos de memoria: el donante da las gracias a la Virgen o a un santo de su devoción por haberlo salvado de un peligro grave: la caída de una escalera, el asalto de unos facinerosos, la embestida de un toro bravo, unas fiebres malignas. Desde el siglo XVIII hasta bien entrado el XX se han pintado en México miles de retablos. Los de Bustos se ajustan a las reglas no dichas de la tradición: son pinturas populares en el sentido recto de la palabra y esto las distingue de su pintura religiosa, a medio camino entre la academia y el arte popular. Pero nada nos haría detenernos en los exvotos de Bustos si no fuese porque varios entre ellos son algo más que ejemplos de un arte tradicional y estereotipado. No todos, naturalmente. En muchos casos Bustos cedió a las facilidades del género y, además, entre los que se le atribuyen hay un buen número que no deben ser suyos: en nada se distinguen de otros cientos de exvotos. Pero hay unos cuantos que inmediatamente nos cautivan, no por la ingenuidad del trazo y del asunto —maravillas a lo largo monótonas— sino por la energía y la veracidad de ciertos rostros. El retablo deja de ser una muestra más de una tradición impersonal y se convierte en una obra de arte auténtica e intensamente personal: el retrato de una persona única.

Pintor más o menos hábil de imágenes religiosas tradicionales y de exvotos populares, Bustos merece ser recordado por lo que realmente fue: un extraordinario retratista. Las pinturas religiosas son obras de mediocre interés y los retablos no se apartan, salvo excepcionalmente, de las limitaciones y convenciones de una fórmula tradicional. En todas esas obras Bustos es un verdadero aficionado; en cambio, en los retratos se revela como un pequeño maestro. Pequeño por las limitaciones del género, por el número de sus cuadros y hasta por la modestia de sus dimensiones; maestro por su intensidad, su penetración y, no pocas veces, por su perfección. Ante estas obras es imposible no preguntarse: ¿dónde, cómo y con quién aprendió el arte de la pintura? Reaparece así la pregunta que me hice al comenzar estas páginas. No es fácil contestarla pero procuraré, al menos, insertarla en su contexto histórico.

Después de su muerte, Bustos fue casi enteramente olvidado. Como todo el país, la Purísima no escapó a los trastornos de la Revolución Mexicana. Hacia 1920, la paz restablecida, los mexicanos se inclinan sobre su pasado: buscan en su historia pruebas no de lo que fueron sino de lo que son. Andan en busca de sí mismos. El arte popular les parece, simultáneamente, un indicio de lo que fueron y una promesa de la supervivencia de la nación. En 1933 el pintor Roberto Montenegro publica un libro, *Pintura mexicana (1800-1860)*, en el que aparece entre las láminas que lo ilustran un retrato de autor anónimo: Joaquina Ríos (la mujer de Bustos)*. El error no tardó en ser reparado: ya para entonces Francisco Orozco Muñoz había comenzado su paciente investigación y unos pocos años después los críticos y los conocedores de México descubrían, paulatinamente, la obra y la personalidad de Bustos. La acción de Orozco Muñoz fue decisiva. Nació en San Francisco del Rincón, fue poeta y diplomático. Vivió durante muchos años en Bélgica, allá se casó con una mujer inteligente y también amante del arte: Dolly van der Wel. Allá también pudo familizarizarse con los pintores flamencos del siglo XV, especialmente con Jan van Eyck, artista por el que sentía devoción. Tal vez la afortunada combinación de esas admiraciones y el amor a la tierra nativa —sin olvidar lo determinante: su sensibilidad y su inteligencia— explican que, ante los retratos flamencos, Orozco Muñoz haya recordado a los pequeños cuadros pintados sobre láminas de latón que él había visto, durante su niñez y su adolescencia, en su casa de San Francisco del Rincón y en las de otras familias del mismo pueblo. Un indicio de la afinidad que estableció entre los retratistas flamencos y el modesto Bustos es que, al descubrir en el dorso de su autorretrato esta inscripción orgullosa en su humildad: "me retraté por ver si podía," inmediatamente la asoció con la divisa de van Eyck: *Als ik Kan* (como yo puedo). Orozco Muñoz logró reunir un número considerable de obras de Bustos pero nunca escribió sobre él. Sin embargo, casi todo lo que se escribió sobre Bustos en este primer periodo ostenta la huellas de sus conversaciones. A Orozco Muñoz le gustaba mostrar su colección y hablar sobre sus hallazgos.

Los pocos críticos que se ocuparon de Bustos entre 1930

* Cf. la citada monografía de Raquel Tibol, que contiene una sucinta pero completa relación del proceso de descubrimiento y rescate de Bustos y su pintura.

y 1950 lo veían como un "primitivo", aunque algunos entre ellos se daban cuenta de lo inapropiado del término. No hay nada primitivo ni ingenuo en obras como el *Autorretrato* de Bustos (1891), la *Mujer de las flores* (1862), el retrato de Alejandra Aranda (1871) o el de Francisca Valdivia (1856). Por esto Walter Pach decía con discernimiento que Bustos, más que un "primitivo" (¿qué se quiere decir exactamente con este vago término?), era un autodidacta: "unos pocos libros acerca del empleo de los aceites y sobre la preparación de los colores (que él elaboraba para sí propio como los pintores de antaño) más la contemplación de las obras de arte que existen en cualquier población antigua de México, formaron el fondo técnico de su oficio".* En ese mismo ensayo seminal, Pach señala que, en su primera juventud, "pretendió recibir algunas enseñanzas" pero que, desanimado por las burlas de los otros estudiantes, "se retiró en seguida al campo de donde había venido y resolvió los problemas del arte con sus propios recursos". Es claro que el origen de esta información fue alguna confidencia de Orozco Muñoz, de quien proceden todas las noticias de Pach sobre Bustos. La información era muy vaga pero en 1952 se precisó. En ese año se realizó la primera gran exposición retrospectiva de Bustos, organizada por Fernando Gamboa. En el catálogo podía leerse que, aunque Bustos había intentado estudiar el arte de la pintura en León con el maestro Herrera, "a los seis meses abandonó a tan mal mentor pues ese maestro, más que enseñar a sus discípulos, los utilizaba en diversos quehaceres". La fuente de esta noticia no puede ser distinta a la de Pach: todo apunta hacia Orozco Muñoz, conocedor de las tradicioens orales del Rincón. Subrayo que se trata de una tradición oral: hasta esta fecha no se

* Walter Pach, "Descubrimiento de un pintor americano", *Cuadernos Americanos,* noviembre-diciembre de 1942.

ha encontrado documento alguno que pruebe la presencia de Bustos en el taller del pintor académico Juan N. Herrera. La hipótesis es plausible en apariencia, dada la cercanía entre León y la Purísima; no obstante, parece difícil que un pueblerino humilde y sin recursos como Bustos hubiese logrado ingresar en una academia de la ciudad de León. ¿Con qué títulos, con qué valedores y con qué dinero?

En 1973 un historiador del arte mexicano, Gonzalo Obregón, publicó un ensayo en el que mantiene que Bustos fue discípulo de Herrera.* No aporta ninguna prueba documental y se funda únicamente en la cercanía de León y en la crítica interna: es imposible que, por sí solo, Bustos tuviese el dominio de oficio que atestiguan sus retratos. A Obregón le parece que Bustos estudió más de seis meses con Herrera: ya en sus primeros cuadros revela una notable maestría técnica. Así es: el retrato del *Sacerdote* (1850) y el de su padre (1852), pintados entre los dieciocho y los veinte años, son obras de madurez. En el caso del segundo, se trata de una composición a un tiempo luminosa y sombría: la camisa blanca, la chaqueta negra, el brillo oscuro del pelo, la tez tostada, la boca desafiante, los ojos que nos acechan desde una lejanía próxima. Según Obregón estas tempranas muestras de maestría revelan un aprendizaje prolongado: Bustos debe haber estudiado con Herrera de 1848 a 1851, entre sus dieciséis y diecinueve años. Después, regresa a su pueblo y "se encuentra solo, sin influencia de nadie y su arte tiende a lo popular". Además, la economía: "su clientela de la Purísima no iba a dar lo que la gente acomodada de León". Para Obregón hay una involución: abandonado a sus propios medios y frente a una clientela pobre e ignorante, Bus-

* "Un pintor desconocido: Juan N. Herrera, 1818-1878", *Artes de México*, núm. 138, 1963.

tos regresa a lo popular aunque conserva cierta calidad que le debe a Herrera.

Por tres razones juzgo insostenible esta hipótesis. La primera es la falta de documentos: todo es una suposición, incluso la asistencia de Bustos al taller de Herrera por unos meses. La segunda: desde sus primeras obras hasta las últimas los retratos de Bustos son notables y, muchas veces, perfectos: no hay grandes cambios entre los del comienzo y los del fin. También desde el principio es notable su torpeza con las figuras y los fondos así como el trazado inhábil de las perspectivas. Lo primero que se aprende en una academia, antes que a modelar una fisonomía, es a trazar una figura y dominar el arte de la perspectiva. Es inverosímil que en el caso de Bustos se haya invertido el proceso. Para remediar esta falla de su razonamiento, Obregón acude a una hipótesis aún más ligera: la de la involución. No: la excelencia de Bustos en el arte del retrato y su debilidad en los otros aspectos técnicos se debe, precisamente, a que no estudió en una academia. En fin, la tercera: no sólo una y otra vez Bustos se declara pintor *aficionado,* es decir, sin estudios académicos, sino que en 1903, en el Altar Dorado de la iglesia parroquial, firma: "Hermenegildo Bustos, pintor aficionado sin maestro y en 72 años de edad." Después de esto, no nos queda sino volver a las suposiciones del principio: los maestros de Bustos fueron algunos libros, unas pocas imágenes y, sobre todo, sus ojos, que penetraban en lo que veía, su memoria, que retenía lo visto y su pulso y su imaginación, que lo reproducían y transfiguraban.

Bustos no pintó paisajes ni interiores ni desnudos. Tal vez se lo impidió su desmaño para pintar figuras, fondos y lejanías. La perspectiva no era su fuerte. En el caso de los desnudos debe añadirse, además, la pudibundez de la provincia mexicana. Conocemos dos bodegones en los que aparecen distintas frutas, algunas legumbres, una rana y un alacrán. El pintor evadió las dificultades de la composición y dispuso las frutas y legumbres en hileras. Más que un cuadro, las dos pinturas parecen ilustraciones de un tratado de horticultura. Los retratos, en cambio, son casi siempre notables por su verismo, su modelado, sus colores y su dibujo firme, suelto y fino (cualidades no contrapuestas, en su caso, sino complementarias). Vale la pena subrayar la excelencia de su dibujo: el trazo, como ya dije, es seguro y neto pero ligero y, en cierto modo, reflexivo; quiero decir: la mano que dibuja las líneas sirve al ojo que mira y a la mente que mide y que, al medir, compara y construye. Para Bustos el dibujo, más que una composición, es una exploración. Ninguno de los que conozco es una obra en sí: son estudios, apuntes para el futuro retrato. Sin embargo, tienen un encanto propio: son el presentimiento de una obra, la prefiguración de un rostro. Pienso en el boceto que precede al retrato de su mujer: es difícil olvidar esos ojos que miran con cierto asombro al mundo bajo unas cejas pobladas y una frente más soñada que dibujada. El rostro de la muchacha es un fruto en el momento de entreabrirse: ¿cómo ese óvalo inmaduro y delicioso pudo convertirse en los rasgos severos de la matrona del retrato y en la cara resignada y un poco estólida de la foto de 1901?

Los dibujos de Bustos eran probablemente ejercicios de memoria visual; también le servían para familiarizarse con el modelo y para *se faire la main*. Después, sobre la lámina o el lienzo, comenzaba a pintar directamente, ya sea en monocromo o en colores muy tenues; más tarde aplicaba el color con delicadeza y cuidado. El toque es firme, nunca violento: no hay nada extremado en sus pinceladas. La sensibilidad de Bustos era ajena a cualquier expresionismo. Walter Pach se pregunta cómo fue posible que el artista lograse con ese procedimiento pintar composiciones en las que el modelado parece estar sostenido por el esqueleto del dibujo. Quizá la respuesta está en lo que señalé más arriba: la memoria visual. Al pintar, Bustos seguía el trazo mental de sus dibujos: su mano pintaba, su memoria dibujaba. De ahí la necesidad de los apuntes previos. En fin, cualquiera que haya sido su método, lo cierto es que los óleos de Bustos revelan a un extraordinario dibujante. Como los huesos que, recubiertos por los músculos y la piel, forman y conforman una fisonomía, su dibujo sostiene a los pigmentos y a las manchas. Es una arquitectura invisible.

Bustos pinta a la perfección lo más complejo, difícil y misterioso: el rostro humano, pero no acierta con un cuerpo, con una arboleda o con tres libros, un vaso y una lámpara sobre una mesa. Esto explica los estrictos límites que se impuso y que son los de sus talentos y limitaciones. Eliminó los fondos, no pintó interiores ni escenas y redujo sus modelos a lo esencial: el rostro. Adivinamos su condición por la ropa que visten, por sus prendas y adornos y, a veces, por el objeto que sostienen sus manos: un libro, una moneda, una flor, una carta con su nombre, una pizarra de colegial. Los retrata en general de tres cuartos y de medio cuerpo. Salvo en el caso de un retrato de mujer que muestra los hombros desnudos —el escote de la ligera blusa deja ver el nacimiento de unos senos macizos— Bustos presenta a sus modelos enteramente vestidos. La ropa los cubre y los define: agricultor, comerciante, cura, viuda, soltera, madre de familia. Sin embargo, todos esos retratos irradian —o mejor: transpiran— una poderosa carnalidad. El cuerpo se ha vuelto energía, ha dejado de ser forma y volumen para convertirse en gesto, temperatura, mirada. Si se me pidiese definir con una sola palabra la impresión que me causan esos retratos, respondería sin vacilar: intensidad. El dibujo, el modelado, los colores, los volúmenes, todo, se resuelve en una energía reconcentrada. Tras la impasibilidad de esos rostros requemados se adivina un hervor de pasiones y deseos subterráneos, una inmensa vitalidad a un tiempo contenida y obstinada.

Es natural que ante esta obra breve pero, en su brevedad, no pocas veces perfecta y, dentro de sus límites más bien reducidos, casi siempre extremadamente personal, los pocos críticos que se han ocupado de ella hayan vuelto los ojos hacia la tradición en busca de antecedentes y paralelos. Por su realismo, su indiferencia ante los rangos sociales y ante las convenciones y fórmulas de la belleza ideal, así como por su economía visual y su "esencialismo"—algo muy distinto a la búsqueda de lo característico y lo extraño—, en suma: por su equidistancia del idealismo clásico y del barroquismo y el expresionismo, Bustos hace pensar en los orígenes del arte del retrato: los flamencos del siglo XV. No busca en el retrato un tipo ideal como los grandes renacentistas ni una singularidad o una excepción como los barrocos y los modernos: retrata personas reales y esto evoca a los flamencos. Pero apenas se enuncia el parecido, se disipa: compararlo con Jan Van Eyck, como algunos lo han hecho, es temerario. Esa cercanía lo empequeñece e, incluso, lo aplasta. Van Eyck es un comienzo o, más exactamente, es *el comienzo* del gran arte del retrato de Occidente; Bustos es un momento de esa tradición, un parpadeo apenas: un pequeño maestro. Pero la comparación, aunque exagerada, es útil. En Bustos no encontramos los misteriosos interiores del flamenco con su mezcla de vida cotidiana y objetos simbólicos, las ventanas como golfos de claridad y los espejos de reflejos recónditos, las conjunciones de la luz y la sombra en las telas y los metales, pero hay la misma pasión por la verdad humana y la misma honradez ante lo que ven nuestros ojos: una persona, un ser único y vulnerable. Pintar un rostro no es tanto una consagración como un reconocimiento, una fraternidad.

Debemos a Walter Pach una comparación menos aventurada: los cuadros de Bustos le recuerdan al crítico norteamericano los retratos anónimos de Fayún. Estas obras, menos complejas que las de los flamencos, ofrecen efectivamente ciertos parecidos sorprendentes con los retratos de Bustos. No obstante, según se verá, esas semejanzas no ocultan diferencias notables y más profundas. Pach señaló el parecido, pero no pudo o no quiso desarrollar su idea; tampoco lo han hecho los que, más tarde, han repetido su opinión. Los parecidos saltan a la vista: las pequeñas dimensiones de las obras; la ausencia de fondos; el rostro visto de tres cuartos (en las tabletas de Fayún la representación frontal también es frecuente); la figura humana reducida al rostro y la parte superior del tronco; el cuidado de los detalles emblemáticos (la diadema de hojas doradas en el retrato de un sacerdote del culto de Serapis y el breviario y la cruz en el de un cura de la Purísima del Rincón, la tableta y el estilo entre las manos de una maestra griega y la tiza y el pizarrón entre las de un colegial mexicano); en fin, el realismo: ni los artistas de Fayún ni Bustos pretendieron representar tipos sino individuos concretos. Procuraron ante todo ser verídicos, sin idealizar o embellecer al modelo. Estas semejanzas no son engañosas: son superficiales. Hay diferencias profundas entre los retratos pintados sobre los sarcófagos que guardaban las momias de los terratenientes del nomo Arsinoítico* y los de los lugareños de Bustos. Esas diferencias se refieren a la función social de las pinturas, pero asimismo a sus elementos formales y a su significado profundo.

* El actual Fayún se llamó Arsinoítico en la Antigüedad, en honor de Arsinoe II, la mujer y hermana de Ptolomeo Filadelfo.

165

Los retratos de Fayún son doblemente anónimos: no conocemos los nombres de los artistas que los pintaron y sólo en contadas ocasiones han llegado hasta nosotros los de los retratados. Los ejemplos más antiguos se remontan a unos cien años después de la caída del Egipto ptolomeico bajo la dominación romana (30 a.c.) y los últimos al siglo IV. No sólo es notable la continuidad de esta tradición —más de tres siglos— sino que durante tanto tiempo no se presenten variaciones estilísticas apreciables. Sin negar el encanto e incluso la verdad psicológica y el *pathos* religioso de muchos de esos retratos, es indudable que estamos ante una manera colectiva que prohíbe todo cambio y variación individual. Durante más de trescientos años cientos de ejecutantes repitieron, con mayor o menor fortuna, una fórmula. Los retratos de Fayún pertenecen más a la historia de la religión que a la del arte. Desde su descubrimiento, a fines del siglo pasado, se han recobrado más de setecientas tabletas. Parece mucho pero es poco ante lo que se ha perdido o siguen ocultando los cementerios de esa región. Todos los retratados pertenecían a la clase acomodada de esa provincia: terratenientes y sus familias, altos funcionarios y matronas, oficiales romanos casados con damas de la aristocracia nativa, sacerdotes del culto oficial. Por último, el nomo Arsinoitico era una de las regiones más ricas del riquísimo Egipto y su clase dirigente estaba compuesta por una población cosmopolita — romanos, griegos, egipcios, sirios— en continua relación con Alejandría, Atenas, Roma y los otros centros del Imperio.

Un vistazo al mundo de Bustos y un breve examen del carácter de su arte y de las circunstancias que lo rodearon bastarán para mostrar el contraste con el arte de Fayún. Las notas dominantes de este último son la continuidad, la impersonalidad y la uniformidad. El arte de Bustos es profundamente individual; fue un autodidacta y su tradicionalismo no es una herencia sino una conquista y casi una invención. No son menos significativas las otras diferencias. Sus modelos no pertenecían a la clase dirigente de México o, siquiera, de su provincia: eran gente modesta de su pequeño pueblo. Tampoco son anónimos: conocemos sus nombres y, en muchos casos, la fecha de su nacimiento, la de su matrimonio, su estado civil, su profesión, el número y los nombres de sus hijos, su estatura y otros detalles curiosos. La obra de Bustos no es numerosa y cubre apenas medio siglo de la obscura vida de un rincón —el nombre de su pueblo no pudo ser más apropiado— de la provincia de México, un país en esos años apartado del mundo. En fin, diferencia capital, cada retrato de Hermenegildo Bustos fue una experiencia distinta. Cada una de esas obras fue un aventura estética y humana: confrontación y encuentro.

Los retratos de Fayún son una de las expresiones finales de los antiguos cultos funerarios del Egipto faraónico. El hecho de que esos cultos, asociados a Isis y Osiris, hayan llegado hasta la época de la dominación romana es una prueba no sólo del tradicionalismo egipcio sino de la naturaleza casi indestructible de las creencias religiosas. Desde el principio se guardaron las momias de las personas acomodadas en sarcófagos que imitaban la forma del cuerpo humano. Los arqueólogos llaman "antropomorfos" a esos sarcófagos pero Klaus Parlasca, en el interesante e intructivo ensayo que ha dedicado al tema, piensa que deberían llamarse "osiriformes", ya que están relacionados con el culto de Osiris, dios de los muertos, la vegetación y la resurrección.* La costumbre se conservó bajo la dinastía lá-

---

* Klaus Parlasca: "Le Mummie del Fayyum", en *Gente del Fayyum, F. M. R.*, núm. 13, mayo de 1983. Contiene también ensayos de Giorgio Manganelli y Gianni Guadalupi.

gida y durante la dominación romana. Los sarcófagos se depositaban en una sala especial consagrada a los antepasados, en la que se celebraban los días rituales, libaciones y banquetes funerarios. Al cabo de dos o tres generaciones, las momias eran enviadas a los cementerios. En el distrito de Fayún los sarcófagos, "por razones de espacio", se colocaban en forma vertical y con frecuencia se guardaban en armarios. Primero se inscribía únicamente el nombre del difunto sobre la parte superior del sarcófago, pero bajo la dominación de Roma se implantó la costumbre de colocar una tableta de madera con un retrato del muerto pintado al encausto. No es difícil imaginar la emoción del devoto al encontrarse, en los días señalados, frente a frente con la momia y el retrato del abuelo o de la madre.

En los sarcófagos de Fayún se funden dos tradiciones: el culto a Osiris (bajo la forma helenística de Serapis) con su promesa de resurrección y el retrato romano que reproduce, para perpetuarlas, las características físicas de un personaje y, a través de ellas, su índole psicológica. El realismo romano al servicio de la escatología egipcia. Me parece, sin embargo, que en los retratos de las momias de Fayún hay otro elemento: la vivacidad, el amor a lo característico y a lo singular que distinguen al arte alejandrino. A pesar de la técnica uniforme con que están pintados, hay en estos retratos tal variedad de fisonomías, temperamentos y caracteres que, al verlos, es imposible no pensar en los personajes de la Comedia Nueva o en los poemas de Meleagro. Por los nombres que aparecen en los sarcófagos se sabe que muchos de los difuntos eran griegos o, al menos, de cultura griega. El helenismo no desapareció de Egipto sino hasta la invasión de los árabes. En suma, la sala donde se conservaban las momias de los antepasados en Arsinoitico albergaba una asamblea de abocados a la inmortalidad por la doble acción de Serapis y el arte del retratista. Era una inmortalidad limitada a los pudientes que podían pagar los crecidos gastos de la momificación y los honorarios del artista. Los retratos de Fayún se insertan dentro de un ritual religioso cuyo eje es la creencia en la resurrección. Pero esos retratos no son imágenes sagradas ni reliquias: son una suerte de pasaporte ultraterreno, los documentos de identidad de un viaje sobrenatural.

El arte de Hermenegildo Bustos, a pesar de su asociación con la Iglesia y de su devoción, es esencialmente profano. No se inserta en un rito funerario ni alude a una creencia en el más allá; tampoco está referido a la muerte o a otra realidad intemporal. Parlasca encuentra una curiosa analogía entre el arte de Fayún y la costumbre, en la Polonia aristocrática del siglo XVII, de colocar sobre el féretro un retrato del difunto pintado por un artista especializado en la pintura de muertos. Es una costumbre que también encontramos en México. La pintura de difuntos —gente de pro, monjas, clérigos, niños— fue muy frecuente durante los siglos XVIII y XIX. Sin embargo, a diferencia de sus contemporáneos, Bustos apenas si pintó difuntos. La excepción es el retrato de una *Niña muerta* (1884). El cliente del artista de Fayún, al ver el retrato de su antepasado, dialogaba silenciosamente con un muerto; el cliente de Bustos dialogaba consigo mismo. El realismo de los artistas de Fayún es una fórmula impersonal impuesta por la cultura grecorromana de sus clientes. En el caso de Bustos, el gusto del artista coincidía con el de sus clientes: su arte nace de la confluencia entre su visión personal y el gusto colectivo.

Como el arte de Fayún, el de México es el resultado de una conjunción de influencias externas y realidades locales. En un caso, el arte de un grupo dominante —griegos y romanos— se inserta en la religión del antiguo Egipto; en el de México, la religión y el arte de Europa fecundaron la sensibilidad y la imaginación de una población que la Conquista había reducido a una suerte de orfandad espiritual. Ahora bien, la actitud de Bustos ante la tradición artística no es de simple sumisión; no sólo proclama que es "aficionado" y que no ha tenido maestros sino que se afirma orgullosamente *indio*. En el reverso de su autorretrato escribe: "Hermenegildo Bustos, indio de este pueblo de Purísima del Rincón." Al pie del retrato del Padre Martínez, repite: "Yo, Hermenegildo Bustos, aficionado pintor, indio de este pueblo…" No vale la pena multiplicar las citas pero sí subrayar su sentido: para Bustos la pintura es una experiencia individual, una prueba. De ahí que haya escrito en el reverso de su autorretrato: "por ver si puedo". En esa prueba se juega su ser entero y algo más: su identidad racial. Bustos se afirma frente a la tradición y esa afirmación es doble: la de un artista marginal que no tuvo educación académica y la de un indio. Su tradicionalismo es extraordinariamente moderno y, en cierto modo, polémico.

No es necesario prolongar más la comparación: el arte de Bustos es decididamente histórico. Brota del encuentro entre el pintor y su modelo, se nutre de la confrontación de dos alteridades y se resuelve en una obra que expresa no una verdad intemporal sino una percepción instantánea: la movilidad de un rostro, quieto por un instante. Llamar *histórico* a este arte quizá puede inducir a confusión. Todas las artes son históricas, como hechuras humanas que son; quiero decir: todas nacen en la historia y todas, de esta o aquella manera, son expresión suya. Todas, también de esta o de aquella manera, la trascienden y, a veces, la niegan. Sin embargo, el arte de Bustos es histórico en un sentido más limitado y particular. En primer término, no está referido a ninguna de esas ideas o entidades intemporales que expresan a una sociedad y en las que ella se reconoce: la Cruz, el Creciente, la Hoz y el Martillo, el Sol naciente. En su pintura no hay mitologías, símbolos o alegorías. No es una visión del mundo ni del trasmundo. Ni paisajes ni paraísos ni infiernos. Tampoco hay historia en el sentido usual de la palabra: héroes, traidores, tiranos, mártires, multitudes, sucesos. No pintó acontecimientos sino el *acontecer* mismo. Para Bustos, como para todos nosotros, el tiempo *pasa* pero no en los lugares escogidos, no en los escenarios históricos, sino en las afueras; en sitios sin nombre. Cada uno de sus cuadros está fechado y ha sido pintado en un lugar determinado pero esas fechas son privadas y ese lugar está fuera de la gran historia. Entonces, ¿en qué sentido es histórica su pintura? Nace en el tiempo, expresa el tiempo: es tiempo puro. El retrato es el testimonio, fijo y momentáneo, del encuentro de dos personas —diálogo, combate, descubrimiento— resuelto en un reconocimiento. El otro se presenta como una presencia corpórea. Esa presencia nos habla, nos mira, nos oye y nosotros la oímos, le hablamos y la miramos. Así descubrimos que la presencia es una persona o, como se decía antes, un *alma*. Un ser único, semejante a nosotros, vulnerable y enigmático. Al ver un cuadro de Bustos, repetimos este descubrimiento; el tiempo, substancia de la historia, aparece por un momento: es un rostro humano.

México, marzo de 1984

FMR 31, Milán, marzo de 1985

PINTURAS DE JOSÉ MARÍA VELASCO

DESPUÉS de recorrer la exposición del pintor José María Velasco, el espectador se siente en lo alto de un valle frío y respira un aire delgado, aire sólo para las águilas, en un misterioso equilibrio entre el cielo y la tierra, frío otoño de las alturas. Cielos azules, límpidos; nubes blancas a un tiempo sólidas y aéreas; aguas tranquilas, ensimismadas; algún cactus solitario, un pirú y, como en un espejo, la lejanía: las mismas aguas, los mismos cielos, la misma tierra rojiza, volcánica, levemente áspera. Cielo y tierra. Y el aire, invisible presencia que delata a los grandes pintores. Todo está suspendido en un momento de pausa, como si la naturaleza se hubiese detenido un instante para después proseguir su marcha. Pintor de límites, Velasco nos muestra un mundo que no es el del reposo absoluto ni tampoco el del movimiento sino el del descanso. El paisaje que nos revela también posee esa tonalidad: la meseta, donde la desolación de la montaña se inicia y cesa la lujuria de la costa. La hora y la luz predilectas de este pintor son equidistantes de la plenitud del mediodía y del abatimiento crepuscular. La pintura de Velasco vive en una reserva inmóvil, que no pertenece al abandono sino al equilibrio, a esa pausa en la que todo cesa y se detiene brevemente, antes de transformarse en otra cosa.

Mas esta tregua prodigiosa no posee ningún temblor. Todo es firme y neto y la reflexión de la creación —porque a esa hora la naturaleza parece reflexionar— no está invadida por las vacilaciones de la duda o el fulgor del presentimiento. Este mundo exacto y transparente parece ignorar la inquietud de la vida y la del hombre. Nada de lo que allí vemos solicita la complicidad de nuestros sentidos o de nuestros apetitos; su misión se reduce a aislarnos de lo humano y provocar, más que un contagio o una comunión, un estado de soledad. Mundo silencioso, extrañamente vivo, pero ajeno a nosotros, a nuestra vida. Lección de desdén.

Casi todos los cuadros de Velasco están compuestos de un modo muy simple: una línea horizontal divide, a la mitad de la composición, la tierra del cielo. Y eso le basta para revivir un mundo profundo y sólido, de hondas perspectivas e infinitas lejanías. Esta línea sólo tiene una función estética y no posee significación espiritual: ni separa a dos mundos, como ocurre con otros pintores, ni señala las fronteras entre el infierno y el cielo, entre el "acá" y el "allá". No hay ningún dualismo en Velasco; este pintor "católico" ignora al infierno tanto como al cielo. Sólo hay un mundo, este mundo de límpidas apariencias, de transparentes disfraces, parecen decirnos sus cuadros, si es que esta alma fría y desdeñosa intentó decirnos algo.

No le basta a su reserva, sin embargo, rehusarse a pintar el trasmundo de las cosas; lejos de contemplar al Valle de México con los ojos del asombro, lo retrata como un naturalista. Su pulso anota, sin temblor y sin precipitaciones, lo que su tranquila mirada de águila descubre, con la misma apasionada indiferencia del sabio que sólo pretende registrar los fenómenos, sin intentar hundirse en ellos.

Hay una suerte de horror al hombre en todo lo que pinta; la figura humana sólo aparece cuando necesita subrayar la desolación o la grandeza solitaria de la naturaleza, en medio de la cual el hombre es siempre un intruso. Es sorprendente oír por ahí que Velasco es un pintor cristiano: ¿en dónde están el cielo o el infierno, la sensualidad, el erotismo de los cristianos? Este pintor ignora la existencia de otro mundo que no sea éste. Una nota domina toda su producción: la ausencia de sensualidad. Ni amor a la carne, ni incendio de la carne. Su pincel es casto, aunque carece por completo de inocencia, de asombro virginal. Y no sólo huye de la sensualidad y de la imaginación; ni siquiera la geometría, esa abstracción intelectual, le seduce: está lejos de ella como de la sensibilidad del impresionismo. Imparcial, exacto y desdeñoso, su orden es el de la ciencia.

El equilibrio, la sobriedad arquitectónica, los ritmos austeros recuerdan la precisión de ciertos poemas mexicanos. Si Velasco hubiera sido poeta, su forma predilecta habría sido el soneto. Sus paisajes poseen el mismo rigor, la misma arquitectura desolada y nítida, la misma monotonía de los sonetos de Othón. La línea horizontal que los divide tiene la calidad de un final de estrofa. Y hasta se atreve con sobrias rimas, ecos, correspondencias. El cielo frío y azul, inmenso, rima con el agua parada de los charcos, reducido infinito; las nieves de los volcanes, nubes inmóviles, son algo más que un recuerdo, una alusión y un eco de las otras nubes que se mueven, silenciosa e invisiblemente, en la profundidad del cielo: son una verdadera metáfora. Como Othón, logra recrear el paisaje de México sin ninguna concesión, sin ningún adjetivo. No necesita vestir la desnudez de lo que pinta con atavíos más o menos regionales para expresar que ese paisaje frío y altanero, más desolado que triste, sólo pertenece a México. La ausencia de la figura humana —más indiferencia que desprecio— tiene estrecha relación con el famoso soneto "A una estepa del Nazas". Aunque no hay semejanza entre el paisaje de Othón y el de Velasco —uno canta el desierto del Norte y el otro pinta el Valle de México— sí existe cierta identidad en la actitud espiritual de ambos artistas:

Ni un verdecido alcor, ni una pradera;
tan sólo miro, de mi vista enfrente,
la llanura sin fin, seca y ardiente,
donde jamás reinó la primavera.

Rueda el río monótono en la austera
cuenca, sin un cantil, ni una rompiente
y, al ras del horizonte, el sol poniente,
cual la boca de un horno, reverbera.

Y en esta gama gris que no abrillanta
ningún calor; aquí, do al aire azota
con ígneo soplo la reseca plata,

sólo, al romper su cárcel la bellota
en el pajizo algodonal levanta
de su cándido airón la blanca nota.

Pero Othón encuentra, en los sonetos del *Idilio salvaje*,
que la desolación del paisaje sólo es un eco y un símbolo
del desierto de su espíritu. Velasco, nada amoroso, menos
profundo, jamás se entrega: se repite infatigablemente, como un espejo que no conoce la sed ni la saciedad. Hay algo aterrador, inhumano, en esta altiva perfección que no
descansa.

Cuando se termina de recorrer esta exposición, se siente
una especie de plenitud fría, como al respirar el aire puro,
horriblemente puro de la cumbre. Y ante esta pureza el
espectador se pregunta: ¿cuál es el significado de esta obra,
toda ojos y pulso, en la pintura mexicana? Su importancia reside, precisamente, en ese ascetismo y ese desdén ante
los excesos y las tentaciones de la sensibilidad; gracias a
esta reserva puede ahora la pintura mexicana, después de
tantas aventuras, contemplarse en una parte de su ser: el
rigor, la reflexión, la arquitectura, la castidad, la lealtad.

Frío y riguroso, insensible y lúcido, José María Velasco sólo es una mitad del genio. Pero es una mitad que nos advierte de los peligros de la pura sensualidad y de la sola imaginación.

México, 1942

Hoy 290, México, 12 de septiembre de 1942

JOSÉ GUADALUPE POSADA Y EL GRABADO LATINOAMERICANO*

LOS aficionados a los libros bellos y los que se interesan en nuestro pasado conocen las ediciones facsimilares que, desde hace ya algunos años, publica la empresa Cartón y Papel de México. Estas reimpresiones de rarezas bibliográficas son doblemente admirables: por la pulcritud con que se reproducen las ediciones originales y por el valor de las obras mismas. Todas ellas combinan, en proporciones variables, dos atractivos: el histórico y el artístico. Por ejemplo, la reedición de *Los calendarios mexicanos* de Mariano Fernández de Echeverría y Veytia, libro monumental publicado en 1907 por el Museo Nacional, con un prólogo del erudito Genaro García.

Hoy pueden interesarnos o no las elucubraciones de Veytia y de García sobre las ideas cosmológicas de los antiguos mexicanos y su manera de medir el tiempo; nadie, sin embargo, puede contemplar las planchas de ese libro sin maravillarse. Para nosotros el tiempo es una acusación abstracta. Para los indios era una imagen. En el caso del volumen *Egerton en México 1830-1842*, aunque el interés es predominantemente estético y no histórico, el prólogo de Martin Kiek nos da una sucinta pero completa información sobre la vida del enigmático pintor y su desdichada muerte, con una amiga en las afueras de Tacubaya. El libro reproduce las doce lito-

* Prólogo al catálogo de la Exposición de Grabados de Cartón y Papel de México, Museo de Arte Moderno de México, 1980.

177

grafías publicadas en Londres en 1840 y que fueron coloreadas por el mismo Egerton. Otro libro notable es el *Álbum del Ferrocarril Mexicano* (México, 1878). Está compuesto por una serie de cromolitografías —un procedimiento nuevo en aquella época— que retratan distintos parajes y estaciones del trayecto en ferrocarril entre el puerto de Veracruz y la ciudad de México. Hojeo este libro con emoción: mi abuelo poseía un ejemplar y yo, de niño, contemplé sus estampas muchas veces. Pertenezco a una generación que todavía hizo el viaje a Veracruz en ferrocarril y la simple mención de un nombre como Cumbres de Maltrata evoca en mí un rumor de aguas cayendo en un abismo verde.

En 1971 Cartón y Papel de México inició un programa ambicioso: encargó un grabado a diez jóvenes artistas mexicanos. Al año siguiente, con la participación de Cartón de Colombia y Cartón de Venezuela, el programa tomó mayor importancia. En 1973 se invitó a artistas de otros países americanos y de España. Así, en el curso de unos pocos años, la colección, inicialmente mexicana, se extendió a toda América Latina y también a varios países europeos (Francia, Bélgica, España, Italia) y a los Estados Unidos. El programa se llama Artes Gráficas Panamericanas (AGPA). Lo americano no excluye lo internacional y de allí que en una de las exposiciones anuales, la de 1975, haya figurado el veterano dadaísta Hans Richter con una litografía. El resultado de este esfuerzo ha sido la reunión de una rica colección de obras gráficas, cada una de un artista distinto. En total 149, en su mayoría latinoamericanas aunque, según ya señalé, el conjunto incluye asimismo obras de artistas europeos y norteamericanos, como Alechinsky, Saura, Topor, Guinovart. En la colección figura la mayoría de los artistas lationamericanos de relieve. Asimismo, están representadas todas las escuelas y todas las técnicas: no una antología sino un repertorio regido por una objetividad que no teme el eclecticismo.

Con frecuencia se habla de la vitalidad y la universalidad de la literatura latinoamericana, en las dos lenguas del continente: la portuguesa y la española. Creo que las artes plásticas visuales —la pintura, el grabado, la escultura, la fotografía— no son inferiores a la poesía y a la novela. Para comprobarlo no necesito sino recordar a Tamayo, Matta, Lam, esos tres "jóvenes abuelos". O pensar en las fotografías de Manuel Álvarez Bravo. Pero hay algo más: no sólo todos nuestros grandes pintores han practicado esta o aquella forma del arte gráfico sino que algunos de nuestros mejores artistas son, esencial o predominantemente, grabadores. Tal es el caso, conocido por todos, de José Luis Cuevas; también el de otro notable artista situado precisamente en el polo opuesto al expresionismo fantástico de Cuevas: Omar Rayo. Para otros artistas el grabado ha sido un reto del que no siempre han salido vencedores o un feliz complemento de su actividad pictórica. Un ejemplo de esto último —un ejemplo mayor— es Carlos Mérida. En su producción el grabado ocupa un lugar especial al lado de sus murales en mosaico. El grabado es propicio a esa mezcla de geometría y formas mayas —modernidad y arcaísmo— característica de Mérida. Otro artista al que han favorecido las nuevas técnicas del grabado en color es Matta. En blanco y negro este pintor-poeta habría perdido uno de sus grandes dones, guía y freno de su impetuosa imaginación —ese sentido del color que hizo escribir a André Breton: "desde sus primeras obras Matta es dueño de una gama de color enteramente nueva, quizá la única o, en todo caso, la más fascinante que haya sido propuesta desde Matisse".

Frente a las imágenes explosivas de Matta, las construcciones geométricas de Jesús Soto: un arte riguroso situado en la frontera entre razón y sensibilidad. Sobre sus obras, a un tiempo aéreas y sólidas, podría decirse que son vistas fijas del movimiento. El grabado en color también ha sido favorable a la sensibilidad de Gunther Gerzso, artista que concibe el color no como un accidente sino como una propiedad del espacio, es decir: color-extensión y no extensión coloreada. Hace años intenté definir a este gran pintor uniendo dos palabras enemigas: *centella glacial*. Ante sus grabados, la expresión me sigue pareciendo exacta: estas geometrías aéreas son construcciones de fuego suspendidas sobre abismos fríos.

Debo decir algo más sobre la importancia de la colección AGPA: no sólo hace visible y, por decirlo así, palpable, la importancia del grabado en las artes visuales de nuestro continente sino que, aparte de esta función estética, cumple otra que no sé si debo llamar moral o psicológica. Ante el espectáculo diario de la realidad política y social de América Latina —un continente caótico y revoltoso, tiranizado, saqueado y con millones en andrajos— es fácil perder el ánimo. Sin embargo, la literatura y el arte de nuestras tierras, desde hace más de medio siglo, nos dan fuerza para mirar de frente a la realidad. El continente de los caudillos y los demagogos es también el continente de los poetas y los pintores. No hemos perdido todo puesto que tenemos todavía imaginación y sensibilidad: ojos para ver, manos para pintar, bocas para hablar. Tenemos alma, esa palabra en desuso. De ahí que el panorama que nos ofrece AGPA sea una suerte de *reconstituyente*, como se llamaba antes a los bálsamos destinados no a curar este o aquel mal sino a devolver el vigor al cuerpo. El grabado, como la poesía y la novela latinoamericanas, nos devuelve la confianza en el genio de nuestros pueblos. Es un alimento a un tiempo terrestre y espiritual: color y calor, forma e idea.

Las civilizaciones precolombinas practicaron con fortuna el arte del relieve en piedra y en otras materias; por lo tanto, sin duda conocieron una forma rudimentaria del grabado. Su técnica no debe haber sido muy distinta a la utilizada en la antigua China, en la India, en Mesopotamia y en Egipto. El grabado por frotamiento aparece muy pronto en la historia del arte y no es imposible que los grandes artistas del paleolítico hayan sido los descubridores de este método de reproducción de las líneas y las formas. En todo caso, los sellos precolombinos son justamente famosos. Pero el verdadero grabado en madera y en metal, con instrumentos como el buril y el punzón o los ácidos, vino con la Conquista. Al principio, como en Asia y en Europa, el grabado fue el servidor del texto. Ese texto era casi siempre religioso: los primeros grabados son chinos y consisten en ilustraciones de un sutra budista en un ''rollo'' del siglo IX. En Europa se repite el fenómeno: el primer grabado conocido es una Madona del siglo XV. La evolución del grabado en los dominios americanos de España y Portugal refleja, pálidamente, los cambios europeos: primero, láminas piadosas en libros y folletos religiosos: después, sin abandonar esta función, ilustraciones de libros de filosofía, ciencia, poesía, artes militares, arquitectura. Hasta la aparición de la fotografía, la estampa desempeña la función de documento, sobre todo en los libros de viaje. La Independencia aceleró la evolución; durante casi todo el siglo XIX, estrechamente asociado a la prensa, el grabado estuvo impregnado de política y polémica. Fue una época de excelentes caricaturistas. Pero también hay ejemplos encantadores de láminas ilustrando un poema, un cuento o una moda femenina. Todas estas obras interesan más a la historia de las técnicas gráficas, las costumbres y las ideas que a la del arte. Son documentos históricos, pero para encontrar entre tantos artesanos laboriosos y hábiles a un artista de verdadera significación hay que dar un salto y llegar a las puertas del siglo XX: José Guadalupe Posada. La primera figura americana de alcance universal en el dominio de las artes plásticas fue un obscuro artesano que nunca fue considerado por sus contemporáneos como un verdadero artista. Si se hubiese preguntado a los críticos mexicanos de aquellos años el nombre del mejor grabador, habrían contestado sin vacilar: Julio Ruelas —un artista de innegable distinción, pero que no fue más allá de sus maestros europeos.

Aunque hoy nadie niega la importancia de Posada, todavía obscurecen su obra varios equívocos. El primer procede de la idea (falsa) de una supuesta jerarquía de las artes, dentro de la cual el grabado es un género menor. Para disiparla basta con pensar en los grabados de Durero, Rembrandt, Seghers, Piranesi, Goya, Daumier, Redon. ¿Quién se atrevería a decir que *El caballero, la muerte y el diablo* o *El coloso* son obras menores? Otro equívoco que es urgente disipar: el nacionalista. Sí, Posada es muy mexicano; incluso es localista: su México no es el país sino la capital y no toda ella sino uno de sus barrios, el de la Merced. ¿Podemos reducir su obra a una barriada? Posada es más que una ciudad o un país; mejor dicho, es algo distinto: una obra universal. Y lo es de la única manera en que puede serlo una obra: por la originalidad de sus formas y por lo que dicen esas formas. Del mismo modo: Posada es de su tiempo, pero su obra sobrepasa a su época. Justamente, uno de sus encantos reside en la contradicción de su visión premoderna —la del México de sus días— y la sorprendente modernidad de su trazo y, sobre todo, de su humor. Para encontrar algo semejante a ese humor hay que ir hasta París, donde su correspondiente es nadie menos que Alfred Jarry. Posada no es un artista del siglo XIX: como Jarry, es nuestro contemporáneo. También será el contemporáneo de nuestros nietos.

El tercer equívoco, el más persistente y dañino, es el revolucionario. Muchos críticos se han empeñado en hacer de Posada un prototipo del arte de protesta. La verdad es que en su obra apenas si hay ideas políticas; aunque sus grabados expresan sentimientos sociales muy intensos, no defienden ninguna causa ni proponen este o aquel remedio a los males de su tiempo. Posada no quiere reformar o cambiar a la sociedad: quiere retratarla. Su retrato es, simultáneamente, realista y fantástico, piadoso y burlón. No hay en su obra ánimo vengativo ni propósito reformador. Lo que dice no lo dice en el tono de la proclama sino en el lenguaje ambiguo, doble o triple, de la antigua sabiduría popular. El elemento subversivo y disolvente es el humor, pero ese humor no está al servicio de una ideología. El humor, por lo demás, nunca es ideológico. Para el humorista el hombre es un ser terrible y, simultáneamente, risible. Lo contrario del ideólogo, que no se ríe ni del mundo ni de sí mismo.

El populismo de Posada es un trampolín. Ilustra los acontecimientos diarios, es un cronista, y en su obra aparecen los crímenes pasionales, las catástrofes ferroviarias, las fiestas cívicas y las religiosas, las monstruosidades biológicas, los robos, los raptos, los amores, las borracheras, el tejido sórdido y maravilloso de cada día. No obstante, su obra es algo más que una crónica. La *Calavera catrina* no es únicamente una estampa satírica de las señoras elegantes de su tiempo; es una imagen poética, un emblema, en el que el lujo se alía a la muerte: plumas, sedas y huesos. Es la moda pero vista desde la perspectiva de un Leopardi: *la moda hermana de la muerte...* Sus temas son los de la vida diaria; su manera de tratarlos los rebasa, les da otra dimensión. Mejor dicho, los abre hacia otra dimensión. No son ilustraciones de este o aquel sucedido sino de la condición humana.

En *Aventura plástica de Hispanoamérica*[1] —un libro que es la crónica más completa de este medio siglo y en cuyas páginas perspicacia e imaginación caminan del brazo— Damián Bayón afirma que "el arte latinoamericano *despierta* en la década de los veinte". Afirmación exacta, con la ya citada excepción de Posada. Aunque la mayor parte de los artistas que aparecen en esos años —entre ellos se encuentran algunos de los mayores de este continente, como Joaquín Torres García y José Clemente Orozco— practicaron también el grabado, serán recordados más por sus óleos y murales que por sus obras gráficas. La única excepción es la de Orozco. Pienso, como Bayón, que su obra de caballete es inferior a sus murales, a sus dibujos y a sus grabados. Orozco comenzó como caricaturista y nunca dejó de ser un artista gráfico. Incluso sus murales tienden al grabado. Usó con valentía el color, pero su obra, espiritualmente, es una obra en blanco y negro. Un espíritu se mide por su capacidad de admiración y de indignación; en Orozco la indignación, pasión generosa, adquiere una efervescencia a un tiempo impresionante y contagiosa. Por desgracia, a veces cae en un didactismo que la hace enfática. Entonces su línea se vuelve rígida. Grandes limitaciones de un talento grande.

Esta apresurada reseña sería incompleta si no mencionase a otro artista de talento: Leopoldo Méndez. Fue la figura más interesante del Taller de Gráfica Popular. También su obra está teñida de didactismo, aunque más frío que el de Orozco. El didactismo de Méndez fue el resultado de la aplicación sistemática de una de las grandes aberraciones morales y estéticas de este siglo: el realismo socialista. En cambio, el didactismo de Orozco era la consecuencia de una pasión personal nada doctrinaria. Por for-

[1] FCE., México, 1975.

tuna, la ideología no ahogó enteramente el talento y la sensibilidad de Méndez: en sus mejores grabados triunfa una línea tranquilamente poderosa y sus tintas, espesas y calientes, poseen una vitalidad densa, sensual y que no está reñida con la elegancia. Esos grabados respiran.

Al hablar de los antecedentes del grabado contemporáneo me he referido casi exclusivamente a artistas mexicanos no por nacionalismo sino porque me parece que, en ese campo y en esa época, la aportación de México fue la más rica. Subrayo: no en el domino de la pintura —¿cómo olvidar, por ejemplo, a Torres García y a Figari?— sino en el del grabado. Pero todo cambia al llegar al periodo contemporáneo: el panorama no sólo es más amplio — toda América— y más vivo —todas las tendencias— sino más colorido. Precisamente, el cambio comenzó con el color. Los artistas abandonaron casi enteramente el blanco y negro; el grabado latinoamericano fue una suerte de explosión de rojos, verdes, amarillos, azules, todos los colores y todos los tonos. Es revelador que un artista como José Luis Cuevas, al que la índole de su genio como la de la tradición de que desciende parecían condenar al blanco y negro, no haya vacilado en acudir a una sabia gama de colores que no tienden a exaltar sus composiciones sino a matizarlas. Otra posibilidad desconocida en el pasado: la combinación de varias técnicas. Otra más: el relieve y, claro está, el grabado-escultura en tres dimensiones. En este dominio la aportación de Omar Rayo ha sido esencial.

Entre todos estos cambios y novedades hay uno que me inspira cierta desconfianza: la fotografía. La utilización de la foto en un grabado ofrece posibilidades insospechadas; asimismo riesgos que sólo algunos artistas excepcionales, también excepcionalmente, han logrado evitar. La mezcla de fotografía y grabado no es la unión de dos técnicas distintas sino de dos artes autónomas. La fotografía se basta a sí misma y otro tanto sucede con el grabado; su mezcla produce casi siempre híbridos. La fotografía degrada al grabado, lo trivializa; el grabado, a su vez, desnaturaliza a la fotografía. En cambio el relieve le da al grabado una dimensión no sólo visual sino táctil; la estampa se convierte en una imagen que *tocamos con los ojos*.

A la variedad de técnicas corresponde la diversidad de estilos y personalidades. Todas (o casi todas) las tendencias del arte contemporáneo están presentes en el grabado latinoamericano. Este cosmopolitismo ¿es un bien o un mal? Todo depende de nuestra idea del cosmopolitismo: para los estoicos era uno de los valores supremos, para los seguidores del realismo socialista era una abominación. En realidad, el fenómeno no es nuevo: los estilos del pasado no fueron nunca nacionales. Todos los estilos artísticos tienden a traspasar las fronteras nacionales y a convertirse en internacionales. Trátese del barroco o del neoclasicismo, del romanticismo o del simbolismo, los grandes estilos de Occidente han sido siempre transnacionales. La verdadera novedad no está en el cosmopolitismo sino en la coexistencia, en un mismo espacio y un mismo tiempo, de diversas escuelas y movimientos. En el pasado, las luchas artísticas se reducían a la pugna de dos tendencias; el siglo XX acentúa este pluralismo hasta convertirlo en una nota permanente de la cultura moderna. Otro fenómeno también característico de nuestra época: la velocidad con que aparecen nuevas tendencias y la velocidad con que se propagan. Cierto, en los últimos veinte años la mayor parte de las novedades son versiones recién maquilladas de movimientos de hace cincuenta o sesenta años. La vanguardia gira en el vacío y en torno a sí misma; ha dejado de inventar pero, incansable, se repite... En suma, pluralidad, proliferación, velocidad: el aquí y el allá, el ayer y el hoy, tienden a confundirse.

La paradoja del arte contemporáneo consiste en que, a pesar de haber usado y abusado de términos como *vanguardia*, *subversión* y otros tomados del vocabulario de la política, muchas de sus manifestaciones recientes colindan no con la revolución sino con la moda. De ahí que asuma una forma fascinante y equívoca: es la *imagen viva de la muerte*. Baudelaire lo vio antes que nadie y afirmó que el arte moderno (el de su época) no aspiraba ni a la armonía ni a la eternidad; su belleza era *bizarre* y mortal. En esta contradicción reside, simultáneamente, la vitalidad del arte contemporáneo y su enfermedad constitucional. Gracias a esa enfermedad, el arte moderno es lo que es: un cambio continuo, una constante búsqueda y, cada vez con menos frecuencia, una prodigiosa invención. Es imposible saber si el arte contemporáneo recobrará su vitalidad o si se degradará, como en los últimos años, en estériles repeticiones. Pero no es aventurado decir que, para recobrar la salud, los nuevos artistas deben redescubrir el punto de convergencia entre tradición e invención. Ese punto es distinto para cada generación —y es el mismo para todas. Distinto y el mismo para Courbet y para Matisse, para Balthus y para un joven de 1980. Convergencia no quiere decir compromiso ecléctico sino conjunción de los contrarios. El arte de nuestros días está desgarrado por dos extremos: un conceptualismo radical y un formalismo no menos estricto. El primero niega a la forma, es decir, a la substancia misma del arte, a su dimensión sensible; la obra artística no es nada si no es algo que vemos, oímos, tocamos: una forma. El segundo es una negación de la idea y la emoción. Ambas son versiones distintas, no pocas veces seductoras, del mismo vértigo ante el vacío. Éste es el desafío al que se enfrentan los artistas contemporáneos.

¿Cuál es la posición del arte latinoamericano dentro de este contexto? Ante todo: es imposible definir el arte latinoamericano. Como el de los otros continentes, el nuestro se despliega en muchas tendencias y personalidades contradictorias. La dificultad para definir esta situación no procede de la ausencia de estilos sino de la presencia de muchos. Aunque la diversidad de escuelas, maneras y artistas individuales prohíbe toda generalización, hay algo común a todas esas formas contradictorias: el espíritu que las anima. La mayoría de los artistas latinoamericanos que cuentan coinciden en la conciencia de trabajar no *para* ni *hacia* ni *por* sino *desde* y *en* América. Esta conciencia puede ser obscura o clara, explícita o tácita, pero está presente en todos nuestros artistas. No es una estética sino algo previo a toda estética. Incluso los artistas que viven en Europa o en los Estados Unidos desde hace muchos años saben y sienten que no son de allá sino de acá. Mejor dicho: el artista latinoamericano, siendo de aquí, es también de allá. Por eso la conciencia de ser latinoamericano no es un nacionalismo. Ser latinoamericano es un saberse —como recuerdo o como nostalgia, como esperanza o como condenación— de esta tierra y de otra tierra. El arte latinoamericano vive en y por este conflicto. Sus mejores obras, lo mismo en la literatura que en la plástica, son la respuesta a esta condición realmente única y que no conocen ni los europeos ni los asiáticos ni los africanos. El cosmopolitismo latinoamericano no es un desarraigo ni nuestro nativismo es un provincialismo. Estamos condenados a buscar en nuestra tierra, la otra tierra; en la otra, a la nuestra. Esa condenación se resuelve en algunos casos en libertad creadora: ese puñado de obras únicas que, en lo que va del siglo, han creado unos cuantos latinoamericanos.

SO   México, noviembre de 1979

APOLLINAIRE, ATL, DIEGO RIVERA, MARIUS DE ZAYAS Y ÁNGEL ZÁRRAGA

Los escritos de Apollinaire sobre el arte de la pintura son notables por su extensión, su diversidad y sus frecuentes adivinaciones. No fue un gran crítico en el sentido en que lo fueron Baudelaire o Breton; en él la mirada no se alía a la reflexión ni la sensibilidad se transmuta en pensamiento. Ni sus ideas ni sus teorías son memorables; lo son sus intuiciones y sus descubrimientos. Extraña mezcla de profeta, promotor y gacetillero: sus razones no siempre eran buenas pero su ojo era infalible. Tenía en un grado insuperable esa cualidad que los franceses llaman *flaire* y que no es simplemente olfato sino visión y, más que visión, facultad de ver lo que va a venir. Presentir aquello que está en el aire y que todavía no tiene forma: el futuro en el momento de volverse presente o, mejor dicho, presencia. La crítica de arte de Apollinaire —escrita de prisa, desordenada, improvisada como una conversación en el café, fragmentaria— nos asombra por la frecuencia con que la realidad confirmó afirmaciones que parecían despropósitos. También por el número y la diversidad de obras y personas que, así fuese por un instante, cautivaron su atención. Encadenado al periodismo, fue un gacetillero de arte y, desde 1902 hasta su muerte, en 1918, escribió casi todos los días una crónica sobre la vida artística de París. L. C. Breunig publicó hace algunos años una selección de esas crónicas: es un volumen de más de 600 páginas. El tomo no incluye los ensayos del libro que Apollinaire publicó en 1913 y que contribuyeron decisivamente al triunfo de la nueva estética: *Les Peintres Cubistes*, *Méditations Esthétiques*. Apollinaire es el anti-Baudelaire y no sólo en el dominio de la poesía sino en el de la crítica pictórica.

La otra tarde, hojeando ese enorme y descosido conjunto de informaciones, trivialidades y descubrimientos que son las *Chroniques d'Art*, me encontré con tres notas; las tres de 1914 y las tres dedicadas a tres artistas mexicanos (aunque el último lo sea sólo por su origen): Diego Rivera, Atl, y Marius de Zayas. No me cabe duda de que Apollinaire sintió cierta simpatía hacia México. Su hermano Alberto se instaló en nuestro país en 1913 y aquí murió, en 1919. El primer caligrama de Apollinaire, *Lettre-Océan*, publicado en *Les Soirées de Paris* en junio de 1914, dedicado a Alberto, está escrito en una tarjeta postal de la República mexicana. En este caligrama hay alusiones a Veracruz, Coatzacoalcos, los mayas, Juan Aldama, el vapor *Ipiranga*, "les jeunes filles à Chapultepec", la chirimoya y dos expresiones que lo divirtieron: hijo de la Cingada (a la italiana) y Pendeco ("*C'est* + *qu'*un imbécile"). Por todo esto es natural que viese con interés y benevolencia una exposición del Dr. Atl que tenía por tema y título "Las montañas de México" (galería Joubert et Richebourg, del 1 al 15 de mayo de 1914). El texto del catálogo era del mismo Atl; una explicación de su arte y de su técnica pictórica, "sólida derivación de los métodos pictóricos helénicos". Apollinaire decidió citar el texto de Atl en su integridad, probablemente para ahorrarse trabajo y ganar espacio. La nota de Apollinaire se publicó en *Paris-Journal* el 5 de mayo (*sic*) y termina así:

Aparte de esas novedades técnicas, la exposición de Atl tiene el mérito de mostrar a un pintor de montañas. Es sabido que son escasos, los japoneses son los que más éxito han tenido en esta difícil representación. Quienes gustan de los viajes lejanos y de los lugares singulares contemplarán con placer, extraídos del cuaderno de viaje del elocuente Atl, estos paisajes americanos dominados por cimas altivas con nombres aztecas o toltecas: *El Popocatepetl, La cumbre del Iztazihuatl, El Colima, El Ciltaltepetl, El Pico de Orizaba, El valle de Ameca, El Toluca*, etc.

La nota sobre Diego Rivera es breve. Fue publicada el 7 de mayo, dos días después de la de Atl. Se refiere a una exposición de Diego en la galería B. Weil. Es curioso que los dos jóvenes artistas mexicanos expusieran sus obras en el mismo mes. La pintura de Rivera interesó a Apollinaire más que la de Atl; la de este último era más bien tradicional mientras que la del primero era resueltamente moderna. Como no dejó de señalarlo Apollinaire, Rivera estaba marcado por el cubismo. El poeta trata al joven pintor con simpatía; en cambio, se indigna ante el Prefacio del catálogo. Para que el lector comparta su irritación (justificada: ese texto es estúpido) reproduce el malhadado prólogo. Ocho días después, el 15 de mayo, en *Les Soirées de Paris*, vuelve a mencionar con elogio la exposición de Rivera y vuelve a criticar el catálogo, sólo que en esta ocasión dedica al asunto únicamente cuatro líneas y media.

El prólogo debió molestar a Picasso y sus amigos. El título de la nota de Apollinaire lo da a entender: "Un prefacio singular". Comienza con un rápido elogio del artista: "Rivera expone estudios y dibujos que muestran hasta qué punto este joven pintor ha sido tocado por el arte moderno; la sensibilidad de dos o tres dibujos justifica, por lo demás, esta exposición". En seguida dice: "Alguien que firma B.* ha escrito para el catálogo un *Prefacio* en el cual el pintor al que se le ha encargado de presentar es, por decirlo así, injuriado. Es la primera vez que sucede algo se-

---

* Más tarde Bertha Weill confesó ser la autora de ese texto.

mejante." A continuación reproduce en su integridad el vitriólico texto. El prologuista ataca a los pintores de ese momento y a sus críticos; hay un párrafo dedicado a Picasso: "Otro pintor vació ya su saco pero sigue reinando como un señor y su corte entera, en cuclillas, se pelea por los restos; él, burlón y engreído, contempla la rebatinga; aunque español, su genio no ha crecido." Doble estocada, al artista y al hombre: Picasso agotó su arte, no tiene ya nada adentro; Picasso, aunque español (gente *alta*nera), no ha crecido: sigue siendo *chaparro*.

Apollinaire disculpa a nuestro pintor: "Monsieur Rivera no ha podido saber quién es el autor de este prefacio en el que se habla con desprecio de todo lo que él (Rivera) ama en el arte moderno. ¿Pero qué puede decirse de un crítico que acepta escribir el prefacio de una exposición de un artista cuya tendencia reprueba y sin que éste siquiera se lo haya pedido?"

Aunque no parece creíble que Rivera haya permitido que ese prólogo apareciese sin su consentimiento, todos los testimonios tienden a exculparlo: fue víctima de la diabólica Bertha Weill. De otra manera, ¿cómo explicar que Apollinaire, amigo íntimo de Picasso, estuviese seguro de su inocencia? En esos años Rivera se decía discípulo de Picasso. La exposición que comentó Apollinaire fue la primera y la última del pintor mexicano en París. Es indudable que su carrera sufrió tropiezos en esos años y que esos tropiezos lo llevaron a dejar Europa y regresar a México después de catorce años de ausencia. A los treinta y cuatro años recomenzó con gran vitalidad y realizó una obra considerable por su calidad y su extensión. Algunos críticos atribuyen la frialdad con que fue recibido Diego en París a la impertinencia del texto que apareció en el catálogo de su exposición en la galería de Bertha Weill, en mayo de 1914. Incluso Ramón Favela, en su valioso ensayo sobre los años europeos de Diego, afirma que se hizo el silencio en torno a la exposición como una represalia.* Pero el silencio, como se ha visto, no fue completo. Además, incluso si no hubo más comentarios que los dos de Apollinaire, la exposición no pasó desapercibida: Diego era un pintor conocido y estimado. Al mismo tiempo, su obra no podía suscitar comentarios entusiastas ni polémicas encendidas: era un seguidor más del cubismo triunfante. Sus colores vivos lo apartaban de esa tendencia y lo exponían a la crítica que temían más los cubistas: incurrir en la decoración. El cubismo no fue un arte de expresión: fue un esencialismo.

La tercera nota también es breve, pero es la más importante y personal. La actividad y la obra de Marius de Zayas, artista de origen mexicano, está asociada íntimamente al movimiento de la vanguardia en Nueva York, entre 1911 y 1920. De Zayas se ganó la vida como caricaturista del *Evening Star* y pronto sus obras gráficas conquistaron el reconocimiento de los jóvenes artistas y poetas neoyorquinos. Fue un colaborador cercano de Alfredo Stieglitz y participó en las actividades del célebre *Estudio 291* así como en el gran escándalo del *Armory Show*, la primera exhibición de arte moderno en nuestro continente (1913). Gran amigo de Duchamp y Picabia (su nombre aparece con frecuencia en la correspondencia del artista hispanocubano), estuvo en París en 1914, un poco antes de que estallase la guerra. Allá conoció a Apollinaire e inmediatamente hizo suya la estética "simultaneísta" que el poeta y sus amigos difundían en *Les Soirées de Paris* y en otras publicaciones. En 1915, ya en Nueva York, Marius de Zayas fundó, con Paul Haviland y la poetisa Agnes Ernst-Meyer, la revista *291* (en homenaje al *Estudio* de Stieglitz).

* Ramón Favela: *Una nueva perspectiva*: *Los años de España, Francia y el cubismo*. México, 1983.

Luego Picabia recogió el título —aunque cambió el número inicial— para su revista trashumante: *391*. Los dadaístas, pese a sus furores, no fueron enteramente insensibles a la continuidad. Hay una tradición de la antitradición.

Las caricaturas-poemas de Marius de Zayas, algunas escritas en colaboración con Agnes Ernst-Meyer, representan una curiosa y original prolongación de dos formas inventadas por Apollinaire: el caligrama y el poema-conversación. Agrego que, aunque menos espontáneas, son más complejas que las composiciones de Apollinaire. En Zayas hay una vena abstracta e intelectual; otra satírica. Ambas lo convierten en un hermano menor de Duchamp. Sus caricaturas de Apollinaire, Stieglitz, Picabia, Duchamp, Suzanne Duchamp-Crotti, Jean Crotti, Paul Guillaume y otros merecen recordarse: son obras plásticas y son ecuaciones psicológicas. De Zayas fue, además, el punto de unión entre Dadá y la vanguardia de Nueva York.* Pero la personalidad de Marius de Zayas merece un ensayo aparte. Creo que José Miguel Oviedo escribe uno.** Mientras tanto, me limito a reproducir el comentario de Apollinaire publicado, como los otros, en *Paris-Journal*, el 9 de julio de 1914. En su brevedad es una consagración:

La caricatura es un arte importante. Las caricaturas de Leonardo de Vinci, de Gillray, de Daumier, de André Gill no son obras menores. Entre los caricaturistas no incluyo a satíricos como Hogarth, Gavarni o Forain. El arte de hoy, tan expresivo, sólo había dado en la caricatura a Jossot, artista injustamente olvidado. Ahora hay un nuevo caricaturista,

---

* Cf. la correspondencia entre Tristan Tzara y Marius de Zayas, recogida en el libro de Michel Sanouillet: *Dadá à Paris* (1969).

** En el número 81 de *Vuelta* (agosto de 1983) se publicó un ensayo de Dorothy Norman lleno de noticias curiosas sobre Marius de Zayas y su actividad en torno a la revista *291*.

Marius de Zayas, y su caricatura, que emplea medios totalmente nuevos, congenia con el arte de los más audaces pintores contemporáneos. He tenido ocasión de ver algunas de
sus nuevas caricaturas. Son de una fuerza inimaginable. La
de Ambroise Vollard, la de Bergson, la de Henri Matisse. El
próximo Salón de los Humoristas deberá reservar una sala
a la obra de Marius de Zayas. Vale la pena.

La Guerra Mundial, comenzada diez días después de
la aparición de esta nota, impidió la realización del deseo
de Apollinaire. Han pasado cincuenta años y en ninguna
sala de ningún museo de México se ha celebrado una exposición de Marius de Zayas. Tampoco ningún crítico
mexicano le ha dedicado una línea.

AL MARGEN: PICASSO, RIVERA, ZÁRRAGA

Los años de Diego Rivera en París han dado origen a suposiciones extravagantes hijas del furor ideológico. Se ha
dicho que abandonó el cubismo por convicción revolucionaria y que fue víctima de una conspiración de críticos y
marchands enemigos del socialismo, entre ellos el poeta Pierre
Reverdy.* Presunción temeraria: en esos años ni Diego
era comunista ni nadie hablaba en París de arte social. Sólo
después de la Revolución rusa de octubre de 1917 se comenzó a discutir sobre estos temas y sólo unos años después se convirtieron en comidilla de los cafés de artistas
y poetas. Tampoco es cierto que Rivera haya roto con las
galerías de arte por amor a los principios marxista-
leninistas. A otro perro con ese hueso: nunca dejó de ven-
der sus cuadros y aceptó comisiones y encargos de los "enemigos de clase". También se ha hablado de su gran amistad

* Véase en este libro: "Re/visiones: la pintura mural", pp. 228-284.

con Picasso y de la actitud ambigua del pintor español, al que estorbaba la figura de Diego. En ninguna de las memorias de la época figura Rivera entre los íntimos de Picasso o, siquiera, en el número de sus amigos. Es indudable que se conocieron — y nada más. Diego no ocultaba en aquellos años su admiración hacia Picasso; no hay indicios, en cambio, de la de Picasso hacia Diego. A veces Picasso habló con elogio de otros artistas; por ejemplo, de Lam. Otras se burló con mezquindad de sus amigos: "¿Braque? Es mi mujer..." No consta que Picasso se haya burlado de Rivera o lo haya elogiado. Después de esto, me atrevo a referir un sucedido.

En 1946 yo vivía en París. Uno de mis amigos era el dramaturgo Rodolfo Usigli. Buen escritor y hombre difícil o más bien de humor fantástico, *bizarre*, Rodolfo había llegado a París provisto de cartas de presentación para varias notabilidades literarias y artísticas. Como ocurre generalmente, pocas entre ellas le contestaron. Entre las cartas sin respuesta había una dirigida a Picasso. En esos días la revista *Fontaine,* que dirigía Max Pol Fouchet, había publicado unos poemas míos. La traductora, Alice Gascar, que después traduciría el *Canto general* de Neruda, tenía amigos en el *entourage* de Picasso y gracias a ella pudimos concertar una entrevista con el pintor. Una mañana de febrero o marzo nos citamos enfrente del estudio de Picasso, el 7 de la rue des Grands Augustins, Rodolfo, Miguel de Iturbe y yo. Llegamos un poco antes y dimos dos o tres vueltas en la calle. En una pequeña galería, cercana al estudio de Picasso, se exhibía, en una vitrina, un gran retrato de Diego Rivera pintado por Modigliani. Al principio, no di demasiada importancia a esta coincidencia. Después, me pareció una premonición.

A la hora indicada entramos en el inmueble donde estaba el estudio, atravesamos la gran *cour* y por una escalera subimos al primer piso. Nos anunciamos y nos hicieron pasar a un saloncito, en donde nos esperaba Jaime Sabartés, un catalán inteligente y vivaz. Nos dijo que Pablo se había retrasado —vivía ya en el campo— pero que no tardaría mucho. Mientras tanto, podríamos esperarlo en el estudio. Abrió una puerta, entramos y Sabartés desapareció. El estudio era vasto y destartalado: no había sillas ni muebles. En realidad, no era un estudio sino una suerte de gran bodega. Vimos adosados contra la pared un gran número de telas. En los estantes y también por el suelo muchas esculturas, cuadros y otros objetos. Nos atrevimos a voltear algunos cuadros y vimos retratos de Dora Maar y de Marie Thérése Walter, de Olga y de Paul, desnudos, bañistas, dos autorretratos, naturalezas muertas, cráneos, faunos, toros, caballos, guitarras —todas las épocas y todos los emblemas de Picasso. No eran menos impresionantes las esculturas y las cosas y desechos transformados por la magia del creador en obras de arte. Había también telas de Rousseau, Matisse, Derain, Balthus y no sé qué otros más. Entre las esculturas, varias eran de Matisse y otras griegas arcaicas, fenicias, hititas. Muchos años después, al visitar el Museo de Picasso en el Hotel Salé, reconocí algunas de las obras que había visto medio siglo antes en el estudio de la rue des Grands Augustins.

A pesar de todas sus riquezas, el estudio no era un museo. Me pareció más bien la cueva de Alí Babá, sólo que en lugar de los montones de oro, diamantes, rubíes, perlas y esmeraldas, lo que estaba regado por el suelo era el botín de Picasso: la tradición del arte moderno. Entre todas las imágenes de Picasso —torero, Perseo, payaso, Ulises, Eróstrato, Pan— la de Alí Babá se me impuso con una suerte de evidencia estremecedora. Picasso el saqueador, el salteador. También el conquistador: en aquel estudio podíamos ver amontonados los trofeos y despojos de sus expediciones y pillajes. Pero a diferencia de Alí Babá y de Alejandro, cada uno de aquellos objetos había sido transformado y transfigurado por el artista. La cueva del pirata era realmente la caverna del mago. Picasso o el Señor de las Mutaciones.

En el suelo veíamos sus obras y las obras que habían sido sus fuentes de inspiración, desde el tercer milenio a.c., hasta nuestros días. También había reunido las de aquellos de sus contemporáneos ante los que había sentido afinidad o rivalidad. Entre ellas y sobre todo las de Matisse. Pensé: no sé si Picasso y Matisse son los dos pintores mayores del siglo XX; hay otros que me conmueven más profundamente o que me interrogan y me hacen pensar de veras, pero ninguno me seduce tan totalmente como este par. Sus dos nombres llenan el siglo. El cambio y la permanencia, el movimiento y la quietud... Una manera de entrever lo que se propone realmente un artista es preguntarse: ¿cuál es su paraíso? En los paraísos de los dos pintores la figura central es la mujer, encarnación de los poderes naturales. La de Matisse es un gran golfo de calma: la revelación solar del mediodía: la respiración del mar: el súbito reverdecer de la tierra negra. La de Picasso es instantánea y vertiginosa, el relampagueo de unos ojos en la noche: un paraíso entre dos abismos... Mientras me perdía en estos confusos pensamientos, Sabartés regresó y nos anunció que Pablo nos esperaba en el cuarto contiguo.

Era pequeño pero la penetración de su mirada, la vivacidad de su rostro y la animación de sus palabras hacían olvidar inmediatamente su estatura. ¿Cómo era y cómo estaba vestido? No podría responder con exactitud: veo una ventana alta que filtra una luz fría cayendo sobre una figura obscura y cálida. Una sensación más mental que visual: electricidad, vitalidad, inmensa y comprimida vitalidad, un dinamo que emitía breves descargas convertidas en frases, gestos, risas, *boutades*... La voz era baja, veloz, burlona, vehemente; el acento era español, la sintaxis y el vocabulario, franceses. Un español de París, un *parigot* de Barcelona. No percibí nada malagueño en su persona. Se dijo algo sobre la situación internacional —vivíamos ya en la guerra fría— y el movimiento de la paz. Sabartés se dió cuenta de que estos temas no nos interesaban demasiado y desvió la conversación hacia los asuntos hispanoamericanos. Gabriela Mistral acababa de obtener el Premio Nobel pero Picasso confesó que no había leído nada de ella. Saltamos a México y a la República española:

—¡Ah, el único país que abrió las puertas a los españoles antifascistas! Fue un gesto magnífico de vuestro... vuestro...

—Cárdenas.

—Sí, claro, el general Lázaro Cárdenas.

Los mexicanos estábamos complacidos. Se habló de los republicanos españoles y Usigli, de pronto, aprovechó un momento de silencio para decirle que le traía una carta de Manuel Rodríguez Lozano.

—¿Se acuerda usted de él?

La respuesta fue un ademán sonriente y un ininteligible murmullo que, más o menos, quería decir: "Umh, no me pregunte eso, han pasado tantos años..."

Me atreví a preguntar:

—¿Y de Diego Rivera?

El mismo murmullo pero ahora más lejano e incomprensible, como el bufido de un toro en una plaza fantasmal. Enseguida, con una sonrisa ancha:

—No conozco bien a la pintura mexicana. Estamos tan alejados... La guerra y todo lo demás...

Silencio. Entonces, como para consolarnos, dijo:

—Pero me han hablado de uno... muy interesante. Vi unos grabados suyos hace poco. Creo que ha hecho una exposición en Austria. Unos grabados muy fuertes... Un poco alemanes...

Después de una pausa y mirando a Sabartés:

—¿Te acuerdas tú? ¿Cómo se llama?

Nos miramos todos tratando de adivinar. De pronto, tuve una sospecha:

—¿No será Orozco?

—Eso es. Sí, creo que se llama Orozco. Un poco alemán, ¿verdad? Pero muy interesante, sí, fuerte...

Volví a la carga:

—Diego Rivera vivió muchos años en París. Entre 1910 y 1920. Fue muy amigo de muchos amigos suyos. Modigliani le hizo un retrato y...

Me interrumpió:

—Tuve un amigo mexicano que quise mucho. Un hombre inteligente, fino, culto. Muy amable y excelente persona. También era pintor.

—¿Quién era? ¿Cómo se llamaba?

Alegre al fin de poder dar un nombre, Picasso contestó:

—Angel Zárraga. Un caballero. *Un honnette homme.* Era muy mundano y un poco cursi. De esos que en el salón tienen un vaso de cristal con un pétalo de rosa flotando en el agua. Sí, Angel Zárraga...

Usigli comentó:

—Lo conozco. Es un hombre inteligente. También ha escrito poemas vanguardistas y son curiosos.

Picasso hizo un gesto. Usigli continuó:

—Le traigo un regalo de un pintor mexicano. Lo admira mucho y me rogó que, si lo veía, le entregase esto en su nombre como un mínimo homenaje.

Le tendió un rollo de papel que Picasso desenrolló. Era una linda *gouache* de Jesús Reyes. (¿Un caballito o un ángel-diablo?).

Picasso lo vio con agrado y sonrió:

—Es precioso. ¡Esto *sí* me gusta! Debe der ser muy joven este pintor.

—No —respondió Rodolfo—. Es casi de la edad de usted. O quizá más grande.

—Pues da lo mismo. Sólo un joven o un viejo podría hacer esto. Tiene gracia, frescura.

—Guárdalo—. Le entregó el rollo a Sabartés.

No se habló mucho más. Habían pasado unos veinte minutos, Sabartés veía la hora y Picasso movía la cabeza:

—¡Qué lata! Tengo que recibir una delegación de mujeres del Uruguay. Imagínense. Son del movimiento de la paz. No hay más remedio: hay que hacerlo....

Oímos voces afuera: la delegación uruguaya había llegado. Nos despedimos.

Bajamos la escalera con prisa. Ya en la calle, Usigli me dijo furioso:

—¿Cómo es posible que sólo recordase a Zárraga?

—Es comprensible. Zárraga vivió muchos años en París. Fue amigo de casi todos los pintores de esa época. Aquí pintó y obtuvo un modesto renombre, un sitio decoroso. Reverdy habló de él en algunos de sus escritos... Lo incomprensible es que los mexicanos lo hayamos olvidado.

—¿Y lo de Diego? Me pareció abominable.

—No sé. Tal vez no estima a Diego y no quiso ofendernos. Porque no es creíble que no se acordase de él.

—O han llegado a sus oídos los improperios de Diego contra la escuela de París y contra él mismo. Prefirió callarse, ignorarlo.

—No sé. Los ataques de fuera le deben parecer zumbidos de mosquitos...Lo único que sabemos de cierto es que Picasso no es de fiar.

—Tampoco Diego.

México, julio de 1982

SO

EL USO Y LA CONTEMPLACIÓN

BIEN PLANTADA. No caída de arriba: surgida de abajo. Ocre, color de miel quemada. Color de sol enterrado hace mil años y ayer desenterrado. Frescas rayas verdes y anaranjadas cruzan su cuerpo todavía caliente. Círculos, grecas: ¿restos de un alfabeto dispersado? Barriga de mujer encinta, cuello de pájaro. Si tapas y destapas su boca con la palma de la mano, te contesta con un murmullo profundo, borbotón de agua que brota; si golpeas su panza con los nudillos de los dedos, suelta una risa de monedidas de plata cayendo sobre las piedras. Tiene muchas lenguas, habla el idioma del barro y el del mineral, el del aire corriendo entre los muros de la cañada, el de las lavanderas mientras lavan, el del cielo cuando se enoja, el de la lluvia. Vasija de barro cocido: no la pongas en la vitrina de los objetos raros. Haría un mal papel. Su belleza está aliada al líquido que contiene y a la sed que apaga. Su belleza es corporal: la veo, la toco, la huelo, la oigo. Si está vacía, hay que llenarla; si está llena, hay que vaciarla. La tomo por el asa torneada como a una mujer por el brazo, la alzo, la inclino sobre un jarro en el que vierto leche o pulque —líquidos lunares que abren y cierran las puertas del amanecer y el anochecer, el despertar y el dormir. No es un objeto para contemplar sino para dar a beber.

Jarra de vidrio, cesta de mimbre, *huipil* de manta de algodón, cazuela de madera: objetos hermosos no a despecho sino gracias a su utilidad. La belleza les viene por añadidura, como el olor y el color a las flores. Su belleza

202

es inseparable de su función: son hermosos porque son útiles. Las artesanías pertenecen a un mundo anterior a la separación entre lo útil y lo hermoso. Esa separación es más reciente de lo que se piensa: muchos de los objetos que se acumulan en nuestros museos y colecciones particulares pertenecieron a ese mundo en donde la hermosura no era un valor aislado y autosuficiente. La sociedad estaba dividida en dos grandes territorios, lo profano y lo sagrado. En ambos la belleza estaba subordinada, en un caso a la utilidad y en el otro a la eficacia mágia. Utensilio, talismán, símbolo: la belleza era el aura del objeto, la consecuencia —casi siempre involuntaria— de la relación secreta entre su hechura y su sentido. La hechura: cómo está hecha una cosa; el sentido: para qué está hecha. Ahora todos esos objetos, arrancados de su contexto histórico, su función específica y su significado original, se ofrecen a nuestros ojos como divinidades enigmáticas y nos exigen adoración. El tránsito de la catedral, el palacio, la tienda nómada, el *boudoir* de la cortesana y la cueva del hechicero al museo fue una transmutación mágico-religiosa: los objetos se volvieron iconos. Esta idolatría comenzó en el Renacimiento y desde el siglo XVIII es una de las religiones de Occidente (la otra es la política). Ya Sor Juana Inés de la Cruz se burlaba con gracia, en plena edad barroca, de la superstición estética: "la mano de una mujer", dice, "es blanca y hermosa por ser de carne y hueso, no de marfil ni plata; yo la estimo no porque luce sino porque agarra".

La religión del arte nació, como la religión de la política, de las ruinas del cristianismo. El arte heredó de la antigua religión el poder de consagrar a las cosas e infundirles una suerte de eternidad: los museos son nuestros templos y los objetos que se exhiben en ellos están más allá de la historia. La política —más exactamente: la Revolución— confiscó la otra función de la religión: cambiar al hombre y a la sociedad. El arte fue un ascetismo, un heroísmo espiritual; la Revolución fue la construcción de una iglesia universal. La misión del artista consistió en la transmutación del objeto; la del líder revolucionario en la transformación de la naturaleza humana. Picasso y Stalin. El proceso ha sido doble: en la esfera de la política las ideas se convirtieron en ideologías y las ideologías en idolatrías; los objetos de arte, a su vez, se volvieron ídolos y los ídolos se transformaron en ideas. Vemos a las obras de arte con el mismo recogimiento —aunque con menos provecho— con que el sabio de la antigüedad contemplaba el cielo estrellado: esos cuadros y esas esculturas son, como los cuerpos celestes, ideas puras. La religión artística es un neoplatonismo que no se atreve a confesar su nombre —cuando no es una guerra santa contra los infieles y los herejes. La historia del arte moderno puede dividirse en dos corrientes: la contemplativa y la combativa. A la primera pertenecen tendencias como el cubismo y el arte abstracto; a la segunda, movimientos como el futurismo, el dadaísmo y el surrealismo. La mística y la cruzada.

El movimiento de los astros y los planetas era para los antiguos la imagen de la perfección: ver la armonía celeste era oírla y oírla era comprenderla. Esta visión religiosa y filosófica reaparece en nuestra concepción del arte. Cuadros y esculturas no son, para nosotros, cosas hermosas o feas sino entes intelectuales y sensibles, realidades espirituales, formas en que se manifiestan las Ideas. Antes de la revolución estética el valor de las obras de arte estaba referido a otro valor. Ese valor era el nexo entre la belleza y el sentido: los objetos de arte eran cosas que eran formas sensibles que eran signos. El sentido de una obra era plural, pero todos sus sentidos estaban referidos a un significante último, en el cual el sentido y el ser se confundían en un nudo indisoluble: la divinidad. Transposición moderna: para nosotros el objeto artístico es una realidad autónoma y autosuficiente y su sentido último no está más allá de la obra, sino en ella misma. Es un sentido más allá —o más acá— del sentido; quiero decir: no posee ya referencia alguna. Como la divinidad cristiana, los cuadros de Pollock no significan: son.

En las obras de arte modernas el sentido se disipa en la irradiación del ser. El acto de ver se transforma en una operación intelectual que es también un rito mágico: ver es comprender y comprender es comulgar. Al lado de la divinidad y sus creyentes, los teólogos: los críticos de arte. Sus lucubraciones no son menos abstrusas que las de los escolásticos medievales y los doctores bizantinos, aunque son menos rigurosas. Las cuestiones que apasionaron a Orígenes, Alberto Magno, Abelardo y Santo Tomás reaparecen en las disputas de nuestros críticos de arte, sólo que disfrazadas y banalizadas. El parecido no se detiene ahí: a las divinidades y a los teólogos que las explican hay que añadir los mártires. En el siglo XX hemos visto al Estado soviético perseguir a los poetas y a los artistas con la misma ferocidad con que lo dominicos extirparon la herejía albigense.

Es natural que la ascensión y santificación de la obra de arte haya provocado periódicas rebeliones y profanaciones. Sacar al fetiche de su nicho, pintarrajearlo, pasearlo por las calles con orejas y cola de burro, arrastrarlo por el suelo, pincharlo y mostrar que está relleno de aserrín, que no es nada ni nadie y que no significa nada —y después volver a entronizarlo. El dadaísta Huelsenbeck dijo en un momento de exasperación: "el arte necesita una buena zurra". Tenía razón, sólo que los cardenales que dejaron esos azotes en el cuerpo del objeto dadaísta fueron como las condecoraciones en los pechos de los generales: le dieron más respetabilidad. Nuestros museos están repletos de anti-obras de arte y de obras de anti-arte. Más hábil que

Roma, la religión artística ha asimilado todos los cismas.

No niego que la contemplación de tres sardinas en un plato o de un triángulo y un rectángulo puede enriquecernos espiritualmente; afirmo que la repetición de ese acto degenera pronto en rito aburrido. Por eso los futuristas, ante el neoplatonismo cubista, pidieron volver al tema. La reacción era sana y, al mismo tiempo, ingenua. Con mayor perspicacia los surrealistas insistieron en que la obra de arte debería decir algo. Como reducir la obra a su contenido o a su mensaje hubiera sido una tontería, acudieron a una noción que Freud había puesto en circulación: el *contenido latente*. Lo que dice la obra de arte no es su contenido manifiesto sino lo que dice sin decir: aquello que está detrás de las formas, los colores y las palabras. Fue una manera de aflojar, sin desatarlo del todo, el nudo teológico entre el ser y el sentido para preservar, hasta donde fuese posible, la ambigua relación entre ambos términos.

El más radical fue Duchamp: la obra pasa por los sentidos, pero no se detiene en ellos. La obra no es una cosa: es un abanico de signos que, al abrirse y cerrarse, nos deja ver y nos oculta, alternativamente, su significado. La obra de arte es una señal de inteligencia que se intercambian el sentido y el sin-sentido. El peligro de esta actitud —un peligro del que (casi) siempre Duchamp escapó— es caer del otro lado y quedarse con el concepto y sin el arte, con la *trouvaille* y sin la cosa. Eso es lo que ha ocurrido con sus imitadores. Hay que agregar que, además, con frecuencia se quedan sin el arte y sin el concepto. Apenas si vale la pena repetir que el arte no es concepto: el arte es cosa de los sentidos. Más aburrida que la contemplación de la naturaleza muerta es la especulación del pseudoconcepto. La religión artística moderna gira sobre sí misma sin encontrar la vía de salida: va de la negación del sentido por el objeto a la negación del objeto por el sentido.

La Revolución industrial fue la otra cara de la revolución artística. A la consagración de la obra de arte como objeto único correspondió la producción cada vez mayor de utensilios idénticos y cada vez más perfectos. Como los museos, nuestras casas se llenaron de ingeniosos artefactos. Instrumentos exactos, serviciales, mudos y anónimos. En un comienzo, las preocupaciones estéticas apenas si jugaron un papel en la producción de objetos útiles. Mejor dicho, esas preocupaciones produjeron resultados distintos a los imaginados por los fabricantes. La fealdad de muchos objetos de la prehistoria del diseño industrial —una fealdad no sin encanto— se debe a la superposición: el elemento ''artístico'', generalmente tomado del arte académico de la época, se yuxtapone al objeto propiamente dicho. El resultado no siempre ha sido desafortunado y muchos de esos objetos —pienso en los de la época victoriana y también en los del *modern style*— pertenecen a la misma familia de las sirenas y las esfinges. Una familia regida por lo que podría llamarse la estética de la incongruencia. En general, la evolución del objeto industrial de uso diario ha seguido la de los estilos artísticos. Casi siempre ha sido una derivación —a veces caricatura, otras copia feliz— de la tendencia artística en boga. El diseño industrial ha ido a la zaga del arte contemporáneo y ha imitado los estilos cuando éstos ya habían perdido su novedad inicial y estaban a punto de convertirse en lugares comunes estéticos.

El diseño contemporáneo ha intentado encontrar por otras vías —las suyas propias— un compromiso entre la utilidad y la estética. A veces lo ha logrado, pero el resultado ha sido paradójico. El ideal estético del arte funcional consiste en aumentar la utilidad del objeto en proporción directa a la disminución de su materialidad. La simplificación de las formas se traduce en esta fórmula: al máximo de rendimiento corresponde el mínimo de presencia. Estética más bien de orden matemático: la *elegancia* de una ecuación consiste en la simplicidad y en la necesidad de su solución. El ideal del diseño es la invisibilidad: los objetos funcionales son tanto más hermosos cuanto menos visibles. Curiosa transposición de los cuentos de hadas y de las leyendas árabes a un mundo gobernado por la ciencia y las nociones de utilidad y máximo rendimiento: el diseñador sueña con objetos que, como los *genii*, sean servidores intangibles. Lo contrario de la artesanía, que es una presencia física que nos entra por los sentidos y en la que se quebranta continuamente el principio de la utilidad en beneficio de la tradición, la fantasía y aun el capricho. La belleza del diseño industrial es de orden conceptual: si algo expresa, es la justeza de una fórmula. Es el signo de una función. Su racionalidad lo encierra en una alternativa: sirve o no sirve. En el segundo caso hay que echarlo al basurero. La artesanía no nos conquista únicamente por su utilidad. Vive en complicidad con nuestros sentidos y de ahí que sea tan difícil desprendernos de ella. Es como echar a un amigo a la calle.

Hay un momento en el que el objeto industrial se convierte al fin en una presencia con un valor estético: cuando se vuelve inservible. Entonces se transforma en un símbolo o en un emblema. La locomotora que canta Whitman es una máquina que se ha detenido y que ya no transporta en sus vagones ni pasajeros ni mercancías: es un monumento inmóvil a la velocidad. Los discípulos de Whitman —Valéry Larbaud y los futuristas italianos— exaltaron la hermosura de las locomotoras y los ferrocarriles justamente cuando los otros medios de comunicación —el avión, el auto— comenzaban a desplazarlos. Las locomotoras de esos poetas equivalen a las ruinas artificales del siglo XVIII: son un complemento del paisaje. El culto al maquinismo es un naturalismo *au rebours*: utilidad que se vuelve belleza inútil, órgano sin función. Por las ruinas la historia se reintegra a la naturaleza, lo mismo si estamos ante las piedras desmoronadas de Nínive que ante un cementerio de locomotoras en Pensilvania. La afición a las máquinas y aparatos en desuso no es sólo una prueba más de la incurable nostalgia que siente el hombre por el pasado sino que revela una fisura en la sensibilidad moderna: nuestra incapacidad para asociar belleza y utilidad. Doble condenación: la religión artística nos prohibe considerar hermoso lo útil; el culto a la utilidad nos lleva a concebir la belleza no como una presencia sino como una función. Tal vez a esto se deba la extraordinaria pobreza de la técnica como proveedora de mitos: la aviación realiza un viejo sueño que aparece en todas las sociedades, pero no ha creado figuras comparables a Ícaro y Faetonte.

El objeto industrial tiende a desaparecer como forma y a confundirse con su función. Su ser es su significado y su significado es ser útil. Está en el otro extremo de la obra de arte. La artesanía es una mediación: sus formas no están regidas por la economía de la función sino por el placer, que siempre es un gasto y que no tiene reglas. El objeto industrial no tolera lo superfluo; la artesanía se complace en los adornos.Su predilección por la decoración es una transgresión de la utilidad. Los adornos del objeto artesanal generalmente no tienen función alguna y de ahí que, obediente a su estética implacable, el diseñador industrial los suprima. La persistencia y proliferación del adorno en la artesanía revelan una zona intermediaria entre la utilidad y la contemplación estética. En la artesanía hay un continuo vaivén entre utilidad y belleza; ese vaivén tiene un nombre: placer. Las cosas son placenteras porque son útiles y hermosas. La conjunción copulativa (*y*) define a la artesanía como la conjunción disyuntiva define al arte y a la técnica: utilidad *o* belleza. El objeto artesanal satisface una necesidad de recrearnos con las cosas que vemos y tocamos, cualesquiera que sean sus usos diarios. Esa necesidad no es reducible al ideal matemático que norma al diseño industrial ni tampoco al rigor de la religión artística. El placer que nos da la artesanía brota de la doble transgresión: al culto a la utilidad y a la religión del arte.

Hecho con las manos, el objeto artesanal guarda impresas, real o metafóricamente, las huellas digitales del que lo hizo. Esas huellas no son la *firma* del artista, no son un nombre; tampoco son una marca. Son más bien una señal: la cicatriz casi borrada que conmemora la fraternidad original de los hombres. Hecho por las manos, el objeto artesanal está hecho para las manos: no sólo lo podemos ver sino que lo podemos palpar. A la obra de arte la vemos, pero no la tocamos. El tabú religioso que nos prohíbe tocar a los santos —"te quemarás las manos si tocas la Custodia", nos decían cuando éramos niños— se aplica también a los cuadros y las esculturas. Nuestra relación con el objeto industrial es funcional; con la obra de arte, semirreligiosa; con la artesanía, corporal. En verdad no es una relación, sino un contacto. El carácter transpersonal de la artesanía se expresa directa e inmediatamente en la sensación: el cuerpo es participación. Sentir es, ante todo, sentir algo o alguien que no es nosotros. Sobre todo: sentir con alguien. Incluso para sentirse a sí mismo, el cuerpo busca otro cuerpo. Sentimos a través de los otros. Los lazos físicos y corporales que nos unen con los demás no son menos fuertes que los lazos jurídicos, económicos y religosos. La artesanía es un signo que expresa a la sociedad no como trabajo (técnica) ni como símbolo (arte, religión) sino como vida física compartida.

La jarra de agua o de vino en el centro de la mesa es un punto de confluencia, un pequeño sol que une a los comensales. Pero ese jarro que nos sirve a todos para beber, mi mujer puede transformarlo en un florero. La sensibilidad personal y la fantasía desvían al objeto de su función e interrumpen su significado: ya no es un recipiente que sirve para guardar un líquido sino para mostrar un clavel. Desviación e interrupción que conectan al objeto con otra región de la sensibilidad: la imaginación. Esa imaginación es social: el clavel de la jarra es también un sol metafórico compartido con todos. En su perpetua oscilación entre belleza y utilidad, placer y servicio, el objeto artesanal nos da lecciones de sociabilidad. En las fiestas y ceremonias su irradiación es aún más intensa y total. En la fiesta la colectividad comulga consigo misma y esa comunión se realiza a través de objetos rituales que son casi siempre obras artesanales. Si la fiesta es participación en el tiempo original —la colectividad literalmente reparte entre sus miembros, como un pan sagrado, la fecha que conmemora— la artesanía es una suerte de fiesta del objeto: transforma el utensilio en signo de la participación.

El artista antiguo quería parecerse a sus mayores, ser digno de ellos a través de la imitación. El artista moderno quiere ser distinto y su homenaje a la tradición es negarla. Cuando busca una tradición, la busca fuera de Occidente, en el arte de los primitivos o en el de otras civilizaciones. El arcaísmo del primitivo o la antigüedad del objeto sumerio o maya, por ser negaciones de la tradición de Occidente, son formas paradójicas de la novedad. La estética del cambio exige que cada obra sea nueva y distinta de las que la preceden; a su vez, la novedad implica la negación de la tradición inmediata. La tradición se convierte en una sucesión de rupturas. El frenesí del cambio también rige a la producción industrial, aunque por razones distintas: cada objeto nuevo, resultado de un nuevo procedimiento, desaloja al objeto que lo precede. La historia de la artesanía no es una sucesión de invenciones ni de obras únicas (o supuestamente únicas). En realidad, la artesanía no tiene historia, si concebimos a la historia como una serie ininterrumpida de cambios. Entre su pasado y su presente no hay ruptura, sino continuidad. El artista moderno está lanzado a la conquista de la eternidad y el diseñador a la del futuro; el artesano se deja conquistar por el tiempo. Tradicional pero no histórico, atado al pasado pero libre de fechas, el objeto artesanal nos enseña a desconfiar de los espejismos de la historia y las ilusiones del futuro. El artesano no quiere vencer al tiempo, sino unirse a su fluir. A través de repeticiones que son asimismo imperceptibles pero reales variaciones, sus obras persisten. Así sobreviven al objeto *up-to-date*.

El diseño industrial tiende a la impersonalidad. Está sometido a la tiranía de la función y su belleza radica en esa sumisión. Pero la belleza funcional sólo se realiza plenamente en la geometría y sólo en ella verdad y belleza son una y la misma cosa; en las artes propiamente dichas, la belleza nace de una necesaria violación de las normas. La belleza —mejor dicho: el arte— es una transgresión de la funcionalidad. El conjunto de esas transgresiones constituye lo que llamamos un estilo. El ideal del diseñador, si fuese lógico consigo mismo, debería ser la ausencia de estilo: las formas reducidas a su función; el del artista, un estilo que empezase y terminase en cada obra de arte. (Tal vez fue esto lo que se propusieron Mallarmé y Joyce.) Sólo que ninguna obra de arte principia y acaba en ella misma. Cada una es un lenguaje a un tiempo personal y colectivo: un estilo, una manera. Los estilos son comunales. Cada obra de arte es una desviación y una confirmación del estilo de su tiempo y de su lugar: al violarlo, lo cumple. La artesanía, otra vez, está en una posición equidistante: como el diseño, es anónima; como la obra de arte, es un estilo. Frente al diseño, el objeto artesanal es anónimo pero no impersonal; frente a la obra de arte, subraya el carácter colectivo del estilo y nos revela que el engreído *yo* del artista es un nosotros.

La técnica es internacional. Sus construcciones, sus procedimientos y sus productos son los mismos en todas partes. Al suprimir las particularidades y peculiaridades nacionales y regionales, empobrece al mundo. A través de su difusión mundial, la técnica se ha convertido en el agente más poderoso de la entropía histórica. El carácter negativo de su acción puede condensarse en esta frase: uniforma sin unir. Aplana las diferencias entre las distintas culturas y estilos nacionales, pero no extirpa las rivalidades y los odios entre los pueblos y los Estados. Después de transformar a los rivales en gemelos idénticos, los arma con las mismas armas. El peligro de la técnica no reside únicamente en la índole mortífera de muchas de sus invenciones sino en que amenaza en su esencia al proceso histórico. Al acabar con la diversidad de las sociedades y culturas, acaba con la historia misma. La asombrosa variedad de las sociedades produce la historia: encuentros y conjunciones de grupos y culturas diferentes y de técnicas e ideas extrañas. El proceso histórico tiene una indudable analogía con el doble fenómeno que los biólogos llaman *imbreeding* y *outbreeding* y los antropólogos endogamia y exogamia. Las grandes civilizaciones han sido síntesis de distintas y contradictorias culturas. Ahí donde una civilización no ha tenido que afrontar la amenaza y el estímulo de otra civilización —como ocurrió con la América precolombina hasta el siglo XVI— su destino es marcar el paso y caminar en círculos. La experiencia del *otro* es el secreto del cambio. También el de la vida.

La técnica moderna ha operado transformaciones numerosas y profundas, pero todas en la misma dirección y con el mismo sentido: la extirpación del *otro*. Al dejar intacta la agresividad de los hombres y al uniformarlos, ha fortalecido las causas que tienden a su extinción. En cambio, la artesanía ni siquiera es nacional: es local. Indiferente a las fronteras y a los sistemas de gobierno, sobrevive a las repúblicas y a los imperios: la alfarería, la cestería y los instrumentos músicos que aparecen en los frescos de Bonampak han sobrevivido a los sacerdotes mayas, los guerreros aztecas, los frailes coloniales y los presidentes mexicanos. Sobrevivirán también a los turistas norteamericanos. Los artesanos no tienen patria: son de su aldea. Y más: son de su barrio y aun de su familia. Los artesanos nos defienden de la unificación de la técnica y de sus desiertos geométricos. Al preservar las diferencias, preservan la fecundidad de la historia.

El artesano no se define ni por su nacionalidad ni por su religión. No es leal a una idea ni a una imagen, sino a una práctica: su oficio. El trabajo del artesano raras veces es solitario y tampoco es exageradamente especializado, como en la industria. Su jornada no está dividida por un horario rígido sino por un ritmo que tiene más que ver con el del cuerpo y la sensibilidad que con las necesidades abstractas de la producción. Mientras trabaja puede conversar y, a veces, cantar. Su jefe no es un personaje invisible sino un viejo que es su maestro y que casi siempre es su pariente o, por lo menos, su vecino. Es revelador que, a pesar de su naturaleza marcadamente colectivista, el taller artesanal no haya servido de modelo a ninguna de las grandes utopías de Occidente. De la ciudad del Sol de Campanella al falansterio de Fourier y de éste a la sociedad comunista de Marx, los prototipos del hombre social perfecto no han sido los artesanos sino los sabios-sacerdotes, los jardineros-filósofos y el obrero universal, en el que la praxis y la ciencia se funden. No pienso, claro, que el taller de los artesanos sea la imagen de la perfección; creo que su misma imperfección nos indica cómo podríamos humanizar a nuestra sociedad: su imperfección es la de los hombres, no la de los sistemas. Por sus dimensiones y por el número de personas que la componen, la comunidad de los artesanos es propicia a la convivencia democrática; su organización es jerárquica pero no autoritaria y su jerarquía no está fundada en el poder sino en el saber hacer: maestros, oficiales, aprendices; en fin, el trabajo artesanal es un quehacer que participa también del juego y de la creación. Después de habernos dado una lección de sensibilidad y fantasía, la artesanía nos da una de política.

Todavía hace unos pocos años la opinión general era que las artesanías estaban condenadas a desaparecer, desplazadas por la industria. Hoy ocurre precisamente lo contrario: para bien o para mal, los objetos hechos con las manos son ya parte del mercado mundial. Los productos de Afganistán y de Sudán se venden en los mismos almacenes en que pueden comprarse las novedades del diseño industrial de Italia o del Japón. El renacimiento es notable sobre todo en los países industrializados y afecta lo mismo al consumidor que al productor. Ahí donde la concentración industrial es mayor —por ejemplo: en Massachusetts— asistimos a la resurrección de los viejos oficios de alfarero, carpintero, vidriero; muchos jóvenes, hombres y mujeres, hastiados y asqueados de la sociedad moderna, han regresado al trabajo artesanal. En los países dominados (a destiempo) por el fanatismo de la industrialización, también se ha operado una revitalización de la artesanía. Con frecuencia los gobiernos mismos estimulan la producción artesanal. El fenómeno es turbador, porque la solicitud gubernamental está inspirada generalmente por razones comerciales. Los artesanos que hoy son el objeto del paternalismo de los planificadores oficiales, ayer apenas estaban amenazados por los proyectos de modernización de esos mismos burócratas, intoxicados por las teorías económicas aprendidas en Moscú, Londres o Nueva York. Las burocracias son las enemigas naturales del artesano y cada vez que pretenden "orientarlo", deforman su sensibilidad, mutilan su imaginación y degradan sus obras.

La vuelta a la artesanía en los Estados Unidos y en Europa occidental es uno de los síntomas del gran cambio de la sensibilidad contemporánea. Estamos ante otra expresión de la crítica a la religión abstracta del progreso y a la visión cuantitativa del hombre y la naturaleza. Cierto, para sufrir la decepción del progreso hay que pasar antes por la experiencia del progreso. No es fácil que los países subdesarrollados compartan esta desilusión, incluso si es cada vez más palpable el carácter ruinoso de la superproductividad industrial. Nadie aprende en cabeza ajena. No obstante, ¿cómo no ver en qué ha parado la creencia en el progreso infinito? Si toda civilización termina en un montón de ruinas —hacinamiento de estatuas rotas, columnas desplomadas, escrituras desgarradas— las de la sociedad industrial son doblemente impresionantes: por inmensas y por prematuras. Nuestras ruinas empiezan a ser más grandes que nuestras construcciones y amenazan con enterrarnos en vida. Por eso la popularidad de las artesanías es un signo de salud, como lo es la vuelta a Thoreau y a Blake o el redescubrimiento de Fourier. Los sentidos, el instinto y la imaginación preceden siempre a la razón. La crítica a nuestra civilización fue iniciada por los poetas románticos justamente al comenzar la era industrial. La poesía del siglo XX recogió y profundizó la revuelta romántica, pero sólo ahora esa rebelión espiritual penetra en el espíritu de las mayorías. La sociedad moderna empieza a dudar de los principios que la fundaron hace dos siglos y busca cambiar de rumbo. Ojalá que no sea demasiado tarde.

El destino de la obra de arte es la eternidad refrigerada del museo; el destino del objeto industrial es el basurero. La artesanía escapa al museo y, cuando cae en sus vitrinas, se defiende con honor: no es un objeto único sino una muestra. Es un ejemplar cautivo, no un ídolo. La artesanía no corre parejas con el tiempo y tampoco quiere vencerlo. Los expertos examinan periódicamente los avances de la muerte en las obras de arte: las grietas en la pintura, el desvanecimiento de las líneas, el cambio de los colores, la lepra que corroe lo mismo a los frescos de Ajanta que a las telas de Leonardo. La obra de arte, como cosa, no es eterna. ¿Y como idea? También las ideas envejecen y mueren. Pero los artistas olvidan con frecuencia que su obra es dueña del secreto del verdadero tiempo: no la hueca eternidad sino la vivacidad del instante. Además, la obra de arte tiene la capacidad de fecundar los espíritus y resucitar, incluso como negación, en las obras que son su descendencia.

Para el objeto industrial no hay resurrección: desaparece con la misma rapidez con que aparece. Si no dejase huellas, sería realmente perfecto; por desgracia, tiene un cuerpo y, una vez que ha dejado de servir, se transforma en desperdicio difícilmente destructible. La indecencia de la basura no es menos patética que la de la falsa eternidad del museo.

La artesanía no quiere durar milenios ni está poseída por la prisa de morir pronto. Transcurre con los días, fluye con nosotros, se gasta poco a poco, no busca a la muerte ni la niega: la acepta. Entre el tiempo sin tiempo del museo y el tiempo acelerado de la técnica, la artesanía es el latido del tiempo humano. Es un objeto útil pero que también es hermoso; un objeto que dura pero que se acaba y se resigna a acabarse; un objeto que no es único como la obra de arte y que puede ser reemplazado por otro objeto parecido pero no idéntico. La artesanía nos enseña a morir y así nos enseña a vivir.

IN   Cambridge, Mass., 7 de diciembre de 1973

PINTURA MURAL

LOS MURALISTAS A PRIMERA VISTA *

COMO todas nuestras artes contemporáneas —y quizá más acusadamente— la pintura es hija de la Revolución Mexicana. Según he intentado explicar en otra parte,[1] concibo a este movimiento como una inmersión de México en su propio ser. Al hacer saltar las formas que lo oprimían y desnaturalizaban, meras superposiciones históricas, el país se encuentra a solas consigo mismo. México se descubre pero al mismo tiempo descubre que su tradición — catolicismo colonial y liberalismo republicano— no podrá resolver sus conflictos. Así, la Revolución es un regreso a los orígenes tanto como una búsqueda de una tradición universal.

Acaso no sea inútil señalar que empleo la palabra tradición en el sentido de un programa o proyecto común que inserte a la nación en el mundo moderno. La Revolución, por una parte, es una revelación del subsuelo histórico de México; por la otra, una tentativa por hacer de nuestro país una nación realmente moderna y así, mediante un salto —el salto que no pudieron dar los liberales— suprimir lo que llaman nuestro "retraso histórico". Ahora bien, ser "una nación moderna" no quiere decir solamente adoptar técnicas de producción sino insertarse en una tradición universal determinada. O inventar un nuevo proyecto, una nueva visión del hombre y de la historia.

---

* Este texto apareció originalmente como la introducción al ensayo *Rufino Tamayo en la pintura mexicana.* De ahí su carácter esquemático.

[1] *El laberinto de la soledad,* México, 1950.

Todos sabemos que esta búsqueda de una tradición que sustituyese a las que antes habían modelado a nuestro país terminó en un compromiso inestable, que aún no hemos superado. Pues bien, la pintura mexicana participa de esta doble condición. Desde el primer momento los pintores vuelven los ojos hacia México y, también desde ese primer momento, sienten la necesidad de insertar su nacionalismo en la corriente general del espíritu moderno. Todos los equívocos posteriores, estéticos y morales, parten de esa insuficiencia de la Revolución Mexicana que, si fue una revelación de nuestro ser nacional, no logró darnos una visión del mundo ni enlazar su descubrimiento a una tradición universal.

México, su historia y su paisaje, sus héroes y su pueblo, su pasado y su futuro constituyen el tema central de nuestros pintores. Naturalmente, ese regreso se hizo utilizando valores, formas y principios rescatados por la cultura europea. En el trópico de Rivera hay ecos de Gauguin y de Rousseau, como en la poesía de López Velarde es visible la presencia, directa o refleja, de ciertos simbolistas franceses. Y la lección que el mismo Rivera recoge de los primitivos italianos acaso hubiese sido distinta sin el ejemplo de Modigliani. El descubrimiento de las artes precortesianas y populares también es un resultado de la curiosidad de la estética occidental. Desde el Romanticismo hasta nuestros días el arte no cesa de enriquecerse con obras y conceptos ajenos al orbe grecolatino. Podemos ver con ojos limpios el arte precortesiano porque desde hace más de un siglo se nos ha enseñado a ver el arte gótico, el oriental y, más tarde, el de África y Oceanía. Estas conquistas no sólo han enriquecido nuestra sensibilidad sino que han influido en las obras de todos los grandes artistas contemporáneos. Recuérdese lo que significaron las máscaras negras para el cubismo, el arte egipcio para Klee, la escultura sumeria para Picasso. La obra de los pintores mexicanos participa en esta tradición que inicia el Romanticismo. Sin ella, Rivera sería inexplicable. Nuestra pintura es un capítulo del arte moderno. Pero, asimismo, es la pintura de un pueblo que acaba de descubrirse a sí mismo y que, no contento con reconocerse en su pasado, busca una proyecto histórico que lo inserte en la civilización contemporánea.

Una pintura con estas ambiciones necesitaba —salvo en el caso de Orozco, dispuesto a dejarse devorar por los extremos y que siempre se burló de las ideas— el concurso de una filosofía que la justificara y trascendiera. Esta necesidad no era accidental ni partía del temperamento o del capricho de los pintores mexicanos. Obedecía a las mismas causas que llevaron a Vasconcelos —primer protector de los muralistas— a fundar la educación mexicana en una filosofía de la ''raza cósmica'' y a la Revolución a buscar una tradición universal que trascendiese sus limitaciones nacionales. Ninguno de los sistemas que les ofrecía la realidad mexicana podía satisfacer a los pintores; por eso volvieron los ojos hacia el marxismo. Mas la adopción del pensamiento marxista no era ni podía ser consecuencia de la existencia de un gran proletariado o de un movimiento socialista de significación. El marxismo de Rivera y sus compañeros no tenía otro sentido que el de reemplazar por una filosofía revolucionaria internacional la ausencia de filosofía de la Revolución Mexicana. Su función no era diversa a la de las especulaciones hinduístas de Vasconcelos o al bergsonismo de Caso. Y mientras el Partido Comunista se formaba apenas o vivía en la clandestinidad, los muros oficiales se cubrieron de pinturas que profetizaban el fin del capitalismo, sin que nadie, ni los pintores ni los mecenas, se escandalizaran. Esta ausencia de relación entre la realidad y las visiones que pretenden expresarla da a buena parte de la pintura de Rivera, Siqueiros y algunos otros un carácter fatalmente inauténtico. Cuando su pintura predica, deja de ser lo que ellos quieren que sea: una respuesta orgánica a la realidad. Hija de las especulaciones de un grupo de artistas intelectuales, carece de esa relación total con su pueblo y su momento que da veracidad a Giotto, Cimabue o Piero de la Francesca. No se puede ser al mismo tiempo pintor oficial de un régimen y artista revolucionario sin introducir la confusión y el equívoco.

La ideología de esta pintura sólo es una cáscara. Si se la aparta, se descubre que es una de las expresiones más altas de nuestra Revolución. Sus mismas limitaciones, su búsqueda de una visión universal que supere nuestras contradicciones, sus deslumbrantes hallazgos son los del movimiento iniciado en 1910. De allí que la pintura mural posea, a su manera, un carácter orgánico. Y ese carácter, más que sus ambiciones ideológicas, es lo que le otorga fisonomía, autenticidad y grandeza.

La ideología no les sirvió a los pintores para establecer vínculos orgánicos con la realidad, pero les dio ocasión para integrar su particular visión del mundo. Si el espectador se detiene ante la obra de Diego Rivera, descubre inmediatamente que este pintor no es tanto un materialista dialéctico como un materialista a secas; quiero decir: un adorador de la materia como substancia cósmica. Rivera reverencia y pinta sobre todo a la materia. Y la concibe como una madre: como un gran vientre, una gran boca y una gran tumba. Madre, inmensa matriz que todo lo devora y engendra, la materia es una figura femenina siempre en reposo, soñolienta y secretamente activa, en germinación constante como todas las grandes divinidades de la fertilidad. El erotismo monumental de ese pintor lo lleva a concebir al mundo como un enorme fluir de formas, contemplado por los ojos absortos y fecundos de la madre.

Paraíso, procreación, germinación bajo las grandes hojas verdes del principio. Una gran corriente erótica atraviesa todas sus creaciones. Como en esos microscopios de laboratorio biológico que tanto le interesan, en sus muros pululan hombres, plantas, máquinas, signos. Hay algo oriental en esa riqueza de gérmenes. Su horror al vacío le hace llenar el espacio de figuras, de modo que el muro, cualesquiera que sean sus dimensiones, parece que va a estallar por la presión de los seres que hormiguean en su interior. Nada más opuesto a esta repleta inmovilidad de primer día del mundo que el dinamismo, hecho de oposiciones y reconciliaciones, de una concepción dialéctica de la historia. Y de allí que Rivera caiga en la ilustración cuando intenta acceder a la historia. Como muralista, es el pintor de la creación y recreación incesante de la materia.

Para Alfaro Siqueiros, en cambio, todo es luz y sombras, movimiento y contraste. Los antecedentes de su pintura, hecha de antítesis, distorsiones violentas y bruscas iluminaciones, podrían encontrarse en ciertos pintores barrocos, españoles y flamencos, en los románticos —también preocupados por ese dualismo de luz y sombra— y en los futuristas italianos, que quisieron pintar el movimiento. El mundo de Siqueiros es el de los contrastes: materia y espíritu, afirmación y negación, movimiento e inmovilidad. Sus figuras parece que quieren escapar del cuadro, dejar de ser pintura y convertirse en símbolo puro. Si el peligro de Rivera es el estatismo, el de Siqueiros es el efectismo teatral. A veces sus formas se hinchan como los músculos de un Hércules de feria. Otras, tienden a un esquematismo sumario: las ideas no llegan a encarnar realmente en la pintura. Si Diego hace ilustraciones estáticas, Siqueiros incurre en la arenga mural. Pero es una arenga que no logra su expresión plástica y que se queda en signo intelectual. Literatura pintada, ''ideología'' que se sirve de las formas como de letras: precisamente lo contrario de lo que se propone ser. El temperamento dialéctico de Siqueiros lo ha llevado a predicar la utilización de nuevos materiales pictóricos. No es ésta ocasión de analizar sus ideas, aunque muchas de ellas no dejan de ofrecer un interés real. En cambio, sí es oportuno señalar que esta necesidad de emplear nuevos materiales es en Siqueiros más fatal de lo que él mismo se imagina, pues toda su pintura, cuando triunfa, cuando se realiza, tiende a negar la materia, a inflamarla y transformarla en otra cosa. Buscar nuevos materiales es una de las maneras en que este dialéctico pretende escapar de la materia.

Orozco, como Siqueiros, ama al movimiento; como Rivera, es monumental. Es tan enfático como ellos. Cuando cae, cae más pesadamente: cae de más alto. Al contrario de sus compañeros, no intenta penetrar la realidad con el arma de las ideologías, sino que arremete contra ellas y sus encarnaciones. La Revolución Mexicana no escapa a sus ataques. Su pintura puede parecernos a veces una explosión, pero sabemos que esa explosión es real: quema. Y al primero que quema es al pintor. Pues esta pintura es, por encima de todo, un monólogo. Villaurrutia lo ha llamado el pintor del horror. Quizá sea más justo llamarle el pintor de lo terrible. El horror nos inmoviliza; es un erizarse el alma y la piel, una contemplación fascinada, un mareo: la realidad de pronto abre sus entrañas y nos deja ver su fondo, que es el sin fin. Y ante ese vacío sentimos la náusea del vértigo: la nada nos fascina. El horror es una de las formas de aprehensión de lo sagrado. Éste se manifiesta ya como lo pleno y repleto —la escultura azteca, por ejemplo— o como lo vacío— el hoyo de la conciencia, el aburrimiento de Baudelaire. El hombre es ajeno a lo horrible, que es por naturaleza lo extraño, lo radicalmente otro. En el horror aprehendemos lo sagrado como lo ajeno y nuestra reacción ante lo horrible es de absorta inmovilidad. La pintura de Orozco no nos produce esa suerte de pasmo. Es una pintura humana que sí se interesa en nuestro destino. El personaje de Orozco no es la materia ni la historia y su dialéctica de sombras y luces, sino Prometeo, el héroe en combate solitario contra todos los monstruos. En pocos artistas ha encarnado con tal violencia la voluntad de México, que si es voluntad de romper con la madre también lo es de trascender nuestra situación de orfandad. El hombre de Orozco está sólo. Los dioses han muerto; frente a nosotros gesticulan las máscaras feroces de todas las ideologías y una selva de garras y guiños: la mentira de este mundo y del otro. La obra de Orozco completa la de Rivera. Ambas representan los dos momentos de la Revolución Mexicana. Rivera, la vuelta a los orígenes; Orozco, el sarcasmo, la denuncia y la búsqueda.

PO   París, noviembre de 1950

RE/VISIONES: LA PINTURA MURAL*

EXPRESIONISMOS

¿CÓMO distinguiría usted el muralismo mexicano de las otras tendencias expresionistas del siglo?

—El movimiento muralista mexicano tiene características propias, inconfundibles. No es exagerado decir que ocupa un lugar único en la historia del arte del siglo XX. Por una parte, es una consecuencia de los movimientos artísticos europeos de comienzos de siglo; por la otra, es una respuesta a esos movimientos que es, en cierto modo, también una negación.

Hay en la pintura mural mexicana una suerte de desgarramiento entre sus ambiciones estéticas y sus ambiciones ideológicas. Pero para entender este desgarramiento hay que tener en cuenta las circunstancias históricas y sociales que hicieron posible el nacimiento de este movimiento artístico al comenzar la década de los veinte. Sin la Revolución Mexicana la pintura mural no habría existido —o habría sido muy distinta.

—*¿En qué sentido fue determinante la Revolución Mexicana en el movimiento muralista?*

—La Revolución Mexicana fue, entre las revoluciones

* El origen de este texto fue una entrevista con la Televisión francesa, en una serie dedicada al expresionismo, uno de cuyos capítulos es el muralismo mexicano. Al escribirlo, decidí darle el carácter de un diálogo imaginario y lo aumenté considerablemente. Por último, antes de enviarlo a la imprenta, en mayo de 1986, volví a revisarlo y añadí más de treinta páginas.

del siglo XX, un fenómeno singular. Revuelta nacionalista y agraria, no fue una revolución ideológica. No fue la obra de un partido y apenas si tuvo programa: fue una explosión popular, una sublevación espontánea y que no tuvo una cabeza sino muchas. Siempre me he preguntado si fue una revolución, en el sentido moderno de esta palabra, o una revuelta. Creo que fue una revuelta. Algo así como una explosión de la vida subterránea de México. Nuestra revolución sacó afuera, como en un parto, un México desconocido. Sólo que el niño que nació en 1920 tenía siglos de existencia: era el México popular y tradicional, ocultado por el régimen anterior. Un México que ahora unos y otros, progresistas de izquierda y progresistas de derecha, han vuelto a enterrar. La Revolución Mexicana fue el descubrimiento de México por los mexicanos. Insinué que había sido algo así como una gigantesca revuelta; añado ahora otra palabra: revelación. La Revolución nos reveló a México. Mejor dicho: nos devolvió los ojos para verlo. Y se los devolvió, sobre todo, a los pintores, a los poetas y a los novelistas: Azuela, Rivera, Martín Luis Guzmán, Orozco, López Velarde, Vasconcelos.

La Revolución fue un vuelta a los orígenes pero también fue un comienzo o, más exactamente, un recomienzo. México volvía a su tradición no para repetirse sino para inaugurar otra historia. Ésta era la idea, más o menos confusa, que inspiraba al nuevo régimen y singularmente al ministro de Educación Pública de esos años, José Vasconcelos. Un hombre de genio. Vasconcelos llamó a los artistas para que colaboraran en la tarea de hacer o rehacer a México. Llamó lo mismo a los poetas que a las bailarinas, a los pintores que a los músicos. Se enseñaron a los niños de las escuelas los cantos y las danzas tradicionales, se exaltó el arte popular, se publicaron libros y revistas, se distribuyeron los muros entre los pintores. Vasconcelos creía en la misión del arte. También creía en la libertad y por eso no impuso a los artistas ningún dogma estético ni ideológico. En su política artística se inspiró no sólo en el ejemplo de la gran pintura religiosa de la Edad Media y del Renacimiento sino en el de Nueva España, sobre todo el del siglo XVI: en casi todos los conventos de esa época la pintura mural tiene un lugar de elección. Pero Vasconcelos, a diferencia de la Iglesia, dejó en libertad a los artistas.

Vasconcelos abandonó pronto el Ministerio de Educación. Sus sucesores, aunque no compartieron sus ideas, sí percibieron su utilidad política: el joven Estado revolucionario necesitaba de una suerte de legitimación o consagración cultural ¿y qué mejor consagración que la pintura mural? Así comenzó un equívoco que acabó por desnaturalizar a la pintura mural mexicana: por una parte, fue un arte revolucionario o que se decía revolucionario; por la otra, fue un arte oficial. Volveré sobre esto más adelante. Ahora sólo quiero señalar las circunstancias que rodearon al nacimiento de la pintura mural mexicana: la revelación del México real que fue la Revolución Mexicana y, simultáneamente, las necesidades políticas e ideológicas del nuevo régimen revolucionario.

—*¿Puede decirse que la pintura mural es una expresión de la Revolución Mexicana?*

—Sí y no. Las circunstancias históricas y políticas no explican todo. La Revolución había descubierto al pueblo de México y a sus artes tradicionales; a su vez, los gobiernos revolucionarios necesitaban la consagración, por decirlo así, de los artistas. Sin embargo, lo esencial fue la aparición de un grupo de artistas que vio con otros ojos, con ojos nuevos y no con los del arte académico, la realidad. Para un artista mexicano del siglo XIX no hubiera sido fácil *ver* la herencia artística precolombina ni la riqueza y originalidad del arte popular. Aquí interviene la otra circunstancia decisiva, no política sino estética, no nacional sino internacional: la lección del arte moderno de Europa. La gran revolución estética europea, iniciada a principios del siglo XIX con los románticos, nos ha enseñado a ver las artes y las tradiciones de otros pueblos y civilizaciones, desde las orientales y africanas hasta las de la América precolombina y Oceanía. Sin los artistas modernos de Occidente, que hicieron suyo todo este conjunto de estilos y visiones de las tradiciones no-occidentales, los muralistas mexicanos no hubieran podido comprender la tradición mexicana indígena. El nacionalismo artístico mexicano fue una consecuencia del cosmopolitismo del siglo XX.

La pintura mural mexicana es el resultado tanto del cambio en la conciencia social que fue la Revolución Mexicana, como del cambio en la conciencia estética que fue la revolución artística europea del siglo XX. Debo agregar que los muralistas fueron más bien tímidos en su utilización de las formas precolombinas y populares. Es extraño, pero Rivera, gran conocedor de los estilos modernos y gran admirador del arte precolombino, revela en sus formas una visión más bien académica y europea del mundo indígena. Siqueiros estuvo más cerca del arte barroco y del futurismo italiano que del arte popular. Lo mismo puede decirse de Orozco: tuvo mayor afinidad con el expresionismo europeo que con las artes tradicionales de México. Nada más alejado del hieratismo y la geometría de los artistas precolombïnos que el patetismo de Orozco o las gesticulaciones de Siqueiros. Aunque el arte prehispánico es un arte con frecuencia terrible, no es un arte que grita. No hay exclamaciones en el arte mesoamericano. En realidad, el artista que ha sabido llevar hasta sus últimas consecuencias tanto la lección del arte precolombino como la del arte popular ha sido Rufino Tamayo.

— ¿ *Puede decirnos algo más sobre las relaciones entre el mura-*
lismo y el arte europeo?

—El muralismo mexicano tiene muchas deudas con la
pintura moderna europea. No hay que olvidar que Diego
Rivera pasó cerca de quince años en Europa. Participó en
la vida artística de París, fue amigo de Modigliani y de
Juan Gris, se peleó con Pierre Reverdy y los curiosos de
historia literaria y artística encontrarán su nombre en muchas de las contiendas e incidentes de la época.

El caso de Rivera no es, por otra parte, el único. Varios artistas y poetas hispanoamericanos han participado
en los movimientos artísticos de París durante este siglo.
Además de Rivera habría que citar a Picabia (hispanocubano), Marius de Zayas (mexicano y neoyorquino), Huidobro y Matta (chilenos), Lam (cubano) y a otros que en
distintos periodos convivieron con la vanguardia europea,
especialmente con el surrealismo.

—*Como usted mismo...*

—Y también como el poeta peruano César Moro y, más
recientemente, el pintor Alberto Gironella... Volvamos a
Rivera. En la evolución de Rivera hay un momento cubista. El cubismo de Diego Rivera pertenece al segundo
periodo, el final de esta tendencia. Es revelador que ya desde entonces se haya distinguido por su amor a la anécdota
folklórica y a unos colores vivos muy alejados de la auste-
ridad cubista. Rivera fue un pintor de muchos recursos pero, a mi juicio, fue un pintor académico. Su cubismo fue
exterior y lo mismo puede decirse de sus otras maneras y
estilos. Su arte no brota de dentro. En Rivera hay habilidad, gran habilidad, a veces maestría, talento indudable,
nunca o casi nunca pasión. Pintura exterior, en el extremo opuesto a la de Orozco. Fue un artista ecléctico que
combinó varias maneras. Más que inventar, adaptó y combinó estilos, a veces con gran facilidad. Pienso en esos mu-

232

ros (Educación Publica, Chapingo) donde recrea con verdadero talento la doble lección de los fresquistas del *Quattrocento* y de Gauguin. Este último fue fundamental en su interpretación de la naturaleza y del hombre mexicanos. Las indias y los indios de Rivera vienen de Gauguin. Hay otro pintor con el que tiene indudable afinidad en ciertos momentos: Ensor. Me refiero al Ensor más popular, como el de su célebre *Entrada de Cristo en Bruselas*. Es curioso que la crítica no se haya detenido en esta afinidad. Otro parecido en el que, creo, tampoco se ha reparado: Léger. La evolución de Léger se parece un poco a la de Rivera. Como éste, pasó del cubismo —aunque el de Léger fue más riguroso, arriesgado e inventivo— a un arte más directo y popular, uno de cuyos encantos mayores reside en esa extraña y maravillosa alianza entre la máquina y el cuerpo femenino. En Rivera también aparece el erotismo enlazado al maquinismo.

Rivera fue el más culto, pictóricamente hablando, de los muralistas, pero los otros también conocían las experiencias y logros de la pintura moderna. En Siqueiros hay ecos, lo mismo en su pintura que en sus preocupaciones estéticas, del futurismo italiano. La tentativa por pintar el movimiento es algo que comparte Siqueiros con un Boccioni. En cuanto a Orozco: aparte de la influencia de Daumier y Toulouse-Lautrec, hay coincidencias y afinidades con el expresionismo alemán y con artistas que vienen del fauvismo, como Rouault. También encuentro en Orozco, a veces, a Ensor y, claro está, a Kokoschka.

—*El arte de los muralistas pertenece, sin duda, a la corriente expresionista pero ¿cómo ve usted las relaciones entre el expresionismo europeo y el movimiento mexicano?*

—Hay que comenzar por una aclaración: a veces se olvida que el expresionismo mexicano, para llamarlo así, no se reduce únicamente al muralismo. El grabador Posada, sin saberlo él mismo, fue un extraordinario expresionista. Rufino Tamayo también lo es, a su manera. Lo mismo puede decirse de José Luis Cuevas. El caso de los muralistas es distinto. Lo es tanto desde el punto de vista cronológico como estético. Con ellos comienza el arte moderno en México e incluso, como movimiento, en el continente americano; además, su expresionismo tuvo características únicas. Su relación con el expresionismo europeo fue, por decirlo así, un parentesco polémico. Para aclarar esta relación hay que comenzar por el principio.

Los dos grandes movimientos europeos con los que el muralismo mexicano muestra afinidades y semejanzas son el *fauvisme* y el expresionismo. El primero fue francés y mediterráneo; el segundo, alemán, flamenco, nórdico. Ambos movimientos aparecen hacia 1905 y son anteriores en muchos años al muralismo mexicano. Es indudable que nuestros pintores no sólo conocieron estas corrientes y tendencias sino que las asimilaron y las adaptaron, casi siempre con talento y de una manera muy personal. Y hay algo más: la fuente común del fauvismo y del expresionismo fueron Van Gogh y Gauguin. Ellos y Cézanne, decía el expresionista Nolde, "fueron los primeros rompehielos del arte moderno". Ya señalé que Rivera recoge la lección de Gauguin. También, aunque no de una manera tan ostensible, la de otro gran abuelo: Rousseau. En el caso de Orozco podrían citarse otros nombres: Daumier, Toulouse-Lautrec. Así, los muralistas bebieron en las mismas fuentes que los expresionistas y los *fauves*.

Aparte de esta comunidad de orígenes, es evidente que entre los muralistas y los expresionistas las afinidades son continuas, constantes. Semejanzas que no siempre son influencias sino coincidencias o, más bien, confluencias. Esto es cierto sobre todo en los dos artistas en donde aparece más acentuado el expresionismo: Orozco y Siqueiros. El caso de Rivera es muy distinto. Su relación más directa es con el fauvismo. En cambio Grosz, Otto Dix, Kokoschka, Rouault y Ensor pertenecen a la misma familia espiritual de Orozco. Un pintor de masas compactas y volúmenes sólidos como Permeke hace pensar en el Siqueiros de los años treinta, no en el muralista sino en el pintor de caballete, que es quizá el mejor Siqueiros.

—*¿No exagera?*

—Sólo un poco. Como muralista, Siqueiros fue un gran inventor de formas pero lo dañaron la hinchazón retórica y el simplismo ideológico. Alianza desconcertante entre la invención plástica y el lugar común. En su pintura de caballete esos defectos no son tan visibles. Los retratos de Siqueiros son, muchas veces, notables por la energía del trazo, la economía de las líneas, el modelado sobrio y el color que, aunque violento, casi nunca es chillón. Fue un maestro de los ocres. Sus mejores retratos colindan con el relieve y aun con la escultura. Siqueiros asimiló con talento la lección de los bizantinos y también la de las máscaras precolombinas. Su arte se mueve entre dos extremos: el Pantocrátor bizantino, como en el dramático y viril *Cristo de San Ildefonso*, y la escultura azteca, como en el entierro del mismo mural. Más tarde otros retratos suyos (los de María Asúnsolo, por ejemplo) hacen pensar no tanto en los grandes españoles, según se ha dicho, como en su continuador moderno: Manet. Pero Siqueiros no sólo nos ha dejado algunos retratos espléndidos; no sé si alguien lo ha dicho ya: entre sus mejores cuadros hay una serie cuyo tema son unas enormes calabazas y otros frutos humildes. El asunto no puede ser más tradicional y menos ideológico. Esos cuadros recuerdan a los grandes bodegones españoles pero tienen un dramatismo propio e inexplicable. Son frutos taciturnos que evocan gigantescas cabezas cercenadas o melancólicos planetas. Son composiciones en las que

235

no aparecen los dos defectos de casi toda su obra: la gesticulación y la elocuencia. Son formas, simplemente *formas*,
que emiten una emoción reconcentrada.

—*Se refirió usted antes al fauvismo y al expresionismo...*

—Me parece que la comparación entre las dos tendencias ayuda a comprender el carácter único del expresionismo de la pintura mural mexicana. La relación entre el
fauvismo y el expresionismo es, a un tiempo, íntima y contradictoria. El fauvismo es un arte dinámico, sensual, ebrio
de sensaciones, luminoso, poseído por una vitalidad que
no es inexacto llamar erótica. No en balde la figura central fue Matisse, el pintor más pintor de este siglo y aquel
cuya pintura es la única que, sin deshonor, en nuestra época
vil, merece ser llamada dichosa. El expresionismo también
es dinámico pero su dinamismo es subjetivo; no busca la
reconciliación con las fuerzas naturales como el fauvismo,
sino que quiere ahondar la triple escisión: la del hombre
y la naturaleza, la del hombre con sus semejantes y la del
hombre consigo mismo. El expresionismo, brutal cuando
no irónico, es casi siempre patético. El fauvismo es orgiástico; el expresionismo es crítico. Para el primero la realidad
es una fuente de maravillas; para el segundo de horrores.
El fauvismo es una gran exclamación de asombro y aplauso ante la vida; el expresionismo es un grito de desdicha y
una acusación moral.

El muralismo mexicano —con la notable excepción de
Rivera— está más cerca del expresionismo que del fauvismo. Por sus gustos, su sensibilidad y su sentido de la forma, Rivera es un pintor muy distinto a sus dos compañeros
y rivales. Si todavía fuese válida la oposición entre artista
romántico y clásico, es claro que Orozco y Siqueiros serían románticos y Rivera clásico. Lo es, sobre todo, por
la superioridad de su dibujo y por su sentido de la composición. Su color nunca es agrio y su línea, a veces dema-

siado plácida, jamás se tuerce ni retuerce. Ni la tortura ni la contorsión, los dos polos de Orozco y Siqueiros como dibujantes. Hay, además, un rasgo que lo separa radicalmente de sus compañeros y por el que se hace perdonar muchos kilómetros de pintura plana y monótona: su amor a la naturaleza y su amor a la forma femenina. Árboles entrelazados, flores húmedas y mujeres que tienen también algo de plantas. No pintura materialista sino pintura animista.

El mundo de Orozco y Siqueiros es otro. Sus deformaciones de la figura humana están muy lejos de la sensualidad *fauviste*; como en los expresionistas nórdicos, esas deformaciones tienen no sólo un sentido estético sino moral. En unos y otros la imagen pictórica —intensa, brutal, desgarrada— más que una visión del horror del mundo es un juicio y una condena. Arte crítico, arte de negación y de sarcasmo. Aquí aparece la primera diferencia: el expresionismo europeo y el muralismo mexicano son visiones subjetivas de la realidad pero el subjetivismo de los europeos es sobre todo un *affaire* de sensibilidad mientras que el de los mexicanos no es sólo emocional y psicológico sino ideológico (moral en el caso de Orozco). El expresionismo es el arte de unos hombres muy inteligentes que han renunciado a la inteligencia o que ven en ella solamente un arma para vengarse de la estupidez y la maldad del mundo; los muralistas, de nuevo con la excepción de Orozco, creyeron en la razón, así fuera bajo la forma paradójica y contradictoria de la dialéctica. El expresionismo fue pesimista y el muralismo optimista (salvo, otra vez, Orozco). El expresionismo fue un arte contra la sociedad y el Estado; aunque muchos de los expresionistas alcanzaron fama y dinero, ninguno de ellos se convirtió en un artista oficial; el muralismo fue el arte de un joven Estado nacionalista y sus obras más características fueron pintadas en los muros gubernamentales. Más allá de las semejanzas formales y de las afinidades de sensibilidad y concepción estética, hay una profunda divergencia entre ambos movimientos. Son dos caminos que se cruzan pero que se dirigen hacia puntos opuestos.

DIEGO RIVERA

¿No le parece demasiado tajante lo que ha dicho sobre el fauvismo y el expresionismo? Nadie había hablado del fauvismo al referirse a la pintura mexicana...

—Tiene usted razón. Me serví de ese término para subrayar, por oposición, el carácter acentuadamente expresionista del muralismo mexicano. El fauvismo, entendido como sensualidad y color violento, me pareció útil para destacar el sitio único de Diego Rivera y su pintura. Pero admito que el término no le conviene sino parcialmente. Su evolución fue muy compleja y en ella se reflejan los cambios de la pintura universal entre 1900 y 1920.

—*Usted dijo también que Diego había sido académico.*

—No lo dije en un sentido únicamente peyorativo. El artista académico es aquel que aprende su oficio en una academia y que domina ese oficio. Hay ejemplos admirables: Rafael, Ingres. También es académico, aunque en sentido negativo, aquel que se deja dominar por su oficio y que convierte su arte en recetas. Los dos extremos se encuentran en Diego.

—*Dijo también que carecía de pasión...*

—De nuevo: debo matizar esta afirmación. Diego no tuvo el *pathos* y la furia de Orozco pero no fue un pintor frío: fue un pintor sensual, enamorado de este mundo y de sus formas y colores. Por esto pensé en el fauvismo al hablar de su amor a la naturaleza y a la mujer. ¿Cómo

238

olvidar la terrestre hermosura de los desnudos de Chapingo? Pero *también* fue un pintor frío: el Diego Rivera didáctico, discursivo, prolijo.

—*Hay algo más: usted lo llamó ecléctico.*

—El eclecticismo tiene mala fama. En moral lo confunden con "la manga ancha". Es injusto: se puede ser tolerante sin ser acomodaticio. En materia de moral y política Diego fue lo contrario de un ecléctico: fue autoritario y fanático. En arte el eclecticismo denota a veces ausencia de personalidad y de originalidad. No siempre: Poussin fue ecléctico y lo fue, a su manera bárbara, Picasso. Hay dos familias de artistas: los que se definen por sus negaciones y sus exclusiones y los que aspiran a integrar en su obra diversas maneras y estilos. Diego pertenece a la segunda familia. En este sentido está más cerca de Poussin que de Cézanne, para hablar de pintores del pasado. No fue, en el dominio estricto de la pintura, un revolucionario o un innovador: fue un asimilador y un adaptador. Como el de Poussin, su eclecticismo fue búsqueda de un arte completo que englobase muchas tendencias. No siempre lo consiguió: a veces las presencias ajenas son demasiado visibles; otras, en cambio, se funden en su poderosa visión, aunque sin desaparecer del todo. Esto es cierto, sobre todo, en sus años de formación.

—*¿Únicamente?*

—No. Hay ejemplos en toda su obra, lo mismo en la pintura mural que en la de caballete. Citaré uno entre muchos: el *Retrato de Ana Mérida* (1952) es un tardío *pastiche* del *Desnudo que baja una escalera* (1911) de Marcel Duchamp. Pero esto no lo daña demasiado: hay que juzgar a los artistas por sus logros, no por sus caídas. Los de Diego fueron muchos y grandes.

—*Se ha escrito poco sobre sus años de formación.*

—Es verdad y es lástima. Esos años son la clave de su

evolución. Sin embargo, en los últimos años la crítica ha comenzado a interesarse en los años de Madrid y París. Ramón Favela ha publicado un ensayo excelente sobre el tema.* Favela señala que Rivera regresa a México cuando tenía ya treinta y cuatro años. Era un hombre hecho y derecho, un artista formado. Había pasado catorce años en Europa. Ignorar esos años decisivos ha sido un error de la crítica.

—*Hay que tener en cuenta, además, que Diego fue un artista precoz.*

—Así es. Entró en la Academia de San Carlos a los doce años. Allí estudió con artistas académicos de distinción como Rebull, Parra, Favrés y el gran Velasco. A los veinte años, en 1907, becado por el gobierno de Porfirio Díaz, se trasladó a Madrid y estudió con otro pintor de nota: el realista académico Eduardo Chicharro. Su pintura oscilaba entonces entre el simbolismo en boga en México y el realismo tradicional español. Madrid, a la inversa de Barcelona, había sido insensible a los distintos movimientos que sacudían a París y a Europa desde fines del siglo pasado. Aunque los años de Madrid le dieron una técnica sólida, no le abrieron nuevas vías.

—*Tal vez por eso, en 1909, deja Madrid...*

—Y se instala en París. Pero sigue a la zaga y cultiva, tardíamente, un impresionismo derivado de Monet. En 1910, recaída en Zuloaga. Después, un salto: a través de Signac y el puntillismo, conoce la obra y la estética de Seurat. Casi al mismo tiempo y en dirección contraria, sufre

---

* Ramón Favela: *Diego Rivera, The Cubist Years*, Phoenix Art Museum, 1984. (Hay una traducción al español, que no he consultado.) Una versión abreviada del ensayo de Favela aparece en el libro *Diego Rivera*, Fundación Televisa, México, 1983, obra coordinada por Manuel Reyero y que contiene, además, ensayos de Salvador Elizondo, Adrián Villagómez y el mismo Reyero.

la influencia de Derain, el *fauve*. Según Rivera, en esta época descubrió a Cézanne, cuyo ejemplo no lo abandonaría a lo largo de toda su carrera. Pero Favela ha mostrado que la pintura de Diego estaba muy lejos de la estética de Cézanne. En realidad, a imitación de su amigo Ángel Zárraga, se inspira en El Greco. A esta influencia se unió, dice Favela, la de ciertas telas precubistas pintadas por Braque hacia 1907 y 1908. El resultado de esta doble y divergente seducción fue una obra memorable, su primer gran cuadro: *La adoración de la Virgen* (1913). En seguida, da otro salto, ahora más tímido, hacia un "simultaneísmo" mundano: el retrato de Best Maugard, en el que las dinámicas ruedas mecánicas de Delaunay se vuelven decoraciones de teatro. Amistad con Modigliani, que pintó un maravilloso retrato de su amigo mexicano. En 1914 conoce a Juan Gris.

—*Otro encuentro capital.*

—Sí, aunque Diego abrazó el cubismo sólo por unos años. Llegó tarde a este movimiento. Entre 1914 y 1917 Diego pintó telas notables. Su composición era impersonal, defecto que no es tan grave pues el cubismo, por sus ambiciones clasicistas, fue una escuela de impersonalidad. El color era vivo y fuerte; es probable que los cubistas ortodoxos hayan encontrado decorativas esas coloridas composiciones. En ese mismo año de 1914 se celebró la primera y única exposición individual de Diego en París, en la diminuta galería de Bertha Weill, antigua amiga de Picasso pero que había reñido con él. Una *maladresse:* la autora de la presentación fue la Weill. La firmó sólo con la inicial de su nombre de pila (B.) y aprovechó la ocasión para burlarse del pintor español y de sus amigos. Favela dice que ese texto fue el causante del silencio que rodeó a la exposición. No: Apollinaire escribió dos comentarios, breves pero favorables en los que trata de disculpar a Rivera. Después de reproducir el texto injurioso, dice que sin duda Rivera era inocente, ya que el prólogo trata con desprecio el arte moderno que el pintor ama.* En aquellos años Rivera admiraba a Picasso y se decía su discípulo. Apollinaire, íntimo amigo del español, lo sabía; disculpó a Rivera porque estaba convencido de su inocencia.

Favela y otros ven en este incidente y en la disputa con Reverdy, tres años después, el origen de una conspiración de los pintores, los críticos y las galerías en contra de Rivera. Exageran. La verdad es que su pintura, aunque no carente de interés y mérito, no podía interesar demasiado: no abría nuevos caminos. Rivera era un seguidor tardío del cubismo. No menos erróneo es decir que Diego, movido por sus convicciones revolucionarias, rompió en esos años con las galerías y con ''el arte burgués''. Es más verosímil suponer que, ante las dificultades que encontraba en París, haya pensado en el regreso a su patria como una vía de salida. Fue una fortuna: el retorno a México fue otro recomienzo —el definitivo.

—*Pero hubo otras escaramuzas...*

—Diego era amigo de Gris y de Lipchitz. En junio de 1917 firmó con ellos y con Metzinger, Lothe y Severini una declaración en contra de Apollinaire.** Unos meses an-

***

* Guillaume Apollinaire: *Chroniques d'Art, 1902-1918*, París, 1960.
** El 24 de junio se estrenó en París *Les Mamelles de Tirésias*, ''drama surrealista'' de Apollinaire. Los decorados y los trajes eran de Serge Férat. La prensa habló, vagamente, de escenografía cubista y esto bastó para desencadenar la cólera de Gris y de otros cubistas, que no veían con buenos ojos a Férat. La protesta de esos pintores, bastante moderada, decía: ''Nosotros, pintores y escultores cubistas, protestamos contra la molesta conexión que intenta establecerse entre nuestras obras y ciertas fantasías literarias y teatrales que no nos toca juzgar...'' La declaración afectó a Apollinaire y en una carta a Reverdy le dice: ''la banda de los que han invadido el cubismo y con los que nunca quise estar, pensaron que era el momento de caer sobre Serge y sobre mí...

tes, en mayo, Rivera se había liado a golpes con el poeta Pierre Reverdy, en una reunión en casa de André Lothe. No es el único ejemplo de violencia física en la carrera de Diego. En México se paseó durante una temporada con un grueso bastón de Apizaco para, decía, "orientar a la crítica". Reverdy también era hombre de malas pulgas y era célebre no sólo por sus poemas y ensayos sino por sus estallidos de cólera. Todavía se habla de su pleito con Vicente Huidobro acerca de la paternidad del "creacionismo". Reverdy dedicó en su revista *Nord-Sud* una divertida crónica a la pelea con Diego. Pero es absurdo atribuir el ataque satírico de Reverdy, como se ha dicho por ahí con cierto atolondramiento, a su falta de simpatía por el socialismo. Ese tema no estaba sobre el tapete de la discusión y el mismo Rivera se habría asombrado si alguien lo hubiera sacado a colación a propósito de la estética del cubismo. En mayo de 1917 ni siquiera Lenin sabía que tomaría el poder en octubre.

—*Al año siguiente Diego abandonó el cubismo.*

—Sí, pero no para abrazar el todavía inexistente "realismo socialista". Es una tontería decir que dejó el cubismo impulsado por sus convicciones revolucionarias y porque así quiso romper con las galerías y el "arte burgués". Es imposible encontrar, en el Rivera de esos años, huellas de preocupaciones políticas revolucionarias. Había llegado a Europa en 1907, becado por un prohombre del antiguo régimen, Teodoro Dehesa, gobernador de Veracruz; en 1910

Así me han dado la ocasión de separarme del cubismo comercial... Me quedaré con los grandes pintores del cubismo... lo siento por Gris pero él no tenía por qué meterse en este lío..." Enseguida, rompe con Gris en otra carta: "Te aviso que ha cesado nuestra amistad... No olvides, por otra parte, que la pieza es *surrealista* y que la palabra *cubismo* ha sido cuidadosamente suprimida." (Véase Pierre Marcel Adéma: *Guillaume Apollinaire*, La Table Ronde, París, 1968.)

regresa por unos meses a México y precisamente el 20 de noviembre, es decir, el día en que comenzó la Revolución Mexicana, Rivera expone sus obras en la Academia de San Carlos. No parece que el pintor se haya dado cuenta de que se iniciaban graves trastornos sociales: su exposición fue inaugurada por doña Carmen Romero Rubio, la esposa de Porfirio Díaz. Casi todos los cuadros fueron vendidos y Rivera regresó inmediatamente a París, probablemente con la misma pensión del gobierno de Veracruz.*

Como todos los otros mexicanos residentes en Europa, Diego habrá seguido con emoción y angustia los sucesos de México pero sin mostrar ninguna inclinación política y social definida. En 1914, cuando estalló la guerra, pensó por un momento alistarse como voluntario en el ejército francés: ¡extraña decisión para un revolucionario! Tampoco, durante el primer año de su regreso a México mostró tendencias ideológicas afines al marxismo. Su primer mural, *La Creación* (1923), en el Anfiteatro Simón Bolívar, es una composición alegórica con motivos mitológicos y religiosos. Asimismo, sus primeros frescos en la Secretaría de Educación Pública (1923) no revelan una tendencia ideológica. Sólo en 1924, en el mismo edificio, comienza a pintar temas revolucionarios.

—*¿Cómo explica usted que haya abandonado el cubismo en 1917?*

—Es difícil responder a su pregunta. En esos años la mayoría de los cubistas exploran otras vías. Pero es indudable que Diego no dejó el cubismo por la pintura social; tampoco se aventuró por nuevos territorios: regresó a Cézanne. De ahí su insistencia en afirmar, una y otra vez, que había descubierto a Cézanne en 1910; así quería

* Ramón Favela, obra citada.

244

demostrar que su evolución había sido semejante a la de los grandes cubistas: Picasso, Braque, Gris. El regreso a Cézanne, en 1917, después de la experiencia cubista, es otra prueba del tradicionalismo de Diego. Es una nota constante en su obra, como ya dije. Elie Faure aprobó el cambio pero el aplauso del crítico, aunque lo estimuló, no le abrió las puertas de las galerías ni las del reconocimiento de la crítica. En este momento, cuando todo se tambaleaba, el destino aparece: en 1920 conoce a Alberto J. Pani, Ministro de México en París. Pani amaba el arte, protegió a Zárraga y a otros pintores y rehizo nuestra Misión en el estilo *art-deco* (dañada por sucesores bárbaros). Diego pintó su retrato y Pani le compró *El matemático*, uno de sus mejores cuadros. Poco después, le arregló un viaje a Italia, comisionado por la Universidad de México, es decir, por José Vasconcelos, que era entonces el rector. En Italia Diego se enfrenta con los mosaicos bizantinos de Ravena, medita en la lección del *Quattrocento* y estudia a los maestros de Siena. Al año siguiente, llamado por el gobierno, regresa a México... Creo que esta atropellada relación da una idea de su compleja evolución.

—*Diego fue un gran pintor de caballete...*

—Sí. Algunos de sus óleos no son inferiores a sus mejores pinturas murales. He recordado a la *Adoración de la Virgen* (1913) y a *El matemático* (1919) pero hay otros. Salvador Elizondo menciona con razón el poderoso retrato de la poderosa Guadalupe Marín (1938) y a dos desnudos extraordinarios de 1939: *Bailarina en reposo* y *Danza en la tierra*. Podrían añadirse otras composiciones de flores y frutos y muchos retratos, sobre todo de gente anónima; niños y niñas de pueblo. Estos últimos son inolvidables.

Volvamos al muralismo: ¿Cuál es su opinión actual?

—Es difícil dar un juicio de conjunto. Orozco, Rivera y Siqueiros fueron muy distintos. Cada uno de ellos fue una poderosa personalidad y no es posible juzgar con el mismo criterio al anárquico Orozco y a dos artistas ideológicos como Rivera y Siqueiros. En general, puede decirse que la pintura mural mexicana me impresiona por su vigor. Además ¡la cantidad! Es imposible permanecer indiferente frente a tantos kilómetros de pintura, algunos abominables y otros admirables. En una pintura que con frecuencia me irrita pero que también, a veces, me exalta. No se puede ni ocultarla ni desdeñarla: es una presencia poderosa en el arte de este siglo. Sin embargo, antes de juzgarla, deberíamos deshacer varios equívocos que se interponen entre ella y el espectador. Esos equívocos son velos emocionales e ideológicos que nos impiden *verla* realmente.

—*¿Cuáles son esos equívocos?*

—En primer lugar, el nacionalismo. Los muralistas mexicanos se han convertido en santones. La gente mira sus pinturas como los devotos las imágenes sagradas. Sus muros se han vuelto no superficies pintadas que podemos ver sino fetiches que debemos venerar. El gobierno mexicano ha hecho del muralismo un culto nacional y, claro, en todos los cultos se proscribe la crítica. La pintura mural pertenece a lo que podría llamarse el museo de cera del nacionalismo mexicano, presidido por la testa de Juárez el taciturno. Aparte de este equívoco sentimental, la incongruencia estética. Muchos de los murales fueron pintados en venerables edificios de los siglos XVII y XVIII. Una intrusión, un abuso, algo así como ponerle a la *Venus de Milo* un gorro frigio. ¿Qué tiene que ver el Colegio de San Ildefonso, obra maestra de la arquitectura novohispana, con los frescos que pintó allí Orozco? Algunos, más que verdadera pintura mural, son litografías amplificadas, aunque, no lo niego, impresionantes.

El tercer equívoco es más grave. Es de orden moral y político. Esas obras que se llaman a sí mismas revolucionarias y que, en los casos de Rivera y Siqueiros, exponen un marxismo simplista y maniqueo, fueron encomendadas, patrocinadas y pagadas por un gobierno que nunca fue marxista y que había dejado de ser revolucionario. El gobierno aceptó que los pintores pintasen en los muros oficiales una versión pseudo-marxista de la historia de México, en blanco y negro, porque esa pintura contribuía a darle una fisonomía progresista y revolucionaria. La máscara del Estado mexicano ha sido la del nacionalismo populista y progresista. En cuanto a Rivera y a Siqueiros: es imposible que no se diesen cuenta de que en México podían pintar con una independencia que nunca hubieran podido tener en Rusia. Así pues, hubo una doble complicidad, la de los gobiernos y la de los artistas. Aquí debo hacer nuevamente una excepción: la de Orozco. Fue el más rebelde e independiente de estos artistas; probablemente también fue el mejor. Espíritu apasionado, sarcástico y religioso, nunca fue prisionero de una ideología: fue el prisionero de sí mismo. Su genio contradictorio y extremoso lo hizo caer a veces en un dramatismo retórico pero otras ilumina su obra con una conmovedora autenticidad.

El equívoco ideológico y político ha afectado también a la crítica y ha desfigurado ciertos episodios centrales de la historia del muralismo. Se ha intentado velar el sentido del momento inicial y se ha regateado e incluso escamoteado la participación de ciertos artistas, como Jean Charlot, o de ciertas personalidades, como José Vasconcelos. En el caso del primero, se pretende ignorar que fue él, no Rivera ni Orozco, el descubridor de Posada; tampoco se mencionan sus trabajos teóricos, decisivos en el momento de iniciación. A Charlot le debemos, por otra parte, el primer fresco del movimiento. En cuanto a Vasconcelos: su acción fue determinante. Poseído por los fantasmas de Bizancio y del primer Renacimiento, es decir, por la idea del "arte público", llamó a los artistas para que pintasen los muros de varios edificios oficiales. Vasconcelos no fue, claro, el inventor de la pintura mexicana moderna pero sin él ¿existiría nuestra pintura mural?

Debo mencionar ahora otro olvido, mucho más grave, de varios críticos e historiadores: en sus primeros años, entre 1921 y 1924, que fueron los que le dieron carácter y fisonomía, la pintura mural no tuvo la uniforme coloración ideológica que tendría después y que acabó por petrificarla en una retórica de lugares comunes revolucionarios. Para comprobarlo basta con echar un vistazo a los murales pintados en la etapa inicial. Roberto Montenegro terminó el primer muro en 1921, en la Iglesia de San Pedro y San Pablo. El tema: paisajes y arquitecturas; la técnica: el temple (con tan poca experiencia que muy pronto la pintura comenzó a desprenderse). El doctor Atl, en el contiguo convento de San Pedro y San Pablo, pintó en 1922 varios paisajes y composiciones esotéricas; en el mismo lugar y el mismo año, Montenegro ejecutó una composición a la encáustica: *El día de la Santa Cruz*. En el Colegio de San Ildefonso varios pintores mostraron la misma inclinación por la pintura de fiestas religiosas: un mural de Fernando Leal representa la fiesta del Santo Señor de Chalma (1922). Jean Charlot pintó *La caída de Tenochtitlan* (1922), obra magistral por su composición dinámica y su ritmo; Ramón Alva de la Canal, utilizando la técnica de los pintores de pulquería, pintó un fresco que tiene por tema la erección de la primera Cruz en las playas de México.

Otro ejemplo: los murales inacabados de Alfaro Siqueiros, también en San Ildefonso. Son memorables. Pienso en su trágico Cristo, en sus ángeles de coloridas alas bizantinas y, sobre todo, en su *Entierro de un obrero*, composición impregnada de piedad profunda y viril que no vacilo en llamar religiosa. Los muros de Orozco, hechos entre 1923 y 1927, son muy variados: religiosos como los de los franciscanos y los indios; alegóricos como la botticelliana *Maternidad* y el monumental que representa a Cortés y a la Malinche; otros son agresivamente anticlericales y antiburgueses, más en la tradición anarquista que en la marxista; otros, en fin, son sátiras del movimiento revolucionario, como *La Trinidad*. En el Anfiteatro Simón Bolívar, en el mismo edificio, Rivera pintó, según dije antes, una alegoría simbólica y mitológica. Ya mencioné los primeros frescos de Diego en la Secretaría de Educación Pública (1922-1923), muy alejados de la estética ideológica que adoptaría un poco después.

El 9 de julio de 1922 José Vasconcelos, al inaugurar el nuevo edificio de la Secretaría de Educación Pública, pronunció un discurso en el que, en términos sucintos pero claros, delineó su proyecto histórico y cultural. Este proyecto —suyo y del nuevo gobierno revolucionario— era *nacional* pero no, dijo, "porque pretenda encerrarse en nuestras fronteras geográficas sino porque se propone crear el carácter de una cultura autóctona hispanoamericana". El nacionalismo de Vasconcelos era un hispanoamericanismo. A su vez, esta vocación hispanoamericana estaba abierta al mundo. En otro pasaje de su discurso el escritor mexicano indica que las cuatro figuras y nombres que aparecen en las cuatro esquinas del patio principal del edificio poseen un simbolismo preciso: Platón, Grecia y el origen de nuestra civilización; Quetzalcóatl, la antigua civilización india; Las Casas, España y el cristianismo apostólico; Buda, la futura síntesis entre Oriente y Occidente que deberá realizar la "estirpe indoibérica". Esta doctrina fue la que inspiró en su origen al muralismo. Fue desechada más tarde por Calles y su gobierno, que adoptarían el nacionalismo revolucionario. En el mismo discurso Vasconcelos se refiere a Diego Rivera con expresiones que revelan de un modo inequívoco el acuerdo entre sus ideas y las del pintor: "Para la decoración de los lienzos del corredor del edificio, nuestro gran artista Diego Rivera tiene ya dibujadas figuras de mujeres con trajes típicos de cada estado de la República y para la escalera ha ideado un friso ascendente que parte del nivel del mar con su vegetación tropical, después se transforma en el paisaje de la altiplanicie y termina en los volcanes."

El testimonio de Orozco es meridiano: "todos los pintores comenzaron con asuntos derivados de la iconografía tradicional cristiana... el Pantocrátor, vírgenes, santos, entierros, mártires y hasta la Virgen de Guadalupe". En la primera parte de esta enumeración Orozco alude a los murales de Siqueiros en el "colegio chico" de la Escuela Nacional Preparatoria (el *Cristo*, el *Ángel* y el *Entierro del obrero*); en la segunda se refiere a Leal, Revueltas y Alva de la Canal. Orozco también señala (y lamenta) que los pintores hayan retocado a veces sus pinturas para introducir ciertos cambios. Probablemente se refiere, entre otros, a la tapa del féretro del entierro pintado por Siqueiros en la escalera del "colegio chico", que hoy ostenta una hoz. El mismo Orozco, por lo demás, también cambió substancialmente varios murales en el piso bajo de San Ildefonso. En la Secretaría de Educación Pública, Jean Charlot y Amado de la Cueva pintaron frescos inspirados en los trabajos y en las fiestas populares...

Creo que no es necesario mencionar más ejemplos. Este breve resumen muestra que en su origen el movimiento muralista fue plural y animado por distintas tendencias.

250

Sólo más tarde, bajo la influencia de Siqueiros y Rivera, secundados por discípulos celosos y críticos fanáticos, se convirtió en un arte ideológico.

—*Y una vez apartados los equívocos que no dejan ver esta pintura, ¿qué ve usted?*

—Compruebo que la obra de arte es siempre infiel a su creador. La obra de arte dice algo distinto a lo que se propuso el artista. Daré un ejemplo: son justamente célebres los murales de Ajanta en la India; sin embargo, nadie piensa que sea necesario ver esos murales *desde* la perspectiva del budismo sino *a través* de las creencias e ideas de esa religión. No hay que creer en los bodhisatvas para amar esas pinturas. El arte es un más allá; el arte dice algo más y, casi siempre, algo distinto de aquello que el artista quiso decir. Pues bien, en sus mejores y más intensos momentos la pintura mural mexicana es algo más, y algo distinto, de lo que fue la ideología de esos pintores y de su mecenas, el gobierno mexicano. El pintor Rivera, por fortuna, desmintió muchas veces al ideólogo Rivera.

HISTORIA DE ANTIFACES

Ha hablado usted sobre todo de Rivera. ¿Cree que su influencia fue decisiva en el cambio del movimiento muralista hacia posiciones más y más marxistas?

—No. Diego veía crecer la hierba y se apresuró a seguir la corriente. Para esclarecer este punto basta con recordar que regresó a México en julio de 1921, ya iniciado el movimiento muralista, y que los asuntos de sus primeros murales, en el Anfiteatro Simón Bolívar y en la Secretaría de Educación Pública, fueron alegorías mitológicas y representaciones de la vida popular.

—*¿Y Siqueiros?*

—También estaba en Europa. Volvió a México un año después que Rivera, en septiembre de 1922. En Barcelona redactó un llamamiento a los artistas de América publicado en el único número de la revista de vanguardia *Vida Americana* (mayo de 1921). En este texto denuncia la pintura académica española, el "arte anémico de Aubrey Beardsley, el arcaísmo de Zuloaga" y, en fin, el *art-nouveau*. Se declara heredero de Cézanne, admira a "tres españoles de genio: Picasso, Gris, Sunyer (*sic*)" y acoge con entusiasmo las experiencias de los cubistas y de los futuristas. A ejemplo de los artistas modernos (europeos) ante "el admirable fondo humano del arte negro y, en general, del primitivo", preconiza el regreso al arte de los mayas, los aztecas y los incas. Sin embargo, se pronuncia en contra de las "lamentables reconstrucciones arqueológicas a la moda, como el indianismo y el americanismo". (Es una crítica que, años después, de una manera más amplia y consistente, repetirá frente a Rivera y sus seguidores.) El manifiesto termina con un ataque a "los motivos literarios" y una exaltación de "la plástica pura". Sería inútil buscar en este texto alusiones al arte social, al colectivismo o a la pintura ideológica y política. La posición de Siqueiros, en 1921, no era distinta a la de la mayoría de los artistas europeos de vanguardia, especialmente a la de los futuristas. La portada de la revista, conforme al gusto estético de sus redactores, reproducía una caricatura de Ambroise Vollard, obra de Marius de Zayas, el amigo de Apollinaire y de Duchamp.

—*La influencia futurista está presente no sólo en la obra de Siqueiros sino en muchas de sus ideas y preocupaciones sobre la técnica pictórica.*

—Sí, en la actividad de Siqueiros hay una faceta futurista y otra constructivista. En cambio, es menos conocido su interés por la *pintura metafísica* de Chirico y Carrá.

En un libro reciente dedicado a la pintura mural mexicana, Serge Fauchereau, conocido por otros valiosos trabajos sobre la poesía moderna, subraya que Siqueiros, al pasar por Milán, visitó a Carrá.* En *Vida Americana* se reproduce un cuadro de Siqueiros que ostenta la doble influencia de Chirico y de Carrá. Los maniquíes y autómatas de estos pintores reaparecen una y otra vez en los murales del pintor mexicano. Pero el viaje a Italia fue memorable por otra razón: los frescos de los grandes maestros del primer Renacimiento y los mosaicos de Ravena. Esta experiencia lo marcó, como a Rivera. A su regreso, en 1922, según ya dije, Siqueiros pintó en los muros del "colegio chico" de San Ildefonso varias composiciones notables por su emoción religiosa. El testimonio de Charlot disipa cualquier duda sobre esto: "Las raíces del arte moderno mexicano estaban tan profundamente enterradas en el pasado colonial, que mis nuevos amigos... apenas si podían concebir un arte que no fuese religioso... Orozco, el buen anarquista, pintó una serie de frescos a la gloria de San Francisco. Siqueiros, aludiendo a Colón, pintó un San Cristobal".** El mismo Siqueiros se refirió "a las tendencias místicas y al subjetivismo romántico que aparecen en mis obras".*** En otro escrito roza de nuevo el tema: "El es-

* Serge Fauchereau: *Les peintres revolutionnaires mexicains*, Messidor, 1985. En mi opinión, la monografía de Fauchereau es la mejor síntesis histórica y crítica del muralismo mexicano. El libro de Laurence E. Schmeckebier (*Modern Mexican Art*, 1939), más amplio y todavía imprescindible en varios puntos, ha envejecido un poco.

** Jean Charlot: *An Artist on Art* (I), The University Press of Hawai, Honolulú, 1972.

*** *Synthèse du cours historique de la peinture mexicaine moderne*, conferencia pronunciada por Siqueiros en el Palacio de Bellas Artes el 10 de diciembre de 1947. Recogida en *L'Art et la Révolution* (Éditions Sociales, París, 1974), selección de textos de Siqueiros por Raquel Tibol. Uso la traducción francesa porque en *Textos de David Alfaro Siqueiros*, teticismo místico de nuestros primeros pintores murales, es decir, los de la primera época de la Escuela Nacional Preparatoria''. Siqueiros se incluía, naturalmente, en ese misticismo.

—*Entonces, el cambio...*

—El cambio puede situarse, con cierta precisión, en 1924. No fue general: Orozco siguió por otra vía, Charlot dejó el país, otros acentuaron el nacionalismo y el folklorismo. El cambio fue visible en dos figuras centrales: Rivera y Siqueiros. En ellos y en sus discípulos, seguidores e imitadores, que fueron muchos. Fue precedido por la fundación del Sindicato de Trabajadores Técnicos, Pintores y Escultores Revolucionarios de México, en 1923. El manifiesto de la nueva organización fue escrito, según parece, por David Alfaro Siqueiros y firmado por Rivera, Orozco, Charlot, Mérida, Fermín Revueltas y otros. Es un texto revolucionario, como muchos que aparecieron en esos años en otros países, pero no es un texto marxista. Por esto, sin duda, lo firmaron Orozco, Charlot, Mérida, Montenegro y algunos más. Por esto, también, se interpretó de distintas maneras la fundación del Sindicato. Schmeckebier dice: "algunos lo vieron como un órgano de propaganda comunista, otros como un *gremio* medieval patrocinado por el gobierno y otros más como una espontánea manifestación del renacimiento de la antigua cultura y del arte de México''.

—*¿Cuál es su opinión?*

—Me parece que las tres interpretaciones son verdaderas. El antecedente del Sindicato, su origen, fue el Centro Artístico, una agrupación fundada en 1910 por el doctor Atl y un grupo de jóvenes artistas. Eran rebeldes, antiaca-

prólogo y selección de Raquel Tibol, FCE, México 1974, no figura esta conferencia.

démicos y nacionalistas. En las ideas de Atl no era difícil percibir vagos relentes anarquistas y socialistas. Gracias a la agitación de Atl, el gobierno de Díaz encargó al Centro Artístico la decoración de los muros del Anfiteatro Bolívar. En realidad Justo Sierra había escogido, originalmente, al pintor Saturnino Herrán pero éste, por diversas circunstancias, no pudo ejecutar el encargo. Tampoco los jóvenes del Centro Artístico: cuando ya estaban colocados los andamios para comenzar la obra, estalló la Revolución. Doce años después Diego Rivera pintó esos muros. Otro ejemplo de un secreto a voces: las rupturas entre el régimen de Díaz y el revolucionario se resuelven casi siempre en continuidad.

El Sindicato de 1923 recogió la herencia del Centro Artístico de 1910 y fue, ante todo, una asociación de artistas, un gremio. Pero el gremio se transformó casi inmediatamente en un organismo político e ideológico. Con su habitual oportunismo, Rivera deseaba unirlo a la CROM (Confederación Regional de Obreros Mexicanos), lo que habría significado uncirlo a la política del gobierno. Por su parte, el doctrinario Siqueiros concebía al Sindicato como un órgano afiliado más o menos directamente al Partido Comunista de México. Según Schmeckebier, los artistas no tenían confianza en Rivera, "sediento de publicidad y que no había tenido verdadera relación con el movimiento revolucionario de México: sus tendencias, al principio, habían sido histórico-religiosas (*La Creación*, en el Anfiteatro Bolívar) o postcubistas (primeros muros de la Secretaría de Educación Pública) y en ambos casos sin carácter revolucionario". Lo malo fue que, apartado Rivera, el Sindicato "se convirtió en el club privado de Siqueiros". *

* L.E. Schmeckebier, obra citada.

Mil novecientos veinticuatro fue un año focal, el año del cambio. José Vasconcelos renunció al Ministerio de Educación Pública en enero, el general Calles asumió el poder en septiembre y el 15 de marzo apareció el primer número de *El Machete*, dirigido por Rivera, Siqueiros y Guerrero. Los primeros números fueron memorables por los grabados satíricos de José Clemente Orozco. Pronto, sin embargo, dejó de ser una publicación de artistas para transformarse más y más en un órgano de propaganda comunista. La primera etapa del muralismo tocaba a su fin. Siqueiros ingresó ese mismo año de 1924 en el Partido Comunista, al que sería fiel hasta el día de su muerte. Rivera también se convirtió. Con exuberancia característica, prodigó declaraciones de principios, decretó artículos de fe y fulminó anatemas en contra de lo que había amado y pensado unos meses antes. En una pared del edificio de Educación Pública pintó una caricatura de su benefactor, José Vanconcelos: *Cría cuervos*... El Sindicato se convirtió en una agrupación dogmática, cerrada. Abandonado por la mayoría de sus fundadores, terminó por disgregarse. No fue víctima de la hostilidad del gobierno sino de sus disensiones internas.

—*Pero las relaciones entre el gobierno y los pintores comunistas empeoraron rápidamente...*

—No. El proceso fue más lento y complejo. El gobierno de Calles fue más radical que el anterior, sobre todo durante los primeros años de su mandato presidencial. Fue un régimen nacionalista, revolucionario y anticlerical. Ese mismo año de 1924 se establecieron relaciones diplomáticas con la URSS. La primera embajadora fue la célebre e inteligente Alejandra Kollontay, que cautivó a los intelectuales mexicanos y a la prensa. Fue muy comentada su declaración: ''No hay dos países en el mundo de hoy que sean tan parecidos como México y la URSS.'' La prensa

1

2

4

5

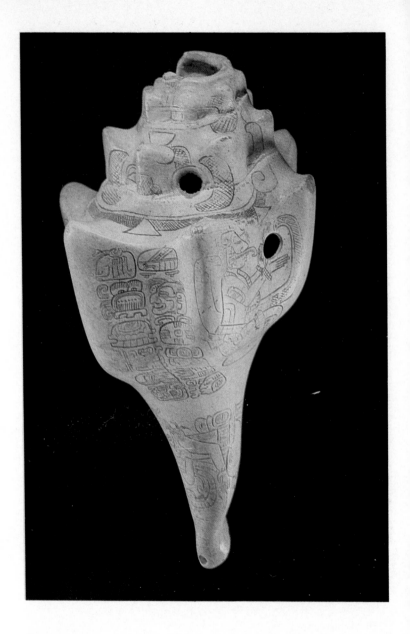

9

12

13

16

21

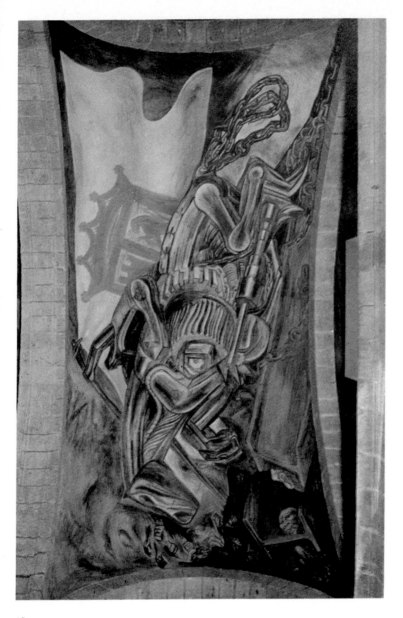

24

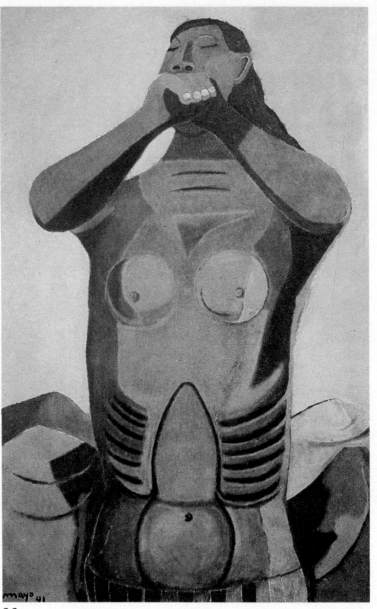

mayo 41

26

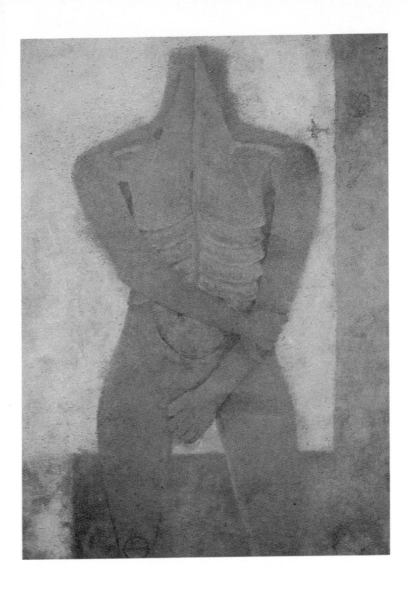

28

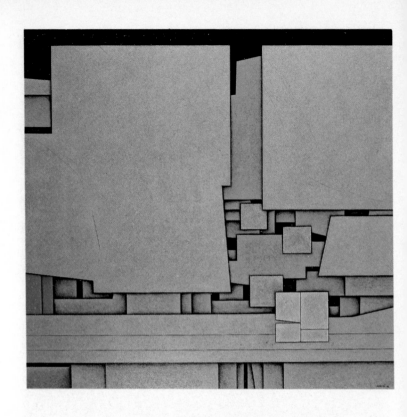

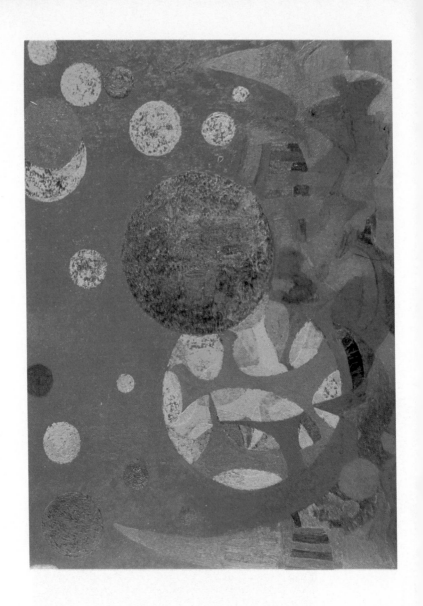

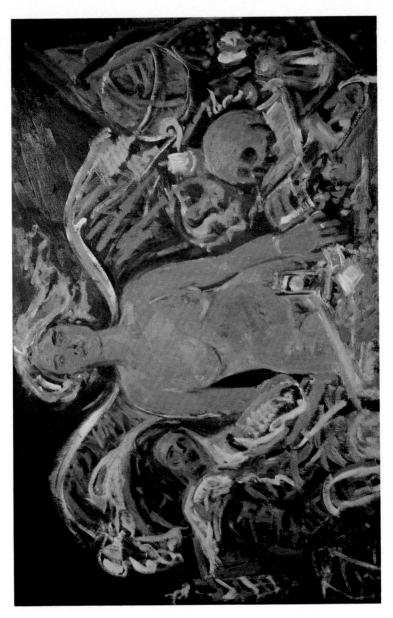

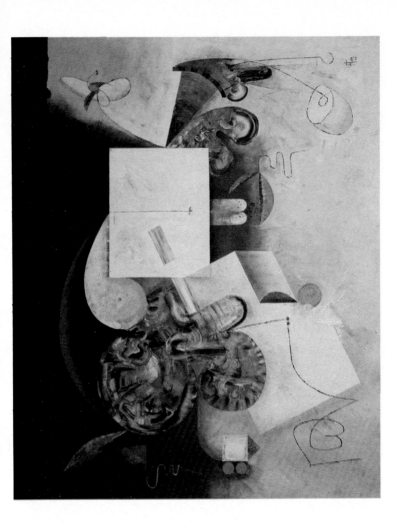

47

conservadora de los Estados Unidos y de otras partes comenzó a hablar de la "bolchevización de México". La situación cambió al final de este periodo: en 1929, bajo el gobierno de Portes Gil, se rompieron las relaciones con la URSS y se inició una represión contra los comunistas. Pero en 1934, al ocupar la presidencia el general Cárdenas, los comunistas recuperaron sus posiciones y ganaron otras.

Todos estos vaivenes repercutieron en la actitud del gobierno frente a los pintores comunistas pero sin que cesase enteramente el patronazgo gubernamental. Se continuó la política de Vasconcelos y los muros oficiales se cubrieron de frescos. El más favorecido fue Diego Rivera. En la política gubernamental había una dosis considerable de oportunismo y lo mismo debe decirse de la actitud de los pintores. Unos y otros, los artistas y sus mecenas, encontraban ventajoso este compromiso. Aquí no es inútil señalar, de paso, que las relaciones entre los gobiernos de esa época y los muralistas son un capítulo —no el central— de un tema mucho más vasto que ha marcado profundamente la historia moderna de México. Me refiero a la integración, dentro del sistema político que nos rige, de la clase intelectual, sobre todo de los sectores llamados "de izquierda". Se trata de un *modus vivendi* que ha durado más de medio siglo, de 1920 a nuestros días. Es un arreglo tácito que ha sobrevivido a todas las crisis y divorcios; a cada rompimiento sucede, al poco tiempo, una nueva alianza. Este compromiso ha dañado gravemente la vida política mexicana, ha mutilado el pensamiento independiente y es una de las causas —no la única— de la pobreza de nuestra crítica intelectual y moral.

—*¿Cómo explica usted las actitudes del Estado y de los pintores?*

—Nuestros gobiernos se ven como los herederos y continuadores de la Revolución Mexicana. Por esto, desde el principio, se propusieron utilizar, hasta donde fuese posible, la pintura de los muralistas, cerrando los ojos —o, más bien, entrecerrándolos— ante ciertas violencias dogmáticas y doctrinarias. Veían la pintura mural como un arte público que, más allá de esta o aquella inclinación ideológica, expresaba el genio de nuestro pueblo y su revolución. Para los pintores —los ortodoxos, los heterodoxos como el trotskista Rivera y aun para los meros "simpatizantes"— tampoco era desdeñable, de nuevo: hasta donde fuese posible, utilizar los muros públicos para propagar sus creencias. Así, los intereses divergentes del gobierno y de los pintores coincidían en un punto esencial.

—*Su explicación es sobre todo de orden político.*

—Yo corregiría levemente su juicio: se trata de una explicación de orden funcional. Por esto, sin ser falsa, es incompleta. Hay que considerar otras circunstancias, no menos determinantes: históricas, sociales, psicológicas, afectivas.

Visión e ideología

¿Quiere usted ser más explícito?

—Me he referido al tema en varias ocasiones, de modo que seré breve. Uno de los rasgos distintivos de la Revolución Mexicana fue la ausencia —relativa, claro está— de una ideología que fuese asimismo una visión universal del mundo y de la sociedad. La comparación con la Revolución inglesa del siglo XVII, con las de los Estados Unidos y Francia a fines del XVIII o con la de Rusia en el XX me ahorra una larga demostración. La Revolución de México fue una terrible erupción popular y por eso más de una vez la he llamado: *revuelta*. El resultado de esa revuelta, como he procurado mostrar en varios escritos, fue un compromiso no sólo político entre las diversas facciones sino ideológico.* Pero las revoluciones, que son las versiones modernas de las antiguas religiones (y no pocas veces sus sangrientas caricaturas) necesitan una visión total del hombre y de la historia. Esas ideologías globales son su justificación, su razón de ser; sin ellas, no serían realmente revoluciones. Las religiones se fundan casi siempre en la revelación de una deidad; las revoluciones en la revelación de una Idea. De ahí que las revoluciones sean religiones desencarnadas, el esqueleto o el fantasma de la religión.

En México, por fortuna, no tuvimos una ideología total, una Idea convertida por los doctores revolucionarios en un catecismo universal, fundamento del Estado y de la sociedad. *No tuvimos meta-historia.* Esto nos salvó de muchos horrores; por ejemplo, hemos tenido violencia popular y gubernamental pero no terror ideológico. Sin embargo, la ausencia de la Idea fue resentida por muchos, especialmente por los intelectuales. No hay que olvidar que los intelectuales modernos son los descendientes de las órdenes clericales y eclesiásticas del pasado. Hubo algunos que quisieron llenar ese hueco; unos con filosofías de su invención, como Vasconcelos; otros, con la importación de filosofías e ideologías globales. Entre ellas y en primer término, el marxismo, que ha sido en el siglo XX la ideología por excelencia de la clase intelectual.

—*En su primer ensayo sobre los muralistas, en 1950, usted*

---

* Véase sobre todo *El laberinto de la soledad* (1950). Apenas si debo señalar que mis atisbos deben completarse. Falta, por ejemplo, un análisis sobre un tema esencial de nuestra historia: la función preponderante de los intelectuales en las revoluciones del siglo pasado (la independencia y el liberalismo), en contraste con su escasa participación en la gran revuelta popular de 1910. Otro tema digno de ser meditado: el predominio de la clase intelectual durante el régimen de despotismo liberal ilustrado de Porfirio Díaz y durante el postrevolucionario, de 1920 a nuestros días.

decía que "el marxismo de Rivera y sus compañeros no tenía otro sentido que el de reemplazar por una filosofía revolucionaria internacional la ausencia de filosofía de la Revolución Mexicana".

—Exactamente. En el mismo texto señalaba que "la inexistencia de un gran proletariado o de un movimiento socialista de significación —es decir: la falta de relación entre la realidad social e histórica y la pintura que pretendía expresarla— daba al muralismo de Rivera, Siqueiros y otros un carácter fatalmente inauténtico". Sigo pensando lo mismo.

—*¿Qué otro camino podían escoger los pintores?*

—Era muy difícil que no escogiesen el que escogieron. La pintura mural mexicana fue ante todo la expresión de una revolución triunfante. Esa revolución, como todas, se veía a si misma como el comienzo de una nueva edad. Atrás quedaban no sólo la dictadura de Díaz sino el liberalismo del siglo XIX. Después de todo, el régimen de Díaz había sido una desviación, una forma aberrante del liberalismo. La Revolución fue algo más que una rectificación de los vicios y errores de la dictadura. Por una parte fue una resurrección: el pasado mexicano, la civilización india, el arte popular, la enterrada realidad espiritual de un pueblo; por la otra, fue una renovación o, más exactamente, una *novación*, en el sentido jurídico y en el figurado: un comienzo total. El primero que tradujo esta idea a términos estéticos fue Vasconcelos. Con frecuencia habló de un arte orgánico, total, inspirado en el de las grandes épocas, sobre todo en el del cristianismo: Bizancio y el *Quattrocento*. Los pintores inmediatamente hicieron suya esta concepción, la desarrollaron y la llevaron a la práctica. ¿Por qué? Pues porque correspondía admirablemente a sus aspiraciones y a las necesidades del momento. Era una respuesta, a un tiempo creadora y propia (nacional), al arte moderno que ellos habían conocido y practicado en París. Una respuesta, no una negación: ellos también eran modernos —como lo dijeron Orozco, Siqueiros y Rivera más de una vez— y habían integrado en su arte muchos de los procedimientos y formas de sus contemporáneos europeos.

—*Tal vez hay que detenerse un poco sobre este tema.*

—Y repetir ciertas cosas... La ambición de crear un arte público exige, por lo menos, dos condiciones. La primera: una comunidad de creencias, sentimientos e imágenes; la segunda: una visión del hombre y de su lugar y misión en el mundo. En cuanto a lo primero: es claro que los pintores creían que expresaban las creencias colectivas de los mexicanos. Si se piensa en el momento inicial de su actividad, no se equivocaban. Al principio se inspiraron en las imágenes de la tradición y celebraron los fastos patrios, las fiestas y la vida popular. También exaltaron a la Revolución Mexicana y a sus héroes y mártires. Pero no hay duda de que, durante la segunda etapa del movimiento, la ideológica, ni sus imágenes y asuntos ni sus creencias y convicciones podían ser las del pueblo mexicano. En este segundo momento su arte no fue popular sino didáctico; no expresaba al pueblo: se proponía adoctrinarlo. Su interpretación de nuestra historia fue interesada, intolerante, parcial; sus frescos son la contrapartida de las opiniones no menos injustas e ignaras que profesaron muchos clérigos, en el siglo XVI, ante la religión y la civilización de los indios. Tampoco la pintura de Orozco fue expresión de las creencias y sentimientos populares: fue una visión personal y trágica del destino del hombre. Por lo que toca a lo segundo: ni la filosofía de Vasconcelos —pronto desechada por el gobierno— ni la ideología del régimen revolucionario —zurcido de distintas tradiciones y tendencias políticas y sociales— podían convertirse en esa visión total del mundo y del hombre que es la inspiración del arte público. Diré, de nuevo, que esas visiones han sido siempre religiosas, como lo muestran los ejemplos del arte egipcio y el de la Polis griega, el budista y el hindú, el cristiano y el islámico.

—*¿Cómo se explica usted que Rivera, Siqueiros y sus seguidores hayan visto en la ideología comunista el equivalente moderno de la visión que había inspirado a los artistas cristianos?*

—Es una prueba más de la funesta confusión moderna entre religión y política, revolución y salvación. Orozco, en cambio, distinguió entre política, clericalismo y religión. Su visión del mundo y de la historia venía de una tradición simbólica y esotérica. Pero su arte tampoco fue público: fue una visión personal.

—*¿Y los otros?*

—Para entender la decisión de los que adoptaron la versión *bolchevique* del marxismo hay que recordar que en esos años aparece en el horizonte histórico la imágen de la Revolución rusa como un acontecimiento destinado a cambiar el destino de los hombres. He hablado de *imagen* y de *aparición* porque se trata de un verdadera *visión*, en el sentido psicológico y en el religioso. Fue un hecho que conmovió a los intelectuales y a los artistas de todo el mundo. Para los pintores mexicanos —no olvidemos la religiosidad de muchas de sus primeras composiciones murales— tuvo una significación especial: fue la respuesta a su predicamento. La Aurora Rusa, como la llamó Waldo Frank, iluminó muchas conciencias en 1924. Conforme a la lógica de todos los milenarismos, un grupo de artistas mexicanos vivió en esos años una experiencia portentosa: ser testigos y actores del Cambio de los Tiempos. Sólo la mirada zahorí de Orozco percibió, con aterradora claridad, la realidad real de esa terrible aurora; los otros dos, Siqueiros y Rivera, se convirtieron a la nueva idolatría.

—*¿Qué piensa usted del arte público de México?*

—¿Se refiere a la idea o a la realidad, es decir, a la pintura? Sobre esta última ya le di mi opinión: el conjunto es impresionante. Es imposible cerrar los ojos ante una presencia tan vasta, poderosa y abigarrada. En cambio, la idea de arte público me parece una nostalgia y un peligroso anacronismo. Tanto Vasconcelos como Rivera y Siqueiros se propusieron seguir, aunque con fines diferentes, el ejemplo del arte de Bizancio, Egipto, Teotihuacan, el *Quattrocento*. Subrayo que ese arte no sólo fue religioso sino estatal y aun dinástico. Fue la expresión de creencias y mitologías colectivas pero, asimismo, el producto de la voluntad de estados e iglesias en los que había fusión entre la religión y el poder, es decir, entre una doctrina y una burocracia eclesiástica y militar. Fue un arte que se inspiró en una comunidad de sentimientos e imágenes colectivas; igualmente fue y es un testimonio de la unanimidad que imponen las ortodoxias religiosas y políticas cuando ejercen el poder. El arte libre ha roto una y otra vez esa unanimidad. En Occidente el arte libre aparece primero en Atenas y es hijo de la democracia política. Es el arte de la tragedia y la comedia en la edad clásica: Esquilo, Sófocles, Eurípides, Aristófanes. Con ellos aparece la crítica de la religión, de la moral social y del poder. Su tema es religioso y político: los desastres de la *hubris*, pecado de dioses y semidioses, de héroes y príncipes. Roma conoció también el arte libre y apenas si debo recordar a Lucrecio y a Lucano o a *El satiricón*. En el Renacimiento el arte libre reaparece y, desde entonces, ha sido el arte de la modernidad. No sólo se ha manifestado en las letras sino en la música y las artes visuales —Goya, Courbet y tantos otros.

El arte de la modernidad ha sido, simultáneamente, creación crítica y crítica creadora; quiero decir, es un arte que ha hecho de la crítica una creación y de la creación una potencia crítica, subversiva. Por esto, los estados despóticos y las iglesias intolerantes lo han visto siempre con horror y lo han perseguido cuando han podido. En las obras modernas se enlazan la afirmación y la negación; el análisis, la reflexión y la duda dialogan con las viejas certidumbres. El arte público tuvo por misión celebrar una ortodoxia y exaltar a sus héroes y a sus bienaventurados; también condenar a todas las heterodoxias y maldecir a los herejes, a los réprobos y a los rebeldes. El arte moderno, precisamente por no ser un arte público, ha hecho la crítica del cielo y del subsuelo, de la razón y de las pasiones, del poder y de la sumisión, de la santidad y la abyección, del mito y de las utopías. Esa crítica ha sido creadora pues ha inventado mundos de imágenes, formas y criaturas vivas. Y hay algo más: se ha inclinado sobre sí mismo, ha desmontado el proceso creador y ha reflexionado sobre las formas y sus secretas estructuras. Estas exploraciones han sido creaciones y se llaman, en el siglo XX, impresionismo, expresionismo, cubismo, arte abstracto. A la subversión de las formas corresponde la rebelión de las pasiones y de las imágenes: romanticismo, surrealismo. Las aventuras del arte han sido las aventuras de la libertad.

Por todo esto me parece que la idea de volver al arte público, o de inventar uno para nuestro tiempo, fue una nostalgia reaccionaria. El arte público ha sido invariablemente el arte religioso de un Estado o de una Iglesia poderosa como un Estado. No hay, por definición, arte público hecho por individuos aislados o por grupos privados. En cambio, el arte revolucionario, que no es sino una variante del arte libre, ha sido la obra de individuos o grupos independientes, marginales o clandestinos. La frase *arte público revolucionario* no sólo encierra una contradicción sino que, en verdad, carece de sentido. Asimismo, sólo por un abuso de lenguaje —que es también un abuso lógico y moral— puede hablarse de arte revolucionario del Estado. Como vivimos en una época terrible de luchas intestinas, pasiones caóticas y violencias desencadenadas —un tiempo sin dios ni ley— la idea del orden ha fascinado a muchos de nuestros contemporáneos. Es natural y comprensible. Este espejismo ha hechizado, en un extremo, a Eliot y a Claudel, en el otro a Brecht y a Neruda. Pero la nostalgia por las ortodoxias y por el orden que imponen esconde en general el miedo o el odio a la libertad. El orden ha sido no pocas veces la máscara del despotismo, sobre todo en periodos de convulsiones inmensas como el nuestro. En el siglo XX las viejas formas de opresión de los hombres se han extendido, renovado y fortificado, pero su novedad no debe hacernos olvidar que, como las del pasado, su esencia consiste en ser una alianza entre la idea y la espada. El arte público de Rivera y Siqueiros fue con frecuencia la apología pintada de la dictadura ideológica de una burocracia armada. En este sentido, más que en el estético, recuerdan al arte de los faraones y al de Bizancio.

—*Antes habló usted de la falta de relación orgánica entre las ideas de los muralistas y la realidad social mexicana.*

—Éste es el rasgo más extraño y turbador del muralismo como fenómeno histórico, político y moral. Ni la nación era comunista ni el Estado mexicano lo era; sin embargo, el Estado adoptó como suyo un arte que expresaba ideas distintas y aun contrarias a las suyas. ¿Demagogia, duplicidad, inconsciencia? Del lado de los pintores, la paradoja —llamémosla así— no era menos escandalosa: su pintura era, simultáneamente, oficial y revolucionaria, estatal y adversaria del Estado y de su ideología. La reflexión sobre las relaciones entre el Estado y los muralistas nos revela la historia moderna de México como un juego de máscaras. Añado que el muralismo no es sino uno de los episodios de ese juego.

—*¿No le falta nada a su explicación o, mejor dicho, al conjunto de explicaciones que usted ha esbozado?*

—Falta la circunstancia determinante y de la que dependen todas las otras.

—¿*Cuál es?*

—La inexistencia de un mercado artístico. En el pasado, la nobleza novohispana y la Iglesia habían sido los mecenas de los artistas. Sobre todo, la Iglesia: el gran arte de la Nueva España fue sobre todo religioso. Las guerras civiles del siglo XIX que empobrecieron al país, el triunfo de la facción liberal y, en fin, la decadencia intelectual y artística de la misma Iglesia, acabaron con los mecenazgos tradicionales. A diferencia de lo que ocurrió en Europa, la burguesía no pudo substituir sino tímida y aisladamente a los antiguos patrones. Sin embargo, al final del régimen de Porfirio Díaz, gracias a los años de paz y prosperidad, existía ya una clase que comenzaba a interesarse en los artistas nacionales y adquiría sus obras. Un ejemplo entre otros: la exposición de Diego Rivera en 1910, en la que vendió casi todos sus cuadros. La Revolución empobreció a la oligarquía y de ahí que en 1920 los pintores no encontrasen más protector que el Estado. El caso de un mecenas como Sergio Francisco de Iturbe, formado en Europa, fue excepcional y no se repitió sino años después. Si un pintor quería pintar, tenía que acudir al gobierno, mecenas universal.

—*Fue una curiosa forma de paternalismo.*

—Entre 1920 y 1945 el Estado mexicano substituyó a la sociedad tanto en el campo de las artes —pintura, escultura, música, danza— como en el de las letras. En la esfera de la pintura el resultado fue el arte público, un arte que fue al mismo tiempo oficial y revolucionario. En la de las letras el resultado también fue paradójico. No había editoriales ni apenas lectores y la carrera de profesor universitario —hoy tan socorrida— estaba cerrada para la mayoría (aparte de que los salarios eran irrisorios). Para sobrevivir, los escritores tuvieron que ingresar en la burocracia gubernamental. Los gobiernos revolucionarios los recibieron con beneplácito y los protegieron: los escritores sabían escribir y manejar las ideas, de modo que fueron muy útiles en este primer periodo de reconstrucción nacional. Pero no tenían lectores o, más exactamente, los lectores de los escritores eran los mismos escritores. Así nació una literatura refinada y hermética, a veces exquisita y preciosista, otras inclinada sobre su propio abismo. La poesía floreció. Una poesía que tuvo como maestros a los poetas más exigentes y difíciles, como Valéry y Rilke. A este periodo le debemos algunas de las obras más puras y perfectas de la poesía moderna en lengua española, como los poemas de Gorostiza y Villaurrutia. Doble rostro del arte de este periodo: el arte público y la poesía secreta, la plaza y la alcoba, la multitud y el espejo. Simetría inversa. Dos extremos, los dos irrenunciables: ¿a cuál escoger? Ya sé que con frecuencia se olvida a nuestros poetas mientras que los pintores están siempre presentes en la memoria pública. Esto me parece, más que una falta de gusto o un pecado estético, una mutilación espiritual.

—*La prosa de ese periodo no tiene el mismo carácter de la poesía.*

—Una parte sí lo tiene. Pienso en el ensayo y el cuento, sobre todo. Pero también hubo autores que escribieron para un público más general y que pronto encontraron lectores, aunque éstos no fueron muy numerosos al principio: Azuela, Vasconcelos, Martín Luis Guzmán y otros pocos. Fueron leídos también en la América hispana y —modesta prefiguración del *boom*— Azuela y Guzmán fueron traducidos y estimados en los Estados Unidos, Francia y otros países. En cuanto a la pintura: por una parte, poco a poco se formó una clientela, compuesta por la nueva clase surgida de la Revolución; por otra, aparecieron los coleccionistas norteamericanos. Esto último fue decisivo. Durante esos años los Estados Unidos se convirtieron en el mercado de los pintores revolucionarios mexicanos. Nueva paradoja: ese mercado era esencialmente capitalista pues estaba compuesto por gente acomodada y por instituciones creadas por la iniciativa privada: museos y universidades. Después de la guerra el gusto cambió en los Estados Unidos, surgió el expresionismo abstracto norteamericano y declinó el interés por los pintores revolucionarios de México (aunque no por Tamayo). Pero ya para entonces había aparecido en México una nueva clase que empezó a comprar pintura y a leer a los autores mexicanos. El cambio comenzó en 1945, al finalizar la guerra, o un poco antes. Mi generación fue la primera en beneficiarse: los escritores mexicanos empezamos a tener lectores mexicanos... Pero nos hemos alejado mucho del tema inicial: las circunstancias que explican el cambio de orientación de la pintura mural mexicana entre 1924 y 1925.

DAVID ALFARO SIQUEIROS

Creo que hemos mencionado ya todos los factores del cambio: políticos, sociales, económicos, históricos, intelectuales y personales. Entre estos últimos, usted menciona la figura de Siqueiros. ¿Quiere decir algo mas?

—Orozco no influyó ni participó en el cambio. Era enemigo natural de los sistemas y especulaciones. Un verdadero solitario. Diego era muy inteligente pero, aparte de que nunca logró conquistar la confianza de sus compañeros, sus ideas pronto se transformaban en fantasías y sus teorías en fábulas. Charlot era el único que, además de Siqueiros, poseía un temperamento reflexivo. Una cabeza de primer orden, pero ni era mexicano ni profesaba una filosofía social que pudiese servir a las necesidades expresivas y psicológicas del movimiento.

—*¿No atribuye usted demasiada importancia a las ideas? Después de todo, hablamos de un movimiento artístico.*

—Creo que el arte de una época es inseparable de las ideas de esa misma época. Además, no he hablado sólo de ideas sino de la acción de este o aquel artista. La acción de ciertos artistas es central en ciertos momentos y circunstancias. Darío y el "modernismo" hispánico, Pound y la poesía moderna de lengua inglesa, Breton y el surrealismo. La acción de Siqueiros fue determinante. Sus ideas sobre la función del arte en el mundo moderno eran, a un tiempo, mesiánicas y revolucionarias.

—*¿Mesiánicas y revolucionarias?*

—Sí, en sus escritos se unían los dos extremos: el arte público del pasado (sobre todo el del cristianismo) y el arte colectivo de la nueva sociedad comunista. Siqueiros veía en la Revolución rusa algo semejante a lo que él creía que había sido el cristianismo primitivo, sólo que en una etapa histórica más elevada. La superioridad de nuestra época era doble: por una parte, la revolución proletaria no era el resultado de una visión religiosa sino de una filosofía científica de la historia: el marxismo —ciencia *per se*; por la otra, la revolución no sólo era social sino científica y tecnológica. Era inevitable la comparación con el Renacimiento: Siqueiros se sentía y se decía un "primitivo" de este futuro Renacimiento. A diferencia del primero, que desembocó en la revolución burguesa y en la sociedad liberal capitalista, el del siglo XX sería el del nuevo colectivismo: la sociedad comunista mundial. El comunismo sería la síntesis del embrionario colectivismo cristiano y del humanismo renacentista. Las creencias de Siqueiros eran primarias y quiméricas; sin embargo, nos conmueven. Son hijas de la fe —algo más que una estética cualquiera.

—*Gran elogio. Creía que usted era enemigo de Siqueiros.*

—Es vil rebajar a nuestros adversarios. Siqueiros fue un pintor de gran talento, dueño de una inteligencia lógica y de una habilidad polémica que no es frecuente hallar entre los artistas. Su temperamento lógico lo llevó a idolatrar los sistemas y esta perversión intelectual lo convirtió en un sectario fanático. En el fondo de ese fanatismo estaba viva —aunque sepultada por toda clase de supersticiones y creencias pseudocientíficas y falsamente racionales— una veta de religiosidad. Sed de comunión con los otros, pasión por los desamparados y los desvalidos, es decir, la antigua caridad cristiana que hoy llamamos con un nombre mitad secular y mitad religioso: fraternidad revolucionaria. Comprendo la admiración de Siqueiros por Cimabue y Giotto.

—*¿También por El Greco?*

—En este caso fue decisiva, sobre todo, la afinidad estética. Digo esto porque en Siqueiros hay una tendencia manierista y aun barroca: el amor por las formas dinámicas, el movimiento, los contrastes, el claroscuro. Otra nota: cierto romanticismo. Su pintura hace pensar, a veces, en Delacroix y, sobre todo, en Géricault. Elocuencia, sí, pero también pasión. Su defecto más notable: la oratoria. ¡Metros y metros de arengas grandielocuentes, gesticulaciones, lugares comunes melodramáticos! Pero ¿cómo olvidar los momentos de invención formal y las composiciones, a un tiempo vastas e intensas, sobrias y pasionales?

—*¿Lo admira?*

—Lo admiro, lo repruebo y me cansa, todo junto. Hablé de su fondo religioso, pero debo recordar que estaba unido al orgullo del teólogo. Soberbia e intolerancia: vicios de ideólogo que se cree dueño de la verdad. Una verdad reducida a dos o tres fórmulas. ¿Qué le faltó? La duda, el examen de conciencia, la humildad de someter sus ideas y creencias a una crítica rigurosa. La humildad y la sabiduría: la ideología es la enemiga del verdadero saber. Fue un descendiente de los teólogos españoles, de los utopistas del Renacimiento y de los doctores medievales. Estuvo poseído por el demonio de los sistemas. No fue el único entre nuestros contemporáneos: son muchos los que en nuestro siglo han adorado a esta divinidad abstracta y feroz. Apenas si necesito citar a los más conocidos: Pound, Sartre, Neruda. Por esto crece más y más, a mis ojos, la figura de Marcel Duchamp: no sólo fue un gran artista sino un verdadero sabio. Nuestro Diógenes, nuestro Chuang-Tzu.

—*La vida de Siqueiros no fue ejemplar...*

—Fue un hombre de acción, un aventurero, como Malraux. Como todos los aventureros, fue también un actor, una figura de la Comedia del Arte, una suerte de Matamoros, el personaje de *L'Illusion Comique*, pero capaz de llevar a cabo sus fanfarronadas. Fue valeroso, participó en la Revolución Mexicana y en la Guerra de España. Sin embargo, es imposible olvidar o perdonarle ciertos actos, como el fallido atentado contra Trotsky y su familia, que terminó en el asesinato a sangre fría de un secretario del líder revolucionario. Ese cadáver arroja una sombra sobre la memoria de Siqueiros. ¿Puede un pintor tener las manos manchadas de sangre? Pregunta terrible que yo no sé cómo responder. Pero *sé* que es una pregunta que todos debemos hacernos. ¿Se la han hecho nuestros críticos?

—*Hoy muy pocos defienden a Siqueiros. En cambio, se exalta la figura de Diego Rivera y, sobre todo, la de Frida Kahlo.*

—La tentativa de beatificación de estos dos artistas, que no tuvieron escrúpulos en traicionar y difamar bajamente a su antiguo amigo y guía, León Trotsky, me parece un síntoma más de una infección moral muy grave. De nuevo, la alianza entre nacionalismo e ideología, las dos pasiones que han pervertido y desecado las almas. Por lo visto, muchos intelectuales mexicanos de izquierda han sido incapaces de llevar a cabo una crítica radical de sus actitudes. Porque no basta con denunciar los vicios, errores y perversiones del estalinismo: hay que ir al fondo y examinar las causas —psicológicas, morales, históricas— que hicieron posible la aberración   stalinista. Los casos de Diego y Frida no deberían ser tema de beatificación sino objeto de estudio —y de arrepentimiento.

—*Volvamos a Siqueiros, al artista.*

—Sí, pero antes debo decirle que para mí ha sido difícil hablar de ciertos aspectos de su vida. Lo conocí en España, durante la Guerra Civil. Era coronel del ejército republicano español y mandaba un regimiento en el frente Sur. Fuimos amigos entonces pero nos separamos cuando él dirigió el atentado contra Trotsky. Fue un suceso que me afectó profundamente. Tampoco puedo olvidar que Siqueiros fue estalinista toda su vida: fue uno de los poquísimos que aplaudieron la entrada de los tanques rusos en Praga. No sería honrado ocultar la otra cara de la medalla: fue un militante que padeció cárceles y persecuciones por sus creencias. Fue un hombre apasionado y unególatra; en su vida y su pintura abundan los relámpagos de verdad y los relámpagos de teatro. Un temperamento más mediterráneo que mexicano, una suerte de italo-español. Tres personas en una: un pintor dotado de materia gris (*rara avis*) manejado por un empresario napolitano, ambos bajo la dirección de un teólogo obtuso.

—*Pero el artista…*

—Es imposible ignorarlo. Tampoco al crítico, casi siempre acertado, tanto del arcaísmo de Rivera y sus secuaces como de la influencia nefasta de las galerías y de la especulación financiera en materia de arte. El tiempo ha terminado por darle la razón —aunque su remedio, el arte estatal, sigue siendo peor que la enfermedad... Como pintor, Siqueiros no tuvo el *savoir-faire* ni el color, el dibujo y la sensualidad de Rivera; tampoco la visión dramática de Orozco. En cambio, fue más inventivo y osado. En su primer manifiesto, en 1921, exaltó a la "plástica pura"; pues bien, algunos de sus murales y de sus telas merecen ser llamados así: son admirables composiciones en las que triunfan las formas en movimiento y en las que la materia posee una suerte de vivacidad extraordinaria. ¿Qué más puedo decir?

—*¿Y el inventor?*

—Sus ideas sobre la utilización de la fotografía, los nuevos instrumentos y materiales, la integración entre arquitectura, pintura y escultura, la perspectiva en movimiento y otros temas afines, fueron originales e influyeron en algunos pintores contemporáneos. Entre sus discípulos, aparte de Pollock y otros norteamericanos, hay varios sudamericanos y un indio de gran talento: Satish Gujral, que además de ser pintor y escultor, se ha revelado como arquitecto.

Uno de sus descubrimientos me interesa sobre todo: la "utilización del accidente". El primero que habló de esto fue, si no me equivoco, Leonardo. Casi al mismo tiempo que Siqueiros, los surrealistas —Masson, Ernst— realizaron exploraciones y experimentos semejantes. Siqueiros llegó por su propio camino y de una manera independiente y, lo que me parece más importante, con fines distintos. Hay un momento maravilloso en el que el artista, guiado por lo que llamamos la casualidad, pero que es, sin duda, algo más antiguo y misterioso, se encuentra de pronto ante una conjunción entre lo externo y lo interno, es decir, entre aquello que es del mundo de afuera y aquello que viene de la intimidad más profunda. Su voluntad y la del mundo se cruzan. En ese momento se opera un desdoblamiento: el artista es testigo de su creación o, más exactamente, el artista se da cuenta de que él mismo no es sino uno de los elementos del proceso creador, el canal de transmisión de la energía universal. Es una experiencia que puede compararse a la del descubridor en la esfera de la ciencia o a la experiencia mística. Siqueiros la vivió un día de abril de 1936 en Nueva York, cuando aún no estaba poseído enteramente por el demonio de los sistemas. El resultado fue uno de sus mejores cuadros, hoy en el Museo de Arte Moderno de Nueva York: *El nacimiento del fascismo*. Como siempre ocurre, la obra va más allá del título y de las intenciones del artista. El cuadro podría llamarse también *El nacimiento de la pintura*.

Siqueiros tuvo conciencia plena de su experiencia y la relata, maravillado, en una carta impresionante a su amiga María Asúnsolo. Se trata de un testimonio extraordinario por su emoción humana y su interés psicológico y artístico. Reproduzco un largo fragmento.

Trabajé toda la noche del sábado y todo mi domingo, parando sólo para comer esos *sandwiches* de aquí que apenas si saben a comida. Pero el resultado fue magnífico. Te lo digo con entusiasmo y sin exageración: confirma todas mis teorías... Se trata de la utilización del accidente en la pintura, es decir, de la utilización de un método especial de absorción de dos o más colores superpuestos que se infiltran los unos en los otros y que producen las formas más fantásticas y maravillosas que pueda imaginar la mente humana; algo que no se parece sino a la formación geológica de la tierra, a las vetas policromas y poliformes de las montañas, a la integración de las células y a todos esos fenómenos microscópicos que el hombre no puede ver sino con aparatos especiales. En fin, la síntesis, la equivalencia de toda la creación de la vida, esa cosa organizada que sale de la profundidad del misterio quién sabe por qué leyes terribles. Hay en esas *absorciones* (así las llamamos en nuestra jerga plástica) las formas más perfectas que puedas imaginar. Conchas de formas infinitas modeladas con una perfección increíble, formas de pescados y de monstruos que nadie podría crear directamente con los medios tradicionales de la pintura. Y sobre todo: un dinamismo tumultuoso de tempestad, de revolución psíquica y social que te da miedo.*

Confesión impresionante y que es imposible leer sin emoción. La materia está viva y es creadora. ¿Materialismo? Yo diría: animismo. Pero no importa la definición filosófica del fenómeno: lo que cuenta es ver la intersección de la voluntad humana y de la voluntad de la materia (no hay más remedio que llamar así a esos movimientos creadores de formas y figuras). ¿Qué hace el artista? Provoca el movimiento de las substancias y los colores, se deja guiar por sus alianzas sorprendentes y, a su vez, las guía... La pasividad es actividad y la actividad es pasividad. También exaltación y lucidez: Siqueiros asiste al nacimiento de su pintura como si asistiese al nacimiento mismo de la vida y del universo. Y más: fue testigo de su nacimiento como artista. Fue su creador y fue su criatura.

REMATE

Rivera y Siqueiros fueron rivales, ¿fue un choque de personalidades o de ideologías?
—Las diferencias de temperamento no fueron menos determinantes que las intelectuales y políticas. Rivera *usó*

* David Alfaro Siqueiros: *L'Art et la Révolution*. De nuevo: en *Textos de David Alfaro Siqueiros* no aparece esta carta de Alfaro Siqueiros a María Asúnsolo.

las ideas revolucionarias: no el arte al servicio de la revolución, como dijo muchas veces, sino la idea revolucionaria al servicio de su arte; Siqueiros, en cambio, *creía* en lo que decía y pintaba. Esta diferencia psicológica fue también una diferencia moral, cualesquiera que hayan sido los graves y reprobables extravíos de Siqueiros. Pero estas diferencias no deben ocultarnos ciertas semejanzas, igualmente notables. Por ejemplo, aunque Rivera haya sido trotskista durante una larga temporada y Siqueiros no haya abandonado jamás el stalinismo, su marxismo es similar y pertenece a esa variedad simplista y simplificadora que fue popular hace cuarenta años. Es evidente que esa ideología esquemática, en conjunción con el oficialismo, influyó en la progresiva degeneración estilística y emocional que revelan las obras de sus últimos años. En general los grandes artistas —Tiziano, Rubens, Goya, Cézanne, Renoir, Matisse— lograron sus creaciones más altas al final de su vida. La buena pintura es como el buen vino: mejora con el tiempo. No en el caso de Rivera y Siqueiros. El último Rivera se convirtió en un productor en serie, una mano que pintaba sin cesar guiada mecánicamente no por la inspiración sino por el hábito. Lo de Siqueiros sería risible si no fuese patético: sus últimos murales son un enredijo de formas hinchadas.

—*¿Cree usted, como muchos críticos, que la pintura de Rivera y Siqueiros son ejemplos del "realismo socialista"?*

—Nadie sabe qué quiere decir "realismo socialista". La verdad es que, como ocurre con casi todas las obras pertenecientes a esa tendencia, su pintura no es realista y menos aún socialista. Es pintura alegórica y éste es uno de los rasgos menos modernos del muralismo. La alegoría fue el modo predilecto de expresión de la Edad Media. Hoy está en desuso. Los últimos artistas que practicaron el género fueron los *pompiers* del siglo XIX, que pintaron alegorías del Progreso, la Ciencia, el Comercio, la Industria. Pero no hay que denigrar a la alegoría: en la época de su apogeo nos dio obras como la *Divina Comedia*. La pintura de nuestros muralistas —la observación vale también para Orozco— está muy lejos de esa complejidad y sutileza: es una visión dualista de la historia. En el caso de Rivera y Siqueiros este maniqueísmo alegórico procede de una versión primaria del marxismo, en la que cada imagen visual representa ya sea a las fuerzas del progreso o a las de la reacción. Los buenos y los malos.

—*¿Cómo calificaría usted a esta actitud?*

—La he llamado maniquea pero he sido injusto con el maniqueísmo, que fue un dualismo muy amplio y capaz de expresar la diversidad de matices de la realidad. Lo mismo ocurre, por lo demás, con el marxismo auténtico. Daré un ejemplo de este dualismo estrecho y dogmático. Los murales de Rivera y Siqueiros presentan la Conquista de México como una verdadera maldición, como el triunfo de la reacción, es decir, del mal. Así, idealizan a la sociedad precolombina —Rivera incluso exaltó los sacrificios humanos y el canibalismo— mientras que acentúan hasta la caricatura los rasgos negativos y sombríos de los conquistadores. Sin embargo, para Marx y Engels la Conquista, a pesar de su crueldad y de haber reducido los indios a la servidumbre, fue un fenómeno positivo, como lo fue la dominación británica sobre la India. La expansión imperialista de Occidente era positiva porque había impuesto en sociedades atrasadas y estáticas la nueva y dinámica racionalidad económica y cultural del capitalismo. El triunfo de Occidente era el triunfo de un modo de producción superior al azteca o al hindú. Por la misma razón fueron partidarios de los Estados Unidos en su guerra contra México: los norteamericanos representaban el progreso, la técnica y la democracia. Para ellos el lado ''malo'', si expresaba el movimiento histórico hacia adelante, era realmente el "bueno". Pensaban que la historia, a la larga, no se equivoca y que sus desastres se transforman al final en progreso. Los "malos" —los conquistadores españoles— eran "buenos" porque su acción era el resultado de nuevas fuerzas históricas. La pólvora de sus mosquetes era superior a los arcos y las flechas de los indios como la ciencia europea del Renacimiento era superior a la magia azteca. Se puede reprobar esta manera de pensar pero no ignorarla, sobre todo si uno se dice marxista. Reducir el marxismo al dualismo en blanco y negro de nuestros muralistas (también de muchos poetas, como Neruda) no sólo es empobrecerlo sino desfigurarlo.

La idea de la bondad escondida en el lado aparentemente malo de la historia, es decir, de su positividad final, Marx y Engels la tomaron de Hegel (lo real es racional) que, a su vez, sigue una tradición filosófica que se remonta a Platón: el ser es, porque *es*, necesariamente bueno. ¿Y el mal? En el neoplatónico Proclo, muy admirado por Hegel, se anuncia ya la respuesta que daría la "dialéctica de la historia". Proclo subrayó los poderes positivos de la negación, afirmó que la progresión se realiza en relación continua con la regresión y que, incluso, la progresión supone necesariamente la regresión. Por eso, dijo, el Caos no es menos divino que el Orden. Pero teníamos que llegar a nuestra época para encontrar esa sombría caricatura de la "dialéctica" que nos hace llamar "democracias populares" a las dictaduras burocráticas del Este.

—*Aparte de estas semejanzas ideológicas, ¿no le parecen opuestas las personalidades de Rivera y Siqueiros?*

—Sí, pero muchas de esas diferencias brotan de un fondo común: la teatralidad. Rivera y Siqueiros fueron actores natos y para ambos las fronteras entre representación y realidad eran más bien tenues; insensiblemente, como siempre ocurre, dejaron de ser personas para convertirse en personajes. Su pintura se volvió gesto. La diferencia entre ambos consiste en que la personalidad de Siqueiros pertenece al melodrama y la de Rivera a la farsa. Rivera tenía algo de *clown* y éste es uno de los rasgos más simpáticos de su carácter. Fue un maravilloso inventor de cuentos y fantasías. Sin embargo, el gusto por la fabulación lo podía llevar a la mentira y aun a cosas más graves. Es saludable no tomar en serio ni a los demás ni a uno mismo; no lo es perderse el respeto y perdérselo a la gente. La carrera política de Siqueiros fue, al menos para un hombre de mis convicciones, reprobable, no incoherente; la de Rivera fue lamentable e inconsistente. Participó en el movimiento trotskista y fue amigo cercano de Trotsky y de su mujer, Natalia Sedova, durante los primeros años de su exilio en México. ¿Cómo pudo, al final de su vida, renegar, abrazar el estalinismo y cubrir de elogios al asesino de su antiguo amigo? El escrito en que solicita su readmisión en el Partido Comunista Mexicano es un triste documento, un *mea culpa* abyecto y no pedido. La retractación de Frida Kahlo, influida sin duda por Rivera, no fue menos vergonzosa.

Recuerdo todo esto porque en las publicaciones oficiales consagradas a estos pintores se oculta la verdad. Las biografías de todos ellos han sido expurgadas y amañadas con propósito de canonización y de momificación. El catálogo de la exposición retrospectiva de Frida Kahlo en Bellas Artes fue particularmente grotesco: no sólo aparecía como una beata militante de irreprochable ortodoxia sino que su variada vida erótica había sido cuidadosamente ocultada. Un ejemplo de la insensibilidad artística, política y moral de nuestra autoridades es el Museo Frida Kahlo en Coyoacán. Pero sobre esto es mejor ceder la palabra a Jean van Heijenoort, antiguo secretario de Trotsky, que convivió con Frida Kahlo y con Diego Rivera durante los años de exilio del revolucionario ruso en México:

La casa donde Trotsky y Natalia vivieron en Coyoacán ha sido transformada en el Museo Frida Kahlo. Mediante falsas inscripciones ("Frida y Diego vivieron en esta casa 1929-1954") todo ha sido hecho para borrar las huellas de la estancia de Trotsky. Las sesiones de la Comisión Dewey se celebraron allí pero nada le recuerda este hecho histórico al visitante. En el cuarto en que Trotsky y Natalia durmieron por más de dos años, alguien ha dejado, como un montoncito de excremento, un pequeño busto de Stalin.*

En 1983 Hayden Herrera publicó en Nueva York su biografía de Frida Kahlo.** Es un libro en que al fin aparece la verdadera Frida, artista fascinante y mujer compleja y complicada, habitada por fantasmas enemigos. Obra atrayente, más hija de la admiración que de la lucidez, rica en episodios curiosos y en noticias poco conocidas, pero cuyo único objeto, muy en el gusto actual de los norteamericanos, ávidos de intimidades ajenas, es *contar* y no desentrañar un enigma ni recrear un personaje. Por ejemplo, el bisexualismo de Frida merecía al menos una pausa y una reflexión pero la autora se limita a contarnos un amorío tras otro. La falta de curiosidad psicológica se convierte en insensibilidad moral y miopía histórica cuando se tocan los temas políticos y sociales. El paso de Diego y Frida del trotskismo al stalinismo, que Trotsky calificó, no sin razón, como una "muerte moral", no provoca en la autora ni un estremecimiento ni un comentario. Le parece un incidente entre otros. Lo mismo ocurre con las

* *With Trotsky in exile. From Prinkipo to Coyoacán,* Harvard University Press, 1978.
** Hayden Herrera: *A Biography of Frida Kahlo,* Nueva York, 1983.

innobles declaraciones de Frida en el periódico *Excelsior*, pocos años después de la muerte de Trotsky, que la había amado, en las que lo llama "viejo loco" y lo acusa de haberse robado varios objetos de su casa, ¡entre ellos catorce fusiles y una lámpara! Ante estas contorsiones morales, me repito la pregunta que se hizo Breton ante ciertas actitudes de Aragon y de Éluard: ¿se puede ser, al mismo tiempo, un artista y un canalla? Sí, se puede. Pero no impunemente; el arte es insobornable e implacable: los desfallecimientos, manchas y fallas que aparecen en las obras de Diego y Frida son de origen moral. Los dos traicionaron sus grandes dones y esto *se ve* en su pintura. Un artista puede cometer errores políticos y aun crímenes del orden común pero los verdaderamente grandes —Villon o Pound, Caravaggio o Goya— pagan sus faltas y así salvan su arte y su honor.

—*¿Qué puede decirnos de Orozco?*

—Orozco fue el más libre y el más profundo de los tres. Fue un temperamento intenso. No sabía reír ni sonreír. Otra limitación, grave para un pintor: no era sensual. En Goya hay la fascinación y el horror por la carne; en Daumier y en Toulouse-Lautrec, el sexo es un diablo y el diablo, como es sabido, es el inventor de la risa. En Orozco todo es serio, todo es tétrico. Los cuerpos de Orozco ignoran la caricia: son cuerpos de verdugos y de víctimas. Arte contraído, torturado y a veces monótono: la violencia llega a cansar. Pero hay momentos de terrible intensidad, momentos en que el artista nos impresiona y nos sacude. Orozco nos conmueve, además, por otra cualidad admirable: la libertad de espíritu. Un verdadero rebelde. Por sus ideas tanto como por su temperamento Orozco tiene más de una semejanza con Vasconcelos. Los dos comenzaron como revolucionarios y los dos terminaron en admiradores de Cortés, el coco de los liberales y revolucionarios. La Reacción mexicana (así, con mayúsculas) tiene en Vasconcelos y en Orozco a sus dos expresiones más altas y auténticas en este siglo. Ambos fueron profundamente religiosos, aunque Orozco no cayó jamás en la beatería de Vasconcelos ni en sus extravíos políticos. Al contrario: Orozco fue uno de los primeros en ver las semejanzas ente el hitlerismo y el estalinismo. Fue un espíritu apasionado y sin embargo extrañamente lúcido, clarividente. Un hombre y un artista de veras libre que, caso extraordinario en México, no tuvo miedo de ejerciar su libertad. Contra viento y marea.

—¿*Otras afinidades del muralismo con movimientos extranjeros?*

—El muralismo no sólo asimiló influencias y estímulos de fuera sino que también influyó en otras partes. La historia de la influencia de la pintura mexicana en América Latina está todavía por escribirse. Sucede algo parecido con la influencia de los muralistas sobre el expresionismo abstracto norteamericano. No pienso únicamente en el caso de Pollock, muy conocido, sino en el de otros menos citados como Tobey y el escultor Noguchi. En *Puertas al Campo* me ocupé de este tema y no quisiera ahora repetir lo que allí escribí.* Me limitaré a señalar unas cuantas cosas. Se ha dicho muchas veces que el expresionismo abstracto es un automatismo que viene directamente del surrealismo, en particular de Masson y Matta. Esto es cierto. Sin embargo, se olvida el ejemplo de Siqueiros. El pintor mexicano fue uno de los primeros en utilizar sistemáticamente el *accidente*. Estética cercana al automatismo: arrojar contra el muro un chorro de pintura y pintar a partir de esa mancha. Pero la influencia mexicana no se reduce sólo a esto. En el *expresionismo abstracto*, como su nombre mismo lo dice, había una contradicción trans-

* Véase, en este libro, "El precio y la significación", pp. 373-395.

parente (diré de paso que en esa contradicción está la razón de su extraordinaria vitalidad): por una parte, abstracción; por la otra, expresión. El abstraccionismo europeo fue intelectual y metafísico: quiso reducir las formas a una geometría, las sensaciones a arquetipos y la vida misma a ritmos. Aunque los norteamericanos renunciaron, como los abstraccionistas europeos, a la representación de la realidad, no quisieron pintar arquetipos sino emociones, sensaciones concretas e inmediatas. Esto los acercaba al expresionismo y, claro está, a la pintura mexicana (Siqueiros y Orozco) que había influido en casi todos ellos en la década de los treinta. El abstraccionismo de los norteamericanos venía de Europa; su expresionismo venía de México. En suma: automatismo surrealista + abstraccionismo europeo + expresionismo mexicano. Todo esto confirma lo que dije al comenzar esta conversación: el movimiento muralista mexicano tiene un lugar a un tiempo singular y poderoso en la historia de la pintura en el siglo XX. Lo tiene, primero, por sí mismo, quiero decir por las obras notables, muchas de ellas admirables, que dejaron Rivera, Orozco, Siqueiros y algunos otros artistas que, aunque menores, no son desdeñables; enseguida, por su influencia sobre la pintura de los Estados Unidos y de otras partes. El muralismo ni fue una copia de la pintura europea de su tiempo ni fue un arte provinciano: fue y es una presencia en el mundo.

Una reflexión final: la influencia del muralismo ilustra un fenómeno que se ha repetido una y otra vez en la historia de las artes. En México la influencia del muralismo fue nefasta porque, en lugar de abrir puertas, las cerró. El muralismo engendró una secta de discípulos académicos y vociferantes. En los Estados Unidos esa influencia fue benéfica: abrió las mentes, las sensibilidades y los ojos de los pintores. En un caso, la influencia paralizó a los artistas: en el otro, los liberó. Nada más natural que los protagonistas del siguiente capítulo de la historia de la pintura mexicana hayan sido los heterodoxos y los marginales, los que se atrevieron a decir *No* al academismo y al ideologismo en que había degenerado el muralismo. Este nuevo capítulo —inaugurado por Tamayo, Mérida, Gerzso y otros— aún no termina. A mí no me parece inferior al muralismo: es algo muy distinto, con vida propia y que ya es hora de ver con rigor y generosidad. El mismo rigor y la misma generosidad con que deberíamos ver y juzgar a los muralistas.

México, agosto de 1978

Sábado 43, México, 9 de septiembre de 1978

OCULTACIÓN Y DESCUBRIMIENTO DE OROZCO*

Las palabras más tramposas y traidoras en la crítica de arte son Moral, Ideología, Mensaje Social, Revolución y más Revolución... y otras del mismo jaez.

JOSÉ CLEMENTE OROZCO

1

LA GLORIA es siempre equívoca. Es una exaltación y, al mismo tiempo, una desfiguración. Al glorificar a esta o aquella obra casi siempre la recortamos y la reducimos. La pintura mural mexicana es una impresionante ilustración de la suerte que sufren todos los grandes movimientos artísticos y espirituales: la beatificación se alcanza por el camino de la simplificación. El muralismo fue un movimiento complejo, contradictorio, irreductible a una sola dirección y en el que participaron diversas personalidades, cada una dueña de una visión particular del mundo. Fue un movimiento polémico no sólo frente al arte del pasado inmediato sino en su interior; quiero decir, el muralismo mexicano estuvo siempre en lucha consigo mismo. De ahí

---

* El 12 de julio de 1983, bajo los auspicios de El Colegio Nacional, se celebró en el Hospital de Jesús un coloquio sobre la figura y la obra de José Clemente Orozco, en el que participamos Salvador Elizondo, Miguel León Portilla y yo. Estas páginas son la versión ampliada y corregida de mis intervenciones.

su vitalidad. Sin embargo, en los últimos treinta años se ha reducido su historia al desarrollo lineal de una sola idea, una sola estética y un solo objetivo.

Los responsables de esta simplificación han sido, por una parte, los críticos e historiadores que representan los puntos de vista estéticos y políticos de una tendencia que se pretende marxista; por la otra, la ideología oficial. Todas las obras y personalidades que no caben dentro de este esquema han sido, unas, eliminadas y, otras, obscurecidas. Esta operación de rectificación de la historia afecta sobre todo a pintores como José Clemente Orozco, Jean Charlot y Roberto Montenegro. Como en el caso de Orozco es imposible negar la importancia artística de su obra, se ha intentado, con éxito, velar su significado. Se exaltan ciertos aspectos de su pintura pero se escamotean otros, los más polémicos. Para justificar este juego de manos basta con esta o aquella frase. Por ejemplo, decir que Orozco es un gran artista pero que es anárquico y contradictorio. Con esto se insinúa que hay que aceptar la violencia de Orozco a condición de purgarla de sus elementos subversivos y demoníacos. Lamentar las contradicciones de Orozco es olvidar que la contradicción es el corazón mismo de casi todas las grandes creaciones artísticas y literarias de la época moderna. Miguel Ángel es contradictorio, lo es Caravaggio, lo es Rembrandt, lo es Goya y lo son casi todos los grandes poetas y pintores del siglo XIX y del XX. En México fueron contradictorios Vasconcelos y José Clemente Orozco. Deseo que se me entienda: no pretendo negar la pintura de Diego Rivera ni la de Alfaro Siqueiros. Eso sería incurrir en otra simplificación y en otra mutilación. Se trata de devolverle al muralismo su riqueza original, su complejidad y, en una palabra, su ambigüedad histórica y estética.

Por todo esto me decidí a escribir estas páginas. No

para celebrar a un gran pintor sino para descubrir en su obra aquello que la distingue y hace única. A diferencia de los otros pintores que fueron sus contemporáneos y que han sido ya asimilados y canonizados, la obra de Orozco guarda intactos sus poderes de subversión. Es una obra subversiva porque, lo mismo en el dominio de la estética que en el de la visión de la realidad humana, se atrevió a decir *no* a las grandes simplificaciones modernas: *no* a la versión oficial de nuesta historia, *no* al clericalismo, *no* a la burguesía, *no* a las sectas. El gran *no* violento y contradictorio de Orozco se resuelve en ciertos momentos en una afirmación trágica: el hombre que aparece en su pintura es un victimario y también una víctima. De ambos modos provoca nuestra ira y nuestra piedad. Pintura que nos conmueve y que, además, nos hace reflexionar sobre el enigma que es el hombre, cada hombre.

Las primeras obras de José Clemente Orozco son dibujos, grabados, caricaturas y acuarelas. Fueron ejecutadas entre 1910 y 1918. Sus temas son los de la realidad cotidiana en los barrios bajos de la ciudad; no son obras realistas: son visiones satíricas y grotescas, con frecuencia terribles. Visiones negras. La serie de las acuarelas es impresionante. Escenas de burdel: salas destartaladas, cuartuchos con camastros y roperos enormes, purgatorios de mujeres de carnes fláccidas y huesos prominentes, semidesnudas, cubiertas por andrajos desvaídos y chillones, acopladas o en conciliábulo con tipos flacuchos de bigotito, en paños menores pero con calcetines. Hacia 1920 aparecen los primeros e inovidables óleos y dibujos con escenas de la Revolución de México. Sorprende la energía del dibujo, violento, cruel, sarcástico, a veces patético y otras compasivo, intenso siempre. Casi enteramente libres de ideología, estas obras son verdaderos *testimonios,* en el sentido en que no lo son las fotos de la época. Nueva comprobación de la falsedad de una idea moderna: las fotos y los reportajes, salvo en casos excepcionales, son documentos, pero no testimonios. El verdadero testimonio alía a la veracidad la comprensión, a lo visto, lo vivido y revivido por la imaginación del artista. La comprensión nace de la simpatía moral y se expresa de muchos modos: piedad, ironía, indignación. La comprensión es participación.

Desde sus comienzos hasta su muerte Orozco no dejó de pintar. Su obra es abundante y variada: dibujos, óleos, murales, grabados, *gouaches*, acuarelas. En el curso de los años, sus temas se ensancharon y pasó de la sátira de la vida diaria a las grandes composiciones murales en las que la visión profética de la historia se une a vastas alegorías religiosas. A pesar de todos estos cambios, su inspiración fue siempre la misma: el Orozco de los primeros dibujos y acuarelas (*Escenas de mujeres*, 1910-1916) no es esencialmente distinto al Orozco de los murales del Hospital de Jesús (*Alegoría del Apocalipsis,* 1942-1944). ¿Cómo definir una obra tan vasta y, en todos sus cambios, tan fiel a sí misma? Las obras que de verdad cuentan son únicas; quiero decir: aunque pertenezcan a este o aquel estilo, son siempre una ruptura que libera al artista y lo impulsa a ir más allá de ese estilo. Hay dos maneras de concebir la historia del arte: como una sucesión de estilos y como una sucesión de rupturas. Ambas son valederas. Y más: son complementarias. Una vive en función de la otra: porque hay estilo, hay transgresión del estilo. Mejor dicho: los estilos viven gracias a las transgresiones, se perpetúan a través de ellas y en ellas. Incesante recomenzar: cada transgresión es el fin de un estilo y el nacimiento de otro. El caso de Orozco confirma la relación contradictoria entre el estilo, que es siempre colectivo, y la ruptura, que es un gesto individual. Su obra se inscribe dentro de la corriente expresionista de nuestro siglo, pero es imposible comprenderla si no se advierte que se define por ser, precisamente, una transgresión del expresionismo. La pintura de Orozco consagra aquello mismo que niega: su transgresión del expresionismo es un gesto expresionista.

El expresionismo nació a comienzos del siglo y su lugar de elección fueron los países germánicos y escandinavos. Sin embargo, como sucede con los otros grandes movimientos artísticos, es imposible reducirlo a una época y a una región. El último Goya fue un gran expresionista, *avant la lettre;* el último Picasso también lo fue, *après la lettre.* Los dos fueron meridionales. En las primeras obras de Orozco se advierte la presencia de un expresionista que no fue ni alemán ni noruego y que seguramente jamás se enteró de que era expresionista: José Guadalupe Posada. Más tarde no es difícil percibir la lección de otros dos artistas que están antes (y después) del expresionismo: El Greco y Goya. Hay también huellas de un pintor que los críticos, salvo Antonio Rodríguez, generalmente no citan: el terrible Grünewald. Las afinidades entre este pintor alemán del siglo XVI y el mexicano del siglo XX son el resultado de un parentesco espiritual: ambos compartían, a través de los siglos y las culturas, la creencia en el valor sobrenatural de la sangre y del sacrificio. Los dos sufrieron la fascinación de la doble figura del verdugo y la víctima, unidos no por vínculos psicológicos sino mágico-religiosos.

Mencioné a El Greco, constante presencia en la obra de Orozco. En el *Prometeo* de Pomona los críticos advierten huellas de *El entierro del conde de Orgaz,* y en las figuras de los brujos enemigos de Quetzalcóatl, en Darmouth College, encuentran recuerdos de *La expulsión de los mercaderes del templo* del mismo pintor. Estos ejemplos no son los únicos pero bastan a mi propósito: mostrar cómo Orozco recoge la tradición, la usa para sus fines y, así, la transforma.

El caso de El Greco se repite con Miguel Ángel, otra vez con el tema de *La expulsión de los mercaderes* y en uno afín, el de *La expulsión del Paraíso*. Ambos asuntos son frecuentes en la pintura del Renacimiento. Es imposible olvidar otro antecedente, que sin duda conocía Orozco: Masaccio. El poderoso fresco *El sepulturero,* en San Ildefonso, presenta una figura tendida que evoca, por su posición y por el tratamiento pictórico, una de Piero de la Francesca: *El sueño de Constantino.* Pero el clasicismo de Piero está lejos de Orozco, más próximo al arte dinámico y convulsivo de Miguel Ángel y El Greco. Por eso no es extraño que el famoso *Hombre de fuego* del Hospicio Cabañas tenga indudable parentesco con una célebre y audaz composición de Correggio: *La ascensión de Cristo,* en la cúpula de San Juan Evangelista de Parma.* En fin, apenas si necesito recordar otras presencias frecuentes en Orozco: Giotto, que inspiró en parte las pinturas de los franciscanos en la escalera de San Ildefonso, y el arte bizantino. Este último fue un estímulo y una guía que abrió perspectivas a todos los muralistas: Rivera, Siqueiros, Orozco y Charlot. A mi juicio Orozco y Siqueiros comprendieron más profundamente que los otros la lección de los bizantinos. La economía dramática que aparece en varias composiciones de Orozco y en algunos retratos de Siqueiros revela una comprensión muy honda de esta gran tradición.

Orozco se inició como dibujante y artista gráfico. Nada más natural que haya visto en Goya a un ejemplo y un maestro. Pero no sólo en sus obras gráficas sino en la serie de óleos sobre la Revolución de México. Nada más natural, asimismo, que haya aprovechado la lección de Dau-

* Véase Laurence E. Schmeckebier: *Modern Mexican Art*, The University of Minnesota Press, Minneapolis, 1939. También Justino Fernández se ocupó de las relaciones entre Orozco y la pintura del Renacimiento en su libro: *Orozco, forma e idea*, México, 1942.

mier. También asimiló, en dirección opuesta, la de Toulouse-Lautrec. Todos estos nombres definen su familia espiritual y su estirpe artística. Estos antecedentes explican que haya aceptado con naturalidad y asimilado con fortuna la influencia del expresionismo. Esta tendencia le dio un vocabulario de formas que él, con genio y libertad, transformó y recreó. No fue un discípulo ni un seguidor, pero sin los grandes expresionistas probablemente no habría sido lo que fue y es: un pintor universal. No hablo sólo de sus deudas con este o aquel pintor sino de lo que significó el ejemplo de varios artistas que él, desde México, conoció de manera imperfecta y en reproducciones mediocres. No importa: ellos le abrieron un camino. Pienso en Rouault, Munch, Ensor, Kokoschka, Grosz, Max Beckmann. El parecido con este último es notable y constante. A pesar de que las semejanzas son extraordinarias, es imposible hablar de influencias sin incurrir en una grosera simplificación, como lo señala Hans Heufe, un crítico que ha escrito con discernimiento sobre el tema. Orozco es más vigoroso y vasto, pero es imposible decir que Beckmann es un seguidor o que Orozco lo sea. Es un caso de consanguinidad artística y espiritual.

Salvador Elizondo ha señalado la presencia de otra corriente en el arte de Orozco, que él llama idealista. También podría denominarse hermética o simbólica. Elizondo encuentra una relación entre esta tendencia y las ideas de Matila G. Ghyka, autor de varios libros célebres en su tiempo sobre el ritmo, la sección áurea, la estética de las proporciones y otros temas afines. Nuestro pintor probablemente conoció estas ideas durante los años en que, en Nueva York, frecuentó el Círculo Délfico, un grupo del poeta griego Angelo Sikelianos, su mujer Eva y otros artistas e intelectuales más o menos cercanos al movimiento neo-helénico. En el libro que Alma Reed escribió sobre la vida y la obra de Orozco, se detiene largamente en este episodio (1928-1931).* El movimiento délfico sostenía ciertos principios estéticos y filosóficos —el ritmo universal, la dinámica de las proporciones y otras herencias del neoplatonismo y el ocultismo— enlazados a la nueva física y mezclados a ideales políticos como el nacionalismo y la paz universal. Naturalmente no faltaba el ingrediente del orientalismo. Angelo Sikelianos y Alma Reed compartían un vasto apartamento, conocido como el *Ashram*. Era un centro de reunión de artistas y escritores, todos interesados en las doctrinas herméticas y esotéricas. En política eran partidarios fervientes del movimiento por la independencia de la India. Se hablaba de estética, dice Alma Reed, y de las doctrinas de los grandes maestros: Jesús, el Buda, Lao Tse, Zoroastro, Emerson, Gandhi. Había también discípulos de Blake y de Nietzsche. Uno de los asiduos era el poeta José Juan Tablada, que fue uno de los primeros defensores de Orozco.

No es fácil imaginarse al taciturno pintor en ese mundo. Sin embargo, no sólo pintó un retrato de Eva Sikelianos sino que algunas de sus ideas estéticas vienen de ese momento y de ese círculo. Elizondo ha subrayado con pertinencia la influencia de la Simetría Dinámica, una doctrina estética del matemático y artista canadiense Jay Hambidge. Aunque Orozco no conoció a Hambidge, que murió joven, sí fue amigo de su viuda, Mary Hambidge, que difundía en el Círculo Délfico las ideas de su marido y que escribió un libro sobre ellas. Orozco siguió los preceptos de la Simetría Dinámica en el fresco de Pomona College (1930) que representa a Prometeo y en los de la New School for Social Research (1930-1931). En estas composi-

_____

* Alma Reed: *José Clemente Orozco*, Oxford University Press, Nueva York, 1956.

ciones de exaltado espiritualismo simbólico no es difícil percibir las huellas de las especulaciones filosóficas, estéticas y políticas del Círculo Délfico. Herencia neoplatónica y renacentista: la geometría concebida como una estética, es decir, como un sistema de proporciones que reflejan o simbolizan la figura racional del universo y de la mente creadora. Hay que añadir que Orozco ya estaba preparado para recibir y asimilar estas ideas: antes de un viaje a Nueva York había pintado en la Casa de los Azulejos, en 1925, el mural *Omnisciencia*, de acentuado carácter simbólico y espiritualista. ¿Influencia de Vasconcelos y su teoría del ritmo universal o de las preocupaciones de Sergio Francisco de Iturbe, el gran mecenas mexicano que le encargó esas pinturas?*

En algunas composiciones tardías, fiel a estas preocupaciones metafísicas y estéticas, Orozco se apartó del expresionismo aún más radicalmente que en la época del Círculo Délfico. Me refiero al mural transportable: *Dive*

---

* Ya escritas estas páginas apareció, en el segundo semestre de 1983, el libro *Orozco: una relectura* (Universidad Nacional de México). Contiene varios ensayos recogidos por el crítico Xavier Moyssén. Entre ellos, me impresionaron uno de Fausto Ramírez sobre el esoterismo en la obra de Orozco y otro de Jacqueline Barnitz acerca de sus años "délficos". Fausto Ramírez señala la más que probable influencia de las ideas estéticas de Antonio Caso y, sobre todo, de José Vasconcelos. La influencia de este último es indudable; es el autor de dos libros que fueron muy leídos en su tiempo: *Pitágoras, una teoría del ritmo* (1917) y *El monismo estético* (1918). Ramírez destaca las afinidades entre los pintores mexicanos influidos por el simbolismo y las ideas de Vasconcelos. También alude al esoterismo de algunos poetas amigos de los pintores, como Tablada. Olvida quizá la influencia general y generalizada de Darío y los otros grandes modernistas hispanoamericanos, todos ellos creyentes en las teorías del ritmo universal y en la de las correspondencias. (Véase el capítulo IV de *Los hijos del limo*, Barcelona, 1974.) El paralelo que hace Ramírez entre las ideas teosóficas de

bomber and tank (Nueva York, 1940),* a la *Alegoría nacional* (Escuela Normal, 1947-1948) y a una obra inconclusa: *La primavera* (Multifamiliar Miguel Alemán, México, 1949). A reserva de volver sobre este tema al final de este trabajo, apunto ahora que en estas obras Orozco se inclina hacia la abstracción, pero sólo para acentuar aún más su carácter simbólico. Hay una relación íntima, como lo vio primero que nadie Worringer, entre abstracción y visión simbólica. Estas composiciones son verdaderos iconos, no de dioses sino de ideas. Son formas-ideas. Subrayo que Orozco se sirve de la abstracción para expresar y simbolizar; quiero decir: conserva la relación entre forma y significado, a la inversa precisamente de la pintura abstracta, que tiende a anular las diferencias entre forma e idea, significante y significado.

Este brevísimo examen de las composiciones en que Orozco se desvía del expresionismo confirma que aun en sus transgresiones no dejó de ser expresionista. Más exactamente: su heterodoxia es un expresionismo exacerbado. Sólo que es un expresionismo crítico de sí mismo y que va más allá de los límites tradicionales del movimiento. Por el camino de la negación —el expresionismo es sátira, blasfemia, sarcasmo: gran negación pasional— Orozco llega a los grandes símbolos religiosos. Apenas si debo agregar

Schuré y la pintura de Orozco es convincente. El ensayo de Jacqueline Barnitz es rico en informaciones acerca del periodo ''délfico''. Contiene un excelente análisis de la gestación del *Prometeo* de Pomona; el tema probablemente le fue sugerido a Orozco por Alma Reed, para la que hizo algunos carteles de propaganda anunciando la representación, en Delfos, del *Prometeo encadenado* de Esquilo, dirigida por el poeta Sikelianos.

* Fue encargado por el Museo de Arte Moderno de Nueva York, en donde era exhibido de manera prominente. Hoy lo tienen arrumbado en las bodegas de ese Museo. También se han recluido en ese purgatorio varias telas, algunas admirables, de Tamayo, Siqueiros y Rivera.

que esos símbolos no son abstracciones sino formas vivas, angustiadas y angustiosas. El expresionismo es una negación de todos los símbolos; aborrece las abstracciones, los tipos y los arquetipos; es un arte de lo singular y lo único, de aquello que rompe la norma y la medida. La negación opone siempre lo característico a lo universal, el esto o el aquello a la idea. Por el camino de negaciones del expresionismo Orozco llega a resultados diametralmente opuestos a los que se propusieron los artistas expresionistas europeos. Por esto pensé en su involuntario parecido con Grünewald.

Su actitud frente al expresionismo se repite en la que adoptó ante las otras dos tendencias que lo atrajeron: el esoterismo simbólico de su juventud y, al final de su vida, la pintura abstracta. Su atracción por el arte abstracto no es extraña: en los primeros y grandes abstraccionistas, como Kandinsky y Mondrian, son claramente visibles las ideas ocultistas y teosóficas. Para Orozco, en cambio, la forma es expresión y esto lo aparta de todos los formalismos, sobre todo del moderno, el arte abstracto; al mismo tiempo, a través de una sucesión de autonegaciones cada vez más radicales, la expresión llega a negarse a sí misma, deja de expresar, por decirlo así, para convertirse en un icono. Pero es un icono que no podemos adorar y que, al conmovernos, nos abre los ojos hacia una realidad abismal. Es un icono que contiene su negación. El icono de Orozco no es un dios ni una idea sino una realidad a un tiempo actual y eterna, universal y concreta, una realidad en perpetua lucha contra ella misma. El icono está doblemente amenazado: por la abstracción y por la expresión, por la universalidad y por la singularidad. Para escapar, niega a la expresión con el símbolo, al símbolo con la expresión. El icono se niega a sí mismo en una incesante y cruel ceremonia de autopurificación: Cristo rompe su cruz,

Quetzalcóatl peca y huye, el cielo se desploma sobre Prometeo, el fuego devora al hombre. El expresionismo, estética de la negación moderna, le sirve a Orozco para pintar iconos en continua combustión. La llama se vuelve escultura y cada una de sus creaciones termina en un incendio que destruye a sus criaturas.

2

Las diferencias entre Orozco y los otros muralistas mexicanos no son menos profundas que las que lo separan de los expresionistas europeos. Cierto, sus temas son los mismos: la historia de México, la Revolución, los grandes conflictos sociales del siglo XX. Sin embargo, su actitud casi siempre es distinta a la de Rivera y Siqueiros. Incluso, muchas veces, es la opuesta. Su verdadero tema no es la historia de México sino lo que está atrás o debajo, lo que oculta el acontecer histórico. El pasado, el presente y el futuro son una corriente temporal que fluye, pasa y regresa, una sucesión engañosa y enigmática que el ojo del artista o del profeta penetra: adentro aparece otra realidad. La historia no es para él una épica con héroes, villanos y pueblos, un proceso temporal dotado de una dirección y de un sentido; la historia es un misterio, en la acepción religiosa de la palabra. Ese misterio es el de la transfiguración de los hombres en héroes; casi siempre los elegidos son víctimas voluntarias que, por el sacrificio y la sangre, se transforman en emblemas vivientes de la condición humana. Orozco no cuenta ni relata; tampoco interpreta: se enfrenta a los hechos, los interroga, busca en ellos una revelación.

No sólo es distinta su actitud ante la historia; también lo son sus ideas y opiniones ante los hechos y los protagonistas históricos. Miguel León Portilla ha recordado su posición en el viejo debate entre los indigenistas y los hispanistas, los partidarios de Cuauhtémoc y los de Cortés. En su *Autobiografía* se escandaliza de esta ociosa disputa y dice: "Parece que fue ayer la conquista de México por Hernán Cortés y sus huestes; tiene más actualidad que los desaguisados de Pancho Villa; no parece que hayan sido a principios del siglo XVI el asalto al Gran Teocalli, la Noche Triste y la destrucción de Tenochtitlan sino el año pasado, ayer mismo. Se habla de ello con el mismo encono con que pudo haberse hablado del tema en tiempos de Don Antonio de Mendoza, el primer virrey." Y concluye: "Este antagonismo es fatal." En sus murales, como lo ha señalado el mismo León Portilla, es aún más explícito: ni idealiza al mundo indígena ni le parece una abominación la Conquista.

Orozco ve a la antigua civilización de México con una mezcla de horror y admiración. Admira la grandeza de sus templos y pirámides, le maravillan sus artes y monumentos, le repelen sus mitos y sus ritos. Algunos rasgos le parecen detestables: el servilismo y el culto a los jefes, el militarismo y la divinización de la guerra perpetua, la reverencia supersticiosa obtusa ante los sacerdotes y chamanes, el clericalismo innato de esas sociedades —natural complemento de la preeminencia de la función guerrera— y, en fin, los sacrificios humanos y el canibalismo ritual. Siente fascinación y repugnancia por ese mundo a un tiempo bárbaro y decadente. Lo ve como una edad obscura. Pero su condenación no es absoluta: los rasgos horribles de la civilización prehispánica son horribles no por ser indios sino por ser humanos. Los crueles sacrificios reaparecen en la edad moderna: en los muros de Darmouth College (1932-1934) pinta, al lado de un antiguo sacrificio humano, otro moderno. En un caso, la víctima desnuda sobre una piedra, el sahumerio de copal, la figura espantable del ídolo, el sacerdote enmascarado y sus acólitos, el cuchillo de pedernal; en el otro, un hombre caído con las botas puestas, la ametralladora asesina, la guirnalda cívica, la lámpara votiva del patriotismo, el monumento al soldado desconocido, el ondear de las banderas. Religión y nacionalismo, muerte ritual azteca y muerte anónima moderna: dos idolatrías e idéntica crueldad.

Hay una figura que ilumina las sombras del mundo indio: Quetzalcóatl. En los muros de Darmouth College aparece, según lo cuenta la leyenda, como un hombre blanco y barbado, llegado del otro lado del mar, patrón de las artes, inventor del calendario y la escritura de los códices. El Quetzalcóatl de Orozco no es un dios: es un héroe civilizador, una figura sobrehumana. Según el mito, después de gobernar Tula, enseñar las artes de la civilización y proscribir los sacrificios humanos, Quetzalcóatl es víctima de las hechicerías de su rival Tezcatlipoca y sus brujos. Derrotado, huye de la ciudad pero profetiza que un día como ése (*Ce Acatl*), regresará para recobrar su reino. Moctezuma creyó que Cortés era Quetzalcóatl o, al menos, un enviado suyo. Cortés aprovechó con habilidad esta creencia. Muy pronto los misioneros, los cronistas y los historiadores de Nueva España adoptaron y transformaron el mito. El dios blanco y barbado que llega del mar y desaparece por el "lugar donde el agua se junta con el cielo", se convirtió en un europeo, quizá Santo Tomás en persona, que enseña a los nativos las artes y las ciencias pero al que traicionan los sacerdotes idólatras que restablecen los sacrificios y los cultos obscuros. La profecía del retorno de Quetzalcóatl también se transformó: su regreso significó la llegada de los españoles y la conquista de México. Esta interpretación, reelaborada y secularizada en el siglo XIX, fue la que hizo suya Orozco, siguiendo a Vasconcelos y a otros intelectuales de esa época.

En los frescos de Darmouth College figuran, con gran

dramatismo, varios de sus temas predilectos: la aparición de un reformador, la traición de los sacerdotes, la profecía del héroe traicionado y, en fin, la llegada de los conquistadores. Así, Orozco ve a la Conquista como un castigo por la traición a Quetzalcóatl, el civilizador. El héroe del mundo prehispánico, Quetzalcóatl, es también su víctima; a su vez, la víctima se convierte en lengua justiciera que profetiza el castigo de su pueblo. El instrumento de la justicia, el vengador del héroe, se llama Cortés. En la mitología de Orozco —otra gran diferencia con Rivera y Siqueiros— Cuauhtémoc no es un héroe. Tampoco Cortés. No son reformadores ni víctimas transfiguradas por su sacrificio: son herramientas, instrumentos de la justicia cósmica.

Nada más distinto al Cortés de Rivera que el de Orozco. El de Rivera es un ser deforme y enteco; ante esa figura grotesca, uno se pregunta cómo ese lisiado pudo pelear, montar a caballo, mandar hombres, atravesar selvas y desiertos, quemar poblados, enamorar mujeres. El Cortés de Rivera es un retrato de las pasiones mezquinas de ese gran pintor, la confesión de un resentimiento pequeño. El de Orozco es un guerrero cubierto de hierro, una terrible profecía de la edad mecánica. En el fresco del Hospicio Cabañas (Guadalajara, 1938-1939) Cortés parte en dos a un guerrero indio con su espada mientras lo besa el ángel de la victoria. Orozco no amaba a los vencedores pero no ocultó su admiración por el conquistador español: su Cortés es formidable, no inhumano ni sórdido. Movido por el huracán de su época, es el agente del destino. No es el Cortés de los libros de historia: es un emblema de la grandeza y la soledad de los vencedores... Hay otro Cortés, no revestido de hierro sino desnudo y sin espada, enlazando a una india también desnuda, la Malinche. Las dos figuras se enlazan en un momento fuera del tiempo y su quietud inspira temor y veneración. Son dos columnas sobre las que descansan los siglos. Su inmovilidad es la del mito antes de la historia. Con ellos comienza México; un comienzo terrible: a sus pies yace un indio muerto. Orozco nos muestra una imagen del mito que devora a México y nos devora: el padre es el asesino, el lecho de amor es el patíbulo, la almohada el cuerpo de la víctima. Pero no debemos cerrar los ojos ante esa imagen atroz: los fantasmas se disipan si somos capaces de verlos de frente.

La Conquista y sus consecuencias: la evangelización, la servidumbre de los indios y la lenta gestación de otra sociedad, fue un fenómeno doble, como casi todo lo que acontece sobre esta tierra. A diferencia de sus compañeros y rivales, Rivera y Siqueiros, poseídos por el espíritu de sistema y de partido, Orozco fue muy sensible a la ambigüedad inherente a la historia. Frente a Cortés y sus guerreros implacables, tempestad de hierro y sangre (*Los Teules*, México, 1947),* aparecen los frailes misioneros. En los frescos de San Ildefonso (México, 1926-1927), los franciscanos levantan a los indios del polvo y les dan el líquido mágico: el agua que calma la sed y el agua del bautismo. En los frescos del Hospicio Cabañas, ante la figura de Cortés combatiente se yergue la de un franciscano armado de una cruz. Atrás, el mismo ángel de la victoria que besa a Cortés en el mural de enfrente, despliega un pergamino con las letras del abecedario. La cruz libera porque enseña a leer y abre el entendimiento a la nueva sabiduría. También esclaviza, engaña, roba y mata. Orozco pintó, en los mismos muros de San Ildefonso, una caricatura del Padre Eterno que habría envidiado Lautréamont, así como otras imágenes que muestran la complicidad de la Iglesia con los ricos y los opresores. Cierto, son escenas de la vida moderna mexicana, pero en otros frescos (por ejem-

* Serie de pinturas al temple y piroxilina sobre masonita.

plo: los de Darmouth College) la cruz emerge del montón de ruinas a que redujo la Conquista al mundo indio, no se sabe si como un refugio o como un monumento opresor. Me inclino por lo segundo: es una cruz severa, impiadosa.

La misma dualidad frente a la suerte de los vencidos en el virreinato: en los frescos de San Ildefonso se les ve arrastrarse por el suelo, cubiertos de llagas, sedientos y sólo socorridos por los frailes; pero en ese mismo edificio hay otro fresco que representa dos figuras enérgicas, imagen de la voluntad constructora, cuyo título es: *El conquistador edificador y el trabajador indio.* Todo esto confirma lo que antes dije: aunque la historia es la materia prima de su arte, no la concibe como sucesión temporal sino como *el lugar de prueba.* Es un sitio de perdición pero, asimismo, por el sacrificio creador, de transfiguración.

Es natural que un temperamento tan extremoso apenas si se haya detenido en los tres siglos en que México se llamó Nueva España. Es un periodo en el que no abundan los episodios dramáticos. La historia del siglo XIX tampoco lo apasionó. Las alegorías de Hidalgo (Palacio de Gobierno, Guadalajara, 1937) y de Juárez (Castillo de Chapultepec, México, 1948) son vastas composiciones altisonantes. En la primera sorprende la violencia del pintor: Hidalgo empuña la tea del incendio mientras abajo una masa confusa de hombres rabiosos se apuñalan. De nuevo la historia vista como castigo y venganza. Otro muro tiene por tema *La gran legislación revolucionaria mexicana*, un título más para un compendio jurídico que para una pintura. Arte público, huero y grandielocuente. Lo mismo hay que decir de la alegoría de Juárez en Chapultepec. En el fresco de Jiquilpan (1930), aunque dañado por la misma retórica oficialesca, la violencia no se disuelve en mera gesticulación: la ferocidad de esas figuras es real, sobre todo la de los animales emblemáticos de México: el jaguar, el águila, la serpiente. También hay grandeza en la mujer —¿la nación?— montada sobre un jaguar. Me pregunto si no hay en esta imagen un recuerdo inconsciente de Durga y su tigre, una representación hindú que debe de haber visto en el *Ashram* de Alma Reed y Eva Sikelianos.

En estos frescos —hay otros, como los de la New School for Social Research de Nueva York— Orozco confundió la fuerza con la elocuencia, la pasión con el gesto. Dos tentaciones amenazan a la pintura mural: la de la oratoria y la de la confidencia. La pintural mural es un arte público que tiende a suplantar la visión personal del artista y su acento propio por estereotipos y clichés; al mismo tiempo, soporta difícilmente la intrusión de las emociones e ideas íntimas del pintor. Orozco pecó, a veces, por lo segundo, pero en otras ocasiones, como en estas pinturas, incurrió en el primer vicio: el lugar común y la perorata.

Dos periodos de la vida de México lo apasionaron: la Conquista y la Revolución. Veía en la primera, con razón, el acontecimiento decisivo de nuestra historia, la gran ruptura y la gran fusión. La segunda es el complemento contradictorio de la primera, la réplica que, al negarla, la consuma. Orozco participó sólo lateralmente en la Revolución, como la mayoría de los mexicanos de su edad y su clase. En su *Autobiografía* dice: "Yo no tomé parte alguna en la Revolución, la Revolución fue para mí el más alegre y divertido de los carnavales." Debería haber escrito: "el más lúgubre de los carnavales". Muy joven participó en la agitación —mitad estética y mitad política— que encabezaba Gerardo Murillo, el Dr. Atl. Después, al triunfo de la Revolución, se mostró adversario del movimiento y fue autor de crueles caricaturas en las que ridiculizaba a Madero y a otros jefes revolucionarios, como Zapata y Gustavo Madero, el hermano del Presidente.

El golpe de Estado de Victoriano Huerta lo hizo cambiar de bando. Estuvo en Orizaba con el Dr. Atl; en el periódico *La Vanguardia* publicó caricaturas del dictador, la Iglesia y el embajador de los Estados Unidos. Pero en ese mismo periódico revolucionario aparecen otras caricaturas que dejan ver su precoz desilusión y su horror ante las atrocidades de la guerra civil. Entre ellas hay una que revela la ambigüedad de sus sentimientos: representa la cara de una muchacha —una risueña pizpireta de grandes ojos— tocada por un hacha y una daga, con esta leyenda: "¡Yo soy la revolución, la destructora!" La misma ambivalencia —menos polémica y atemperada por la admiración y la piedad— aparece en la serie doble *México en Revolución* (óleos, acuarelas, aguadas, dibujos y litografías, 1913-1917 y 1920-1930). Estas obras representan uno de los más altos momentos de Orozco como pintor de caballete, tanto por su excelencia pictórica como por su visión. Ve a la Revolución con ojos de artista, no de ideólogo: no es un movimiento de este o aquel partido sino la erupción de las profundidades históricas y psicológicas de nuestro pueblo. En esas pinturas hay grandeza y hay horror, fusilamientos y saqueos, violaciones y baileteo en el fango y la sangre, heroísmo y piedad, melancolía y cólera. Hay el maguey sobre la tierra reseca, verde presencia tenaz como la vida.

A pesar de los ecos y resabios de los renacentistas italianos, la disparidad entre las diversas partes del conjunto y la confusión entre grabado satírico y pintura mural, los frescos de San Ildefonso son una de sus obras más logradas. Fue un gran comienzo. Aunque algunas de esas pinturas son ilustraciones —defecto común a nuestros muralistas y, quizá, del género mismo— otras me parecen obras maestras, como *La destrucción del Viejo Orden*, *La huelga* y *La trinchera*. Esta última aún guarda intactos todos sus poderes, a pesar de la abundancia de baratas reproducciones. En estos frescos hay pasión sin patetismo, vigor sin brutalidad, fuerza serena, nobleza en el dibujo y mesura en la violencia misma del color. Otros son caricaturas amplificadas de la burguesía, las instituciones y la justicia. Orozco se equivocó en la escala, pero confieso que esos enormes sarcasmos coloridos me impresionan hoy tanto como hace cincuenta años, cuando los vi por primera vez al ingresar en la Escuela Nacional Preparatoria. Otros frescos me conmueven más profundamente: aquellos en que expresa su amargura, su piedad y su cólera ante la locura revolucionaria, es decir, ante la locura humana. Uno de ellos anuncia ya las grandes composiciones de Guadalajara: tres obreros, uno manco, otro que se tapa los oídos y un tercero al que ciega un manto rojo y que empuña un fusil. El fresco se llama *La trinidad revolucionaria*: doble cuchillada, contra el dogma religioso y contra el dogma revolucionario.*

En 1924 Orozco colabora con los pintores comunistas en el periódico *El Machete*. Pronto abandona esta tendencia y un año después pinta *Omnisciencia*, en la Casa de los Azulejos, un fresco simbólico. Pero ni las ideas políticas ni los sistemas filosóficos lo definen. Fue, ante todo, un artista; en seguida, y no menos totalmente, fue un espíritu religioso. Su religión carecía de dogmas, iglesias y dioses

---

* En el lujoso libro *La pintura mural de la Revolución Mexicana*, editado en Holanda en 1960 por una institución oficial, el Banco Nacional de Comercio Exterior, el título de este fresco es más púdico: *Trilogía*. Esta obra es una muestra de la ocultación de Orozco a que me referí al comenzar este trabajo. Por ejemplo, al reproducir el fresco llamado *El carnaval de las ideologías*, se suprime todo el fragmento en que aparecen la hoz y el martillo al lado de la cruz gamada. Tampoco figuran en este libro las obras de Jean Charlot y las de Roberto Montenegro.

visibles, no de revelaciones y misterios. Religión de cólera justiciera y de piedad vengativa. Anticlerical, antiescolástico, antifariseo, solitario, taciturno y sarcástico, amó y odió a sus semejantes con la misma exasperación con que se amó y se detestó a si mismo. La Revolución lo fascinó porque vio en ella una explosión de lo mejor y lo peor de los hombres, la gran prueba de la que salimos unos condenados y otros transfigurados. Se burló de ella como idea, le repugnó como sistema y le horrorizó como poder. Con la misma pasión con que exaltó y compadeció a los mártires —fuese la víctima un revolucionario traicionado como Carrillo Puerto o un pobre burgués ajusticiado— se ensañó contra los líderes, los gobernantes, los ideólogos, los generales y los demagogos. ¿Qué fue entonces para él la Revolución? Como institución y gobierno le pareció no menos abominable que la Iglesia romana, la banca internacional, el partido comunista o el partido fascista. Como sismo social fue magnífica y cruel, abyecta y generosa: fue la Bola, la gran confusión, la vuelta al amasijo del comienzo, el gran relajo. La Revolución, vientre en donde el tiempo cría sus prodigios y sus monstruos: el héroe, el verdugo, el ladrón, la puta, el mártir, la hermana de la caridad, la guerrillera, el león, la culebra, el asno coronado.

No menos trágica es su visión del animal humano. El pueblo es la arcilla y la pólvora con que se hacen las revoluciones, las guerras y las tiranías. Pero el pueblo se degrada en masa: esa sucesión de rostros borrosos que vemos en las procesiones religiosas, en los desfiles patrióticos y en las manifestaciones políticas. Engañado, robado, golpeado y torturado por los militares y los curas, los líderes revolucionarios y los ideólogos, el pueblo es cruel y blando, duro y estúpido, víctima y victimario. El pueblo hace la revolución y los revolucionarios en el poder deshacen al pueblo.

Hay una turbadora analogía entre la visión negra de Orozco y las de tres grandes escritores mexicanos: Mariano Azuela, Martín Luis Guzmán y José Vasconcelos. Por su imagen de la Revolución como la gran Bola que rueda al azar, río crecido salido de madre que derriba todo lo que se le opone, me hace pensar en Azuela; por su denuncia de los crímenes de los militares y las mentiras de los demagogos, en Martín Luis Guzmán; por su visión colérica, justiciera y, al fin, religiosa de la historia, en Vasconcelos. Quizá con éste último es con el que tiene mayor afinidad. Pero algo distingue al pintor de los tres escritores, especialmente de Vasconcelos: para Orozco la Revolución en el poder no es distinta a la religión petrificada en iglesia. Aquí aparece una imagen arquetípica y central de Orozco: Roma/Babilonia. Es una imagen que viene de la Biblia y de los grandes textos religiosos: Babilonia era Roma para San Juan; para Orozco, Babilonia es la Revolución triunfante y, también, las grandes ciudades modernas: Nueva York, Londres, París, Berlín... Babilonia es Cosmópolis, la Gran Ramera. Orozco fue un lector asiduo del Apocalipsis y es imposible entender sus visiones si se olvida este texto sagrado. Naturalmente su interpretación no es ortodoxa y está influida por sus ideas y por las opiniones y lucubraciones de sus amigos del *Ashram* de Nueva York. El tema del Apocalipsis me lleva a otra fase de su pintura.

3

La Conquista de México es inexplicable sin el caballo. Aparte de la superioridad militar de la caballería española sobre la infantería india, hubo la fascinación mítica: el caballo fue para los indios una criatura sobrenatural. Creyeron que el jinete y su montura eran un ser doble capaz de unirse y separase a voluntad: por esto, durante el sitio de Tenochtitlan, los aztecas sacrificaban en el Gran Teocalli no sólo a los jinetes prisioneros sino a sus caballos. Pero la obsesiva abundancia de imágenes ecuestres en los muros del Hospicio Cabañas no se debe únicamente a razones históricas: para Orozco el caballo era un animal simbólico. El día en que se estudien con un poco de atención sus símbolos y figuras, se verá que sus visiones más intensas son resurrecciones de imágenes ancestrales enterradas en su alma. Otra fuente fueron sus preocupaciones religiosas y filosóficas que se manifestaban naturalmente como imágenes visuales: para él, pensar era ver. Ya señalé la semejanza de la figura de la mujer montada en un jaguar con la imagen tradicional de Durga y su tigre. Es un ejemplo entre muchos. La iconografía y el bestiario de Orozco son simbólicos y pertenecen a un fondo tradicional. Algunas de esas imágenes son precolombinas, la mayoría son cristianas, otras vienen del gnosticismo y de las religiones precristianas y del Oriente. Nos hace falta un buen estudio iconológico de su pintura.*

Entre todos los caballos del Hospicio Cabañas hay dos que son notables. Uno es un caballo bicéfalo montado por un jinete de hierro. La figura representa a la España guerrera. ¿Por qué es bicéfala la bestia? La primera respuesta que se me ocurre es ésta: la Conquista fue la obra dual de la espada y la cruz. Es probable que este obvio simbolismo esconda otro más sutil y profundo. Frente al caballo bicéfalo aparece, en el muro contiguo, otra bestia no me-

---

* Justino Fernández lo inició tímidamente en su *José Clemente Orozco, forma e idea* (México, 1942). En ese libro examina someramente el *Prometeo* de Pomona y se refiere a los estudios iconográficos de Panofsky. Por desgracia, no persistió ni avanzó en esa dirección. Es una lástima, pues Justino Fernández fue el primero en destacar el sentido filosófico-religioso del simbolismo de Orozco.

nos fantástica y más terrible: un caballo mecánico montado por un robot que empuña una bandera con las armas
imperiales de España. Yuxtaposición de épocas: el caballo
y su jinete pertenecen al siglo XX, la bandera al Renacimiento. En el teatro de imágenes que es la historia para
Orozco, el sentido no puede ser sino el siguiente: la Conquista, obra del jinete y su caballo, abre las puertas a la
era moderna, la edad mecánica. En la escatología de Orozco la edad mecánica corresponde a la deshumanización de
los hombres. Los cuatro caballos de la revelación de San
Juan —el blanco, el bermejo, el negro y el amarillo— se
funden en este caballo mecánico de acero gris cuyos re-
mos son émbolos y cilindros, la cola una cadena de hierro
y el jinete una máquina asesina. El tránsito del mundo renacentista al moderno se expresa a través del simbolismo
que transforma el caballo bicéfalo de la Conquista en bestia mecánica. La serie simbólica nos revela un proceso hecho de saltos y caídas: Quetzalcóatl ⟶ la traición ⟶ la
huida ⟶ la Conquista ⟶ el caballo bicéfalo: espada y
cruz ⟶ la edad mecánica ⟶ la deshumanización.

La historia no es sino el girar de la rueda de la justicia
cósmica.

La deshumanización fue un *leitmotiv* de la generación
de Orozco. Para Ortega y Gasset era una suerte de higiene mental contra los excesos románticos; para otros era una
verificación del concepto de alienación de Hegel y Marx;
para otros más, como Orozco, un pecado, una caída: la
pérdida del ser. El alma humana transformada en mecanismo. En el Hospicio Cabañas el pintor representa al diablo como un ídolo horrible, Huitzilopochtli, embadurnado
de sangre y rodeado de sacerdotes caníbales. En otro muro, frente al ídolo, el símbolo de la edad moderna: el caballo mécanico y su jinete. El diablo moderno no es un ídolo:
es una máquina cuyo único movimiento es la repetición

del mismo gesto mortífero. El alma es soplo, movimiento creador y vivificador; el mal es su caricatura: el movimiento estéril de la máquina, condenada a repetirse sin cesar. Pero la mecanización no es sino un aspecto de la deshumanización universal. El otro es la ideología: la era mecánica es también el siglo de las ideologías. La ideología nos deshumaniza porque nos hace creer que sus sombras son realidades y que las realidades, incluso la de nuestro propio ser, no son sino sombras. Es un juego de espejos que nos oculta la realidad, que nos roba la cara y el albedrío para convertirnos en reflejos. La repetición es el modo de ser propio del diablo: el robot repite los mismos gestos, el ideólogo las mismas fórmulas.

Si la máquina es la caricatura de la vida, la ideología es la caricatura de la religión. Orozco pintó en el Palacio de Gobierno de Guadalajara, lado a lado, en 1937, dos frescos: *Los fantasmas de la religión en alianza con el militarismo* y *El carnaval de las ideologías*. El primero representa el viejo pecado conservador que empezó, en la historia del cristianismo, con Constantino: la confusión entre el poder y la religión, el trono y el altar. Esta corrupción clerical y política de la fe ha sido el cáncer de América Latina, desde la Independencia hasta nuestros días. La sacrílega alianza entre la espada y la cruz es el equivalente de Huitzilopochtli y sus guerreros sanguinarios. El otro fresco nos muestra la realidad política y espiritual del mundo moderno, dividido en sectas feroces, cada una dueña de un libro donde el adepto encuentra respuesta a todos los enigmas de la historia. En *El carnaval de las ideologías* aparece una banda de seres grotescos, payasos crueles, locos astutos y obstinados, doctores sanguinarios, cada uno armado con un signo: el crucifijo, la hoz y el martillo, la suástica, el *fascio*, las llaves de este mundo o las del porvenir. No es difícil reconocer en esos peleles los rostros de muchos de los doctrinarios y maestros del siglo, todos poseídos por el *odio teológico*. Cada secta se cree dueña de la verdad total y está dispuesta a imponerla por la fuerza y por el exterminio de las otras sectas. El siglo XX ha sido un siglo ideológico como el siglo XII fue un siglo religioso. Los fantasmas de la religión provocaron las persecuciones contra los heréticos, las guerras religiosas del siglo XVI y otros desastres; las ideologías del siglo XX han llevado la guerra a todas las naciones, han asesinado a millones de hombres y han esclavizado a países inmensos como continentes.

El tema de la Revolución corrompida por el poder desemboca en dos imágenes de la sociedad moderna: la mecanización y la enajenación ideológica. Por la Revolución, nuestro país penetró al fin en el mundo moderno, pero ese mundo no es el que soñaban los liberales y los revolucionarios: el progreso sin fin y la fraternidad universal. Hace años, al tocar este tema, escribí: "Por primera vez somos contemporáneos de todos los hombres."* Esta frase no siempre ha sido leída con propiedad. Yo me refería al derrumbe de las creencias y utopías; señalaba que hoy estamos solos y que, como el resto de los hombres, vivimos a la intemperie: "no hay ya viejos o nuevos sistemas intelectuales capaces de albergar nuestra angustia... frente a nosotros no hay nada". En efecto, el rasgo distintivo de este fin de siglo ha sido el fracaso de las revoluciones que encendieron las esperanzas de inmensas multitudes y de muchos intelectuales hace apenas cincuenta años. Al mismo tiempo, los países que no han sufrido la congelación de las dictaduras totalitarias revolucionarias y que han escapado de las tiranías militares, es decir: las naciones liberales de Occidente, han sido incapaces de detener el proceso de la deshumanización. Los males han sido menores que

* *El laberinto de la soledad*, México, 1950.

310

en los regímenes totalitarios pero la degradación de la existencia humana ha sido, de todos modos, inmensa. Una sociedad de consumidores no es siquiera una sociedad hedonista. Es un mundo movido por un proceso circular: producir para consumir y consumir para producir. Orozco vio hondo y claro: ya somos modernos porque somos ciudadanos de la edad mecánica e ideológica. Somos los mutilados del ser.

Después de *El carnaval de las ideologías,* Orozco pintó en varios frescos su visión de la sociedad mexicana postrevolucionaria y del mundo moderno. En 1941, en el Palacio del Poder Judicial de México, se atrevió a mostrar la venalidad de nuestra justicia. Dio en el blanco: sin la reforma del poder judicial, México no podrá enderezarse nunca. En el elegante *Turf Club* pintó, en 1945, una sátira de la sociedad afluente que anticipa al film de Fellini (*La dólce vita*). Pero la obra característica de este periodo, lo mismo por su violencia que por su tema, es un poco anterior: *Catarsis* (Palacio de Bellas Artes, 1934). Verdadera purgación no sólo de sus sentimientos sino de sus obsesiones. Una multitud de personajes bestiales, revueltos y apeñuscados, luchan entre ellos y se apuñalan. Son los faccionarios, los fanáticos, los negociantes, los ladrones, los demagogos, los santones doctrinarios, convertidos en una masa feroz y ávida: aquí y allá, inmensas, sobradas de carnes y de años, abiertas de piernas, revolcándose entre la sangre y el excremento, las cortesanas. Sus grandes risotadas cubren el golpeteo de las ametralladoras. Esta imagen de la sociedad moderna no es sino, remozada, la vieja imagen bíblica de Babilonia, la Gran Ramera.

La visión se manifiesta con mayor claridad en uno de sus últimos frescos (inconcluso): *Alegoría del Apocalipsis* (Hospital de Jesús, 1942-1944). Las alusiones al texto de San Juan son más directas y explícitas. La ramera viste y bebe a la moderna pero cabalga un ser inmundo: "y vi una mujer sentada sobre una bestia de color de grana, llena de nombres de blasfemias y que tenía siete cabezas y diez cuernos... y en la frente de la mujer estaba escrito: Misterio, Babilonia la Grande, la madre de las fornicaciones y de las abominaciones de la Tierra." La Gran Ramera no es otra que la Roma imperial, señora de todos los vicios y tiranías: "Y la mujer que has visto es la grande ciudad que tiene su reino sobre los reyes de la Tierra." Al lado de Roma/Babilonia aparecen otras imágenes sacadas del texto santo. Vemos al ángel atar a Satanás y después desatarlo: "y cuando mil años fueren cumplidos, Satanás será suelto de su prisión. Y saldrá para engañar a las naciones que están en las cuatro esquinas de la tierra, Gog y Magog, a fin de congregarlas para la batalla, el número de las cuales es como la arena de la mar". La liberación de Satán desencadena la guerra universal: nuestro tiempo.

La interpretación esotérica de la historia está muy lejos del marxismo de Rivera y Siqueiros; también de las ideas de la mayoría de los artistas e intelectuales modernos. Sin embargo, para comprender lo que llaman las contradicciones de Orozco —mejor dicho: para comprender que no son contradicciones— debe aceptarse que su pintura es una visión simbólica de la historia y de la realidad humana. Sus símbolos son herencia de la tradición, pero libremente enlazados e interpretados. Orozco ve con los ojos de la cara y con los de la mente; somete lo visto y lo pensado a geometría, proporción, color y ritmo; su pintura es un puente simbólico que nos lleva a otras realidades. El arte de pintar lo que vemos se transforma en el arte de mostrarnos la transfiguración de la realidad humana en forma, idea y, en fin, en geometría hecha luz y ritmo. Por esto era natural que, sobre todo al final de su vida, sintiese atracción por la pintura abstracta, esto es, por el juego de los colores y las formas que han dejado de significar y que, simplemente, *son*. En el Hospicio Cabañas y en el Hospital de Jesús la divinidad está representada por formas abstractas. Pero también era natural, por la lógica misma de su tentativa artística, que se resistiese a la abstracción: pintar fue para él un acto polémico, incluso trágico, mediante el cual, a través de la forma, el hombre se significa y, así, se transfigura. Pintar es expresar nuestra sed, jamás saciada, de significaciones absolutas. Orozco no pintó certidumbres intemporales: pintó el ansia de certidumbre.

Los símbolos dialogan entre ellos; Quetzalcóatl convoca a Cortés, que convoca a la edad mecánica, que desemboca en un apocalipsis. La lógica de los símbolos es consistente pero ¿cuál es su sentido? La historia no tiene sentido: la historia es la búsqueda de sentido. Ése es su sentido. Por esto es el lugar de la purificación y de la transfiguración. El héroe y el mártir son los emblemas de la condición humana trascendida o transfigurada. Cada uno de nosotros, es nuestra pequeña escala, podemos ser héroes, es decir, pruebas vivientes de la posibilidad que tenemos de ir más allá de nosotros mismos. ¿Dónde está ese más allá? Orozco no lo sabe o, mejor dicho, según lo confesó en alguna ocasión a Justino Fernández: *sabe que es lo desconocido*. Respuesta que no carece de grandeza. Hay una palabra que define lo mismo al arte que a la persona que fue Orozco: autenticidad.

En un trabajo como éste es imposible examinar con detenimiento la evolución y los cambios de su estilo. Escribo un ensayo, no una monografía. Así, me limito a señalar, de paso, que los dos términos, evolución y cambio, designan vías que sin cesar se entrecruzan: por una parte, el paulatino dominio de las formas y las técnicas, por otra, el descubrimiento del mundo propio. Para un artista verdadero aprender a pintar significa, ante todo, apropiarse de medios para expresarse; *evolución* es el movimiento gradual y ascendente que lo lleva a la posesión de esos medios. A su vez, *cambio* es una mutación dotada de un sentido y una dirección: el artista se busca a sí mismo y sus cambios son los distintos momentos de esa búsqueda. Para Orozco la búsqueda terminó pronto: desde sus primeros y dramáticos dibujos y acuarelas se encontró. Aunque después exploró otros caminos y ensayó técnicas y maneras distintas, no cambió para encontrarse sino para ensancharse y anexar nuevos territorios de la realidad. A la inversa de Picasso, sus cambios no lo hicieron otro: le sirvieron para ahondar en sí mismo y para expresarse mejor. Todas sus variaciones revelan una extraordinaria continuidad. Sus experiencias y sus aventuras, como traté de mostrar en la primera parte de este ensayo, obedecieron no a un afán de novedad sino a necesidades íntimas de expresión.

En el primer tercio de nuestro siglo la pintura experimentó transformaciones radicales, del fauvismo y el cubismo al surrealismo y la pintura abstracta. Todo lo que se ha hecho después no ha sido sino variaciones y combinaciones de lo que se pintó e inventó durante esos años. El movimiento muralista mexicano es parte —aunque parte excéntrica— de esos grandes cambios. Ninguno de nuestros pintores cerró los ojos ante las sucesivas revoluciones estéticas del siglo; asimismo, ninguno de ellos se entregó totalmente a esos movimientos.El más conservador fue el que, en su juventud, había participado más plenamente en las aventuras pictóricas del siglo XX (fauvismo y cubismo): Diego Rivera. En el otro extremo, David Alfaro Siqueiros. Fue el más audaz, el más inventivo e imaginativo; siempre he lamentado que sus obsesiones y fanatismos políticos hayan dañado sus grandes poderes de innovador. Aun así, es indudable que sus concepciones acerca del dinamismo de la materia y de la utilización de la mancha de color son un antecedente del expresionismo abstracto de los norteamericanos. A Orozco le interesó menos que a Siqueiros la invención plástica: su genio no era especulativo. No obstante, también exploró y utilizó, según ya dije, los recursos de la abstracción y del geometrismo, aunque siempre al servicio de su peculiar visión del mundo. Señalo, por otra parte, que sus tentativas geométricas y no figurativas pertenecen a su último periodo. Salvador Elizondo ha indicado con perspicacia que Orozco murió en plena búsqueda y cuando exploraba vías distintas: ¿qué habría hecho si hubiese vivido unos años más?

Orozco o la fidelidad: en las acuarelas de su juventud ya está todo lo que sería más tarde. Si el dibujo es admirable por su nerviosa economía, la composición anuncia su futuro dominio de las grandes superficies: en esos cuadros de dimensiones más bien pequeñas, el espacio es vasto y respira. Los colores son ácidos y turbios pero esto, que podría ser un defecto en otro tipo de pintura, contribuye a acentuar el agobio y la pena que habitan esos purgatorios urbanos que son los burdeles de Orozco. Un poco más tarde abandona esos mundos cerrados y asfixiantes, sale al aire libre y pasa de la congoja a la cólera, de la burla a la imprecación, del comentario oblicuo a la gran poesía profética. A estos cambios psicológicos y morales corresponden otros en su pintura: su dibujo se hace más enérgico y rotundo, sus colores más brillantes y violentos. Es verdad que no fue un gran colorista, sobre todo si se le compara con dos maestros del color como Tamayo y Matta. Pero tampoco puede reducirse su arte, como se ha dicho, al blanco y negro. Esta confusión se extendió mucho en una época y yo mismo la compartí por algún tiempo. No es difícil averiguar la razón: Orozco comenzó como artista gráfico y nunca dejó de serlo enteramente. Incluso algunos de sus primeros murales —me refiero a la serie *Falsedades sociales* (1924) del Colegio de San Ildefonso— parecen amplificaciones gigantescas de grabados satíricos. Pero en el mismo edificio otros frescos suyos revelan un notable sentimiento del color, casi siempre exaltado y, en ocasiones, radiante.

La limitación del blanco y el negro se resuelve en riqueza de claroscuros; su monotonía, en intensidad. No es extraño que Orozco haya dejado tantos ejemplos soberbios de un género que se prestaba particularmente a su temperamento a un tiempo obsesivo y extremoso. Muchos de sus grabados y litografías resisten la cercanía de los más grandes, de Goya a Munch. También algunos de sus frescos en blanco y negro son memorables. Pero esta modalidad es sólo una faceta, aunque capital, de su pintura. Su genio consistió en *traducir* la furia concentrada del blanco y el negro a toda la gama cromática. No siempre acertó. Enamorado de la violencia y no pocas veces víctima suya, ignoró las gradaciones, los matices, las fosforescencias, las transparencias. A veces su color es agrio; sin embargo, con más frecuencia, sus rojos y verdes relampaguean, sus amarillos centellean, sus azules se irisan, sus grises son cuchilladas. Detonaciones, colores de la tormenta, la angustia, el incendio. El dibujo —su gran don— sostiene indemne esas construcciones llameantes. Es un dibujo neto, preciso, firme. Ni arabescos ni sinuosidades como en Matisse ni la línea serpentina de Picasso, que se enrosca con cierta lascivia en el Árbol de la Vida. Dibujo directo, cuerpo a cuerpo con el espacio, dibujo inventor de cuerpos y de arquitecturas. Dibujo atlante.

Sería inútil buscar en la pintura de Orozco la naturaleza paradisíaca de Diego Rivera, gran pintor de árboles, lianas, flores, musgos, agua, hombres y mujeres de cuerpos cobrizos. Mundo del primer día, recorrido por una sexualidad todopoderosa, paraíso más animal que humano y más vegetal que animal. Diego Rivera, el pintor, paga así la deuda contraída por Diego Rivera el ideólogo. Contemplar esos frescos, que nos muestran el apogeo prodigioso y colorido de los poderes genésicos del principio, es una generosa compensación por el hastío de tantos y tantos kilómetros de pintura didáctica y simplismos ideológicos. El paisaje de Orozco es árido, desgarrado, arisco: cielos tempestuosos, inmensos llanos secos, peñascos taciturnos, árboles retorcidos, caseríos petrificados. Los cuerpos humanos —hombres caídos, mujeres enlutadas— son la parte sufriente del paisaje. También la parte feroz: son garras, son colmillos, son pezuñas que aplastan lo que pisan. El paisaje de Orozco es algo más que un *paysage moralisé*; es un emblema doble de la ferocidad de la naturaleza y de la naturaleza feroz del hombre. Sin embargo, en esos parajes desolados, imagen de la sequía, brota el maguey. No es una planta alegre: surtidor vegetal, es una verde obstinación, una terca voluntad de nacer, crecer, pervivir. El maguey: México o la tenacidad.

El paisaje urbano es la réplica del paisaje natural. Réplica física y moral. En las obras de Orozco abundan los panoramas y las perspectivas industriales: fábricas, rascacielos, trenes, puentes de hierro, máquinas y más máquinas, hombres y mujeres espectrales caminando por calles sin fin entre altos edificios grises. Orozco vivió muchos años en Nueva York y en San Francisco, visitó París y Londres, estuvo en Roma y fue testigo de la transformación de México en ciudad moderna. A la inversa de otros pintores y poetas de nuestro siglo —Léger, Boccioni, Apollinaire, Joyce— no vio a la ciudad moderna con asombro sino con horror. Para él la ciudad no fue el Cosmos que había celebrado Whitman ni la gran fábrica de lo maravilloso que fascinó a Breton. Más cerca de Eliot, la vio con ojos bíbli-

317

cos: lugar de condena, patria de la Gran Ramera, vasta como el desierto y asfixiante como la celda en donde se apeñuscan los prisioneros. En sus visiones de México aparecen a veces cubos blancos, grises, ocres: son casas de donde salen mujeres dolientes, cortejos fúnebres. En otras ocasiones pinta panoramas de cúpulas, iglesias, torres, fuertes, muros, terrazas: lo que queda del México antiguo. Esos fondos están pintados con nostalgia y son como un adiós a un mundo desaparecido. Agrego que todos esos paisajes urbanos están *construidos*; quiero decir: el ojo y la mano de Orozco son arquitectos. Fue un gran pintor de volúmenes y sólidos. Fue un inspirado pero también un geómetra.

En un ensayo célebre en su momento, Villaurrutia llamó a Orozco "pintor del horror". En otro lugar ya expuse y justifiqué mi desacuerdo. La pintura de Orozco, por su intensidad y su violencia, merece ser llamada terrible. El horror nos inmoviliza, es una fascinación; lo terrible es amenazante y nos causa pavor, temor.* Más exacto me parece decir que Orozco es un pintor inmenso y limitado. Inmenso porque su pintura hunde sus raíces en los dos misterios que nadie ha develado: el del origen y el del fin. Limitado porque en su pintura echo de menos muchas cosas: el sol, el mar, el árbol y sus frutos, la sonrisa, la caricia, el abrazo. En el extremo opuesto de Matisse, ignora la dicha, la plenitud solar del cuerpo femenino tendido a nuestro lado como una playa o un valle; ve en la mujer a la madre, a la ramera o a la hermana de la caridad: no ve en ella a la granada fatal que, al abrirse, nos da el alimento sagrado que nos hace cantar, reir y delirar.

* Véase: *Xavier Villaurrutia, en persona y en obra*, México, 1978. He dedicado al horror, tratando de distinguirlo de lo terrible, otras páginas en *El arco y la lira* (en el capítulo "La otra orilla"), México, 1956 y en un ensayo, "Risa y Penitencia", recogido en *Puertas al campo*, (México, 1966) y en este libro, pp. 96-115.

También ignora la contemplación de las estrellas en el cielo de la mente, al alcance no de la mano sino del pensamiento, rotación de las formas y colores, imagen de la perfección del universo que maravilló a Kandinsky, juego encantado de los átomos y los soles. Ignora, en fin, la sonrisa de Duchamp, que nos revela al mismo tiempo la fisura insondable del universo y el arte más alto y difícil: bailar sobre el precipicio.

Nuestro pintor compensa todas esas limitaciones con la intensidad de su visión y con la energía trágica de sus creaciones. No supo sonreir, contemplar ni abrazar, pero conoció la burla, el sarcasmo, el grito, el silencio, la soledad, la fraternidad, el jadeo en el martirio, la visión divina sobre el peñasco árido o en la obscuridad de la cueva. ¿Qué nos dejó? Unas formas incendiadas que dibujan una interrogación: el titán Prometeo castigado por su amor a los hombres, Quetzalcóatl que predica en el desierto, Felipe II que abraza una cruz de piedra, Cristo que destruye la suya, Carrillo Puerto que cae ensangrentado. Iconos de la interrogación humana, iconos de la transfiguración. Todos ellos se disuelven y resuelven en otro: el hombre en llamas.

México, a 1 de marzo de 1986

Vuelta 119, México, octubre de 1986

RUFINO TAMAYO

TAMAYO EN LA PINTURA MEXICANA*

LA pintura mexicana moderna comienza con Diego Rivera, José Clemente Orozco, David Alfaro Siqueiros, Jean Charlot, Roberto Montenegro, Fermín Revueltas, Alva de la Canal y los otros muralistas. Fue un comienzo admirable y poderoso. Pero fue un comienzo: la pintura mexicana no termina en ellos. La aparición de un nuevo grupo de pintores —Tamayo, Agustín Lazo, María Izquierdo, Manuel Rodríguez Lozano, Carlos Orozco Romero, Antonio Ruiz, Julio Castellanos y otros— entre 1925 y 1930, produjo una escisión en el movimiento iniciado por los muralistas. Un estilo de llama termina siempre por devorarse a sí mismo. Repetir a Orozco habría sido una insoportable mistificación; el nacionalismo amenazaba convertirse en mera superficie pintoresca, como de hecho ocurrió después; y el dogmatismo de los pintores "revolucionarios" entrañaba una inaceptable sujeción del arte a un "realismo" que nunca se ha mostrado muy respetuoso de la realidad. Todos conocemos los frutos de esta nueva beatería y a qué extremos morales y estéticos ha conducido el llamado "realismo socialista".

La ruptura no fue el resultado de la actividad organizada de un grupo sino la respuesta aislada, individual, de diversos y encontrados temperamentos. Nada más alejado de la constante búsqueda e invención de Carlos Mérida y Jesús Reyes que la lenta maduración de Julio

* Este ensayo fue escrito como un comentario a la primera exposición de Tamayo en París.

323

Castellanos; nada más opuesto a la poesía explosiva de Frida Kahlo que el mundo sonámbulo de Agustín Lazo. Pero a todos los impulsaba el deseo de encontrar una nueva universalidad plástica, esta vez sin recurrir a la "ideología" y, también, sin traicionar el legado de sus predecesores: el descubrimiento de nuestro pueblo como una cantera de revelaciones. Así, la ruptura no tendía tanto a negar la obra de los iniciadores como a continuarla por otros caminos. La pintura perdía su carácter monumental pero se aligeraba de retórica

Rufino Tamayo es uno de los primeros que se rehúsan a seguir el camino trazado por los fundadores de la pintura moderna mexicana.

Por otra parte, su búsqueda pictórica y poética ha sido de tal modo arriesgada y su aventura artística posee tal radicalismo, que esta doble independencia lo convierte en la oveja negra de la pintura mexicana. La integridad con que Tamayo ha asumido los riesgos de su aventura, su decisión de llegar hasta el límite y de saltarlo cada vez que ha sido necesario, sin miedo al vacío o a la caída, seguro de sus alas, son un ejemplo de intrepidez artística y moral. Al mismo tiempo, constituyen la prueba de fuego de una vieja verdad: lo genuino vence todas las influencias, las transforma y se sirve de ellas para expresarse mejor. Nada, excepto la pereza, la repetición o la complacencia en lo ya conquistado, daña ese fondo ancestral que lleva en sí todo artista verdadero. La aventura plástica de Tamayo no termina aún y, en plena madurez, el pintor no deja de asombrarnos con creaciones cada vez más deslumbrantes. Mas la obra realizada posee ya tal densidad y originalidad que es imposible no considerarla como una de las más preciosas e irremplazables de la pintura universal de nuestro tiempo tanto como de la mexicana.

Nacida bajo el signo del rigor y la búsqueda, la pintura de Tamayo se encuentra ahora en una zona de libertad creadora que la hace dueña del secreto del vuelo sin perder jamás el de la tierra, fuerza de gravedad de la inspiración. El lirismo de hoy es el fruto del ascetismo de ayer. Hasta hace pocos años su pintura se ofrecía al espectador como un deliberado sacrificio en favor de la desnudez esencial del objeto. Ahora ese núcleo vibrante y puro a que se había reducido su arte emite una serie de descargas, tanto más directas y libres cuanto más inflexiblemente sometidas a una implacable voluntad de pureza. La libertad, nuevamente, se nos muestra como una conquista. Vale la pena ver cómo Tamayo alcanzó esta tensa libertad.

En lo que podríamos llamar su primera época, el pintor no parece sino interesarse en la experiencia plástica pura. Naturalmente, no en el sentido de "pintar bien" o de "dominar el oficio", porque con sus atrevidas composiciones Tamayo no se proponía "aprender a pintar" o "vencer dificultades", sino encontrar nuevas formas de expresión plástica. Por eso no es extraño que le hayan atraído sobre todo los pintores contemporáneos que voluntariamente redujeron la pintura a sus elementos esenciales. En ellos iba a encontrar un mundo de formas que se prohibían toda significación que no estuviese contenida en los valores plásticos. El ejemplo de Braque, según me ha dicho el mismo Tamayo, fue precioso entre todos. En efecto, el cubismo de Braque no posee la rabia alada de Picasso ni el radicalismo desesperado de Juan Gris —que, a mi juicio, es el único artista contemporáneo que ha pintado castillos racionales sobre los abismos del espacio puro. El más tradicional de estos tres grandes revolucionarios, el más "pintor" también, Braque no deja nunca de apoyarse en la realidad. Una realidad que no es nunca la realidad en bruto, inmediata, de Picasso, sino algo tamizado por la inteligencia y la sensibilidad. No un muro que hay que saltar sino un punto de apoyo para el vuelo. Y asimismo, un punto de aterrizaje. Más crudo y violento, el mexicano necesitaba la lección moderadora de Braque. Él le enseña las virtudes de la contención y del rigor. Y así, será inútil buscar en las telas de Tamayo la presencia de Braque, pues su influencia no se ejerció como una imitación o un contagio sino como una lección. No es en los cuadros de Tamayo en donde se puede encontrar a Braque, sino en su actitud frente a la pintura, que vuelve a ser considerada como un universo de correspondencias exclusivamente plásticas.

Todas las obras de esa época —naturalezas muertas, grupos de mujeres y hombres, alegorías de Zapata y Juárez, muro del Conservatorio— son estrictamente composiciones. Nada más. Nada menos. Su concepto del cuadro obedece a una exigencia plástica. Se niega a concebirlo como ese foro en que la pintura tradicional lo ha convertido y se sitúa frente a la tela como lo que es realmente: una superficie plana. El espacio recobra toda su importancia. No lo rellena: es un valor, un elemento que sostiene a los otros valores. Tamayo deja de ''pintarlo'': sabe que el espacio vacío puede transformarse en un agujero capaz de tragarse el resto del cuadro. Por gracia del color, el espacio vibra, existe. Pero Tamayo no conquista el espacio por su color sino por su sentido de la composición. Colorista nato, ha logrado servirse de su don nativo —en lugar de ahogarse en él— sometiéndolo al rigor de la composición. De allí que sea imposible hablar de Tamayo como de un simple colorista. Sus colores se apoyan en una estructura y no pueden considerarse sino como funciones de una totalidad: el cuadro.

Si para Tamayo la pintura es un lenguaje plástico que no está destinado a narrar y que desdeña la anécdota, ¿qué se propone decirnos con ese lenguaje? La respuesta a esta pregunta, implícita en casi toda su obra, se expresa de manera inequívoca en sus últimas telas, desde hace quince años. Primero fue una serie de animales terribles: perros, leones, serpientes, coyotes; más tarde, personajes inquietantes, solitarios o en grupo, danzando o inmóviles, todos arrastrados o petrificados por una fuerza secreta. La antigua rigidez de las figuras y objetos cede el sitio a una concepción más dinámica: todo vuela o danza, corre, asciende o se despeña. Las deformaciones dejan de ser puramente estéticas para cumplir una función que no es exagerado llamar ritual: a veces consagran; otras, condenan. El espacio, sin renunciar a sus valores plásticos, se convierte en el vibrante lugar de cita del vértigo. Y los antiguos elementos —la sandía, las mujeres, las guitarras, los muñecos— se transforman y acceden a un mundo regido por los astros y los pájaros. El sol y la luna, fuerzas enemigas y complementarias, presiden este universo, en donde abundan las alusiones al infinito. El pintor, como esos enamorados de una de sus telas o ese astrónomo que es también un astrólogo, no tiene miedo de asomarse a la muerte y resurrección de los mundos estelares. Tamayo ha traspuesto un nuevo límite y su mundo es ya un mundo de poesía. El pintor nos abre las puertas del viejo universo de los mitos y de las imágenes que nos revelan la doble condición del hombre: su atroz realidad y, simultáneamente, su no menos atroz irrealidad. El hombre del siglo XX descubre de pronto lo que, por otras vías, ya sabían todos aquellos que han vivido una crisis, un fin de mundo. Como en el poema de Moreno Villa, ''hemos descubierto en la simetría la raíz de mucha iniquidad''.

La presencia de símbolos de fertilidad y destrucción, las correspondencias que es fácil encontrar entre el lenguaje del pintor y el de la magia o sus coincidencias con ciertas concepciones plásticas y religiosas precortesianas, no deben engañarnos: Tamayo no es un intelectual ni un arqueólogo. Este hombre moderno también es muy antiguo. Y la fuerza que guía su mano no es distinta de la que movió a sus antepasados zapotecas. Su sentido de la muerte y de la vida como una totalidad inseparable, su amor por los elementos primordiales tanto como por los seres elementales, lo revelan como un temperamento erótico, en el sentido más noble de la palabra. Gracias a esa sabiduría amorosa, el mundo no se le ofrece como un esquema intelectual sino como un vivo organismo de correspondencias y enemistades.

Xavier Villaurrutia fue uno de los primeros en advertir que el elemento solar acompaña a este pintor en todas sus aventuras. En efecto, Tamayo es un hijo de la tierra y del sol. Su infancia está viva en su obra y sus secretos poderes de exaltación están presentes en todas sus telas. En su primer periodo dio sensualidad y frescura a frutas tropicales, guitarras nocturnas, mujeres de la costa o del altiplano. Hoy ilumina a sus más altas creaciones. Su materia, al mismo tiempo reconcentrada y jugosa, rica y severa, está hecha de la substancia de ese sol secreto. Un sol que, si es el de su infancia, es también el de la infancia del mundo y, más entrañablemente, el mismo que presidió los cálculos astronómicos de los antiguos mexicanos, la sucesión ritual de sus fiestas y el sentido de sus vidas. La presencia del elemento solar, positivo, engendra la respuesta de un principio contrario. La unidad esencial del mundo se manifiesta como dualidad: la vida se alimenta de la muerte. El elemento solar rima con el lunar. El principio masculino sostiene en todas las telas de Tamayo un diálogo con el principio lunar. La luna que arde en algunos de sus cuadros rige el hieratismo de esas mujeres que se tienden en posición de sacrificio. Necesario complemento del sol, la luna ha dado a esta pintura su verdadero equilibrio —no en el sentido de la armonía de las proporciones, sino en el más decisivo de inclinar la balanza de la vida con el peso de la muerte y la noche. Y acaso ese mismo principio lunar sea la raíz de la delicadeza refinada de algunos fragmentos de sus telas, vecinos siempre de trozos sombríos y bárbaros. Porque Tamayo sabe instintivamente que México no sólo es un país hosco y trágico sino que también es la tierra del colibrí, de los mantos de pluma, de las "piñatas" y de las máscaras de turquesa.

Toda la obra de Tamayo parece ser una vasta metáfora. Naturalezas muertas, pájaros, perros, hombres y mujeres, el espacio mismo no son sino alusiones, transfiguraciones o encarnaciones del doble principio cósmico que simbolizan el sol y la luna. Por gracia de esta comprensión del ritmo vital, su pintura es un signo más en el cielo de una larga tradición. La naturalidad con que Tamayo reanuda el perdido contacto con las viejas civilizaciones precortesianas lo distingue de la mayor parte de los grandes pintores de nuestro tiempo, mexicanos o europeos. Pues para casi todos, inclusive para aquellos que, como Paul Klee, se mueven en un ámbito de poesía y conocen el secreto de la resurrección ritual, el descubrimiento de la inocencia es el fruto de un esfuerzo y de una conquista. Las excavaciones en esos "cementerios de cultura" que son los museos de arte y antropología, han precedido a muchas de las creaciones más sorprendentes de la pintura contemporánea. A Picasso, en cambio, y sin mengua de su incomparable apetito universal, le basta con cerrar los ojos para recobrar al viejo Mediterráneo adorador del toro. Otro tanto ocurre con Miró. Como ellos, Tamayo no necesita reconquistar la inocencia; le basta descender al fondo de sí para encontrar al antiguo sol, surtidor de imágenes. Por fatalidad solar y lunar encuentra sin pena el secreto de la antigüedad, que no es otro que el de la perpetua novedad del mundo. En suma, si hay antigüedad e inocencia en la pintura de Tamayo, es porque se apoya en un pueblo: en un presente que es asimismo un pasado sin fechas.

A diferencia de lo que ocurría en la Antigüedad y en la Edad Media, para el artista moderno, dice André Malraux, el arte es el único "absoluto". Desde el romanticismo el artista no acepta como suyos los valores de la burguesía y convierte a su creación en un "absoluto". El arte moderno "no es una religión, pero es una fe. Si no es lo sagrado, es la negación de lo profano". Y este sentimiento lo distingue del esteta o del habitante de cualquier torre, de marfil o de conceptos. Al negarse a la pintura social, Tamayo niega que el hombre sea un instrumento en las manos de un "absoluto" cualquiera: Dios, la Iglesia, el partido o el Estado. Pero ¿no cae así en los peligros de un arte "puro", vacío o decorativo? Ya se ha visto cómo nuestro pintor trasciende el puro juego de las formas y nos abre las puertas de un universo regido por las leyes de atracción y repulsión del amor. Servir a la pintura quiere decir revelar al hombre, consagrarlo.

Por otra parte, la irrupción de las fuerzas "locas" —alternativamente creadoras o destructoras— en el último periodo de la pintura de Tamayo, muestra hasta qué punto su arte es una respuesta directa e instintiva a la presión de la historia. Por eso es un testimonio de los poderes que pretenden destruirnos tanto como una afirmación de nuestra voluntad de sobrevivir. Sin acudir a la anécdota ni al discurso, con los solos medios de un arte tanto más verídico cuanto más libre, denuncia nuestra situación. Su "Pájaro agresivo" no es nada más eco de los que crea la industria moderna, sino también señal de una imaginación que se venga. Reprimida por toda clase de imposiciones materiales, morales y sociales, la imaginación se vuelve contra sí misma y cambia el signo creador por el

330

de la destrucción. El sentimiento de agresión —y su complemento: el de autodestrucción— es el tema de muchas de sus telas, como *Loco que salta al vacío* o *Niños jugando con fuego*. Un significado análogo tiene la *Figura que contempla el firmamento*, que advierte en el cielo recién descubierto por la física figuras tan inquietantes como las que la psicología ha descubierto en nuestras conciencias.

Ante los descubrimientos de estas ciencias —para no hablar de la cibernética— ¿cómo aferrarse al antiguo realismo? La realidad ya no es visible con los ojos; se nos escapa y disgrega; ha dejado de ser algo estático, que está ahí frente a nosotros, inmóvil, para que el pintor lo copie. La realidad nos agrede y nos reta, exige ser vencida en un cuerpo a cuerpo. Vencida, trascendida, transfigurada. Y en cuanto al "realismo ideológico", ¿no resulta por lo menos imprudente, ante los últimos cambios operados en la vida política mundial, afirmar que este o aquel jefe encarna el movimiento de la historia? ¡Cuántos artistas —precisamente aquellos que acusaban de "escapismo" y de "irrealismo" a sus compañeros— tienen hoy que esconder sus poemas, sus cuadros y sus novelas! De la noche a la mañana, sin previo aviso, todas esas obras han perdido su carácter "realista" y, por decirlo así, hasta su realidad. Después de esta experiencia, creo que los artistas afiliados al "realismo socialista" nos deben una explicación. Y, sobre todo, se la deben a ellos mismos, a su conciencia de artistas y de hombres de buena fe. Pero hay otro realismo, más humilde y eficaz, que no pretende dedicarse a la inútil y onerosa tarea de reproducir las apariencias de la realidad y que tampoco se cree dueño del secreto de la marcha de la historia y del mundo. Este realismo sufre la realidad atroz de nuestra época y lucha por transformarla y vencerla con las armas propias del arte. No predica: revela. Buena parte de la pintura de Tamayo pertenece a

331

este realismo humilde, que se contenta con darnos su visión del mundo. Y su visión no es tranquilizadora. Tamayo no nos pinta ningún paraíso futuro, ni nos adormece diciendo que vivimos en el mejor de los mundos; tampoco su arte justifica los horrores de los tirios con la excusa de que peores crímenes cometen los troyanos: miseria colonial y campos de concentración, Estados policíacos y bombas atómicas son expresiones del mismo mal.

La ferocidad de muchos personajes de Tamayo, la bestialidad encarnizada de su *Perro rabioso*, la gula casi cósmica de su *Devorador de sandías*, la insensata alegría mecánica de otras de sus figuras, nos revelan que el pintor no es insensible al "apetito" destructor que se ha apoderado de la sociedad industrial. La abyección y miseria del hombre contemporáneo encarnan en muchas de las obras que ahora expone Tamayo; aun la mirada más distraída descubre una suerte de asco en algunas de sus composiciones más recientes; en otras, el pintor se encarniza con su objeto —hombre, animal, figura imaginaria: no importa—, lo desuella y lo muestra tal cual es: un pedazo de materia resplandeciente, sí, pero roída, corroída por la lepra de la estupidez, la sensualidad o el dinero. Poseído por una rabia fría y lúcida, se complace en mostrarnos una fauna de monstruos y medios seres, todos sentados en su propia satisfacción, todos dueños de una risa idiota, todos garras, trompas, dientes enormes y trituradores. ¿Seres imaginarios? No. Tamayo no ha hecho sino pintar nuestras visiones más secretas, las imágenes que infectan nuestros sueños y hacen explosivas nuestras noches. El reverso de la medalla, el rostro nocturno de la sociedad contemporánea. La pared ruinosa del suburbio, la pared orinada por los perros y los borrachos, sobre la que los niños escriben palabrotas. El muro de la cárcel, el muro del colegio, el muro del hogar, el muro del dinero, el muro del poder. Sobre ese muro ha pintado Tamayo algunos de sus cuadros más terribles.

Pero la violencia sólo es una parte. La otra es su antiguo mundo solar, visto con nostalgia y melancolía. Naturalezas muertas, sandías, astros, frutos y figuras del trópico, juguetes, todo ahora bañado por una luz fantasmal. En estos cuadros Tamayo ha alcanzado una delicadeza y una finura casi irreales. Nunca el gris nos había revelado tantas entonaciones y modulaciones, como si oyésemos un poema hecho de una sola frase, que se repite sin cesar y sin cesar cambia de significado. El mundo luminoso de ayer no ha perdido nada de su fuerza, nada de su poder de embriaguez; pero la seducción de hoy, como una luz filtrada por las aguas de un estanque, es más lúcida y, me atreveré a decir, desolada. En la *Figura con un abanico* el mundo entero, la vivacidad de la vida, se despliega como una verdadera aparición; sólo que es una aparición sostenida en el aire, suspendida sobre el vacío, como un largo instante irrecuperable. Este cuadro me produce una impresión que sólo puede dar una palabra nacarada: melancolía. Muchas de estas telas recientes, por su suntuosa y rica monotonía, por su luz ensimismada, me recuerdan ciertos sonetos fúnebres de Góngora. Sí, Góngora, el gran colorista, pero también el poeta de los blancos, los negros y los grises, el poeta que oía el paso del instante y de las horas:

> Las horas que limando están los días,
> los días que royendo están los años.

La pintura de Tamayo no es una recreación estética; es una respuesta personal y espontánea a la realidad de nuestra época. Una respuesta, un exorcismo y una transfiguración. Inclusive cuando se complace en el sarcasmo, esta pintura nos abre las puertas de una realidad, perdida para los esclavos modernos y para sus señores, pero que todos podemos recobrar si abrimos los ojos y extendemos la mano. El cuadro es el lugar de reunión de muchas fuerzas. Como el poema, la pintura está hecha de enemistades y reconciliaciones, rimas, correspondencias y ecos. No es un mundo privado sino el espacio propicio al encuentro: es un sitio de comunión. "La poesía", escribí hace años, "intenta volver sagrado al mundo. De allí el recelo con que la han visto iglesias, capillas, sectas y partidos políticos. Mediante la palabra el poeta consagra la experiencia de los hombres y las relaciones entre el hombre y la mujer, la naturaleza o su propia conciencia." Tamayo ha redescubierto la vieja fórmula de consagración.

PO   París, noviembre de 1950

334

DE LA CRÍTICA A LA OFRENDA

REDUCIDA a su forma más inmediata, la experiencia estética es un placer, un tipo particular de relación con un objeto real o imaginario que suspende, así sea momentáneamente, nuestra facultad razonante. El objeto nos seduce y la fascinación que ejerce sobre nosotros va de la beatitud a la repulsión, del agrado al dolor. Aunque la gama de sensaciones es casi infinita, todas ellas tienen en común paralizar nuestra razón; el placer la transforma y de reina la convierte en cómplice o en escandalizado e impotente censor de nuestras sensaciones. El juicio participa en nuestro desvarío. Su luz ilumina la representación de una acción insensata, guía los pasos de la pasión o le opone ilusorios obstáculos. Es un elemento más, un nuevo condimento del extraño brebaje, la espuela que apresura o retarda la carrera. ¿Cómo escribir sobre arte y artistas sin abdicar de nuestra razón, sin convertirla en servidora de nuestros gustos más fatales y de nuestras inclinaciones menos premeditadas? Nuestros gustos no se justifican; mejor dicho, satisfacerse, encontrar el objeto que desean, es su única justificación. A mis gustos no los justifica mi razón sino aquellas obras que los satisfacen. En ellas, no en mi conciencia, encuentro la razón de mi placer. Pero poco o nada puedo decir sobre esas obras, excepto que me seducen de tal modo que me prohíben juzgarlas y juzgarme. Están más allá del juicio, me hacen perder el juicio. Y si me decido a juzgar, no me engaño ni engaño a nadie sobre el verdadero significado de mi acto: lo hago sólo para añadir placer a mi placer.

Tal es, o debería ser, el punto de partida de toda crítica. Y tal es su primer alto. ¿Pues si, a la luz de la reflexión, mi placer se evapora? No me quedaría más remedio que confesar que mis sentidos se engañaron y me engañaron. Me hicieron creer que una sensación fugitiva era pasión duradera. El juicio me enseña a desconfiar de mis sentidos y emociones. Pero los sentidos son irremplazables. El juicio no puede substituirlos porque su oficio no es sentir. Tendré que adiestrarlos, hacerlos a un tiempo más fuertes y más delicados, ora resistentes, ora frágiles; en una palabra, más lúcidos. Oiré con la vista y con la piel, me cubriré de ojos. Todo, el juicio mismo, será tacto y oreja. Todo deberá sentir. También pensaré con los ojos y con las manos: todo deberá pensar. Aunque la crítica no destrona al sentir, se ha operado un cambio: el juicio ya no es un criado sino un compañero. A veces un aliado, otras un adversario, y siempre un testigo exigente e insobornable. Penetra conmigo en el mundo cerrado de las obras y aunque mis ojos, mis oídos y mi tacto, la emoción y el instinto, van adelante, él (ciego, sordo e impasible) ilumina sus pasos. Si me acerco al cuadro para escuchar su palpitación secreta (la marea del rojo, el lento ascenso del verde hacia las frías superficies), él toma el pulso a la fiebre. Deshace y rehace el objeto que contemplo y descubre que aquello que me parecía un organismo vivo sólo es un ingenioso artefacto. Poco a poco me enseña a distinguir entre las obras vivas y los mecanismos. Así me revela los secretos de las astutas fabricaciones y traza la frontera entre arte e industria artística. En fin, al gustar las obras, las juzgo; al juzgarlas, gozo. Vivo una experiencia total, en la que participa todo mi ser.

La crítica no sólo hace más intenso y lúcido mi placer sino que me obliga a cambiar mi actitud ante la obra. Ya no es un objeto, una cosa, algo que acepto o rechazo y sobre lo cual, sin riesgo para mí, dejo caer una sentencia. La obra ya forma parte de mí y juzgarla es juzgarme. Mi contemplación ha dejado de ser pasiva: repito, en sentido inverso, los gestos del artista, marcho hacia atrás, hacia el origen de la obra y a tientas, con torpeza, rehago el camino del creador. El placer se vuelve creación. La crítica es imitación creadora, reproducción de la obra. Cierto, el cuadro que contemplo no es idéntico al del pintor. Me dice cosas que no le dijo al pintor. No podría ser de otro modo, ya que lo ven dos pares de ojos distintos. No importa: gracias a la crítica ese cuadro es también obra mía. La experiencia estética es intraducible, no incomunicable ni irrepetible. Nada podemos decir sobre un cuadro, salvo acercarlo al espectador y guiarlo para que repita la prueba. La crítica no es tanto la traducción en palabras de una obra como la descripción de una experiencia. La historia de unos hechos, una gesta, que convirtieron un acto en obra. Acto: obra: gesta. Tal es, o debería ser, el fin de toda crítica.

Estas reflexiones se me ocurrieron, casi a pesar mío, cuando me disponía a escribir sobre la exposición de Rufino Tamayo en la Galerie de France. Quizá no sean del todo ociosas, si se piensa que, contra lo que muchos creen, la obra de Tamayo no es sólo hija del instinto sino de la crítica. Además, singularidad sobre la cual no se ha reparado bastante, para este artista la pintura es tanto crítica como descubrimiento de realidades. El caso de Tamayo comprueba, una vez más, que la creación implica una actividad crítica en diversos niveles: el artista está en lucha con el mundo y en un momento o en otro de su vida ha de poner en tela de juicio la realidad, la verdad o el valor de este mundo; en lucha con las obras de arte que lo rodean, contemporáneas o del pasado; y sobre todo y ante todo, en lucha consigo mismo y con sus propias obras.

Cuando Tamayo empezó a pintar, la pintura mural mexicana había alcanzado su mediodía. No me parece legítimo, como es ahora costumbre, desdeñar este movimiento. Su importancia fue capital no sólo para México sino para toda América. Su influencia fue particularmente profunda en los Estados Unidos, durante la década 1929-1939, es decir, en el periodo inmediatamente anterior a la aparición, casi explosiva, de los grandes pintores angloamericanos. Muchos de los "expresionistas-abstractos" trabajaron en los "Proyectos Federales de Arte" de la época de Roosevelt, tentativa inspirada, al menos parcialmente, en el movimiento mexicano. En el momento en que Tamayo inicia su obra, la pintura mural se había convertido ya, de espontánea búsqueda, en escuela. No tardaría en degenerar en fórmula. El peligro residía no sólo en el agotamiento del lenguaje pictórico sino en las pretensiones ideológicas del movimiento. En esos días se hablaba, casi siempre en tono inapelable, de "arte nacional", noción que ya se confundía con otras no menos vagas, como la de "arte proletario". (Su mezcla, años más tarde, serviría de levadura al "realismo socialista".) La sumisión o la heterodoxia eran los caminos que se abrían a los artistas. Tamayo escogió la heterodoxia y, con ella, la soledad y la crítica. En primer término se rehusó a reducir su arte a una forma más de la retórica política; en seguida, decidió oponer al llamado estilo nacional de pintura un lenguaje personal de pintor, es decir, se resolvió a crear, a buscarse a sí mismo, en lugar de repetir a los otros.

Invención del romanticismo alemán, la idea de un arte o estilo nacional reaparece con cierta periodicidad y conquista, en los lugares más apartados entre sí, la adhesión de los espíritus más antagónicos y dispares. Es indudable que las artes expresan (entre otras cosas acaso más profundas) el temperamento de cada nación. Pero no hay nada menos estable que un temperamento siempre sujeto al cambio, a la acción combinada de los elementos y del tiempo. Temperamento colinda con temperatura. Más determinante que el inasible carácter nacional es el acento individual de cada artista, a menudo en lucha con su gente y con su medio. Por lo demás, las fronteras de los estilos casi nunca coinciden con las de las naciones. Los estilos son más vastos, engloban a muchos países, son internacionales. ¿El estilo gótico (ya el nombre es una trampa) es francés o alemán? ¿El barroco es italiano, español, germano? La poesía lírica italiana nace del estilo provenzal (quizás importado de la España musulmana, que a su vez...). Curtius ha mostrado que nuestras literaturas, desde el siglo XII, son una literatura: la europea. Sin Petrarca, no habría Garcilaso; ni Corneille sin Alarcón; ni poesía moderna en inglés, ruso o japonés sin Baudelaire y los simbolistas franceses. A partir del siglo XVI la literatura europea conquista paulatinamente América, Rusia y hoy al mundo entero. Y a medida que se extiende y triunfa, deja de ser europea.

Los estilos son temporales; no pertenecen a los suelos sino a los siglos. Son manifestaciones del tiempo histórico, la forma de encarnación del espíritu y las tendencias de una época. Los estilos son viajeros y van de un lugar a otro. Viajan de acuerdo con los medios de locomoción de su tiempo: en la Edad Media con los peregrinos y los caballeros, en el Renacimiento con los soldados y los embajadores. La rapidez casi instantánea con que en nuestros días se transportan los estilos no es una prueba de fertilidad. El tiempo de la comunicación y de la información no es el tiempo de la germinación espiritual. El catarro despobló regiones enteras de la América indígena; cierta pintura abstracta puede ser mortal para muchos pintores latinoamericanos. Un estilo se transforma en una enfermedad contagiosa si aquellos que lo abrazan no ofrecen resistencia. Pero si le oponen demasiada, el estilo se agota y muere. La fecundidad de un estilo depende de la originalidad del que lo adopta. Entre el artista y el estilo se entabla una lucha que sólo termina con la muerte de uno de los contendientes. Un verdadero artista es el sobreviviente de un estilo. Resuelto a vivir, Tamayo no tuvo más remedio que enfrentarse a la "escuela mexicana de pintura". Abandonó la visión estereotipada de la realidad (punto de congelación de los estilos) y se lanzó a ver al mundo con otros ojos. Lo que su mirada le reveló fue, naturalmente, algo increíble. ¿No es ésta una de las misiones del pintor: enseñarnos a ver lo que no habíamos visto, enseñarnos a creer en lo que él ve?

Algunos artistas aspiran a ver lo nunca visto; otros, a ver como nunca se ha visto. Tamayo pertenece a la segunda raza. Ver el mundo con otros ojos, en su caso, quiere decir: verlo como si su mirada fuese la primera mirada. Visión brutal e inmediata, limpidez casi inhumana, muy pocas veces conseguida por unos cuantos artistas. Entre nuestra mirada y el mundo se interponen las imágenes previamente manufacturadas por el hábito, la cultura, los museos o las ideologías. Lo primero que debe hacer un pintor es limpiarse los ojos de las telarañas de estilos y escuelas. La experiencia es vertiginosa y literalmente cegadora: el mundo nos salta a los ojos con la ferocidad inocente de lo demasiado vivo. Ver sin intermediarios: aprendizaje penoso y que nunca termina. Tal vez por esto los pintores, al revés de lo que sucede con los poetas, crean sus obras más frescas al final de sus días: ya viejos logran ver como niños. Ascetismo de la visión: que la mano obedezca al ojo y no a la cabeza, hasta que la cabeza deje de pensar y se ponga a ver, hasta que la mano conciba y el ojo piense. Ver al mundo así es verlo con todo el cuerpo y el espíritu, recobrar la unidad original para reconquistar la mirada original. La primera mirada: la mirada que no es antes ni después del pensamiento, la mirada que piensa. El pensamiento de esa mirada arranca la cáscara y la costra del mundo, lo abre como un fruto. La realidad no es lo que vemos sino lo que descubrimos.

Pintar, para Tamayo, fue (y es) aprender a ver, afilar la mirada para penetrar la realidad y descubrirle las entrañas. Al iniciar su camino, tuvo que desechar la idea estilizada de la realidad que le ofrecían los pintores mexicanos de la generación anterior. Apenas empezó a verla con ojos limpios, la realidad dejó de ser una presencia estable y dócil. Se erizó, comenzó a cambiar, se volvió un surtidor de enigmas. Verla fue desnudarla, y más: desollarla; pintarla: combatirla, apresarla. De un salto, Tamayo pasó de la crítica de los estilos a la crítica del objeto. Sin moverse de su sitio, se encontró en plena pintura moderna, es decir, en otro mundo. Los viajes reales (París, Nueva York, Roma) no tardarían en suceder a este primer salto espiritual. Pero nada de esto se hizo pensando sino pintando. Rufino Tamayo no es un hombre de ideas sino de actos pictóricos.

A lo largo de los años, a pesar de los cambios, rupturas, variaciones y búsquedas en todas direcciones, Tamayo ha sido fiel a su actitud inicial. A primera vista su tentativa puede parecer contradictoria. Ver el mundo con otros ojos significa dos cosas distintas: verlo con ojos nuevos y verlo con ojos que no son los nuestros. En el caso de Tamayo esos ojos extraños son los de la pintura universal y, sobre todo, los del arte moderno. La visión universal parece oponerse o, mejor dicho, superponerse, a la mirada personal. La contradicción se disuelve si se piensa que para todos los artistas verdaderos el arte moderno no es tanto una escuela como una aventura. Experiencia más que lección, aguijón para inventar y no modelo que debemos repetir. Un camino que cada uno ha de hacerse y por el que debe caminar a solas. Lo que le enseñó la pintura moderna a Tamayo fue el camino más corto hacia sí mismo. Gracias a la pintura universal pudo ver con otros ojos, los *suyos*, el universo de formas e imágenes del pasado de México y de su arte popular. Recobró los ojos antiguos y advirtió que esos ojos eran nuevos y suyos. El arte moderno y el precolombino le revelaron la posibilidad de verse a sí mismo. A un artista tan ricamente dotado, dueño por derecho propio de un mundo de formas y colores a un tiempo monumentales y alados, sobrios y delirantes, no podía hacerle daño el contacto con las grandes obras contemporáneas y del pasado. Más bien es cierto lo contrario: esos contactos producen chispas, iluminaciones.

La obra de Tamayo se despliega en dos direcciones: por una parte, guiado por su poderoso instinto, es una constante búsqueda de la mirada original; por la otra, es una crítica del objeto, esto es, una búsqueda igualmente constante de la realidad esencial. No hay dispersión porque los dos caminos se cruzan. La crítica, la pintura intelectual, es una suerte de vía negativa. Es un ejercicio ascético destinado a encauzar al instinto más que a domarlo, como la compuerta que se alza precisamente en el momento en que es más imperiosa la presión de las aguas. Gracias a la crítica, no a pesar de ella, Tamayo sigue siendo un pintor instintivo (pues esto es lo que es, realmente). Sólo que se corre el riesgo de mutilarlo si se comprende demasiado literalmente la palabra instinto. El arte popular mexicano es instintivo, en el sentido en que es una tradición, un gesto que se repite desde hace siglos. La maestría de los artistas populares no evoca la idea de esfuerzo sino la de espontaneidad. Pero el arte olmeca o el totonaca, no menos sino quizá más espontáneos que el popular, no son una herencia, una maestría heredada: son un comienzo, la fundación de una tradición. Y por esto son una geometría y una visión del mundo. Cada línea es una analogía, una respuesta o una pregunta a la otra línea, a la otra imagen. A diferencia del arte popular contemporáneo, las grandes obras plásticas precortesianas son tratado, discurso o himno. La variedad y riqueza de elementos se resuelve en unidad gracias a un rigor geométrico que es asimismo rigor intelectual. Cada objeto es una constelación de alusiones. Todas estas obras, sin excluir a las menores, son *composiciones*. Pues bien, la palabra composición, y su contrapartida: instinto, son claves de la pintura de Tamayo.

El instinto lleva a nuestro pintor a un arte directo, a veces expresionista, otras poético (popular o mítico: de ahí sus coincidencias con Miró y algunos surrealistas). Al mismo tiempo, cierta predisposición de su espíritu, no sin antecedentes en el arte precortesiano, lo acerca a lo que llamaría pintura reflexiva. Las dos tendencias sostienen un diálogo en el interior de su obra: fija mirada que descompone y rehace el objeto, mirada que no vacilo en llamar inquisitiva porque en su fijeza hay un amor implacable e inhumano; y frente a ella, el esplendor de un astro carnal, una fruta, una forma de barro negro y piedra verde, un cielo nocturno, el ocre, el rojo, la danza de los colores aullando alrededor del hueso blanco, hueso de muerte y resurrección. Pintura dual que sólo alcanza la unidad para desgarrarse y de nuevo volver a reunirse. La vitalidad del arte de Tamayo depende de la convivencia de estas dos tendencias. Apenas una de ellas prevalece en exceso, el artista vacila. Si la crítica triunfa, la pintura se seca o languidece; si el instinto domina, cae en un expresionismo crudo. El equilibrio no se logra, sin embargo, con la tregua de los contrarios. Para vivir, esta pintura necesita pelear consigo misma, alimentarse de sus contradicciones. Ni la inmovilidad ni el movimiento sino la vibración del punto fijo. El centro, el punto sensible.

Lo primero que impresiona al visitante de la reciente exposición de Tamayo, si por un instante se defiende de la seducción de los colores, es el rigor. La reflexión pictórica alcanza aquí un refinamiento extremo, una osadía y una delicadeza que hacen pensar a veces en una suerte de cubismo renovado y otras en las experiencias más arriesgadas de la pintura abstracta.

Cubismo porque muchos de los cuadros expuestos, además de ser sólidas construcciones plásticas, son una despiadada investigación del objeto, en su triple función: como cosa en el mundo; como forma aislada en el espacio, modelo para el ojo; y, en fin, como arquetipo o esencia, como idea. Pintura abstracta pura (por contraposición a la informal o expresionista) porque cada uno de estos cuadros es una investigación, un análisis y una recreación de la materia como materia, esto es, como materia precipitada, por decirlo así, en su "materialidad", materia que se ve a sí misma y pretende extraer de sí misma su significación.

En uno y otro caso, Tamayo se propone algo que sólo consigue plenamente en sus momentos más altos. Algo que no es ni crítica del objeto ni inmersión en la espesura de la materia: una suerte de transfiguración del mundo que no me atrevo a llamar poética, aunque lo es, porque la palabra se ha gastado por el uso inmoderado. Algunos de sus cuadros últimos nos revelan al mejor Tamayo, al más secreto. Un Tamayo casi sin rostro, apenas personal, muy viejo y muy joven, recién despertado de un sueño de siglos. Esos cuadros no son una crítica del objeto. No, esta pintura no es metafísica ni cirugía. Dije más arriba que su mirada era de inquisición; debí escribir: sacrificio. Mirada-pedernal que atraviesa el objeto-ofrenda. Entre la

344

muerte y la vida el sacrificio traza un puente: el hombre. Y por eso su pintura a veces nos parece una de aquellas esculturas aztecas que revestían con una piel humana. El sacrificio es transfiguración.

París, 29 de diciembre de 1960

PC

TRANSFIGURACIONES

1

HAY muchas maneras de acercarse a una pintura: en línea recta hasta plantarse frente al cuadro y contemplarlo cara a cara, en actitud de interrogación, desafío o admiración; en forma oblicua, como aquel que cambia una secreta mirada de inteligencia con un transeúnte; en zig-zag, avanzando y retrocediendo con movimientos de estratega evocadores tanto del juego de ajedrez como de las maniobras militares; midiendo y palpando con la vista, como el convidado goloso examina una mesa tendida; girando en círculos, a semejanza del gavilán antes de descender o del avión en el aterrizaje. La manera franca, la manera cómplice, la reflexiva, la cazadora, la manera de la mirada imantada...

Desde hace más de veinte años giro en torno a la pintura de Rufino Tamayo. Primero quise fijar mis impresiones en un ensayo que pretendió situarlo en su contexto más inmediato: la pintura mexicana moderna; más tarde escribí un poema; después un artículo de crítica pictórica propiamente dicha: Tamayo en su pintura, su visión del espacio, las relaciones entre el color y la línea, la geometría y la sensación, los volúmenes y las superficies vacías. Ahora, con más cautela, escribo estas notas: no un resumen sino un volver a comenzar.

¿Cómo definir mi actitud ante la obra de Tamayo? Rotación, gravitación: me atrae y, simultáneamente, me mantiene a distancia —como un sol. También podría decir que provoca en mí una suerte de apetito visual: veo su pintura como un fruto, incandescente e intocable. Pero hay otra palabra más exacta: *fascinación*. El cuadro está allí, frente a mí, colgado en una pared. Lo miro y poco a poco, con inflexible y lenta seguridad, se despliega y se vuelve un abanico de sensaciones, una vibración de colores y de formas que se extienden en oleadas: espacio vivo, espacio dichoso de ser espacio. Después, con la misma lentitud, los colores se repliegan y el cuadro se cierra sobre sí mismo. No hay nada intelectual en esta experiencia: describo simplemente el acto de ver y la extraña, aunque natural, fascinación que nos embarga al contemplar el cotidiano abrir y cerrarse de las flores, los frutos, las mujeres, el día, la noche. Nada más lejos de la pintura metafísica o especulativa que el arte de Tamayo. Al contemplar sus cuadros no asistimos a la revelación de un secreto: participamos en el secreto que es toda revelación.

2

Dije que el arte de Tamayo no es especulativo. Tal vez debería haber escrito: ideológico. En aquel primer ensayo de 1950 señalé que la importancia *histórica* de Tamayo, dentro de la pintura mexicana, consistía en haber puesto en entredicho con ejemplar radicalismo el arte ideológico y didáctico de los muralistas y sus epígonos. Hay que agregar que la verdadera originalidad de Tamayo —su originalidad *pictórica*— no reside en su actitud crítica frente a la confusión entre pintura y literatura política en que se debatían los artistas mexicanos en esos años, sino en su actitud crítica ante el objeto. En este sentido sí podría hablarse de pintura especulativa. Pintura que somete el objeto a una inquisición sobre sus propiedades plásticas y que es una investigación de las relaciones entre los colores, las líneas y los volúmenes. Pintura crítica: reducción del objeto a sus elementos plásticos esenciales. El objeto visto no como una idea o representación sino como un campo de fuerzas magnéticas. Cada cuadro es un sistema de líneas y colores, no de signos: el cuadro puede referirse a esta o aquella realidad pero su significado plástico es independiente.

Al primer periodo de Tamayo, pasados los años de titubeo y aprendizaje, pertenecen varias composiciones, como el *Homenaje a Juárez* y algunos murales, que revelan una afinidad, inevitable y natural por lo demás, con la pintura mexicana de esa época. Es su deuda con los muralistas, especialmente con Orozco. Pronto se aleja (y para siempre) de esa manera elocuente. Otra será su aventura. Entre 1926 y 1938 pinta muchos óleos y *gouaches* —pienso sobre todo en las naturalezas muertas y en varios paisajes urbanos: arcos, cubos, terrazas— que lo sitúan en la línea de Cézanne. Por ese camino llegará, un poco después, a Braque. No es pintura cubista: es una de las consecuencias de ese movimiento, uno de los caminos que podía tomar la pintura después del cubismo. En otras telas de esos mismos años aparece una inspiración, más libre y lírica, que puede definirse como la exaltación por el color de la vida cotidiana. Sensualidad más que erotismo: Matisse. En Tamayo, claro está, hay una exasperación y una ferocidad ausentes en la obra del gran maestro francés. Otros elementos de esos cuadros —y unos cuadros pintados en esos mismos años— lo acercan a otro centro de irradiación: Picasso. Sólo que aquí la lección no es de rigor ni de equilibrio sensual: la violencia pasional, el humor y la rabia, las revelaciones del sueño y las del erotismo. La pintura no como una investigación del objeto ni como una construcción plástica: la pintura como una operación devastadora de la realidad y, asimismo, como su metamorfosis. Al final de este periodo, Tamayo comienza a pintar una serie de telas violentas, a veces sombrías, otras exaltadas y siempre intensas y reconcentradas: perros aullando a la luna, pájaros, caballos, leones, amantes en la noche, mujeres en el baño o danzando, solitarios contemplando un firmamento enigmático. Nada teatral ni dramático: nunca fue más lúcido ni más dueño de sí el delirio. Alegría trágica. Tamayo descubre por esos años la facultad metafórica de los colores y las formas, el don del lenguaje que es la pintura. El cuadro se convierte en la contrapartida plástica de la imagen poética. No la traducción visual del poema verbal, procedimiento practicado por varios surrealistas, sino una metáfora plástica —algo más cerca de Klee y Miró que de Max Ernst. Y así, por un proceso continuo de experimentación, asimilación y cambio, Tamayo convierte a su pintura en un arte de la transfiguración: el poder de la imaginación que hace un sol de un mamey, una media luna de una guitarra, un pedazo de campo salvaje del cuerpo de una mujer.

Creo que los nombres que he citado forman una constelación que, más que determinar, sitúan la tentativa de Tamayo en su época de iniciación. Recordaré que en los albores de nuestra lengua la palabra sino, doble de signo, quería decir, literalmente, constelación. Sino: signo: constelación: el sitio de Tamayo y, asimismo, sus signos al empezar su exploración del mundo de la pintura y ese otro mundo, más secreto, que es su ser de hombre y de pintor. Puntos de partida hacia sí mismo.

3

Definir a un artista por sus antecedentes es tan vano como pretender describir a un hombre maduro por las señas de identidad de sus padres, abuelos y tíos. Las obras de los otros artistas —aquello que está antes, después o al lado— sitúan a una obra individual, no la definen. Cada obra es una totalidad autosuficiente: comienza y acaba en ella. El estilo de una época es una sintaxis, un conjunto de reglas conscientes e inconscientes con las que el artista puede decir todo lo que se le ocurra, salvo lugares comunes. Lo que cuenta no es la regularidad con que opera la sintaxis sino las variaciones: violaciones, desviaciones, excepciones —todo aquello que vuelve única a la obra. Desde el principio, la pintura de Tamayo se distinguió de todas las otras por la preeminencia de ciertos elementos y por la forma singular de combinarlos. Procuraré describirlos, así sea de una manera muy general; en seguida intentaré mostrar cómo la combinación de esos elementos equivale a la transformación de una sintaxis impersonal e histórica en un lenguaje inimitable.

Tamayo es riguroso y se ha impuesto una limitación estricta: la pintura es, ante todo y sobre todo, un fenómeno visual. El tema es un pretexto; lo que el pintor se propone es dejar en libertad a la pintura: las formas son las que hablan, no las intenciones ni las ideas del artista. La forma es emisora de significados. Dentro de esta estética, que es la de nuestro tiempo, la actitud de Tamayo se singulariza por su intransigencia frente a las facilidades de la fantasía literaria. No porque la pintura sea antiliteraria —nunca lo ha sido ni puede serlo— sino porque afirma que el lenguaje de la pintura —su escritura y su literatura— no es verbal sino plástico. Las ideas y los mitos, las pasiones y las figuras imaginarias, las formas que vemos y las que soñamos, son realidades que el pintor ha de encontrar *dentro* de la pintura: algo que debe brotar del cuadro y no algo que el artista introduce en el cuadro. De ahí su afán de pureza pictórica: la tela o el muro es una superficie de dos dimensiones, cerrada al mundo verbal y abierta hacia su propia realidad. La pintura es un lenguaje original, tan rico como el de la música o la literatura. Todo se puede decir y hacer en pintura —dentro de la pintura. Por supuesto, Tamayo no formularía así sus propósitos. Al enunciarlos en una forma sumaria y verbal, temo traicionarlo: la suya no es una ortodoxia sino una ortopraxia.

Estas preocupaciones lo han llevado a una lenta, continua y obstinada experimentación pictórica. Investigación del secreto de las texturas, los colores y sus vibraciones, el peso y la densidad de las materias y las pastas, las leyes y las excepciones que rigen las relaciones entre la luz y la sombra, el tacto y el ojo, las líneas y sus estructuras. Pasión por la materia, pintura materialista en el sentido recto de la palabra. Insensiblemente, guiado por la lógica de su investigación, Tamayo pasa de la crítica del objeto a la crítica de la pintura misma. Exploración del color: "a medida que usamos un menor número de colores", dijo alguna vez a Paul Westheim, "crece la riqueza de las posibilidades. Es más valioso, pictóricamente hablando, agotar las posibilidades de un solo color que usar una variedad ilimitada de pigmentos". Se dice y repite que Tamayo es un gran colorista; hay que añadir que esa riqueza es fruto de una sobriedad. Para Baudelaire el color era el acorde: una relación antagónica y complementaria entre un color cálido y uno frío. Tamayo extrema la búsqueda: crea el acorde dentro de un solo color. Obtiene así una vibración luminosa de resonancias menos amplias pero más intensas: el punto extremo, casi inmóvil a fuerza de tensión, de una nota o un tono. La limitación se vuelve abundancia: universos azules y verdes en un puñado de polen, soles y tierras en un átomo amarillo, dispersiones y conjunciones de lo cálido y lo frío en un ocre, castillos agudos del gris, precipicios de los blancos, golfos del violeta. La abundancia no es abigarrada: la paleta de Tamayo es pura, ama los colores francos y se rehúsa, con una suerte de salud instintiva, a todo refinamiento dudoso. Delicadeza y vitalidad, sensualidad y energía. Si el color es música, ciertos trozos de Tamayo me hacen pensar en Bartok, como la música de Anton Webern me hace pensar en Kandinsky.

La misma severidad frente a las líneas y los volúmenes. El dibujo de Tamayo es el de un escultor y es lástima que no nos haya dado sino unas cuantas esculturas. Dibujo de escultor por el vigor y la economía del trazo pero, sobre todo, por su esencialidad: señala los puntos de convergencia, las líneas de fuerza que rigen una anatomía o una forma. Un dibujo sintético, nada caligráfico: el verdadero esqueleto de la pintura. Volúmenes plenos, compactos: monumentos vivos. El carácter monumental de una obra no tiene nada que ver con el tamaño: es el producto de una relación entre el espacio y las figuras que lo habitan. Los murales de Tamayo son lo menos afortunado de su obra. Pero no son las dimensiones sino la actitud ante el espacio —grande o chico— lo que cuenta. Lo que distingue a un ilustrador de un pintor es el espacio: para el primero es un marco, un límite abstracto; para el segundo, un conjunto de relaciones internas, un territorio regido por leyes propias. En la pintura de Tamayo las formas y figuras no están en el espacio: son el espacio, lo forman y conforman, del mismo modo que las rocas, las colinas, el cauce del río y la arboleda no están en el paisaje: construyen o, mejor dicho, *constituyen* el paisaje. El espacio de Tamayo es una extensión animada: el peso y el movimiento, las formas sobre la tierra, la obediencia universal a las leyes de la gravitación o a las otras, más sutiles, del magnetismo. El espacio es un campo de atracción y repulsión, un teatro en el que se enlazan y desenlazan, se oponen y abrazan las mismas fuerzas que mueven a la naturaleza. La pintura como un doble del universo: no su símbolo sino su proyección en la tela. De nuevo: el cuadro no es una representación ni un conjunto de signos: es una constelación de fuerzas.

El elemento reflexivo es la mitad de Tamayo: la otra mitad es la pasión. Una pasión contenida, ensimismada, que jamás se desgarra y que nunca se degrada en elocuencia. Esta violencia encadenada o, más bien, desencadenada sobre sí misma, lo aleja y lo acerca a un tiempo del expresionismo en sus dos vertientes: la alemana del primer cuarto de siglo y la que más tarde, forzando un poco los términos, se ha llamado expresionismo abstracto. Tamayo: la pasión que distiende a las formas; la violencia de los contrastes; la energía petrificada que anima a ciertas figuras, dinamismo que se resuelve en inmovilidad amenazante; la exaltación brutal del color, la rabia de ciertas pinceladas y el erotismo sangriento de otras; las oposiciones tajantes y las alianzas insólitas... Todo esto recuerda el verso de nuestro poeta barroco: "feo hermosamente el rostro". Esta frase es una definición del expresionismo: la belleza no es proporción ideal ni simetría sino carácter, energía, ruptura: expresión. La unión de barroquismo y expresionismo es más natural de lo que comúnmente se piensa: los dos son exageración de la forma, los dos son estilos que subrayan con tinta roja. En la pintura de Tamayo el barroquismo y el expresionismo han pasado por una prueba de ascetismo plástico: el primero ha perdido sus curvas y sus ornamentos, el segundo su vulgaridad y su énfasis. En Tamayo no hay grito de pasión: hay un silencio casi mineral.

No postulo definiciones: arriesgo aproximaciones. Expresionismo, pureza pictórica, crítica del objeto, pasión por la materia, soberanía del color: nombres, flechas indicadoras. La realidad es otra: los cuadros de Tamayo. La crítica no es ni siquiera una traducción aunque ése sea su ideal: es una guía. Y la crítica mejor es algo menos: una invitación a realizar el único acto que de veras cuenta: ver.

4

El gran periodo creador de Tamayo, su madurez de pintor, se inicia hacia 1940, en Nueva York. Vivió allá cerca de veinte años duros y fecundos. En 1949 viaja por primera vez a Europa y expone en París, Londres, Roma y otras ciudades de ese continente. Reside en París por algún tiempo y en 1960 regresa a México, para instalarse definitivamente. Los últimos años de Nueva York y los primeros de París coinciden con la aparición y el apogeo, en los Estados Unidos, del expresionismo abstracto, un movimiento que ha dado tres o cuatro grandes pintores. Casi al mismo tiempo surgen en Europa poderosas figuras aisladas, como Fautrier y Dubuffet, para no hablar de otros más jóvenes como Nicolás de Stael, Bacon y ese solitario entre los solitarios que se llama Balthus. En suma, en la década de los cuarenta emerge un nuevo grupo de pintores, los verdaderos contemporáneos de Tamayo y, algunos, sus pares. Es una generación que no ha cesado de asombrarnos en estos veinticinco años últimos y cuya obra aún no concluye, a pesar de que, naturalmente, hayan surgido ya otros grupos y otras tendencias. Arte cosmopolita, como lo ha sido desde su nacimiento todo el arte moderno según lo advirtió primero que nadie Baudelaire. Este cosmopolitismo se ha acentuado después de la Segunda Guerra y no sólo por el carácter internacional de los estilos sino porque sus protagonistas pertenecen a todas las naciones y culturas, sin excluir a las del Extremo Oriente, del chino Zao Wu-Ki al japonés Sugai. Es tentador situar a Tamayo dentro de este contexto, como antes lo hice frente a sus antecesores.

Si pensamos en los dos latinoamericanos contemporáneos de Tamayo, el cubano Wifredo Lam y el chileno Roberto Matta, descubriremos pronto que hay poquísimos puntos de contacto entre ellos. No sucede lo mismo si dirigimos la vista hacia los Estados Unidos y Europa. Lo que he llamado, con muchas reservas, el expresionismo de Tamayo, presenta afinidades ciertas con el de Willem de Kooning y, desde otro ángulo, con la pintura de Jean Dubuffet. Al primero lo une, además, tanto su obsesión por lo que tiene de mítico y de gran diosa madre el cuerpo de la mujer como la violencia generosa del color. La afinidad con el segundo también es doble: la ferocidad del trazo, el encarnizamiento con y contra la figura humana no menos que la predilección y la preocupación por las texturas y sus propiedades físicas, ya sean táctiles o visuales. Los tres son pintores terrestres, materiales. Los tres han pintado algunas de las obras maestras de lo que podría llamarse el salvajismo pictórico contemporáneo. Los tres han humillado y exaltado a la figura humana. Los tres han creado una obra aparte, inconfundible.

Las semejanzas entre Tamayo y Dubuffet son tan reveladoras como sus diferencias. He mencionado su común amor por las texturas y los materiales. La investigación de Dubuffet es metódica y delirante. El rigor implacable de la razón aplicado a objetos y realidades que tradicionalmente escapaban a la medida cuantitativa: la topografía general de un milímetro de suelo, el mapa orográfico de un vientre femenino, la morfología de las barbas. La actitud de Tamayo es más empírica e instintiva. Una exposición de Dubuffet es una demostración a un tiempo convincente y abrumadora: cuelga en las paredes todas las variantes posibles de una invención plástica. Tamayo busca los ejemplares únicos. El hilo de Ariadna de sus exploraciones no es el análisis sino la lógica de las correspondencias: traza un puente entre sus ojos, su mano y las espirales del cristal, la madera, la piel y la galaxia. Uno usa la navaja del silogismo; el otro, el arco de la analogía.

En Dubuffet hay un radicalismo racional, inclusive (o mejor dicho: sobre todo) cuando hace la apología del irracionalismo y del *arte bruto*. Es tan inteligente que pinta con la lógica totalitaria de los locos, pero la lucidez, que es su don y su castigo, no lo abandona nunca; los locos saben, a veces, que están locos y saben también que no pueden dejar de estarlo; Dubuffet sabe que no está loco y que nunca lo estará. Sus pinturas infantiles son la obra impresionante de un niño de mil años de edad, visionario y demoniaco, que conoce y no ha olvidado la sintaxis de todos los estilos. La creación de Dubuffet es crítica y su ferocidad es mental. Su obra no es una celebración de la realidad sino un enfrentarse a ella, una venganza más que un acto de amor. Su canibalismo es auténtico y, social y moralmente, justificado. No obstante, horrorizaría a los caníbales de verdad: no es un ritual sino el juego macabro de la ironía y la desesperación. No una comunión: un comelitón en una mesa de cirugía. Delirios de la razón. Un mundo que evoca, no sólo por la violencia sino por su carácter sistemático, el nombre de Sade más que el de Goya.

El genio de Dubuffet es enciclopédico; el de Tamayo es menos extenso, no menos rico. Sus cuadros también están poblados de monstruos y su pincel también desuella al hombre. Este artista, a veces tan alegre y tierno, sabe ser cruel: el humor ocupa un lugar central en su obra. Pero las raíces de su crueldad no son ni la ironía ni el sistema sino la sátira y el sentido de lo grotesco. El amor por los monstruos, los fenómenos y los esperpentos: herencia india y española. El arte precolombino abunda en seres disformes y lo mismo sucede con la gran pintura española. Moctezuma y sus jorobados, Felipe IV y sus bobos. La pintura de Tamayo es rica en personajes descomunales, sórdidos o bufos: el glotón, el hombre-que-ríe, la dama de sociedad, el maniaco, el idiota y otros adefesios. Entre sus imágenes terribles hay una que posee el valor de un emblema sin perder el otro, más inmediato, de ser una realidad diaria: el hueso, el montón de huesos que somos. Huesos de perro, luna de hueso, pan de hueso, huesos de hombre, paisajes de hueso: planeta-osario. La obsesión por el hueso, al principio satírica, se transforma en una imagen cósmica. La ferocidad de Tamayo no es intelectual; es sátira y rito, burla popular y ceremonia mágica. Sus locos son patéticos y grotescos, no despreciables; sus monstruos son vitales, engendros y abortos de la naturaleza, no caricaturas metafísicas. Sus deformaciones de la figura humana son la escritura de los estragos y las victorias de la pasión, el tiempo y las fuerzas inhumanas del dinero y las máquinas. El mundo físico es su mundo. Lluvia, sangre, músculos, semen, sol, sequía, piedra, pan, vagina, risa, hambre: palabras que para Tamayo no sólo tienen sentido sino también sabor, olor, gusto, peso, color.

Las oposiciones y similitudes con De Kooning son de otro orden. El peligro de Dubuffet es el sistema; el de Tamayo, el estatismo; el de Willem de Kooning, el gesto. Al mismo tiempo, hay en De Kooning una abundancia vital y nada sistemática, que nos conmueve y nos conquista. Una cordialidad, en el sentido mejor de la palabra: coraje ante la vida y concordancia con las fuerzas que nos habitan. La otra faz de la concordia es la discordia: dos palabras que forman el eje de su obra. Todo esto lo acerca a Tamayo, pintor que también obedece al corazón y a las corazonadas. Dore Ashton descubre en la pintura del artista norteamericano dos elementos: un impulso pasional, alternativamente demoniaco y orgiástico, y una tendencia hacia el barroquismo.[1] El cuerpo femenino, centro de su arte incluso en sus composiciones no figurativas, encarna la dualidad de estos elementos y su final conjunción: es la esfera que engloba a todas las formas y el erotismo que las despedaza. Paradoja del erotismo: en el acto amoroso poseemos el cuerpo de la mujer como una totalidad que se fragmenta: simultáneamente, cada fragmento —un ojo, un pedazo de mejilla, un lóbulo, el resplandor de un muslo, la sombra del pelo sobre un hombro, los labios— alude a los otros y, en cierto modo, contiene a la totalidad. Los cuerpos son el teatro donde efectivamente se representa el juego de la correspondencia universal, la relación sin cesar deshecha y renaciente entre la unidad y la pluralidad. Si el erotismo une a estos dos pintores, el barroquismo los separa. Ya he señalado en qué consiste el de Tamayo y los límites severos que le impone. Una severidad ausente en De Kooning. En el norteamericano hay desbordamiento; en el mexicano, concentración. Versiones diferentes de lo orgiástico: la kermés flamenca y la fiesta mexicana.

El elemento pasional y demoniaco corresponde en Tamayo a lo que he llamado *transfiguración*, imaginación analógica. Para Tamayo el mundo todavía es un sistema de llamadas y respuestas y el hombre aún es parte de la tierra, es la tierra. La actitud de Tamayo es más *antigua*: está más cerca de los orígenes. Es uno de los privilegios, entre tantas desventajas, del haber nacido en un país subdesarrollado. En De Kooning, vitalismo romántico: el hombre está solo en el mundo; en Tamayo, naturalismo: visión de la unidad entre el mundo y el hombre. De Kooning ha dicho: "When I think of painting today, I find myself al-

[1] Dore Ashton: *The Unknown Shore*, 1962.

ways thinking of that part which is connected with the Renaissance. It is the vulgarity and fleshy part of it which seems to make it particularly Western.'' Nada menos *fleshy* que la pintura de Tamayo: por una parte, sus figuras y hasta sus paisajes y composiciones abstractas son óseas; por la otra, el mismo ascetismo que le prohíbe caer en la tentación barroca de la curva le impide precipitarse en la blandura carnal. Como ocurre con todos los grandes artistas, sin excluir a De Kooning, la muerte es una presencia constante en la pintura de Tamayo. Esa presencia es severa y ensimismada: no el vértigo de la caída, ni las pompas y esplendores de la pudrición sino, como ya dije, la geometría de los huesos, su blancura, su dureza y el polvo finísimo en que se convierten.

5

En las notas anteriores me propuse describir la actitud de Tamayo frente a la pintura y el sitio de la suya en la pintura contemporánea: las relaciones entre el pintor y su obra y las relaciones de su obra con las de otros pintores. Hay otra relación no menos decisiva: Tamayo y México.

Todos los críticos han señalado la importancia del arte popular en su creación. Es innegable, pero vale la pena investigar en qué consiste esa influencia. Ante todo, ¿qué se entiende por arte popular? ¿Arte tradicional o arte del pueblo? El *pop-art*, por ejemplo, es popular y no es tradicional. No continúa una tradición sino que, con elementos populares, intenta y a veces logra crear obras que son nuevas y detonantes: lo contrario de una tradición. En cambio, el arte popular es siempre tradicional: es una manera, un estilo que se perpetúa por la repetición y que sólo admite variaciones ligeras. No hay revoluciones estéticas en la esfera del arte popular. Además, la repetición y la variación son anónimas o, mejor dicho, impersonales y colectivas. Ahora bien, si es verdad que las nociones de arte y estilo son inseparables, también lo es que las obras de arte son las violaciones, las excepciones o las exageraciones de los estilos artísticos. El estilo barroco o el impresionista son un repertorio de términos plásticos, una sintaxis que sólo se vuelve significante cuando una obra única viola al estilo. Lo que constituye realmente al impresionismo no es un estilo sino las transgresiones a ese estilo: un conjunto de obras únicas e irrepetibles. El arte popular, por constituir un estilo tradicional sin interrupciones ni cambios creadores, no es arte, si se emplea esta palabra de una manera estricta. Por lo demás, no quiere ser arte: es una prolongación de los utensilios y de los ornamentos y no aspira sino a confundirse con nuestra existencia diaria. Vive en el ámbito de la fiesta, la ceremonia y el trabajo: es vida social cristalizada en un objeto mágico. Digo *mágico* porque es muy probable que el origen del arte popular sea la magia que acompaña a todas las religiones y creencias: ofrenda, talismán, relicario, sonaja de fertilidad, figurilla de barro, fetiche familiar. La relación entre Tamayo y el arte popular debe buscarse, por tanto, en el nivel más profundo: no sólo en las formas sino en las creencias subterráneas que las animan.

No niego que Tamayo haya sido sensible al hechizo de las invenciones plásticas populares: señalo que no aparecen en su pintura por ser hermosas, aunque lo sean. Tampoco por un descabellado afán nacionalista o populista. Su significación es otra: son canales de trasmisión, unen a Tamayo con el mundo de su infancia. Su valor es afectivo y existencial: el artista es el hombre que no ha sepultado enteramente a su niñez. Aparte de esta función psiquíca y en una capa aún más profunda, esas formas populares son algo así como venas de irrigación: por ellas asciende la savia ancestral, las creencias originales, el pensamiento inconsciente, pero no incoherente, que anima al mundo mágico. La magia, dice Cassirer, afirma la fraternidad de todos los seres vivos porque se funda en la creencia en una energía o fluido universal. Dos consecuencias del pensamiento mágico: la metamorfosis y la analogía. Metamorfosis: las formas y sus cambios son simples trasmutaciones del fluido original; analogía: todo se corresponde si un principio único rige las transformaciones de los seres y las cosas. Irrigación, circulación del soplo primordial: una sola energía recorre todo, del insecto al hombre, del hombre al espectro, del espectro a la planta, de la planta al astro. Si la magia es la animación universal, el arte popular es su supervivencia: en sus formas encantadoras y frágiles está grabado el secreto de la metamorfosis. Tamayo ha bebido el agua de ese manantial y conoce el secreto. No con la cabeza, que es la única manera en que nosotros, modernos, podemos conocerlo, sino con los ojos y con las manos, con el cuerpo y la lógica inconsciente de lo que, inexactamente, llamamos instinto.

Las relaciones de Tamayo con el arte precolombino no se manifiestan en la zona inconsciente de las creencias sino en el nivel consciente de la estética. Antes de tocar este tema es indispensable disipar algunos equívocos. Me refiero a esas frecuentes confusiones entre la nacionalidad del artista y la del arte. No es difícil advertir, a primera vista, el "mexicanismo" de la pintura de Tamayo; tampoco lo es, si se reflexiona un poco, descubrir que es un rasgo que no define sino muy superficialmente a su arte. Ninguna obra, por lo demás, se define por su nacionalidad. Aún menos por la de su autor: decir que Cervantes es español y que Racine es francés, es decir muy poco o nada sobre Cervantes y Racine. Olvidemos pues la nacionalidad de Tamayo y consideremos las circunstancias que determinan su encuentro con el arte antiguo de México. Lo primero que debe subrayarse es la distancia que nos separa del mundo mesoamericano. La Conquista española fue algo más que una conquista: la destrucción por la violencia de la civilización (o civilizaciones) de Mesoamérica y el comienzo de una sociedad distinta. Entre el pasado prehispánico y nosotros no hay la continuidad que existe entre la China de los Han y la de Mao, entre el Japón de Heian-Kio y el contemporáneo. Por tanto, hay que delinear, así sea de una manera muy general, nuestra peculiar posición frente al pasado mesoamericano.

La reconquista del arte prehispánico es una empresa que habría sido imposible de no intervenir dos hechos determinantes: la Revolución Mexicana y la estética cosmopolita de Occidente. Sobre lo primero se ha escrito mucho, de modo que sólo tocaré lo que me parece esencial. Gracias al movimiento revolucionario, nuestro país se ha sentido y se ha visto como lo que es: un país mestizo, racialmente más cerca del indio que del europeo, aunque no suceda lo mismo en materia de cultura y de instituciones políticas. El descubrimiento de nosotros mismos nos llevó a ver con apasionado interés los restos de la antigua civilización tanto como sus supervivencias en las creencias y costumbres populares. De ahí que el México moderno haya intentado reconquistar ese pasado grandioso. El fondo de México es indio y son numerosas las supervivencias culturales, sociales y psíquicas de las sociedades prehispánicas. Incluso es inexacto hablar de supervivencias y más bien habría que decir estructuras mentales y sociales. Esas estructuras, semi-enterradas, informan y conforman nuestros mitos, nuestra estética, nuestra moral y nuestra política. Pero como *civilización* el mundo indígena ha muerto. Más exactamente: fue asesinado. Veneramos y recogemos

362

en los museos los despojos de Mesoamérica pero no hemos intentado, ni podríamos, resucitar a la víctima. Aquí interviene el otro factor: la visión europea de las civilizaciones y tradiciones distintas a la grecorromana.

El descubrimiento del "otro", en la esfera de las sociedades y las culturas, es reciente. Se inicia casi al mismo tiempo que la expansión imperialista de Europa y sus primeros testimonios son los relatos, crónicas y descripciones de los navegantes y conquistadores portugueses y españoles. Es la otra cara del descubrimiento y la conquista: una *conversión* afectiva e intelectual que, al revelar la humanidad y la sabiduría de las sociedades no-europeas, reveló simultáneamente los remordimientos y el horror que experimentaron unas cuantas conciencias ante la destrucción de pueblos y civilizaciones. El siglo XVIII, con su curiosidad y respeto por la civilización china y su exaltación del salvaje inocente, dio un paso más y abrió las mentes a una concepción menos etnocéntrica de la especie humana. Y así, poco a poco, como un contrapunto crítico de las atrocidades cometidas en Asia, África y América, cambió la visión europea de los otros pueblos. Último desastre: precisamente en el momento en que nace la antropología, comienza el fin inexorable de las últimas sociedades primitivas. Ahora, en el momento de su victoria, destruidas o petrificadas todas las otras civilizaciones, Occidente se descubre en las persecuciones raciales, el imperialismo, la guerra y el totalitarismo. La civilización de la conciencia histórica, la gran invención europea, llega en nuestros días a otra conciencia: la de las fuerzas autodestructivas que la habitan. El siglo XX nos enseña que nuestro lugar en la historia no está lejos de los asirios de Sargón II, los mongoles de Gengis Khan y los aztecas de Itzcóatl.

El cambio de la visión estética europea fue aún más lento. Aunque Durero no ocultó su admiración por la orfebrería mixteca, hubo que esperar al siglo XIX para que ese juicio aislado se transformase en una doctrina estética. Los románticos alemanes descubrieron la literatura sánscrita y el arte gótico; sus sucesores en toda Europa se interesaron después por el mundo islámico y las civilizaciones del Extremo Oriente; por fin, a principios de este siglo, aparecieron en el horizonte estético las artes de África, América y Oceanía. Sin los artistas modernos de Occidente, que hicieron suyo todo ese inmenso conjunto de estilos y visiones de la realidad y lo transformaron en obras vivas y contemporáneas, nosotros no habríamos podido comprender y amar el arte precolombino. El nacionalismo artístico mexicano es una consecuencia tanto del cambio en la conciencia social que fue la Revolución Mexicana como del cambio en la conciencia artística que fue el cosmopolitismo estético europeo.

Después de esta digresión puede verse con mayor nitidez en qué consiste el equívoco entre el nacionalismo y la civilización precolombina. En primer término, no puede decirse que esta última sea, estrictamente, mexicana: ni México existía cuando fue creada ni sus creadores tenían conciencia siquiera de ese concepto político moderno que llamamos nación. En segundo lugar, y en un sentido todavía más estricto, es discutible que las artes tengan nacionalidad. Lo que tienen es *estilo*: ¿cuál es la nacionalidad del arte gótico? Pero aun si la tuviese, ¿qué significación tendría? No hay derecho nacional de propiedad en arte. El gran crítico contemporáneo del arte medieval francés se llama Panofsky y Berenson es la gran autoridad de la pintura italiana renacentista. Los mejores estudios sobre Lope de Vega probablemente son los de Vossler. No fueron los medianos pintores españoles del siglo XIX los que recogieron la tradición pictórica española sino Manet. ¿Para qué seguir? No, la comprensión del arte precolombino no es un privilegio innato de los mexicanos. Es el fruto de un acto de amor y reflexión, como en el caso del crítico alemán Paul Westheim. O de un acto de creación, como en el del escultor inglés Henry Moore. En arte no hay herencias: hay descubrimientos, conquistas, afinidades, raptos: recreaciones que son realmente creaciones. Tamayo no es una excepción. La estética moderna le abrió los ojos y le hizo ver la modernidad de la escultura prehispánica. Después, con la violencia y simplicidad de todo creador, se apoderó de esas formas y las transformó. A partir de ellas pintó formas nuevas y originales. Cierto, el arte popular había ya fertilizado su imaginación y la había preparado para aceptar y asimilar el del antiguo México. No obstante, sin la estética moderna ese impulso inicial se habría disipado o habría degenerado en mero folklore y decoración.

Si se piensa en los dos polos que definen a la pintura de Tamayo, el rigor plástico y la imaginación que transfigura al objeto, se advierte inmediatamente que su encuentro con el arte precolombino fue una verdadera conjunción. Empezaré por lo primero: la relación puramente plástica. Las cualidades más inmediatas y sorprendentes de la escultura precolombina son la estricta geometría de la concepción, la solidez de los volúmenes y la admirable fidelidad a la materia. Ésas fueron las cualidades que desde un principio impresionaron a los artistas modernos y a los críticos europeos. La actitud de Tamayo obedece a la misma razón: la escultura mesoamericana, como la pintura moderna, es ante todo una lógica de las formas, las líneas y los volúmenes. Esta lógica plástica, a la inversa de lo que ocurre con la tradición grecorromana y renacentista, no está fundada en la imitación de las proporciones del cuerpo humano sino en una concepción del espacio radicalmente distinta. Una concepción que, para los mesoamericanos, era religiosa; para nosotros, intelectual. En uno y otro caso, se trata de una visión *no* humana del espacio y del mundo. El pensamiento moderno sostiene que el hombre ya no es el centro del universo ni la medida de todas las cosas. Esta idea no está muy alejada de la visión que tenían los antiguos del hombre y del cosmos. Correspondencias artísticas de estas concepciones contradictorias: en la tradición renacentista la figura humana es de tal modo central que hay una tentativa por someter el paisaje mismo a su imperio (por ejemplo: la humanización del paisaje en la poesía del XVI y XVII o el subjetivismo de los románticos); en el arte precolombino y en el moderno, en cambio, la figura humana se somete a la geometría de un espacio no humano. En el primer caso, el cosmos como un reflejo del hombre; en el segundo, el hombre como un signo entre los signos del cosmos. Por un lado: humanismo e ilusionismo realista; por el otro: abstracción y visión simbólica de la realidad. El simbolismo del arte antiguo se transforma en *transfiguración* en la pintura de Tamayo. La tradición mesoamericana le reveló algo más que una lógica y una gramática de las formas: le mostró, con mayor vivacidad aún que Klee y los surrealistas, que el objeto plástico es un emisor de alta frecuencia que dispara significados e imágenes plurales. Doble lección del arte prehispánico; primero, la fidelidad a la materia y a la forma: para el azteca, la escultura de piedra es piedra esculpida; después: esa piedra esculpida es una metáfora. Geometría y transfiguración.

Me pregunto, ¿y todo esto no lo sabía ya Tamayo? Como la experiencia de la mezcalina para Michaux, su encuentro con el arte precolombino fue, más que un descubrimiento, una confirmación. Quizá el verdadero nombre de la creación sea *reconocimiento*.

6

En el curso de estas reflexiones he repetido dos palabras: tradición y crítica. Varias veces he señalado, y no soy el único, que la crítica es la sustancia, la sangre de la tradición moderna. La crítica concebida como instrumento de creación y no únicamente como juicio o análisis. Por eso cada obra nueva se coloca en actitud polémica frente a las que la preceden. Nuestra tradición se perpetúa por obra de las sucesivas negaciones y rupturas que engendra. El único arte muerto es aquel que no merece el homenaje supremo de la negación creadora.

La diferencia con el pasado es significativa; los artistas antiguos imitaban las obras maestras de sus predecesores; los modernos, las niegan o, al menos, procuran crear otras que no se les asemejen. Dentro de esta tradición en constante crisis (y que tal vez toca a su fin), todavía es posible hacer otra distinción: hay artistas que convierten a la crítica en un absoluto y que, en cierto modo, hacen de la negación una creación —un Mallarmé, un Duchamp; hay otros que se sirven de la crítica como un trampolín para saltar a otras tierras, a otras afirmaciones — un Yeats, un Matisse. Los primeros ponen en crisis al lenguaje, sea éste el de la poesía, la música o la pintura; quiero decir: enfrentan el lenguaje a la crítica sin apelación del silencio. Los segundos hacen de ese mismo silencio un recurso del lenguaje. Es lo que he llamado, dentro de la tradición moderna de la ruptura, la familia del No y la del Sí. Tamayo pertenece a la segunda.

Un pintor de la pintura, no de su metafísica ni de su crítica. En el extremo opuesto de un Mondrian o, para hablar de sus contemporáneos, un Barnett Newman. Del lado de un Braque o un Bonnard. Para Tamayo la realidad es corporal, visual. Sí, el mundo existe: lo dicen el rojo y el morado, la iridiscencia del gris, la mancha del carbón; lo dicen la superficie lisa de esta piedra, los nudos de la madera, la frialdad de la culebra de agua; lo dicen el triángulo y el octágono, el perro y el coleóptero. Lo dicen las sensaciones. Las relaciones entre las sensaciones y las formas que crean al enlazarse y separarse, se llama pintura. La pintura es la traducción sensible del mundo. Traducir el mundo en pintura es perpetuarlo, prolongarlo. Tal es el origen del rigor de Tamayo frente a la pintura. Su actitud, más que una estética, es una profesión de fe: la pintura no es una realidad autosuficiente: es una manera de tocar a la realidad. No nos da la sensación de la realidad, nos enfrenta a la realidad de las sensaciones. Las más inmediatas y directas: los colores, las formas, el tacto. Un mundo material que, sin perder su materialidad, es también mental; esos colores son colores pintados. Toda la inquisición crítica de Tamayo tiende a salvar la pintura, a preservar su pureza y perpetuar su misión de traductora del mundo. Contra la literatura no menos que contra la abstracción, contra la geometría que hace de ella un esqueleto y contra el realismo que la degrada en ilusión tramposa.

La traducción sensible del mundo es una trasmutación. En el caso de Tamayo la trasmutación nunca es abstracta: su mundo es la vida cotidiana, como lo señaló André Breton. Esta observación carecería de interés si el mismo Breton no hubiese dicho en seguida que el arte de Tamayo consistía en insertar la vida cotidiana en el ámbito de la poesía y el rito. O sea: transfiguración.

Ese tejido de sensaciones pictóricas que es un cuadro de Tamayo es, asimismo, una metáfora. ¿Qué dice esa metáfora? El mundo existe, la vida es la vida, la muerte es la muerte: *todo es*. Esta afirmación, de la que no están excluidas ni la desdicha ni el azar, es un acto de la imaginación más que de la voluntad o el entendimiento. El mundo existe por obra de la imaginación, la cual, al transfigurarlo, nos lo revela.

7

Si se pudiese decir con una sola palabra qué es aquello que distingue a Tamayo de los otros pintores de nuestro tiempo, yo diría sin vacilar: *sol*. Está en todos sus cuadros, visible o invisible; la noche misma no es para Tamayo sino sol carbonizado.

SG   Delhi, a 11 de abril de 1968

ARTE CONTEMPORÁNEO

EL PRECIO Y LA SIGNIFICACIÓN

UNA y otra vez algunos críticos de arte me denuncian como un "enemigo de la escuela mexicana de pintura". Contestaré de nuevo, aunque me parezca un anacronismo discutir ahora la vigencia del movimiento muralista: se trata de una estética pasada, hoy vista con horror por todos los artistas jóvenes. Repetiré, por otra parte, que yo no comparto el desdén de los jóvenes y de la crítica extranjera por la pintura mural de México. Ese desdén es explicable pero injusto. Explicable porque el arte de los muralistas, precisamente por su desmesura, hoy nos parece insuficiente: interminables y aburridas disertaciones históricas de Rivera, perpetuo rictus de Orozco, efectismo teatral y oratorio de Siqueiros... Injusto porque en nombre de una estética de comerciantes se pretende negar algo que tuvo vida propia, lo que no ocurre con la mayoría de la pintura contemporánea mundial.

Si en arte, como en todo, la condición primera es *ser*, la pintura mural de México *fue*, tuvo acento, existencia, carácter indudable y aun agresivo. No se puede decir lo mismo de muchos de los cuadros que exhiben en nuestros días las galerías de Nueva York, Amsterdam, Bombay o Buenos Aires. Al mismo tiempo, resulta grotesca la actitud de cierta crítica mexicana que atribuye a una conspiración internacional del imperialismo yanqui el descrédito de la pintura mural. En lugar de acudir a explicaciones delirantes, esos críticos deberían recordar que los coleccionistas y los museos angloamericanos fueron los primeros, y casi los únicos, que compraron un gran número de obras mexicanas y que los críticos de ese país contribuyeron, en gran medida, a la reputación internacional de nuestros pintores. Hoy la crítica angloamericana ignora a la pintura mexicana. También niega a la francesa, con la que el arte norteamericano tiene una deuda más larga y más profunda. ¿A qué asombrarse? En todas partes se cuecen habas y nadie se salva, por lo visto, de la infección nacionalista.

En 1950 publiqué un artículo, "Tamayo en la pintura mexicana", en el que me propuse mostrar el lugar de este pintor dentro del movimiento mexicano. Ese texto, a pesar de la limitación natural de su tema, era una tentativa por considerar a nuestra pintura como un todo, es decir, como una tradición. En la primera parte trataba de situar a los predecesores de Tamayo, especialmente a Rivera, Orozco y Siqueiros.* Procuré dilucidar el sentido de sus obras, atendiendo más a las pinturas que a las intenciones. Quise verlas no como ideas sino como visiones del mundo. En aquellos años creía que para *ver* a esta pintura deberíamos apartar la cáscara de la ideología (no sólo del cuadro sino de nuestra mente). Todavía lo creo: una obra es algo más que los conceptos y los preceptos de un sistema. Y esto, verla con ojos puros, es lo que no han hecho ni los amigos ni los enemigos de la pintura mural. ¿Pero es necesario defender mi punto de vista? ¿No es eso lo que hacemos diariamente cuando contemplamos las obras del pasado? El movimiento de nuestros muralistas —movimiento y no escuela— es algo más que la ideología de esos pintores y de su mecenas (el gobierno mexicano). Esa ideología fue, por otra parte, contradictoria: nada más opuesto al pensamiento de Orozco que las doctrinas de Rivera y Siqueiros.

* Véase, en este libro, "Los muralistas a primera vista", pp. 221-227.

La pintura mural mexicana no fue una consecuencia de las ideas revolucionarias del marxismo, aunque Rivera y Siqueiros hayan profesado esa filosofía, sino del conjunto de circunstancias históricas y personales que llamamos Revolución Mexicana. Sin la Revolución esos artistas no se habrían expresado o sus creaciones habrían adoptado otras formas; asimismo, sin la obra de los muralistas, la Revolución no habría sido lo que fue. El movimiento muralista fue ante todo un descubrimiento del presente y del pasado de México —algo que el sacudimiento revolucionario había puesto a la vista: la verdadera realidad de nuestro país no era lo que veían los liberales y los porfiristas del siglo pasado sino otra, sepultada y no obstante viva. El descubrimiento de México se realizó por la vía del arte moderno de Occidente. Sin la lección de París, el pintor Diego Rivera no habría podido ver al arte indígena. Pero no bastaba tener los ojos abiertos ni poseer una sensibilidad adiestrada por la gran transformación del arte moderno occidental: era menester que la realidad se incorporase y se echase a andar. El mundo que vieron los ojos de Rivera no era una colección de objetos de museo sino una presencia viva. Y lo que infundía vida a esa presencia era la Revolución Mexicana. Todos tenemos nostalgia y envidia de un momento maravilloso que no hemos podido vivir. Uno de ellos es ese momento en el que, recién llegado de Europa, Diego Rivera vuelve a ver, como si nunca la hubiese visto antes, la realidad mexicana.

En mi artículo sobre Tamayo, a despecho de su tono polémico (en esos días se negaba encarnizadamente a este pintor), procuré ser justo con los muralistas. ¿Por qué no lo sería quince años después, cuando esa tendencia ha dejado de ser un movimiento vivo? No es un secreto para nadie que la pintura mural mexicana no tiene en México descendiente de talla, aunque sus tristes epígonos sigan cubriendo las paredes de universidades, museos y oficinas públicas. Lo maravilloso no se hereda: se conquista. Los verdaderos sucesores de los muralistas no fueron los discípulos, manada dócil e intolerante, sino los que se atrevieron a penetrar en nuevas comarcas. En pleno apogeo del muralismo aparece la reacción. El nombre de Tamayo es central pero no es el único. Un grupo de pintores, cada uno por su cuenta y sin ningún propósito de escuela, explora otras vías: Carlos Mérida, Jesús Reyes Ferreira, Agustín Lazo, Alfonso Michell y otros más, entre los que se encuentran dos notables mujeres: Frida Kahlo y María Izquierdo. La pintura mexicana está viva gracias a esos heterodoxos. Con ellos se inicia otra tradición. No podía ser de otro modo: el arte es aventura, exploración y, a veces, descubrimiento. La única herencia artística que concibo es aquella que es un punto de partida, no un asilo para gente cansada. ¿Los muralistas no tuvieron discípulos? Tuvieron algo mejor: contradictores.

Fuera del ámbito mexicano hubo algo más. Es revelador que los críticos nacionalistas y "progresistas" nunca hayan reparado en la significación de la influencia de Rivera, Orozco y Siqueiros en la pintura norteamericana moderna al comenzar la década de los treinta. Muchos de los artistas norteamericanos no sólo fueron influidos por el arte y las doctrinas de los mexicanos sino que colaboraron directamente con ellos, como ayudantes. El caso de Pollock es el más conocido pero no es el único; Philip Guston también fue ayudante de Siqueiros, en Los Ángeles, hacia 1932; Isamo Noguchi, el gran escultor, colaboró con Rivera, vivió en México una temporada y aquí dejó un mural (se trata de una obra apenas conocida, en el mercado Abelardo Rodríguez); otra notable escultora, Louise Nevelson, fue ayudante de Rivera en Nueva York, en 1930. Entre 1929 y 1939 puede situarse el periodo de la influencia mexicana sobre la nueva pintura norteamericana. Fueron los años de formación de varios grandes artistas y por eso fueron decisivos. La huella de Orozco es visible en las primeras obras de Tobey y algo semejante puede decirse de Kline, Rotkho, Gorky y hasta de un Milton Avery, que durante un momento vio a Matisse *a través* de Rivera. La pintura mexicana obró como un estímulo y no sólo como un modelo. Por ejemplo, a Pollock la lección de Siqueiros le mostró los inmensos recursos de la espontaneidad y las posibilidades de usar el *accidente* —la mancha de pintura— como punto de partida; a Louise Nevelson el ejemplo de Rivera le abrió las puertas de la comprensión, dice Hilton Kramer, de la escultura y la arquitectura precolombinas. En ambos casos los artistas norteamericanos fueron más allá de sus maestros. ¿Por qué nuestra crítica no ha dicho nada de esto? Cierto, para críticos preocupados por la nacionalidad o por el partido político del artista y no por lo que dicen efectivamente las formas, más atentos a leer que a contemplar un cuadro, resulta escandaloso asociar los nombres de Rivera, Orozco y Siqueiros a los de unos pintores que rechazaron expresamente el llamado del arte social. El escándalo deja de serlo si se piensa que los angloamericanos no se propusieron repetir una lección (eso fue lo que hicieron los epígonos mexicanos) sino recoger una experiencia y llevarla a sus últimas consecuencias. Una cosa es la imitación y otra la influencia.

La influencia del movimiento mural mexicano en los artistas de los Estados Unidos se ejerció en la década que precede a la iniciación de la segunda Guerra Mundial. Fueron los años de la reputación internacional de Rivera, Orozco y Siqueiros. Su fama nunca llegó del todo a Europa pero sus nombres y sus obras conquistaron a los Estados Unidos. Muchos pintores angloamericanos visitaron entonces nuestro país con el mismo fervor con que en el siglo pasado los ingleses iban a Italia y algunos, como ya dije, trabajaron en México o en Estados Unidos como ayudantes de los muralistas. Por supuesto, esas influencias no fueron las únicas ni, al final, resultaron las más importantes. Pero es imposible ocultarlas, como pretenden ahora algunos críticos norteamericanos. No me propongo, en este artículo, detenerme sobre el tema. Me limitaré a mencionar algunas circunstancias que explican esta influencia mexicana.

La primera tentativa de la vanguardia angloamericana se remonta a la famosa exposición llamada Armory Show, en 1913. A pesar de que participaron en ella muchos pintores norteamericanos, la exposición fue, ante todo y sobre todo, una expresión del arte europeo de esos días. Aparte de figuras conocidas como las de Picasso, Matisse y Braque, dos nombres concentraron la irritación y el asombro de los críticos y del público: Francis Picabia y Marcel Duchamp. Ambos influyeron en los precursores de la nueva pintura angloamericana; y el segundo, cincuenta años después, es el maestro indiscutible de los jóvenes artistas de los Estados Unidos, entre ellos dos de gran talento: Jasper Johns y Robert Rauschenberg. Sin embargo, las experiencias de la vanguardia europea no fueron asimiladas inmediatamente por los angloamericanos y hubo que esperar veinticinco años más para que fructificasen plenamente. Dore Ashton observa que en esos años los artistas de su país estaban obsesionados por la búsqueda de un arte que fuese, simultáneamente, *nuevo* y *americano*. Nada más natural que volviesen los ojos hacia México, un país en el que los artistas tenían ambiciones semejantes y cuya obra era elogiada por muchos críticos norteamericanos. A esta circunstancia debe agregarse otra: esos años son los del gran debate entre el arte puro y el social. Muchos escritores y artistas se *convirtieron*, ésta es la palabra, al marxismo; otros profesaron un "humanismo" un poco vago aunque no menos militante. Así, no es extraño que los artistas angloamericanos se apoyasen en el ejemplo de los mexicanos, que desde hacía años cultivaban esas tendencias. A mayor abundamiento, en lugar de refugiarse en el academismo de los rusos —es la época en que triunfa el estalinismo en arte—, los mexicanos adoptaron algunas de las innovaciones de la vanguardia europea e inclusive Orozco y Siqueiros exploraron nuevas formas y técnicas. (Es curioso que Diego Rivera, el único que pasó por el cubismo, haya sido el más conservador.) Por último, en esa misma década la administración del presidente Roosevelt comisionó a los pintores para que decorasen edificios públicos, a la manera de México, aunque en menor escala (WPA). Entre esos pintores se encontraban algunos que serían los creadores de la nueva pintura angloamericana: Gorky, De Kooning, Pollock, Davis. Todos ellos y Mark Rotkho, Gottlieb y algunos otros fundaron hacia 1939 la Federación de Pintores y Escultores Modernos.

La década que va de 1929 a 1939, según indiqué antes, es la de la influencia mexicana; la que le sigue es la de la ruptura. En su primera manifestación pública, hacia 1940, la Federación de Pintores y Escultores Modernos se declaró contra el arte social y especialmente contra el nacionalismo "que niega la tradición universal, base de los movimientos artísticos modernos". Las razones de este brusco cambio son numerosas, unas de orden social y otras estético. La segunda Guerra Mundial, como podemos verlo ahora, fue el principio del fin de las ideologías (un fin provisional: las ideologías renacen como la hidra). El arte social había sido degradado de tal modo en Rusia que alistarse bajo sus banderas era ya más un síntoma de servilismo que de rebeldía. En todo el mundo los artistas se empezaban a cansar de la propaganda y de sus versiones simplistas de la realidad. Los artistas angloamericanos mostraron una encomiable libertad de espíritu al rebelarse contra el nacionalismo, en plena guerra y cuando la presión partidista era más sofocante. Por último, todo desafío al paternalismo estatal es saludable y el gesto de los pintores norteamericanos se inscribía en la mejor tradición del individualismo de ese país. Pero lo decisivo fue el cambio interior: los pintores no sólo se dieron cuenta de las limitaciones del arte pseudohumanista y del sofisma que encierra todo didactismo: descubrieron que la verdadera creación artística, en nuestro tiempo, es una exploración de realidades tercamente negadas por el siglo XIX. Volvieron los ojos hacia el ejemplo europeo y así pudieron internarse en sí mismos.

La ruptura con las tendencias del arte mexicano, que hasta entonces los había nutrido, fue completa y brusca. No tanto, sin embargo, que nos impida advertir, por debajo del cambio de inspiración y de estética, ciertas huellas de los mexicanos: el gusto por la pincelada brutal, el amor por las formas desgarradas, la violencia en el color, los contrastes sombríos, la ferocidad. Todo esto, que es mexicano, también es muy norteamericano. Pero su origen es europeo: el expresionismo. Fue una de las fuentes de ambos movimientos. Los mejores ejemplos, en uno y otro país, son Clemente Orozco y Willem de Kooning. Hay, además, otra semejanza: la común afición al arte monumental y tremendo. Debemos a la tentación de lo grandioso, en las dos mitades del continente, obras extraordinarias y apenas si necesito recordar a las pirámides de Teotihuacan y a la arquitectura de Chicago y Nueva York. En el caso de la pintura, Hilton Kramer dice que "desde hace mucho se ha reconocido que el movimiento mural mexicano fue una de las fuentes del cambio en la escala de las obras que caracteriza al expresionismo abstracto''. Este cambio fue una rebelión saludable en contra del formato europeo, cuyas proporciones corresponden casi siempre al interior de los apartamentos burgueses. Sin el ejemplo de los muralistas (*Les gouaches découpées* de Matisse aparecen más tarde) los norteamericanos quizá no se hubiesen atrevido a cambiar las dimensiones de sus obras; al mismo tiempo, la adopción de la nueva escala reveló una real y espontánea afinidad entre mexicanos y norteamericanos. La vastedad de nuestro continente y la inmensidad de sus espacios es una realidad que se impone por sí misma, por encima de las diferencias históricas y culturales de nuestros pueblos. Pero lo grandioso puede degenerar a veces en gigantismo. Nuestro continente está desgarrado entre los extremos, lo demasiado grande y lo demasiado pequeño: América es un continente de rascacielos y enanos, de pirámides y pulgas vestidas. Por esto es bueno recordar a nuestros artistas desmesurados la existencia de obras menos extremadas pero dueñas de una irradiación, por secreta, más poderosa: Uxmal y El Sagrario de México. Esto fue lo que hizo la Nevelson: al adoptar la escala precolombina, la humanizó.

La nueva pintura angloamericana nace hacia 1940, con la llamada *action-painting* o expresionismo abstracto. El movimiento se inicia como una ruptura con las tendencias prevalecientes hasta entonces en los Estados Unidos. ¿Rompió así con la idea de encontrar una expresión que fuese nueva y americana? Al contrario. Léanse las declaraciones de los iniciadores del movimiento, en Nueva York y en San Francisco: una y otra vez insisten, con cierta confusión, en afirmar un arte universal y americano, primitivo y de nuestro tiempo. La idea, no formulada enteramente, que anima todas estas declaraciones es la siguiente: América (querían decir: los Estados Unidos) ha llegado a la universalidad y toca a sus artistas expresar esta nueva visión universal. Como todas las visiones nuevas o revolucionarias, la de estos pintores es asimismo la de una antigüedad no histórica: esa nueva visión es la original o primitiva. Así, su arte es la culminación de la modernidad y, simultáneamente, la expresión de aquello que está antes de la historia. Doble rebelión: contra Europa, símbolo de la historia; y contra el nacionalismo primario de sus antecesores. Su actitud recuerda a la de Whitman y, más cerca de nosotros, a la de William Carlos Williams. Algo semejante sucede con el *pop-art*. Duchamp, Picabia y Schwitters son los maestros de estos jóvenes pintores, pero el *pop-art* repite el gesto del expresionismo abstracto y se presenta otra vez como un ''americanismo''. El movimiento, a sabiendas o no de sus protagonistas, no aspira tanto a ser un cosmopolitismo (anglo)americano como a convertir el cosmopolitismo moderno en un (anglo)americanismo.

El expresionismo abstracto habría sido imposible sin la lección europea. (Apenas si es necesario subrayar que varios de los protagonistas de la nueva pintura habían nacido en Europa: Gorky, De Kooning, Yunkers...) Aparte de la influencia de los que llamaríamos los ''clásicos'' del arte contemporáneo (Picasso, Kandinsky, Klee, Mondrian), fue decisiva la de los surrealistas: Miró, Max Ernst, Lam, Matta, André Masson. Creo que el ejemplo de los dos últimos, sobre todo el de Matta, fue determinante. El automatismo pictórico —pues eso es el *dripping* y otras técnicas de la *action-painting*— fue explorado primero que nadie por Masson y Ernst, precisamente durante su residencia en Nueva York, en los años de la Segunda Guerra. Es conocida, además, la impresión que causaron en los círculos artísticos neoyorquinos la obra y la persona de Matta. Su ejemplo fue más que un estímulo para Gorky y Robert Motherwell. No menos profunda fue la de Lam, otro surrealista latinoamericano. Parece ocioso, en fin, referirse a la presencia de André Breton y a sus relaciones con Gorky, uno de los grandes artistas angloamericanos. Incluso en un artista tan alejado (en apariencia) de la "imagen surrealista" como Barnett Newman es muy profunda la influencia del automatismo y de la *actitud* del surrealismo ante el arte, la vida y la política. Ahora bien, los experimentos de los surrealistas estaban al servicio de una estética distinta a la que, un poco después, proclamarían los artistas de Nueva York. Para los europeos la búsqueda consistía en provocar, por medio del automatismo, la revelación de la imagen: estética de la aparición; para los angloamericanos, lo que contaba era el gesto mismo de pintar: ese acto era ya la imagen buscada.

Al lado de estas influencias, que son las más citadas, deben citarse otras dos, ambas hispanoamericanas, también decisivas. Una, la del uruguayo Joaquín Torres García, uno de los pocos artistas universales que ha dado nuestra América. Otra, la de David Alfaro Siqueiros. No me extenderé sobre la del primero: véase lo que dice Dore Ashton en *The Unknown Shore* acerca del parecido entre los cuadros de Torres García y los de Adolph Gottlieb (la obra del uruguayo es anterior en unos quince años). La influencia de Siqueiros sobre Pollock fue tanto la de una sensibilidad como la de una estética. En primer término, su concepción del espacio: Siqueiros rompe los límites del cuadro, que deja de ser una dimensión estática para convertirse en una superficie dinámica. El espacio es movimiento: no es aquello sobre lo que se pinta sino que él mismo engendra, por decirlo así, sus figuraciones. Es materia en movimiento. De ahí la importancia de la teoría de la mancha de pintura, principio que Pollock recoge de Siqueiros y que le abre las puertas de un universo físico que es, asimismo, un mundo psíquico. La diferencia con otros pintores (Max Ernst como ejemplo más notable) consiste en que no es la imaginación del pintor la que descubre en la mancha estas o aquellas figuras sorprendentes: es la materia misma, arrojada al lienzo o al muro, la que guía al pintor. No es el azar surrealista. Para Siqueiros la materia es movimiento, energía en lucha consigo misma, dueña de una dialéctica. Pollock aprovechó esta intuición y la llevó hasta sus últimas consecuencias, sin permitir que la contaminase o la desviase ninguna "orientación" ideológica. La manipulación intelectual de Siqueiros se convierte en peso afectivo en Pollock. La limitación del primero es el esquema ideológico; la del segundo, la caída en la mera sensibilidad, dominio de lo informe. Pero la obra de Pollock, gran pintor en sus momentos más altos, es una visión de la materia que se expande y se distiende hasta negarse a sí misma, hasta dejar de ser materia para transformarse en grito. Grito y no palabra: afirmación total de la energía y, simultáneamente, negación no menos total de la significación. Ante ciertos cuadros de Pollock me pregunto: ¿cuál es el lugar del hombre, el ser significante por definición, en el torbellino del movimiento que sin cesar se expande y se contrae? No sé si esta pregunta tenga respuesta. Sé que a ella deberán enfrentarse los nuevos poetas y pintores.

El interés de las ideas y experimentos de Siqueiros no se agota con lo anterior. Por ejemplo, el empleo de la pistola de aire y su insistencia en la utilización de nuevos materiales seguramente impresionaron a los pintores angloamericanos de la década anterior a la guerra. Los artistas modernos, en general, han utilizado en el cuadro (casi siempre en el *collage*) utensilios y objetos de la vida moderna pero muy pocas veces se han decidido a pintar con los nuevos instrumentos. Las preocupaciones de Siqueiros prolongaban las de los futuristas y otras escuelas de principios de siglo, que intentaron no sólo expresar la vida moderna sino lograr que el arte fuese moderno, esto es, que se sirviese de los útiles y materiales de la sociedad industrial. En cambio, su búsqueda de una perspectiva dinámica, concebida dentro de la estética del realismo, me parece que está alejada de las preocupaciones del arte contemporáneo. De todos modos, todas estas experiencias ofrecen un carácter sistemático y son algo inseparable de una historia y de una sociedad. Para Siqueiros la técnica es, por sí misma, significante. O dicho de otro modo: es algo más que un medio; es una visión de la realidad como movimiento y energía y que sólo se revela al contacto de la acción transformadora del hombre. Las ideas de Siqueiros fueron una brillante respuesta al "arcaísmo" de Rivera. Pronto se incrustaron en un marxismo primario, para decirlo con palabras suaves, que sostiene, entre otras cosas, que las artes "progresan" y que el fin de ese progreso es el "realismo social". La ideología oficial del estalinismo, un poco después, acabó por secar todas estas semillas de vida.

Desde hace años sostengo una pequeña e intermitente polémica, no contra este o aquel artista sino contra dos actitudes que me parecen gemelas: el nacionalismo y el espíritu de sistema. Ambos son estériles y ambos convierten en desierto aquello que tocan. Los dos son enfermedades de la imaginación y su verdadero nombre es mentira. Uno expresa, en su arrogancia, un sentimiento de inferioridad; el otro, en su certidumbre, un vacío intelectual. Mentira pasional, mentira razonadora. La función del nacionalismo es ocultar una herida, esconder una carencia, disfrazar una realidad que nos avergüenza. Es una mentira que nadie cree, excepto el que la dice. Por eso es peligrosa. Principia como una falsa complacencia frente a nosotros mismos y una intolerancia ante los demás; termina con un descubrimiento: negamos a los otros porque no estamos seguros de nuestra existencia propia. El espíritu de sistema, representado desde hace más de un cuarto de siglo por versiones cada vez más groseras del marxismo oficial, confunde la parte con el todo, la eficacia con la verdad y el culto a la autoridad con la disciplina. Nació del pensamiento crítico más valeroso y hoy repite fórmulas mágicas. Es un ritual y, ahí donde conquista el poder, una inquisición. En política, la expresión más extrema del nacionalismo es el linchamiento; y del sistema, la purga.

En México, entre 1940 y 1950 aproximadamente, atravesamos por un periodo vacío. Desaparecidas las grandes revistas (la última fue *El Hijo Pródigo*), silenciosa la generación de *Contemporáneos* —isla de lucidez en un mar de confusiones—, la crítica oscilante entre el vituperio y el incienso, sólo dos o tres voces, en la poesía y la pintura, se opusieron al nacionalismo y al sistema. La moda era "progresista" y se condenaba al disidente con el "ninguneo". Al final de este periodo se inició una nueva era. La poesía, *como siempre*, anunció el cambio. Bastaron unos cuantos libros para transformar el desierto. Uno de ellos fue *Varia invención* de Juan José Arreola; otro, *El llano en llamas*, de Juan Rulfo; otro más, una colección de poemas de Jaime Sabines. Obras de imaginación negra, cruel. En la de Arreola la desesperación está armada de alas; en la de Rulfo, la muerte habla con una suerte de sonámbula precisión: si las piedras hablasen, hablarían como sus personajes; en la de Sabines, la pasión tiene el sabor amargo de la resaca en la marisma. En esos años aparecen los estudios, nada complacientes, sobre el mexicano; Uranga vuelve a mostrar que el ensayo puede ser brillante sin dejar de ser riguroso; Jorge Portilla, como Cuesta veinte años antes, abandona la escritura por la palabra: si no nos dejó una obra, suscitó varias; Luis Villoro inicia una meditación hecha de precisión exigente y transparencia intelectual. Más cerca de la poesía que los otros ensayistas de su generación, Ramón Xirau se interroga sobre el sentido de la palabra poética, a un tiempo presencia y ausencia, voz y silencio, significación y no-significación. Su tema es el de las relaciones entre poesía y filosofía y su final identidad. Nuestra poesía contemporánea debe a Xirau algunos ensayos penetrantes y luminosos, algo insólito en un medio que confunde la crítica con la reseña periodística o con la dentellada de un perro rabioso. Al lado de estos ensayistas, un poeta que es también, cuando quiere, un crítico agudo: Jaime García Terrés. Autor de una obra estricta y afilada, García Terrés convirtió a la *Revista de la Universidad* en un centro de irradiación de la nueva literatura mexicana e hispanoamericana. Poco después irrumpen los jóvenes. Carlos Fuentes y Emmanuel Carballo fundan la *Revista Mexicana de Literatura*. El primero publica un sorprendente libro de cuentos (*Los días enmascarados*) y escribe las páginas poderosas y confusas de su primera novela, una admirable novela que abre un nuevo camino a nuestras letras. Desde entonces Carlos Fuentes no ha cesado de enriquecer la novela contemporánea de nuestra lengua con una obra al mismo tiempo abundante y preciosa. Casi al mismo tiempo aparece un escritor para mí esencial: el poeta Tomás Segovia. Temo que la mayoría aún no haya advertido que su obra, solitaria pero no aislada, singular y no marginal, constituye una tentativa por rescatar como totalidad experiencias que en otros aparecen separadas: vida y reflexión, lo cotidiano y lo extraordinario, el presente y la memoria. En esos años Juan García Ponce inicia su exploración de ciertas zonas prohibidas del erotismo y, simultáneamente, renueva la crítica de arte en México. No es accidental esta doble dirección de la obra de García Ponce: el punto de unión entre el erotismo y la crítica de arte es la *mirada*. Las mejores páginas de este joven escritor po-

387

seen una transparencia quieta, como si el tiempo reposase: fijeza de la luz sobre la cicatriz del árbol, fijeza de la mirada del *voyeur* sobre el sexo de la mujer. Jorge Ibargüengoitia: insoportable insobornable, autor de novelas y textos en los que el humor, guiado por el delirio, perfora galerías en el subsuelo psíquico de los mexicanos —esa zona infestada de culebras. Dos guerrilleros, dos cortadores de cabezas en la selva literaria: Carlos Monsiváis y Luis Guillermo Piazza. El caso de Monsiváis me apasiona: no es ni novelista ni ensayista sino más bien cronista, pero sus extraordinarios textos en prosa, más que la disolución de estos géneros, son su conjunción. Un nuevo lenguaje aparece en Monsiváis —el lenguaje del muchacho callejero de la ciudad de México, un muchacho inteligentísimo que ha leído todos los libros, todos los *comics* y ha visto todas las películas. Monsiváis: un nuevo género literario... Imposible olvidar a Fernando Benítez, un escritor que en lugar de servirse, como tantos otros, de los indios para hacer literatura, renueva en nuestros días la gran tradición moral y estética de los cronistas e historiadores de Indias... Benítez el escritor pero también el animador del semanario *México en la Cultura*, uno de nuestros bastiones, un claro en la espesura de cactus. He mencionado a unos cuantos ensayistas y novelistas. Aunque debería detenerme para no convertir este párrafo en un catálogo, no resisto a la tentación de citar, por lo menos, a dos recién llegados: a Salvador Elizondo, autor de *Farabeuf*, una novela fría y resplandeciente como un castillo de navajas, y a Inés Arredondo, que nos revela en sus cuentos la ambigüedad de todos los paraísos, la perversidad de toda inocencia.

En el teatro ocurrió algo semejante. Los iniciadores son dos autores de verdadero talento, Emilio Carballido y Luisa Josefina Hernández. Ambos parten del realismo descriptivo pero su obra posterior desemboca en un arte más rico y libre. La verdadera vanguardia nace con *Poesía en voz alta*. O, más bien, renace: su antecedente, ya que no su origen, es el grupo *Ulises* y las primeras tentativas teatrales de Villaurrutia y Lazo. El nombre no expresa enteramente las ideas y ambiciones de sus fundadores. Ninguno de ellos —Juan Soriano, Leonora Carrington y yo— teníamos interés en el llamado teatro poético; queríamos devolverle a la escena su carácter de *misterio*: un juego ritual y un espectáculo que incluyese también al público. Recuerdo que Leonora Carrington propuso que los espectadores llevaran máscaras... *Poesía en voz alta* fue el origen de experiencias más recientes, como las de Héctor Azar. Además, dio a conocer las piezas cortas de un poeta dramático de primer orden, Elena Garro, que más tarde se revelaría también como notable cuentista y novelista. Una obra sorprendente por su obsesiva intensidad y su extraña fantasía. Unos años después un temblor de tierra: Alejandro y sus *happenings*. En poesía: la gran explosión de Marco Antonio Montes de Oca y la más secreta, pero no menos violenta, de Homero Aridjis. Si cada poeta puede definirse, según Bachelard, por sus afinidades con algunos de los cuatro elementos, el signo de Aridjis no es el agua o la tierra sino el fuego y el viento: luz y aire. Luz también, pero ya cristalizada, hecha mirada que traspasa las cosas y los seres, la poesía de Gabriel Zaid. La poesía y la prosa. Y los más jóvenes, ya en esta década: José Emilio Pacheco, apasionado y contenido, el más maduro y lúcido, Isabel Freire, Sergio Mondragón...

En pintura, el ejemplo de Tamayo abrió paso al nuevo espíritu. Ya dije que no fue el único y sería injusto no mencionar, por lo menos, a otro maestro: Carlos Mérida. Otra circunstancia favorable a la ruptura con el academismo de la llamada "escuela mexicana de pintura" fue la presencia de un notable grupo de artistas europeos, que se radicaron en México hacia 1939 y que desde entonces viven entre nosotros. Sólo por nacionalismo obtuso se les puede llamar extranjeros. Algunos de ellos pertenecían al grupo surrealista (Leonora Carrington, Wolfang Paalen, Remedios Varo, Alice Raho); otros, como Matías Goeritz, representaban una corriente distinta de la vanguardia, más o menos cercana a Dadá. La influencia de los primeros se ejerció sobre todo a través del ejemplo; Matías Goeritz, en cambio, intervino directamente en la vida artística de México y la presencia de su osado, inventivo temperamento pronto se hizo visible en la pintura y, sobre todo, en la escultura y la arquitectura. Este periodo inicial, el más difícil, tiene por protagonistas centrales a dos figuras aisladas: Pedro Coronel y Juan Soriano. (Señalo, de paso, que la influencia de este último ha sido decisiva no sólo entre los pintores y escultores sino en el teatro y la poesía.) Al final de esta etapa aparece, violento y seguro de sí, José Luis Cuevas. Un temperamento extraordinario y una maestría innata. Se le clasifica como un pintor expresionista. Lo es, aunque en sentido distinto al de los otros expresionistas mexicanos. Su obra no es un juicio sobre la realidad exterior. Es un mundo de figuraciones que, asimismo, es una revelación de realidades escondidas. No es aquello que el artista ve desde la ventana de sus ''buenos'' sentimientos y que condena en nombre de la moral o de la revolución. El mal que pinta Cuevas no es el mal visible. Esos monstruos no están únicamente en los hospitales, burdeles y suburbios de nuestras ciudades: habitan nuestra intimidad, son una parte de nosotros. Otro artista excepcional: el escultor y pintor Manuel Felguérez que, hacia 1955, a su regreso de Europa, inicia una obra precisa y agresiva, plena de invención, lirismo y solidez, a igual distancia del gesto expresionista y de la fabricación abstraccionista. Más austero y riguroso, pero no menos dueño de sus dones y a veces más amplio que los otros jóvenes, Vicente Rojo: precisión e invención, ingeniería sonámbula. Cerca de ellos, Lilia Carrillo: no la pintura femenina, la pintura sin más. Entre tantos jóvenes, un hombre que se aproxima a los cincuenta y del que nuestra crítica apenas se ha ocupado: Gunther Gerzso. Se susurra que es nuestro mejor pintor abstracto. Es cierto pero no es todo: es uno de los grandes pintores latinoamericanos. En el otro extremo, la pasión, el humor y la fantasía de Gironella que, en su primera exposición en París, obtuvo la inmediata y cálida adhesión de André Breton. No citaré más nombres. La ausencia me ha impedido conocer la obra de varios jóvenes como Fernando García Ponce, Coen, y otros. Pero todos sabemos que las cosas han cambiado aunque algunos no se dan cuenta. Por primera vez en la historia de México hay una literatura y un arte que están al margen y, a veces, en contra de la cultura oficial. ¿Vale la pena, a estas alturas, combatir contra los viejos molinos de viento que un día confundimos con gigantes? Molinos o gigantes, la amenaza aún persiste. Ha cambiado de forma, no de identidad: se llama uniformidad. Ayer fue pasional y nacionalista, ideológica y maniquea; hoy es técnica.

El arte moderno se inició como una crítica de nuestra sociedad y como una subversión de valores. En menos de cincuenta años la sociedad ha asimilado y digerido esos venenos. Las obras que escandalizaron a nuestros padres hoy figuran en los museos y las muchachas universitarias escriben tesis escolares sobre Joyce o Lawrence. Lo más grave no es esta sospechosa consagración: si es cierto que, como decía Baudelaire, "las naciones tienen a sus grandes artistas a pesar suyo", también lo es que una vez muertos se apresuran a levantarles monumentos de gusto dudoso. Lo que me inquieta es que hoy ya no es necesario esperar a que los artistas mueran: se les embalsama en vida. El peligro se llama éxito. La obra debe ser "novedosa" y "rebelde". Se trata de una novedad en serie y de una rebeldía que no asusta a nadie. Los artistas se han vuelto ogros de feria, espantapájaros. Y las obras: monstruos en plástico, recortados, empacados, rotulados y provistos de toda clase de certificados para atravesar las aduanas morales y estéticas. Monstruos inofensivos. Aunque no creo que la rebeldía sea el valor central del arte, sí me avergüenza contemplar esos objetos cuya manufactura obedece a una concepción servil de la idea de rebelión. Lo más triste es que esos artefactos se parecen entre sí: la uniformidad reina de París a Delhi y de Nueva York a Bogotá. La originalidad, corazón de la obra, ha sido extirpada como un tumor.

La uniformidad de maneras podría atribuirse al contagio: los estilos se transmiten y la imitación es la forma más común de difusión de la cultura. Al menos eso creía yo hace algunos años. Olvidaba que el rasgo distinto de la situación actual no es la imitación —fenómeno de todas las épocas— sino la mutilación de las obras y los artistas. Esta operación, más simple que la enejanación ideológica y el autoengaño nacionalista, es anónima: no es el Estado ni el partido, sino un ser sin cabeza, sin nombre y sin sexo, el que corta, despedaza, recose, empaca y distribuye los objetos artísticos. El proceso es circular como, según Raimundo Lulio, es "la pena en el infierno": un movimiento sin sentido y condenado a repetirse indefinidamente. La pintura ha sido siempre, al menos desde el Renacimiento, un producto que se vende. La diferencia entre el proceso de producción de ayer y de hoy puede condensarse en esta frase: del taller a la fábrica. En el pasado era frecuente que un maestro, incapaz de satisfacer a toda su clientela, confiase a sus discípulos y ayudantes una parte de la ejecución de sus obras: cinco, diez o más pintores dedicados a pintar como un *solo pintor*. Hoy el proceso se ha invertido; comisionado por una galería, un artista produce un sinnúmero de cuadros y cambia, cada tres o cuatro años, de manera: un pintor dedicado a pintar como *cien pintores*. No sé si así gane más dinero el artista; sé que la pintura se empobrece. No es ésta la única mutilación. La noción de valía se convierte en la de precio. Al juicio de los entendidos, que nunca fue justo pero que era *humano*, se substituye ahora la etiqueta: tener éxito. El cliente y el mecenas antiguo han desaparecido: el comprador es el público anónimo, este o aquel rico de Texas o de Singapur, el museo de Dallas o el de Irapuato. El verdadero amo se llama mercado. No tiene rostro y su marca o tatuaje es el precio.

El nacionalismo y el arte didáctico socialista son enfermedades de la imaginación y, en el sentido recto de la palabra, son enajenaciones. El mercado suprime a la imaginación: es la muerte del espíritu. El mecenas obtuso o inteligente, el burgués sensible o grosero, el Estado, el Partido y la Iglesia eran, y son, patrones difíciles y que no siempre han mostrado buen gusto. El mercado no tiene ni siquiera mal gusto. Es impersonal; es un mecanismo que transforma en objetos a las obras y a los objetos en valores de cambio: los cuadros son acciones, cheques al portador. Los Estados y las iglesias exigían que el artista sirviese a su causa y legislaban sobre su moral, su estética y sus intenciones. Sabían que las obras humanas poseen un significado y que, por eso, podían perforar todas las ortodoxias. Para el mercado las obras sólo tienen precio y, así, no impone ninguna estética, ninguna moral. El mercado no tiene principios; tampoco preferencias: acepta todas las obras, todos los estilos. No se trata de una imposición. El mercado no tiene voluntad: es un proceso ciego, cuya esencia es la circulación de objetos que el precio vuelve homogéneos. En virtud del principio que lo mueve, el mercado suprime automáticamente toda significación: lo que define a las obras no es lo que dicen sino lo que cuestan. Por la circulación —nunca fue más expresiva esta palabra— se transforman las obras, que son los signos de los hombres (sus preguntas, sus afirmaciones, sus dudas y negaciones), en cosas no significantes. La anulación de la voluntad de significar hace del artista un ser insignificante.[1]

A medida que pasa el tiempo me parece más cierto que la creación artística requiere un temple moral. La palabra es equívoca pero no tengo otra a la mano. Cuando escribo *moral* no pienso en las buenas causas ni en la conducta pública o privada. Aludo a esa fidelidad del creador con lo que quiere decir, al diálogo entre el artista y su obra. La creación exige cierta insensibilidad frente al exterior, una indiferencia, ni resignada ni orgullosa, ante los premios y castigos de este mundo. El artista es el distraído: no escucha al mundo y su moral porque está pendiente del hilo de esa conversación solitaria que sostiene —no consigo mismo sino con otro. Con alguien o, más bien, con algo, que no es ni será nunca suyo sino de los otros: sus imágenes, sus figuraciones. Y hay un momento en que el poema interroga al poeta, el cuadro contempla al pintor. Ese momento es una prueba: aunque podemos traicionar a nuestras creaciones, ellas nunca nos traicionan y siempre nos dirán lo que somos o lo que fuimos. La moral del artista es su temple para soportar la mirada de sus creaciones mejores. Hay en México dos artistas admirables, dos

[1] Leo en *Le Monde* un artículo sobre una exposición de César, un escultor de indudable talento. Dice el crítico: "Este artista representa uno de los momentos más asombrosos del arte moderno: el momento en que el automóvil Mercedes, convertido por César en un metro cúbico de chatarra, obtuvo el mismo precio de un Mercedes recién salido de la fábrica". El precio *es* la significación.

hechiceras hechizadas: jamás han oído las voces de elogio o reprobación de escuelas y partidos y se han reído muchas veces del amo sin cara. Insensibles a la moral social, a la estética y al precio, Leonora Carrington y Remedios Varo atraviesan nuestra ciudad con un aire de indecible y suprema distracción. ¿Adónde van? Adonde las llaman imaginación y pasión. No son un ejemplo y ellas se escandalizarían si alguien las propusiese como modelo. Un verdadero artista no es un ser ejemplar: es un ser fiel a sus visiones. Su distracción es un desprendimiento: al crear, se desprende de sí mismo. Su acto niega al mercado y a su moral aritmética.

En el pasado inmediato varios grandes artistas, frente a una civilización que había vuelto ambiguos valores y palabras, intentaron crear un arte que disipase todos los fantasmales significados y revelase que, literalmente, significan *nada*. Su decisión los enfrentó a los poderes de este mundo. Hoy el artista debe enfrentarse a sí mismo. Ante una sociedad que ha perdido la noción misma de significado —el mercado es la expresión más acabada del nihilismo— el artista ha de preguntarse *para qué* escribe o pinta. No pretendo conocer la respuesta. Afirmo que es la única pregunta que cuenta.

Delhi, 10 de enero de 1963

PC

LUIS BARRAGÁN Y LOS USOS DE
LA TRADICIÓN

DURANTE la última semana las páginas y las secciones culturales de nuestros diarios y revistas rebosaron, por decirlo así, con las efervescentes declaraciones de los participantes en un encuentro de escritores más notable por sus ausencias que por sus presencias.

Sin embargo, esos mismos días, en las páginas interiores de esos mismos diarios se anunció al público mexicano, de una manera casi vergonzante, salvo en un caso o dos, que a un compatriota nuestro, el arquitecto Luis Barragán, se le había otorgado el Premio Pritzker de Arquitectura. Este premio es una consagración mundial pues es el equivalente del Premio Nobel. Luis Barragán es el primer mexicano que obtiene una distinción de esta importancia.

¿Cómo explicar la reserva, rayana en la indiferencia, con que han recibido esta noticia los mundos y mundillos culturales de México, para no hablar del increíble silencio del Instituto Nacional de Bellas Artes? Esta actitud se debe, probablemente, a la influencia de la ideología y la política. Barragán es un artista silencioso y solitario, que ha vivido lejos de los bandos ideológicos y de la superstición del "arte comprometido". Lección moral y estética sobre la que deberían reflexionar los artistas y los escritores: las obras quedan, las declaraciones se desvanecen, son humo. Las ideologías van y vienen pero los poemas, los templos, las sonatas y las novelas permanecen. Reducir el arte a la actualidad ideológica y política es condenarlo a la vida precaria de las moscas y los moscardones. El arte de Barragán es moderno pero no es "modernista", es universal pero no es un reflejo de Nueva York o de Milán. Barragán ha construido casas y edificios que nos seducen por sus proporciones nobles y por su geometría serena; no menos hermosa —y más benéfica socialmente— es su "arquitectura exterior", como él llama a las calles, muros, plazas, fuentes y jardines que ha trazado. La función social de estos conjuntos no está reñida con su finalidad espiritual. Los hombres modernos vivimos aislados y necesitamos reconstruir nuestra comunidad, rehacer los lazos que nos unen a nuestros semejantes; al mismo tiempo, debemos recobrar el viejo arte de saber quedarnos solos, el arte del recogimiento. Las plazas y arboledas de Barragán responden a esta doble necesidad: son lugares de encuentro y son sitios de apartamiento.

Barragán dijo una vez que su arquitectura estaba inspirada por dos palabras: la palabra *magia* y la palabra *sorpresa*. Y agregó: "se trata de encontrar sorpresas al caminar por cualquier calle y al llegar a cualquier plaza". Las raíces de su arte son tradicionales y populares. Su modelo no es ni el palacio ni el rascacielos. Su arquitectura viene de los pueblos mexicanos, con sus calles limitadas por altos muros que desembocan en plazas con fuentes. En la arquitectura popular mexicana se funde la tradición india precolombina con la tradición mediterránea. Las formas son cúbicas, los materiales son los que se encuentran en la localidad y los muros están pintados con vivos colores —rojos, ocres, azules— a diferencia de los pueblos mediterráneos y moriscos, que son blancos.

El arte de Barragán es un ejemplo del uso inteligente de nuestra tradición popular. Algo semejante han hecho algunos poetas, novelistas y pintores contemporáneos. Nuestros políticos y educadores deberían inspirarse en ellos:

nuestra incipiente democracia debe y puede alimentarse de las formas de convivencia y solidaridad vivas todavía en nuestro pueblo. Estas formas son un legado político y moral que debemos actualizar y adaptar a las condiciones de la vida moderna. Para ser modernos de verdad tenemos antes que reconciliarnos con nuestra tradición.

SO   México, mayo de 1982

INSTANTE Y REVELACIÓN*

HOY nadie pone en duda, salvo uno que otro excéntrico, que la fotografía es un arte. No siempre fue así. En sus comienzos muchos la vieron como un simple medio de reproducción mecánica de la realidad visible, útil como instrumento de información científica y nada más. Aunque sus poderes eran ya mayores que los del ojo —penetraba en el espacio estelar y en el microscópico, atravesaba la niebla, percibía con la misma precisión las oscilaciones del copo de nieve al caer que el aleteo de la mosca contra el vidrio— se pensaba que la cámara fotográfica carecía de sensibilidad e imaginación. En su crónica del Salón de 1859 Baudelaire escribe:

> La fotografía debe ser la servidora de las artes y las ciencias, pero la humilde servidora, como la imprenta y la estereografía, que no sustituyen a la literatura... Le agradecemos que sea la secretaria y el archivo de todos aquellos que, por su profesión, necesitan de una absoluta exactitud material... pero ¡ay de nosotros! si le permitimos inmiscuirse en los dominios de lo impalpable y lo imaginario.

Sorprendido por el nuevo instrumento e irritado por sus poderes de reproducción inmediata, el poeta olvidaba que detrás de la lente fotográfica hay un hombre: una sensibilidad y una fantasía. Un punto de vista. Casi en los mismos años, Emerson se entusiasma ante aquello mismo

* Prólogo al libro *Instante y Revelación* (treinta poemas de Octavio Paz y sesenta fotografías de Manuel Álvarez Bravo), México, 1982.

que escandaliza a Baudelaire: "La fotografía es el verdadero estilo republicano de la pintura. El artista se hace a un lado y deja que uno se pinte a sí mismo." Curiosa ceguera: aunque el francés la deploraba y el norteamericano la aplaudía, ambos veían en la cámara fotográfica al sustituto de la pintura.

La confusión de Baudelaire y de Emerson ha sido recurrente. Por ejemplo, desde los albores del arte moderno se ha dicho que la fotografía, al ocupar muchos territorios de la realidad visible que hasta entonces habían sido exclusivos de la pintura, la había obligado a replegarse sobre sí misma. La pintura dejó de ver al mundo y exploró las esencias, los arquetipos y las ideas; fue pintura de la pintura: cubismo y abstraccionismo. O se desplegó en los dominios que Baudelaire llamaba "de lo impalpable y lo imaginario": fue pintura de aquello que vemos con los ojos cerrados. La realidad no tardó en desmentir a esta teoría y muy pronto los fotógrafos, por medio del fotomontaje y de otros procedimientos, exploraron por su cuenta los mundos de la abstracción y los del sueño. ¿Debo recordar a Man Ray y a Moholy Nagy? Así, no es extraño que en los últimos años la idea de la fotografía como rival de la pintura haya cedido el sitio a otra tal vez más justa: pintura y fotografía son artes visuales independientes aunque afines. Incluso, como siempre ocurre, los críticos han ido más allá. Ahora algunos de ellos ven a la fotografía no como una invención mecánica que representó una ruptura de la tradición pictórica sino, al contrario, como la natural consecuencia de la evolución de la pintura de Occidente.

La historia de la pintura europea, desde el siglo XVI, es la historia de la perspectiva, es decir, del arte y la ciencia de la percepción visual; así pues, la fotografía, que reproduce de modo instantáneo la perspectiva, no puede verse como una interrupción sino como una culminación de la tradición. Hace poco, en 1981, el Museo de Arte Moderno de Nueva York albergó una exposición de cuadros y fotos destinada a ilustrar esta idea. «La fotografía», dice Peter Galasi, "no es una bastarda abandonada por la ciencia a las puertas de la pintura sino la hija legítima de la tradición pictórica de Occidente."[1]

Después de más de un siglo de titubeos, la crítica ha vuelto al punto de partida; no para condenar a la fotografía a la manera de Baudelaire, que la veía como un pobre sucedáneo de la pintura, sino para exaltarla como un arte nacido de la misma tradición. Apenas si es necesario extenderse sobre la pertinencia de este criterio: a diferencia de lo que ocurre con el arte pictórico de otras civilizaciones, es imposible comprender la historia de la pintura europea, desde el Renacimiento hasta el impresionismo, como un proceso aparte y separado de la evolución de la perspectiva. Al inventar la fotografía, la óptica completó y perfeccionó un procedimiento iniciado por los pintores renacentistas. Sin embargo, se corre el riesgo de caer nuevamente en la confusión entre pintura y fotografía si no se advierte que la segunda, aunque nacida para satisfacer la vieja obsesión de la pintura por reproducir la ilusión de la perspectiva, no tardó en separarse del arte pictórico para crearse un reino distinto y suyo, regido por leyes y convenciones particulares. La fotografía nace, como siglos antes la perspectiva, de la unión entre la ciencia y la pintura pero no es ni una ni otra: es un arte distinto. El fenómeno se repite con el cine: nace de la fotografía y, no obstante, es imposible confundirlo con ella. El cine es el deshielo de la imagen fija, su inmersión en la corriente tem-

[1] Catálogo de la exposición *Before Photography (Painting and the Invention of Photography)*, Museo de Arte Moderno de Nueva York, 1981.

poral. En la pantalla la imagen se mueve, cambia, se transforma en otra y otra; la sucesión de imágenes se despliega como una historia. La foto detiene al tiempo, lo aprisiona; el cine lo desata y lo pone en movimiento. Así, se aleja de la fotografía y se acerca a los géneros literarios regidos por la sucesión: el relato, la novela, el teatro, la historia, el reportaje.

El descubrimiento de la perspectiva coincidió con la visión de un orden ideal de la naturaleza, fundado en la razón y en la ciencia. El punto de vista del pintor renacentista no era realmente el suyo: era el de la geometría. Era un punto de vista ideal frente a una realidad igualmente ideal. Uso el adjetivo *ideal* en su acepción platónica: proporción, *ratio*, idea. Pero los distintos movimientos pictóricos que se han sucedido en Occidente, del manierismo al fauvismo, se han caracterizado por una creciente y cada vez más violenta intervención de la subjetividad en el arte de pintar. La objetividad ideal de la perspectiva renacentista se quebró o, mejor dicho, se dispersó: por una parte, movilidad del ángulo óptico y, por otra, pluralidad de puntos de vista. La continuidad fundada en la geometría se rompió; la perspectiva dejó de ser una medida ideal y se puso al servicio de la fantasía, la sensibilidad o el capricho del artista.

La fotografía aparece en un momento culminante de esta evolución. Por su facultad de reproducir mecánicamente a la perspectiva, sin intervención del artista, facilitó la movilidad de los puntos de vista y los multiplicó. Lo más sorprendente fue que se consumase el triunfo de la subjetividad gracias a un procedimiento mecánico que reproduce con la máxima fidelidad al mundo visible. En la foto se conjugan subjetividad y objetividad: el mundo tal cual lo vemos pero, asimismo, visto desde un ángulo inesperado o en un momento inesperado. La subjetividad del punto de vista se alía a la instantaneidad: la imagen foto-

402

gráfica es aquel fragmento de la realidad que vemos sin detenernos, en una ojeada; al mismo tiempo, es la objetividad en su forma más pura: la fijeza del instante. El lente es una poderosa prolongación del ojo y, sin embargo, lo que nos muestra la fotografía, una vez revelada la película, es algo que no vio el ojo o que no pudo retener la memoria. La cámara es, todo junto, el ojo que mira, la memoria que preserva y la imaginación que compone. Imaginar, componer y crear son verbos colindantes. Por la *composición*, la fotografía es un arte.

Le debo a la fotografía una de mis primeras experiencias artísticas. Fue en mi adolescencia y la experiencia está asociada a mi descubrimiento de la poesía moderna. Era estudiante de bachillerato y una de mis lecturas favoritas era la revista *Contemporáneos*. Tenía dieciséis o diecisiete años y no siempre lograba comprender todo lo que aparecía en sus páginas. A mis amigos les ocurría lo mismo, aunque ni ellos ni yo lo confesábamos. Ante los textos de Valéry y Perse, Borges y Neruda, Cuesta y Villaurrutia, íbamos de la curiosidad al estupor, de la iluminación instantánea a la perplejidad. Aquellos misterios —muchas veces, hoy lo veo, baladíes—, lejos de desanimarme, me espoleaban. Una tarde, hojeando el número 33 (febrero de 1931), después de una traducción de *Los hombres huecos* de Eliot, descubrí unas reproducciones de tres fotos de Manuel Álvarez Bravo. Temas y objetos cotidianos: unas hojas, la cicatriz de un tronco, los pliegues de una cortina. Sentí una turbación extraña, seguida de esa alegría que acompaña a la comprensión, por más incompleta que ésta sea. No era difícil reconocer en una de aquellas imágenes a las hojas —verdes, obscuras y nervadas— de una planta del patio de mi casa, ni en las otras dos al tronco del fresno de nuestro jardín y a la cortina del estudio de uno de mis profesores. Al mismo tiempo, aquellas fotos eran enigmas en blanco y negro, callados pero elocuentes: sin decirlo, aludían a otras realidades y, sin mostrarlas, evocaban a otras imágenes. Cada imagen convocaba, e incluso *producía*, otra imagen. Así, las fotos de Álvarez Bravo fueron una suerte de ilustración o confirmación visual de la experiencia verbal a la que me enfrentaban diariamente mis lecturas de los poetas modernos: la imagen poética es siempre doble o triple. Cada frase, al decir lo que dice, dice otra cosa. La fotografía es un arte poético porque, al mostrarnos *esto*, alude o presenta a *aquello*. Comunicación continua entre lo explícito y lo implícito, lo ya visto y lo no visto. El dominio propio de la fotografía, como arte, no es distinto al de la poesía: lo impalpable y lo imaginario. Pero *revelado* y, por decirlo así, *filtrado*, por lo visto.

En el arte de Manuel Álvarez Bravo, esencialmente poético en su realismo y desnudez, abundan las imágenes, en apariencia simples, que contienen otras imágenes o producen otras realidades. A veces la imagen fotográfica se basta a sí misma; otras se sirve del título como de un puente que nos ayuda a pasar de una realidad a otra. Los títulos de Álvarez Bravo operan como un gatillo mental: la frase provoca el disparo y hace saltar la imagen explícita para que aparezca la otra imagen, la implícita, hasta entonces invisible. En otros casos, la imagen de una foto alude a otra que, a su vez, nos lleva a una tercera y a una cuarta. Así se establece una red de relaciones visuales, mentales e incluso táctiles que hacen pensar en las líneas de un poema unidas por la rima o en las configuraciones que dibujan las estrellas en los mapas celestes. La primera fotografía de este libro tiene como título *Acto Primero*: unos niños frente a un telón blanco como la página de un cuaderno o como el futuro antes de comenzar a vivir. Hay una foto que puede verse, mejor dicho, que *es* la respuesta visual a la no formulada pregunta de la primera: sobre una pared blanca vemos las huellas de una mano. Una pared ya manchada por las sombras, los hombres, el tiempo. La simplicidad del título (*Pared con mano*) subraya la complejidad de las relaciones entre el hombre y las cosas: manos que son actos que son huellas que son días.

El juego de las rimas visuales y verbales —escojo mis ejemplos un poco al azar— se repite en *Sol frío* y *Caja en el pasto*: la misma luz plateada ilumina el mismo pasto sobre el que descansan la caja y el rostro del trabajador tendido. Pero lo que une a estas dos imágenes no es nada más el sol del antiplano y la brisa invisible que mece a las hierbas sino ese estado de gracia que designa la palabra *pausa*: un momento de inmovilidad en la rotación del día. El momento de los ojos entrecerrados: percibimos el parpadeo del tiempo, sus pasos invisibles.

Entre las fotografías de este libro hay una justamente famosa que muestra a un obrero asesinado. Ante ella André Breton escribió que Álvarez Bravo "se había elevado a lo que Baudelaire llamó el estilo eterno". El realismo de esta imagen es sobrecogedor y podría decirse, en el sentido recto de estas palabras y sin el menor fideísmo, que roza el territorio eléctrico del mito y lo sagrado. El hombre caído está bañado en su sangre y esa sangre es silenciosa: ha caído en su silencio, en el silencio. *Campana y tumba* es una réplica dramática. El silencio se vuelve clamor: un alto valle, unos cerros talados, una tumba y una campana colgada de un travesaño entre dos palos, campana silenciosa y, no obstante, capaz de despertar a los muertos. Campana que suscita otras imágenes: esas *Manos de la casa de Díaz* que parecen brotar de una cueva de sombras y que no sabemos si acusan o imploran. Manos de víctimas.

En el otro extremo, tres fotos que componen una verdadera epifanía de la presencia femenina. En *Montaña ne-*

gra, nube blanca se ve una colina redonda cubierta a trechos por el claroscuro de una vegetación fina, movida por el viento soleado de la tarde; arriba, sobre la tierra morena, como ropa blanca que vuela en el aire, una nube. La presencia que evocan apenas la colina en sus repliegues, las hierbas en el juego de luces y sombras, la nube en su blancura, se manifiesta en otras dos fotos. Una de ellas, también célebre: *Las lavanderas sobrentendidas,* gran acierto visual y verbal, muestra unos magueyes de los que cuelgan unas amplias sábanas como telones; arriba, en el fondo, de nuevo la rima: las nubes inmaculadas del altiplano. Nubes para esculpir imágenes que un soplo desvanece. ¿Qué juegos o qué ritos celebran las lavanderas, escondidas detrás de la blancura? Enigma cándido y diario: el telón se abre y una muchacha surge entre las mantas del tendedero pero sin que podamos ver su rostro. Juego de oposiciones y simetrías: la cara cubierta, el sexo descubierto. Cada elemento explícito —mantas, nubes, hierbas, colinas— se enlaza con los otros hasta configurar y hacer visible la imagen implícita: una presencia terrestre.

Otra foto cargada de secretos poderes es *Las bocas.* Un paisaje acuático: ¿estero o brazo de río?; sobre el agua dormida flotan objetos negruzcos: ¿leños?; hay una playa cubierta de piedrecillas y puntos negros, como cenizas minerales; enfrente, en el otro lado, una colina ondulada. Cielo aborregado, luz indecisa: ¿son las cinco de la mañana o las cinco de la tarde? El lugar se llama *Las bocas.* Perfecta correspondencia: la colina, al reflejarse sobre el agua inmóvil, dibuja unos labios inmensos. ¿Qué dicen? No dicen palabras, dibujan un signo: la correspondencia entre las formas naturales y las humanas. La foto es una variación afortunada de la vieja metáfora: la naturaleza es un cuerpo y el cuerpo un universo.

El mismo sistema de equivalencias y transformaciones

rige a otra serie. El elemento central no es el agua, la tierra o la nube sino el fuego, de nuevo en relación con el hombre. En *La chispa* aparece en su forma primodial y prometeica: el fuego de la industria, que perfora el hierro, lo funde o lo moldea. A esta imagen de destrucción creadora sucede otra: *Retrato de lo eterno.* ¿Qué es lo "eterno" aquí? ¿La mujer sentada que se peina y arranca chispas de su cabellera obscura o la mirada con que se ve en su pequeño espejo? La mujer se mira y nosotros la miramos mirándose. Tal vez lo "eterno" sea esto: el mirarse, el ser mirado, el mirar. La chispa, la llamarada, la claridad, la luz de los ojos que preguntan, descan, contemplan, comprenden. Ver: iluminar, iluminarse. En otra fotografía, *Retrato ausente,* el fuego se ha consumido y ha consumido a la imagen de la mujer: no queda sino un vestido vacío sobre una butaca y una raya de sol sobre la pared desnuda. Por supuesto, Álvarez Bravo no nos ha contado una historia: nos ha mostrado realidades en rotación, fijezas momentáneas. Todo se enlaza y desenlaza. Revelaciones del instante pero también instantes de revelación.

México, 8 de febrero de 1982

SO

ANTE LA MUERTE DE WOLFANG PAALEN

NO ES fácil —quizá es demasiado pronto— situar la obra de Wolfang Paalen en la historia del arte moderno y, particularmente, en la del surrealismo. Tampoco lo es desentrañar su real significado. La dificultad no estriba únicamente en la dispersión de sus cuadros y esculturas en varios continentes (para no hablar de la de sus escritos); ni en que, desde 1939 hasta su muerte en 1960, haya vivido en México, en una soledad rota apenas por viajes ocasionales a San Francisco, Nueva York y París. La naturaleza misma de su obra —siempre en lucha consigo misma, siempre en movimiento— se opone a una visión de conjunto. Además, para contemplarla sin mutilarla, en toda su variedad y en su secreta unidad, nos hace falta un punto de mira. No sólo aún no podemos verla en su totalidad: todavía no hemos encontrado el lugar desde el cual habrá que contemplarla. El ojo hace el objeto, dice Marcel Duchamp; sí, pero la obra, el objeto, rehace al ojo. Hoy, mientras llega la hora del verdadero *reconocimiento,* debemos contentarnos con tratar de mostrar algunas de sus facetas.

No es accidental el empleo de la palabra ''facetas'' para designar los distintos aspectos de la obra de Paalen. Muchos de sus cuadros, como si se tratase de piedras o, mejor, como si el pintor se propusiese tallar el espacio, adoptan formas exagonales, octagonales u ovoides. Y el ágata, en la que los tonos más cálidos de la luz parecen caer incansablemente en una suerte de abismo frío, rigió durante algún tiempo sus creaciones. A esta piedra le debemos una

408

de sus telas más hermosas: *Madre ágata*, rica como un manto de plumas que fuese asimismo una cascada de astros y lunas. A su obra le conviene también la palabra "fases" —y no sólo para aludir a sus cambios sino en el sentido de vertientes opuestas. Habitada por los contrarios —y, al fin, desgarrada por ellos—, la pintura de Paalen es una sucesión de batallas espirituales. Una serie de óleos pintados en 1938 se llama, precisamente, *Combates de príncipes saturnianos*. Otra tela, de 1939, *Entre luz y materia*. Y otra, *Fuente de huesos* (título digno de Quevedo). En un artista como Paalen estos títulos expresan algo más que un juego literario. Son verdaderas imágenes, es decir, correspondencias verbales de las imágenes plásticas. Con ellos el pintor no nos entrega la clave de su universo pero nos da un santo y seña para traspasar la muralla. Si damos el salto, caeremos en el centro inmenso del ágata, en la soledad de la noche cósmica, en la espiral de la tromba o en el torbellino petrificado del caracol. En el infinito de la ciencia o en un paisaje de antepasados totémicos. Atrás o adelante, dentro o fuera de nosotros, no importa: en pleno espacio. Y giramos, cada vez más de prisa, hasta que el lado opaco y el luminoso se funden en una sola vibración aniquiladora.

Suspendido entre un extremo y otro, Paalen atravesó la vida en precario equilibrio de pájaro. No buscó en el arte una razón para vivir sino para volar. Alguna vez dijo que la verdadera pintura, figurativa o abstracta, era siempre pre-figurativa, tanto porque modelaba y anticipaba las imágenes del hombre futuro como porque resucitaba las grandes formas arquetípicas. Igualmente atraído por la poesía y por la ciencia, fue uno de los primeros pintores que se aventuró, con ojos de poeta, en los nuevos infinitos de la física. De sus expediciones nos trajo algunos cuadros de una belleza y una intensidad que merecen el calificativo de vertiginosas. Los últimos años de México fueron años de creación y también de soledad. El artista dialoga con las obras del arte precolombino y con sus propios fantasmas, habla con los grandes árboles y los vastos cielos, pero calla ante los hombres. En 1958, reaparecido tras una larga enfermedad, expone en la galería de Antonio Souza una serie de grandes óleos luminosos. Última fase: tempestad florida. Salida del sol, antes del eclipse definitivo. Fases, facetas de una piedra, un astro, una vida resuelta al fin en un solo acto definitivo: la explosión final, el regreso al espacio presentido en tantos cuadros. Espacio sin orillas.

París, 5 de noviembre de 1960

PC

410

APARICIONES Y DESAPARICIONES DE REMEDIOS VARO

Con la misma violencia invisible del viento al dispersar las nubes pero con mayor delicadeza, como si pintase con la mirada y no con las manos, Remedios despeja la tela y sobre su superficie transparente acumula claridades.

En su lucha con la realidad, algunos pintores la violan o la cubren de signos, la hacen estallar o la entierran, la desuellan, la adoran o la niegan —Remedios la volatiliza: por su cuerpo ya no circula sangre sino luz.

Pintar lentamente las rápidas apariciones.

Las apariencias son las sombras de los arquetipos: Remedios no inventa, recuerda. Pero ¿qué recuerda? Esas apariencias no se parecen a nadie.

Navegaciones en el interior de una piedra preciosa.

Pintura especulativa, pintura espejeante: no el mundo al revés, el revés del mundo.

El arte de la levitación: pérdida de la gravedad, pérdida de la seriedad. Remedios ríe pero su risa resuena en otro mundo.

El espacio no es una extensión sino el imán de las Apariciones.

411

Cabellos de la mujer —cuerdas del harpa; cabellos del sol —cuerdas de la guitarra. El mundo visto como música: oíd las líneas de Remedios.

El tema secreto de su obra: la consonancia —la paridad perdida.

Pintó en la Aparición, la Desaparición.

Raíces, follajes, rayos astrales, cabellos, pelos de la barba, espirales del sonido: hilos de muerte, hilos de vida, hilos de tiempo. La trama se teje y desteje: irreal lo que llamamos vida, irreal lo que llamamos muerte —sólo es real la tela. Remedios anti-Parca.

Máquinas de la fantasía contra el furor mecánico, la fantasía maquinal.

No pintó el tiempo sino los instantes en que el tiempo reposa.

En su mundo de relojes parados oímos el fluir de las substancias, la circulación de la sombra y la luz: el tiempo madura.

Nos sorprende porque pintó sorprendida.

Las formas buscan su forma, la forma busca su disolución.

Nueva Delhi, 1965

RV

ALVAR CARRILLO GIL

"Su vocación es soberana: compone música en un mundo de sordos." Nada define mejor la situación del artista mexicano moderno que este epigrama de Carlos Díaz Dufoo. Como el pájaro, el artista canta por fatalidad natural; y en su canto —no en el aplauso o la rechifla del entendido público de sordos que lo rodea— está todo su placer, su condena y su recompensa. Alvar Carrillo Gil lo sabe de sobra, de modo que no muestra sus cuadros para obtener la ilusoria consagración de una crítica que ha hecho del error una tradición (ayer ignoró a Tamayo como hoy ignora a Soriano; sólo recuerda a Goitia y Atl para olvidar mejor a Mérida y Lazo). Y así, con un gesto mitad amistoso, mitad indiferente —el gesto del durazno al florecer, el gesto del manzano, el peral, el naranjo y el chicozapote cuando están cargados de frutos— Carrillo Gil nos enseña sus cuadros. No busca nuestra aprobación sino la alegría de nuestros ojos. Alegría del descubrimiento, alegría del reconocimiento. Descubrir, reconocer, agradecer: función de los ojos enamorados ante la obra nueva, viva, acabada de nacer y, sin embargo, ya dueña de una antigüedad inmemorial.

En un mundo de pintores profesionales, Carrillo Gil se presenta como un "aficionado". También Jesús Reyes Ferreira, uno de nuestros grandes pintores, tuvo la modestia o, más bien, la humorada, de hacer creer a la crítica, durante años, que era un "aficionado". No nos engañemos: en uno y otro caso "aficionado" quiere decir un hombre para el que la pintura es una pasión, una de-

413

voción, y no una carrera burocrática o comercial. Para Carrillo Gil —como para todo artista verdadero— primero es la devoción y luego la obligación. Su obra tiene la perfección de aquello que se hace por el puro gozo de hacer. Su hacer no es un quehacer: es un crear en el que participan, en dichoso equilibrio, el saber pictórico y la inspiración más fresca e inocente. Maestría y espontaneidad.

Carrillo Gil nos muestra ahora una serie admirable de cuadros de formato reducido. ¿Miniaturas? Depende de lo que se entienda por esta palabra. La grandeza, en arte, no se mide; la verdadera grandeza no depende del tamaño sino que es una dimensión interior, irreductible a la noción de cantidad. Kilómetros o centímetros de pinturas: es igual. Lo que importa es la riqueza de revelación que encierra la superficie pintada. Y ante una sociedad en la que tirios y troyanos veneran sobre todo la cantidad (estúpida disputa acerca de quién es más grande, quién es más fuerte, quién es *más*), Carrillo Gil nos muestra, sin aire de desafío, una colección de obras pequeñas. Perfección de lo pequeño, sí, como es perfecta la gota de agua, el colibrí o el coleóptero que lleva en su caparazón toda la primavera; perfección que es, por lo demás, grandeza verdadera: la de la mariposa que sostiene en sus alas al día y a la noche. Obras pequeñas pero ricas, poderosas como diminutos soles dueños de una inextinguible energía.

Estos cuadros de Carrillo Gil nos abren una ventana a la inmensidad. Y en este sentido su pintura realiza la más alta de las operaciones poéticas: mostrarnos la correspondencia, que se resuelve en identidad, entre lo grande y lo pequeño: *to see a world in a grain of sand*.

México, 1958

PC

414

GERZSO:
LA CENTELLA GLACIAL

EL visitante que recorra la exposición de la colección Carrillo Gil en el Museo de Arte Moderno con ojos limpios de las telarañas de la propaganda y el nacionalismo (pero son muy pocos los que entre nosotros se han curado de la enfermedad óptica y la superstición estética llamada "muralismo mexicano") descubrirá inmediatamente que entre los "tres grandes" —Rivera, Orozco y Siqueiros— el mejor es... Gunther Gerzso. Confirma esta impresión el hermoso libro sobre Gerzso que acaba de publicar Luis Cardoza y Aragón en la desigual "Colección de Arte" de la Universidad Nacional (México, 1972). El libro tiene 111 ilustraciones en blanco y negro y 18 en color, unas y otras excelentes. El texto de Cardoza y Aragón, como los mejores suyos, oscila entre la traducción y la creación. Traducción al lenguaje verbal del lenguaje plástico del pintor; creación, a partir del discurso pictórico, de otro discurso que, sin embargo, depende de la pintura y vuelve a ella continuamente. Ambas operaciones se confunden y son, quizá, una y la misma: la crítica es traducción y ésta es creación poética. El texto de Cardoza y Aragón es el texto de un poeta que *oye* con los ojos y el tacto el lenguaje de un pintor.

Gunther Gerzso nació en 1915, en México. Pasó su niñez y parte de su juventud en Europa. Regresó a nuestro país en 1942 y entonces empezó a pintar, apartado de las tendencias que imperaban en ese momento. Condición de pájaro solitario, que es la de las almas contemplativas según San Juan de la Cruz. En 1950, ya tarde, expone por primera vez en la Galería de Arte Mexicano de Inés Amor. Las primeras obras de Gerzso son de inspiración y de factura surrealista. Fue amigo de los surrrealistas que llegaron a México durante la segunda Guerra Mundial (Leonora Carrington, Wolfang Paalen, Remedios Varo, Alice Raho) y especialmente de Benjamin Péret. El retrato del poeta francés es uno de los mejores cuadros de su periodo inicial. Pronto abandona la figuración y se interna por el espacio no figurativo. Cardoza y Aragón ve en este cambio una ruptura con el surrealismo. Discrepamos: Gerzso abandona la factura, no la inspiración surrealista.

Aunque el tema es de interés secundario por lo que toca a la pintura de Gerzso, vale la pena detenerse un instante: ¿realmente la figuración es la línea divisoria entre el surrealismo y la pintura abstracta? Se dice que el surrealismo es figurativo porque, a pesar de su desdén por el realismo y la representación de la realidad exterior, hace suya la noción de *modelo interior*. El surrealismo opone al objeto que vemos con los ojos abiertos, aquel que vemos cuando los cerramos o aquel que descubre la mirada del salvaje, el niño o el loco. Pero en los grandes fundadores del arte abstracto también encontramos conceptos afines al de *modelo interior*. Kandinsky dijo que el arte obedecía a una *necesidad interior* y añadió: "Es hermoso aquello que es interior." Para Kandinsky ver era sinónimo de imaginar e imaginar de conocer. El conocimiento artístico es de orden espiritual: en las visiones interiores del artista se reflejan de una u otra manera los arquetipos universales. Por medio de la teosofía Kandinsky redescubre la analogía y la teoría de las correspondencias, esa corriente espiritual que desde el Renacimiento no cesa de irrigar y fecundar al arte de Occidente. En cuanto a Klee: su obra presenta tal parentesco con las obras surrealistas que me ahorra el

416

trabajo de una demostración. Malévich quería reducir la pintura a unos cuantos elementos básicos: círculo, cuadrado, triángulo, cruz. Pasamos así de la cosmología mística de Kandinsky a una cosmología geométrica. Es una tendencia que encontrará su formulación más rigurosa en Mondrian: "las cualidades que se atribuyen al sílex, al plátano o a la muchacha, son los atributos del ángulo recto". El ángulo recto sostiene el espectáculo de la llamada realidad. Lo que vemos es una apariencia: abajo están los arquetipos, las formas básicas, el verdadero aunque escondido sustento de la realidad. Estos ejemplos muestran la extraordinaria proximidad de las nociones de *arquetipo* y *modelo interior*. Por lo demás, ¿puede llamarse figurativos —en el sentido en que lo son un Magritte o un Dalí— a pintores como Arp, Picabia, Sophia Tauber y aun Miró y Tanguy? No, a mi juicio la diferencia entre una tendencia y otra consiste en lo siguiente: para los surrealistas la noción de *modelo interior* es pasional y subversiva: se trata de *cambiar* la realidad; para los pintores abstractos, el modelo interior se convierte en un arquetipo ideal. El último arte idealista de Occidente ha sido la primera pintura abstracta.

Las afinidades del surrealismo con el segundo momento de la pintura abstracta, es decir, con el expresionismo abstracto norteamericano y con el tachismo e informalismo, son de índole distinta. Lo que los acerca no es tanto la idea del *modelo interior* como la posición privilegiada de la subjetividad pasional, el recurso al automatismo, a la inspiración y al azar. Esta semejanza recubre, de nuevo, una diferencia: el automatismo surrealista está al servicio de la imagen, la función del gesto es provocar la *aparición;* entre los norteamericanos el mismo gesto cambia de dirección y busca la destrucción de las imágenes. El segundo arte abstracto busca *un más allá* de la imagen. El surrealismo quiso llevar el lenguaje a sus extremos: la metáfora y el juego de palabras; el expresionismo abstracto hace del lenguaje un grito —o un silencio. En el caso de Gerzso el tránsito de la figuración no implica ruptura con el surrealismo. La noción de *modelo interior* deja de ser explícita, pero no desaparece, y el automatismo sigue siendo un recurso esencial del pintor. Por supuesto, sería absurdo tratar de encerrar a Gerzso en una escuela o en una fórmula: Gerzso es Gerzso y nada más.

Más que un sistema de formas, la pintura de Gerzso es un sistema de alusiones. Los colores, las líneas y los volúmenes juegan en sus cuadros el juego de los ecos y las correspondencias. Equivalencias y diferencias, llamados y respuestas. Pintura que no cuenta pero que dice sin decir: las formas y colores que ve el ojo señalan hacia otra realidad. Invisible pero presente, en cada cuadro de Gerzso hay un secreto. Su pintura no lo muestra: lo señala. Está más allá del cuadro. Mejor dicho: *detrás* del cuadro. La función de esas desgarraduras, heridas y oquedades sexuales es aludir a lo que está del otro lado y que no ven los ojos. Por eso, como dice acertadamente Cardoza y Aragón, la pintura de Gerzso ''no representa pero significa''. ¿Qué significa? Aquello que está más allá de ella misma y que no puede reducirse a conceptos. Al llegar a este punto la crítica pictórica —la traducción en palabras— se transforma en creación poética: el cuadro es un trampolín para saltar hacia la significación que la pintura emite. Una significación que, apenas la tocamos, se deshace.

Los títulos de muchos de los cuadros de Gerzso aluden a paisajes de México y Grecia. Otros, a espacios más bien imaginarios. Paisajes-mitos y no paisajes míticos. Todos ellos revelan la sed de *otro* espacio del pintor-poeta. No el espacio interior de un Michaux, que es el espacio de las apariciones, sino un espacio que se extiende y se desenrolla o se enrolla, se despliega, se parte y se reparte y se reúne consigo mismo, un espacio-espacio. La sed de espacio a veces se vuelve violencia: superficies desgarradas, laceradas, hendidas por un frío ojo-cuchillo. ¿Qué hay detrás de la presencia? La pintura de Gerzso es una tentativa por responder a esta pregunta, tal vez la pregunta clave del erotismo y, claro, raíz del sadismo. Violencia pero, en el otro extremo, la geometría, la búsqueda del equilibrio. Cada cuadro tiende a inmovilizarse no en el reposo sino en una tensión: pacto de muchas fuerzas adversas, convergencias, nudos magnéticos. Pintura-balanza, mundos sorprendidos en un instante de extraño equilibrio, pintura en mitad del tiempo, suspendida sobre el abismo, pedazo de tiempo vivo. Pintura-antes-del-acontecimiento, antes-de-lo-que-va-a-venir. Expectación, pintura más allá del espectáculo, al acecho ¿de qué? Esta pintura tan rigurosa y exquisitamente pintura reposa sobre una hendidura de tiempo. Geometrías de fuego y hielo construidas sobre un espacio que se desgarra: abolición de las leyes de la gravedad.

México, enero de 1973

SG

ROSTROS DE JUAN SORIANO

En 1941

CUERPO ligero, de huesos frágiles como los de los esqueletos de juguetería, levemente encorvado no se sabe si por los presentimientos o las experiencias; manos largas y huesudas, sin elocuencia, de títere; hombros angostos que aún recuerdan las alas de petate del ángel o las membranas del murciélago; delgado pescuezo de volátil, resguardado por el cuello almidonado y estirado de la camisa; y el rostro: pájaro, potro huérfano, extraviado. Viste de mayor, niño vestido de hombre. O pájaro disfrazado de humano. O potro que fuera pájaro y niño y viejo al mismo tiempo. O, al fin, simplemente, niño permanente, sin años, amargo, cínico, ingenuo, malicioso, endurecido, desamparado.

Niño viejo, petrificado, inteligente, apasionado, fantástico, real. Niño consciente de su niñez, arrepentido de su niñez, arremetiendo sin compasión contra su niñez, armado de todas las armas de los adultos y sin ninguna de sus hipocresías, virtudes y niñerías: no conoce el instinto de conservación. (Instinto que no nace con el hombre: lo crean las esperanzas, las ambiciones, los miedos, los triunfos, los años.)

Con la crueldad y el candor arrojado de los niños y la experiencia cautelosa de los viejos, hiere a su niñez. De la herida brotan seres misteriosos: "changos" con algo de niños, casi a punto de hablar; "niñas de vecindad", petrificadas o danzando penosamente en un aire sólido que las ahoga; flores de papel, frutos de piedra; animales fraternales y consanguíneos: moscas, camaleones, pequeños reptiles, pájaros, ardillas; puertas de madera —¿qué infancia triste, qué lágrimas o qué soledad hay detrás de ellas?— y barandales y corredores por los que corren niños solitarios, siempre a punto de caer en el patio.

Entre su obra y el que la contempla se crea un contacto, un choque, a veces una repulsa, y siempre una respuesta. Su dibujo es en ocasiones ríspido, angustioso; sus colores, en otras, agrios. ¿Qué busca o expresa? ¿Busca esa niñez que odia, como el enamorado que se golpea el corazón? Revela una infancia, un paraíso, púa y flor, perdido para los sentidos y para la inteligencia, pero que mana siempre, no como el agua de una fuente, sino como la sangre de una entraña. Nos revela, y se revela a sí mismo, una parte de nuestra intimidad, de nuestro ser. La más oculta, mínima y escondida; quizá la más poderosa.

México, agosto de 1941

En 1954

Ante esta nueva exposición de Juan Soriano, los más se dicen: ya es otro, nos lo han cambiado. Y es cierto: Juan Soriano ya es otro. Pero este cambio no es una renuncia ni una abdicación. El pintor no reniega de su obra ni de sí mismo. Esto que es hoy, no sería si no hubiese sido lo que fue. La obra de ayer, el ser que fuimos, es siempre un punto de partida para alcanzar al ser que somos, la obra que seremos. Por fidelidad a sí mismo, Soriano se escapa de sí, de la forma en que se había inmovilizado y que ya era prisión.

Juan Soriano, el pájaro entumido de ayer, se ha echa-

421

do a volar. Está en pleno vuelo. Al verlo perderse entre nubes que flotan como un archipiélago, reaparecer en un recodo del cielo, volverse a perder en un golfo azul, nos preguntamos: ¿caerá, regresará, se romperá las alas, lo quemará el sol? Y mientras nos hacemos estas preguntas, el poeta, el pintor, va dejando caer sus cuadros, como quien deja caer frutos cortados en la altura: el torso roto del mar, un pedazo de cielo campestre donde "pace estrellas" el toro sagrado, un manojo de serpientes solares, la isla de Creta, otra isla sin nombre, un fragmento de sol, otro fragmento de otro sol, el mismo sol, el sol. El amarillo triunfa; el azul edifica palacios verdes con manos moradas; el rojo se extiende como una marea de gloria; el amarillo de nuevo asciende como un himno. Oleadas de vida, oleadas de muerte cálida. La materia es dichosa en su esplendor perecedero, el espíritu se baña en la dicha solar de este minuto. Hermosura del instante, máscara del día cuajada en transparencia y temblor detenido. Una gota de agua resbala sobre la piel color de astro. Veo a través del instante un remolino dorado de formas que se hunden y resurgen más tarde como cabelleras o espigas, columnas o cuerpos, peces o dioses. ¿Y hemos de morir, ha de acabar este minuto que late como un corazón? La muerte nos mira; su mirada es terrible, pero no se burla ni nos aplasta. El fuego y el agua se mezclan. El surtidor solar no cesa de manar. Apenas caben en el cuadro tantas riquezas: ¿estallará esta pintura en una explosión de vida?

Soriano vuela, Soriano navega. También excava, minero. No extrae ídolos de nariz rota, ni sortijas mágicas, ni piedras grabadas. No es arqueólogo. Cava en sí mismo y tras años de sequía y aridez, poco a poco encuentra su verdad —la vieja verdad, que no le pertenece porque es de todos y no hay nada *personal* que decir ni que pintar: el mundo existe, la muerte existe, el hombre es pero también no es, el mar es el mar y una manada de caballos, podemos bañarnos en el fuego, estamos hechos de agua y tierra y llama. Y de aire, de espíritu que sopla y hace vivir las formas y las cambia. Todo es metáfora: le nacen alas a la serpiente, el león de piedra es ya un incendio que es un león, las espumas cuchichean y dicen algo que no es distinto al silencio de las estrellas, la muchacha que soñamos anoche aparece en la esquina, todo es real y está bien instalado en su realidad, todo está dispuesto a cambiar. Soriano ya es otro; ya es, al fin, *él mismo*. Ha descubierto el viejo secreto de la metamorfosis y se ha reconquistado.

Vuelvo el rostro: no hay nadie. El pintor ha desaparecido. Algunos esperamos, confiadamente, su regreso.

PO   México, enero de 1954

UNA EXPOSICIÓN DE JUAN SORIANO

El lenguaje de la pintura, como todo lenguaje artístico, es intraducible. Lo que nos dice un cuadro está a la vista: son formas y colores. Pero hay algo más: la pregunta que nos hace, la visión que nos impone, el secreto que nos revela o el puente que nos tiende para que penetremos en esta o aquella realidad. O sea lo que, con cierta vaguedad, llaman el significado. Sólo que el sentido de una pintura no se puede reducir ni a palabras ni a conceptos; la obra apunta siempre hacia un más allá (o un más acá) que es indecible con las palabras. Los cuadros, como los poemas, se explican por sí mismos. Para dialogar con nosotros no necesitan de intérpretes: basta con verlos. La conversación es directa, sin intermediarios y sin palabras, como en el amor y en otros actos decisivos del hombre. Asunto de ojos: todo es mirar y dejarse mirar. Así pues, la misión del crítico no consiste tanto en explicar una obra como en acercarla al espectador: limpiar nuestra vista y espíritu de telarañas, colocar el cuadro bajo la luz más favorable. En suma, poner a uno y otro frente a frente: invitar a la contemplación, provocar el encuentro silencioso. Todo lo demás —lo que suscita en nosotros el cuadro— no pertenece al dominio de la crítica propiamente dicha sino al de la recreación artística. Es nuestra respuesta a lo que nos dice el artista. Y en la profundidad, riqueza o tonalidad de esa respuesta reside la eficacia de la obra de arte, su fertilidad.

Pocos pintores mexicanos provocan en mí la diversidad de respuestas que la obra a un tiempo cambiante y fiel a sí misma de Juan Soriano. En dos ocasiones, en 1941 y en 1954, he tratado de fijar en unas cuantas palabras apresuradas su imagen. No me propuse opinar sobre su arte ni tampoco aludir a lo que me parece significar. La crítica no es mi fuerte. Quise responder a una descarga con otra, oponer la velocidad de la palabra a la inmovilidad fascinante de la representación pictórica. Hoy, a más de veinte años de mi primer texto, siento el mismo entusiasmo ante la obra y la misma imposibilidad crítica para juzgarla.

Hace unos días fui a su estudio y el pintor *desplegó* (ésa es la palabra, como si se tratase de un abanico o de una capa de torear) un conjunto de cuadros —los mismos que expone ahora en la Galería Misrachi— con un tema único y múltiple. Abanico: sucesión rápida o lenta de paisajes, escenas, cuerpos, rostros, realidades que aparecen y desaparecen con la precisión y la lejanía —están allí, a la mano, y son intocables— de las visiones que nos regala la memoria involuntaria en ciertos momentos excepcionales. Visiones que van de la atracción al horror y de las cuales no podemos apartar los ojos. El abanico se abre y un mundo, hecho de muchos mundos, nos revela sus entrañas; después, con un golpe seco, la mujer lo cierra. No queda nada salvo una vibración, un eco negro, rosa y otra vez negro. Las visiones se resuelven en ceguera, las presencias se disuelven en la memoria. Esa mujer que abre y cierra el abanico con una gracia no exenta de ferocidad, esa mujer sin edad (las tiene todas y en un instante pasa de la vejez a la adolescencia), ¿quién es? Antes de que pudiese responder a esta pregunta, sobrevino la imagen de la capa de torear: un hombre solo, desarmado, en el centro de un circo inmenso y sin espectadores, aguarda un toro fantasmal, hecho de humo y pensamiento. ¿Espera a su muerte, lucha contra sí mismo o contra los espectros de su pasado? La visión del abanico que abre y cierra una mujer y la de la capa que un hombre despliega en una plaza solitaria se funden en una sola frase, compuesta por tres palabras: mujer, muerte, memoria.

Quizá lo primero que debería haber dicho es que la actual exposición de Soriano está compuesta por una serie alucinante de retratos de una mujer también alucinante: Lupe Marín. No faltará quien defina (y condene) estas obras como un inesperado paso atrás, una vuelta al arte tradicional. Las definiciones son engañosas. La pintura de Soriano (la de hoy como la de ayer) es tradicional en un sentido muy distinto al del mero regreso a las formas y procedimientos del pasado. Lo que se propone el pintor, sirviéndose de todos los medios a su alcance, es una exploración de la realidad. No es un azar que Lupe Marín sea su modelo, real o imaginario. Lupe pertenece a la realidad y a la mitología del México contemporáneo. Diego Rivera la retrató muchas veces. En sus grandes composiciones murales aparece como símbolo de la tierra o el agua; y en óleos memorables el artista nos dio varias imágenes de la persona real. Pero siempre, símbolo o realidad, Diego retrata a Lupe como lo que es, lo único que es, esta persona única: la mujer. Con una libertad mayor que Diego Rivera, con más crueldad pero también con más ternura, Soriano pinta ahora a Lupe. La pinta con pinceles fanáticos, con el rigor del poeta ante la realidad cambiante de un rostro y un cuerpo, con la devoción del creyente que contempla la figura inmutable de la deidad. Movilidad y permanencia. Lupe aparece en muchos tiempos y manifestaciones de su existencia terrestre (cada instante es una encarnación diferente) y toda esa pluralidad contradictoria de rostros, gestos y actitudes se funde, como en la imagen final del abanico, en una visión inmóvil, obsesionante: Lupe-Tonantzin.

Más que un grupo impresionante de retratos, más que los resultados de una experiencia pictórica total y encarnizada, Juan Soriano nos presenta las visiones o, mejor dicho, los momentos visionarios de una obsesión. Su modelo (mitad real, mitad soñado) es un arquetipo antiguo como el hombre. Se llama Mujer y también se llama Muerte. En un mundo que ha olvidado casi por completo el sentimiento de lo que es sagrado, Soriano se atreve, con un gesto en el que el sacrilegio es casi inseparable de la consagración, a *endiosar* a la mujer. Acto de fe y, asimismo, acto de desesperación. ¿No es la mujer, a pesar de ella misma, la única *realidad* que podemos tocar los hombres modernos, la única ventana que se abre hacia el *otro lado* de la existencia? Cubierta de joyas centelleantes, vestida de colores violentos como una tempestad en agosto, las manos terribles y finas (caricia o sacrificio), los ojos translúcidos (ojos que no reflejan nada sino nuestra propia avidez), la frente llena de pensamientos que nunca adivinaremos, la boca sabia en monosílabos angustiosos y ambiguos, la mujer aparece y desaparece como las figuras del abanico que se abre y se cierra. Después no hay nada: la no-visión, el vacío impenetrable. Y en el centro de sí mismo, como si estuviese en el centro de un desierto, un hombre a solas con su memoria.

La exposición de Soriano no nos revela a un gran pintor. Hace mucho que Soriano lo es. Y no deja de ser significativo que uno de los primeros en afirmarlo haya sido el mismo Diego Rivera, como si hubiese presentido que su experiencia pictórica alguna vez se cruzaría en un punto magnético con la de Soriano. Tampoco vale la pena repetir que su pintura pertenece a la tradición verdadera de nuestros pueblos, corriente subterránea que surge de pronto, en momentos de gran sequía, como un manantial inesperado (a veces se llama Tamayo, otras Lam...). Monumento levantado a la mujer en su ambigüedad esencial, presencia y vacío, estas obras de Soriano (óleos, acuarelas, dibujos y una escultura) son también un canto y un desafío al tiempo, a la realidad espectral del mundo. Lo tocamos, lo acariciamos y pulimos largamente, y al cabo sólo nos queda entre las manos el hueco de una forma. Con esos restos irreales el hombre crea su propia, instantánea, precaria realidad: las obras de arte.

PC   México, 22 de julio de 1962

UN NUEVO PINTOR:
PEDRO CORONEL

La creación artística es aventura. El primer verso, la primera pincelada, son un primer paso en lo desconocido. Paso siempre irreparable, siempre imborrable. Nunca es posible regresar al punto de partida. Atrás y adelante se abren abismos. Y no hay nada en torno nuestro, excepto el espacio ávido, el silencio de la página o del lienzo en blanco. Pero el artista verdadero presiente cuál es su destino final. Le basta cerrar los ojos para recordar: allá lejos los colores cantan y las formas se unen o separan —bosque de humo, ciudad de niebla, mujer de bruma—, deshechos apenas las manos los rozan. Crear es poblar el mundo vacío con esas imágenes un día entrevistas y que sólo cesan de perseguirnos cuando encarnan en un cuadro o en un poema.

Asistimos hoy a una nueva aventura. Tras diversos titubeos ante lo *conocido-desconocido* que lo fascina, Pedro Coronel se ha arriesgado a dar el primer paso. Y ya no podrá retroceder. Sin duda él sabe mejor que nosotros a dónde quiere ir y qué le espera al final de su viaje. Pero los cuadros que ahora expone nos dicen ya que se dirige hacia sí mismo, hacia su propia verdad, esa verdad que no será del todo suya hasta que él mismo no se confunda totalmente con ella.

Pintura solicitada por muchas tentaciones, sensibilidad —o mejor: sensualidad, en la acepción más libre y salvaje del término— que no se rehúsa a las experiencias más contradictorias; asimismo, pintura que poderosamente tiende a una síntesis de todo lo aprendido y todo lo soñado;

sensibilidad que no teme ser habitada por presencias ajenas porque sabe que toda influencia, si lo es de verdad y la sufre alguien digno de ella, no es nunca un obstáculo sino un punto de partida. Si fuésemos críticos diríamos que Coronel está a la altura de sus modelos. Sólo que así habríamos dicho la mitad de la verdad. La otra la constituyen ese poder recreador de formas, ese gran apetito de mundo —espacios, colores, volúmenes, cosas tangibles— que delata siempre al pintor auténtico, esa valentía y arrojo con la materia y, en fin, esa inocencia apasionada. Pasión: palabra clave en el universo de Coronel. En su pintura reina la pasión. Frente al arte de propaganda y al arte abstracto, Coronel nos muestra que la verdadera fuente de la poesía y la pintura está en el corazón. Pasión se llama la fuerza que lucha contra la pesadez mineral de las grandes figuras que invaden algunas de sus telas; pasión lo que arde en sus colores hasta no ser sino un resplandeciente trozo de materia desollada, en un cielo deshabitado; y el lento movimiento de sus azules y rojos —cubriendo sus cuadros como un sol que extiende su plumaje en el centro del cielo, como un mar que despliega su manto hirviente sobre una playa de piedra— es pasión magnífica y suntuosa. Todas las reservas y las dudas del espectador desaparecen ante este candor poderoso. ¿Es necesario añadir que muy pronto Pedro Coronel será uno de nuestros grandes pintores?

PO   México, 1954

430

PRESENTACIÓN DE PEDRO CORONEL*

LA uniformidad empieza a ser una de las características del arte contemporáneo. El estilo absorbe a la visión personal: la manera congela al estilo; la fabricación, en fin, sucede a la manera. Se dirá que la situación no es nueva. Lo es para nuestra época. Durante más de cincuenta años el arte moderno no cesó de asombrar o de irritar; hoy, cuando logra vencer el cansancio del espectador, conquista apenas una tibia aprobación. A medida que disminuye el poder expresivo de las obras, aumenta el frenesí especulativo de la crítica. Todo se puede decir frente a obras que no dicen nada. Pero "decir todo" equivale a "decir nada": la algarabía intelectual termina por fundirse con el silencio de los objetos.

Otro tanto ocurre con las denominaciones. A veces son meros rótulos; otras, como en el caso del "expresionismo abstracto" o del "arte informal", el primer término niega al segundo: el resultado no es el sinsentido sino el contrasentido. Las significaciones se evaporan porque la realidad misma que se pretende designar se ha desvanecido. Los movimientos que fundaron el arte moderno eran realidades vivientes y por eso tenían *nombres* (algo muy distinto de las denominaciones): surrealismo, cable conductor de energía espiritual, puente suspendido entre este mundo y los otros; expresionismo, voluntad de estilo de la pasión; arte abstracto, búsqueda de los arquetipos, alquimia y geometría. Tránsito del nombre a la marca: del

* Galerie Le Point Cardinal, París, 1961.

dadaísmo, sinsentido lleno de sentido, al "arte otro", significación insignificante.

En el pasado los objetos de uso (desde las casas hasta las prendas de vestir) eran durables; las obras de arte (desde los templos y palacios hasta los poemas) postulaban la inmortalidad. Hoy los objetos se consumen apenas se producen. Hannah Arendt señala que la idea de objeto (algo que se usa) desaparece, substituida por la de alimento (algo que se consume).[1] Por el camino de la industria los objetos se han reintegrado al circulo vital, eminentemente animal: producción, consumo, producción. La degradación del objeto ha precipitado la de la obra de arte en artículo de consumo. No sólo la pintura y la escultura forman parte del proceso circular; también el cine y gran parte de la arquitectura, el teatro y la novela obedecen al ritmo biológico-industrial de producir para consumir y consumir para producir. Gracias al mercado, que unifica la variedad de los productos, el consumo se universaliza. La valía, aquello que hace único a cada producto, se transforma en el precio, esto es, en aquello que hace posible el intercambio de objetos diferentes.

Una de las intuiciones más asombrosas de los dadaístas, sobre todo frente a la ingenuidad de los futuristas italianos y rusos, consistió en su tentativa por interrumpir el proceso: crear o presentar objetos que negasen la idea de producción y consumo, obras que fuesen inasimilables y, literalmente, indigeribles.[2] La rebelión dadaísta no fue tanto un ataque a la producción artística como a la noción de consumo. Por eso fue una embestida contra el espectador, contra el público. Pero el dadaísmo afirmaba aquello

[1] *The Human Condition*, 1958.

[2] Los orígenes del dadaísmo son alemanes, franceses y angloamericanos. El futurismo nació en países sin técnica o con una incipiente (Italia y Rusia).

mismo que negaba. La negación se operaba frente a un público: para privar al público del consumo era necesaria la presencia de los consumidores. Todo nihilismo es circular: la negación del público no podía ser sino espectacular. En los últimos años hemos presenciado tentativas aisladas de restauración dadaísta (máquinas de pintar y otras). Ninguna de ellas ataca la idea de consumo. La rebelión se transforma en pasatiempo.[3]

En una entrevista reciente en la televisión de Filadelfia, se preguntó a Marcel Duchamp sobre la actitud que deberían adoptar los artistas ante esta situación. Contestó sin vacilar: "desaparecer de la superficie, volver al *underground*". La dificultad estriba en que ya no hay *underground*. La sociedad moderna ha suprimido el arriba y el abajo, el aquí y el allá. No hay espacio. Nadie está solo pero tampoco nadie está acompañado. No hay *underground* porque no hay *ground*. La vida privada se ha vuelto la vida pública por excelencia. Nada está escondido pero nada está presente. La presentación simultánea de todos en un mismo espacio anula la presencia: todo es invisible.

Quizá la respuesta consiste en regresar a la obra. Este regreso implica un cambio en la actitud del artista, no sólo ante el mundo y sí mismo sino sobre todo frente a su trabajo. La obra sobrevive al mercado y al museo. También sobrevive al creador: "Todo poema se cumple a expensas del poeta." Me parece que ya empieza a ser visible este cambio en varios artistas jóvenes, franceses y extranjeros, que trabajan en París. Aunque no forman un grupo

[3] La máquina que se destruye a sí misma, gran hallazgo de los neodadaístas en los días en que escribí esta nota, se ha convertido ahora en un juguete que las tiendas de la Quinta Avenida venden a un dólar. El proceso circular del mercado, que convierte en cosas a las obras de arte, hoy se cumple más fácilmente porque los artistas en lugar de hacer obras *patentan procedimientos*.

ni se conocen entre sí, todos ellos tienen nostalgia de la obra. No les interesa la producción de cuadros, sino la creación de un mundo dueño de su propia coherencia. Entre ellos se encuentra Pedro Coronel.

Este joven artista mexicano pinta porque se propone *decir*. Para Coronel la pintura es significación, esto es, materia transfigurada por la creación humana. Por otra parte, sabe que la significación, mejor dicho: las significaciones, no consisten en aquello que el artista quiere decir sino en lo que la obra realmente dice. Las significaciones brotan tanto de la voluntad del artista como de la del espectador: ambas se entrecruzan en la obra. Un poema, un cuadro, una escultura son lugares de encuentro, el espacio en donde las miradas se enlazan. No cualquier espacio sino el territorio de elección de la mirada, el campo de gravitación del *re-conocimiento*. La obra es ese lugar abierto que hace posible la conjunción de las miradas; pero es un lugar que nunca alcanzamos del todo: se abre a los ojos y no lo tocamos. Siempre más allá: la distancia constituye a la obra. Entre el artista y su cuadro, entre el cuadro y el espectador hay una barrera invisible que nadie traspasa. La obra tiene vida propia, una vida que no es la del artista ni la del que la mira; por eso puede ser contemplada indefinidamente por las sucesivas generaciones de los hombres. Los significados de la obra no se agotan en lo que significa para éste o aquél. La obra se niega al consumo pero, gracias a la distancia, se abre a la comprensión.

No me propongo desentrañar lo que dicen las obras de Coronel. Sería presuntuoso. Además, los significados cambian. El sentido de una obra no reside en lo que dice la obra. En realidad ninguna obra *dice*; cada una, cuadro o poema, es un decir en potencia, una inminencia de significados que sólo se despliegan y encarnan ante la mirada ajena. Sin ojos que lo miren no hay cuadro. Y sin cuadro, sin esa potencialidad de significados que duermen en las formas, los ojos no tendrían, literalmente, nada que ver. Hacemos las obras y después ellas nos hacen. Coronel concibe la pintura como una constelación de significados, como un lenguaje. Sólo que se trata de un lenguaje que, apenas se constituye, apenas se transforma de materia bruta en materia animada, recobra su autonomía y se desprende del creador. Si Coronel no es un médium, es un medio. La pintura, la poesía, se sirven de Coronel para manifestarse. La relación de este artista con la pintura es erótica, mejor dicho: amorosa, en el sentido en que reconoce la existencia de la obra como una realidad autónoma. La obra no existe sin Coronel, pero sin la obra no existe Coronel. El cuadro le da (nos da) otra existencia. Si el espectador desea penetrar en la pintura de Coronel debe reproducir esta relación perpetuamente creadora. El secreto de una obra reside tanto en ella como en el que la contempla.

Coronel se inició como escultor. En 1946 vino a París por primera vez y desde esa época empezó a dedicarse más y más a la pintura. Esa primera visita le reveló el arte moderno. Como en el caso de Tamayo y Lam, el descubrimiento de la pintura universal le dio una comprensión más honda del arte de su pueblo. Coronel se dio cuenta muy pronto de que esa reconquista del pasado precolombino y de sus supervivencias no era sino un primer paso; el otro, el decisivo, consistía en penetrar en sí mismo. Así, el arte antiguo de México —escultura, arquitectura y los restos de la pintura— no son el punto de partida de la obra de Coronel. Aunque muchas de sus telas (no las mejores) muestran la influencia monumental y a veces abigarrada del arte antiguo de México, su inspiración viene de otra parte: su mundo personal, que es también el de su pueblo. Esa fuente, la misma que alimentó a mayas, toltecas, zapotecas y aztecas, no se ha cegado del todo. Está viva en las artes populares, en los trajes, en las costumbres y en las fiestas. Recubierta por el cristianismo y las ideologías modernas, fluye como una vena subterránea. Pero los ojos de Coronel no se detienen mucho en las apariencias. No le interesa el folklore local: busca la presencia secreta, la fuente escondida. Sus mejores cuadros no se parecen al arte antiguo ni al popular: son una resurrección, una convocación de fantasmas e imágenes análogos, aunque no idénticos, a los que desvelaron a los artistas precolombinos y a sus descendientes. Análogos porque brotan del mismo fondo; diferentes porque no son ya imágenes sagradas, revelaciones de poderes implacables, sino irrupciones, apariciones de los fantasmas que nos habitan. Esos fantasmas son los mismos para todos los hombres; y en cada hombre, en cada artista, encarnan de una manera diferente.

La actividad artística tiene una relación indudable con el exorcismo. El artista quiere deshacerse de sus obsesiones; en cuanto lo logra, advierte que se ha convertido en un hacedor de fantasmas. Pero la palabra obsesión no es la que conviene a la pintura de Coronel. Pasión: sensualidad, violencia, alegría solar y trágica, soberanía del rojo y el amarillo. Esa pasión también es melancolía, sentimiento agudo de la soledad y, como una flor inesperada, la presencia delicada de la muerte. La muerte transfigura a la pasión, le quita la venda de los ojos, le da lucidez y conciencia de sí misma. La pasión de Coronel es lúcida: se sabe mortal. Por eso quiere inmortalizarse, durar. No la inmortalidad del artista sino la de su pasión: a esto tiende toda obra. Doble metamorfosis: la pasión transfigura a los objetos que desea; el arte, la obra, transfigura a la pasión. Vía de salud: la obra no es un testimonio de la duración del artista sino de la permanencia de los hombres.

PC   París, mayo de 1961

LAS OBVISIONES
DE ALBERTO GIRONELLA

ENTRE la palabra y la imagen visual, entre los oídos y los ojos, hay un continuo ir y venir. Al oír las palabras del poeta vemos, súbita aparición, la imagen evocada. La vemos con la mente, con el ojo interior. Y del mismo modo: al ver las formas y los colores del cuadro, los oímos como si fuesen palabras dichas en una lengua desconocida pero que en ese instante, no sabemos cómo, comprendemos. Palabras silenciosas y a las que, también, oímos con la mente.

En un soneto a un tiempo cruel y sensual, Lope de Vega pinta con palabras violentas y suntuosas el sacrificio de Holofernes. Los versos se enlazan y desenlazan, regidos por el ritmo, iluminando aquí y allá, como si fuesen reflectores, los distintos aspectos de la escena: la tienda del caudillo, las pesadas cortinas rojas, la luz vacilante de los hachones, los vasos rotos, la mesa derribada, las manchas de vino y sangre en el mantel, el sueño mineral de los soldados y, sobre la cama revuelta, el cuerpo enorme del guerrero decapitado. El soneto es una corriente verbal, un rumor poderoso que avanza hasta que, bruscamente, desemboca en una visión que nos sobrecoge por su instantánea fijeza: vemos a Judith trepada sobre las piedras de la muralla, rodeada de noche y empuñando como una lámpara atroz la cabeza recién cortada de su enemigo:

Cuelga sangriento de la cama al suelo
el hombro diestro del feroz tirano

que opuesto al muro de Betulia en vano
despidió contra sí rayos al cielo.

Revuelto con el ansia el rojo velo
del pabellón a la siniestra mano,
descubre el espectáculo inhumano
del tronco horrible convertido en hielo.

Vertido Baco, el fuerte arnés afea,
los vasos y la mesa derribada,
duermen las guardas que tan mal emplea;

y sobre la muralla coronada
del pueblo de Israel, la casta hebrea
con la cabeza resplandece armada.

La última línea tiene la vivacidad del relámpago: la hebrea "con la cabeza resplandece armada". Este soneto evoca —o mejor: convoca— las imágenes de la pintura de Rubens. Podía haber sido firmado no por el poeta español sino por el pintor flamenco. Es pintura escrita, del mismo modo que hay palabras pintadas.

El arte de Alberto Gironella se sitúa en la intersección entre la palabra y la imagen. Cuando era joven, escribió poesía; después, se dedicó a la pintura —sin dejar de ser poeta. Su caso no es único y en nuestro siglo, para no hablar de los grandes ejemplos del pasado, algunos admirables artistas han sido simultáneamente poetas y pintores: Max Ernst, Paul Klee, Hans Arp, Henri Michaux. La obra escrita de Duchamp es inseparable de su obra visual y la poesía contemporánea debe a Picasso algunos textos violentos como un improperio y delirantes como una pesadilla. Alberto Gironella se inserta en esta tradición pero, dentro de ella, su posición es singular. Lo es tanto por la índole de su obra como por el carácter extremo y apasionado de su tentativa. Poesía y pintura son artes que se despliegan en territorios opuestos: el reino de la poesía es el tiempo y el de la pintura el espacio; la poesía se oye y la pintura se contempla: el poema transcurre y al transcurrir cambia, mientras que el cuadro siempre es idéntico a sí mismo. Sin embargo, la facultad que rige a pintura y poesía es una; aunque el pintor se sirve de los ojos y el poeta de la lengua, ojos y lengua obedecen a la misma potencia: la imaginación. En esto Gironella también es único: como sucede con otros pintores, en su obra la imaginación es la potencia que comunica a la poesía con la pintura, sólo que no como un puente que une a dos orillas sino como un abrazo que fuese un combate.

A diferencia de otros pintores-poetas, Gironella no es poeta de palabras sino de imágenes visuales. Con esto quiero decir que concibe al cuadro no sólo ni exclusivamente como una composición plástica sino como una metáfora de sus obsesiones, sueños, cóleras, miedos y deseos. Para este pintor el cuadro es un espejo, pero un espejo mágico que, alternativamente feliz y nefasto, desfigura y transfigura las imágenes. El cuadro se transforma en poema y se ofrece al espectador como un manojo de metáforas entrelazadas. Aunque esas metáforas no son verbales sino visuales, obedecen a las mismas leyes rítmicas de las metáforas poéticas. En la pintura de Gironella los colores y las formas *riman*: aparecen y desaparecen, se enlazan y desenlazan según las leyes de repetición y variación del verso. El *eco* tiene una función cardinal en la obra de Gironella y consiste en la repetición casi maníaca de ciertas imágenes, sometidas a deformaciones y mutilaciones inquietantes. El eco es la manifestación rítmica de la obsesión. Más exactamente, es una metáfora de la obsesión: a través de repeticiones y variaciones la imagen obsesiva se convierte en ritmo.

Alberto Gironella es pintor de nacimiento: piensa, siente y habla en líneas, colores y formas; asimismo, y con la misma fatalidad, es un poeta al que su imaginación lo lleva más allá de la vista. Sus ojos de pintor sirven a sus obsesiones: sus cuadros son *obvisiones*. Su imaginación no se contenta con presentar: quiere decir y, con frecuencia, *dice*. Pero lo dice sin caer jamás en la literatura y fiel a sus propios recursos plásticos. La pintura de Gironella no cuenta ni relata: es una descarga de imágenes que provoca en el espectador otra descarga. No es una pintura para leer, como la de muchos de sus contemporáneos; es una pintura que, al mismo tiempo, debemos ver y oír. A través de esas imágenes mudas habla la *otra voz*, la voz que no oímos con los oídos sino con los ojos y con el espíritu. Por eso no es accidental el interés maravillado con que André Breton saludó la primera exposición de Gironella en París, hace ya cerca de veinte años: en esos cuadros el poeta francés reconoció la misma pregunta que el surrealismo se había hecho. La misma pregunta, no la misma respuesta. Fue un reconocimiento en *la diferencia*.

Cada pintor sostiene un diálogo con algunas obras del pasado. Diálogo hecho de oposiciones y afinidades, diálogo íntimo, amoroso y polémico, casi siempre implícito, sobrentendido. El de Gironella es abierto y explícito. En realidad, es inexacto llamar diálogo a la relación que tiene Gironella con ciertas obras del pasado: Velázquez, Goya, El Greco, Valdés Leal y también (y con no menos pasión) con obras de figuras menores como Antonio Pereda. Relación sin palabras, más cerca de la religión que del arte —una religión sin más allá pero con todos los terrores y las voluptuosidades de la religión— y que asume, como sucede con frecuencia en las grandes pasiones, las formas ambiguas de la adoración y el vituperio, el incienso y el escupitajo. La pintura concebida como un ritual sacrílego.

El siglo XX ha destruido casi enteramente las fronteras entre crítica y creación. La crítica no sólo es creadora por sí misma sino que ya es parte de la creación artística y abundan las novelas, los poemas y aun los cuadros que contienen una crítica a otras obras (o su propia autocrítica). El arte moderno, desde el romanticismo, es un arte polémico. Mejor dicho: el arte moderno es moderno porque es polémico. Casi siempre esa polémica se expresa como crítica de la tradición. La actitud de Gironella ante la gran pintura española se inserta dentro de esta perspectiva. Sin embargo, hay una diferencia: su crítica es indistinguible de la devoción y la devoción de la furia vengativa. El tratamiento que inflige a obras como la *Reina Mariana*, las *Meninas*, *El entierro del conde de Orgaz* o las *Vanitas* de Valdés Leal, está más allá de la crítica: es una suerte de liturgia de la tortura. La violencia pasional convierte al diálogo crítico en monólogo erótico en el que el objeto del deseo, cien veces destruido, renace cien veces de sus escombros. Asesinatos y resurrecciones, ritos interminables de la pasion.

Con el mismo gesto con que borró las diferencias entre creación y crítica, el arte moderno anuló la distinción entre obra original y traducción. La cita literaria o plástica y el empleo de fragmentos de obras ajenas incrustadas en la propia son procedimientos usuales de poetas, pintores y músicos. Apenas si necesito recordar a los ''collages'' literarios de Eliot y Pound, los dos iniciadores de este método de composición.* En esto la práctica de Gironella se distingue de nuevo por su radicalismo pasional. Las citas

* En realidad, los verdaderos iniciadores fueron los poetas ''simultaneístas'' franceses, especialmente Apollinaire. Pero los ''collages'' del poeta francés están hechos con fragmentos de conversación —lo que se oye en la calle o en un restorán— mientras que los poetas angloamericanos introducen la cita literaria recóndita.

de Eliot y Pound son de orden literario, religioso o político y sirven para ilustrar un punto de vista; las citas de Gironella no tienen más propósito que satisfacer a su deseo. Son un cuerpo a cuerpo en el que cada abrazo es una ordalía, una prueba de amor. A la obra de Gironella le conviene, levemente modificado, el título de un célebre ensayo de Michel Leiris: *La pintura considerada como una tauromaquia.* Gironella *torea* a las obras del pasado y muy pocas veces uno de sus toros ha regresado vivo al corral. Esta pasión de Gironella merece el calificativo de *feroz*, en el sentido que daba Baudelaire a este adjetivo. La ferocidad es, en cierto modo, la contrapartida animal del entusiasmo espiritual y de ahí que aparezca, complemento contradictorio, en las grandes pasiones religiosas, eróticas y artísticas. Es una pasión que, si ha dominado a inquisidores y verdugos, también ha inspirado a mártires y amantes. Además, nos ha dejado unos cuantos inolvidables poemas, novelas, cuadros, textos: Goya y Picasso, Baudelaire y Rimbaud, Quevedo y Swift, Michaux y Cioran. A diferencia de la ferocidad de los tiranos y los criminales, la de los artistas se ejerce contra los fantasmas de su imaginación, es decir: contra ellos mismos. Esos cuadros de Velázquez o Pereda que incansablemente, como un amante feroz y fanático, Gironella marca, tatúa, apuñala, pinta y despinta, son él mismo.

El amor extremado y extremoso es también amor por los extremos. Gironella es contradictorio y vive sus contradicciones sin tratar de atenuarlas o resolverlas en síntesis ilusorias. A su pintura delirante y visionaria opone una visión realista. Sólo que ese realismo encarnizado descuartiza literalmente a la realidad y la convierte en un delirio más. La realidad deja de ser creíble y se vuelve una invención grotesca y abominable. El humor de Gironella desciende directamente de Valle-Inclán y Solana, Gómez de la Serna y Buñuel: arte del disparate. Más que un arte: una moral. Pero moral en el sentido de Nietzsche, que vio en Séneca a un torero de la virtud. Definir al disparate español no es menos difícil que definir al humor británico. Para el Diccionario de Autoridades es "un hecho o dicho fuera de propósito o razón". Por mi parte, yo diría algo distinto: el disparate es una exageración de la razón, un llevarla hasta sus últimas e irrazonables consecuencias. Es una exageración que le da la razón a la sinrazón. Exageración: el disparate es un disparo, una descarga, una eyaculación. Dialéctico, el disparate es una operación circular del espíritu a cuyo término la razón queda convicta de sinrazón y la realidad de irrealidad. El disparate vuelve inverosímil a la realidad. Según Bergamín el disparate es un estilo y cita como ejemplo a la arquitectura barroca, "disparate en piedra". A mí me parece que el disparate, más que un estilo, es una rebelión; es el disparo del hombre contra su destino disparatado y contra el gran disparate en que concluyen nuestros disparates: la muerte. Dije que Gironella prefería, antes que darles soluciones quiméricas, vivir sus contradicciones. Tal vez debería haber dicho que para Gironella el único método dialéctico de solución de las contradicciones es el disparate. Por eso pinta, gran disparate, y por eso, disparate mayor, pinta el acto mismo de pintar.

Uno de los momentos más tensos y ricos, poética y plásticamente, de la pintura de Gironella, está compuesto por esa serie que tiene por tema *El sueño del caballero* y cuyo punto de partida es una pintura de Pereda. Esas obras son notables, en primer término, por su calidad pictórica, infrecuente mezcla de furia y maestría. Las figuras y los objetos que aparecen en esas composiciones —el ángel y el caballero dormido, la máscara y el cráneo, el cofre de joyas y la pistola, el reloj y las cartas, las monedas desparramadas y el libro abierto, la esfera terrestre: alegorías del tiempo y sus trampas— son verdaderas apariciones, quiero decir, seres y cosas habitadas por un ánima. Gironella es ciudadano de un mundo que él ha inventado y que, a su vez, lo ha inventado a él. Ese mundo es fantasmal y sólido, es de aquí y es de allá. Lo habitan gañanes y ángeles, doncellas y vampiros, íncubos y notarios. Espectros palpables y que gozan de buena salud; los hemos visto, a ellos y a ellas, vestidos y desnudos, en las páginas de los diarios y revistas de los cinco continentes. Son nuestros contemporáneos. Con ellos se codean y a veces se acoplan trasgos, quimeras y hombres y mujeres pálidos que vienen de lejos, casi siempre vestidos a la usanza del siglo XVII, ellas de pelo negro y carne nácar y todos con los estigmas de la melancolía: están enamorados de la muerte.

El mundo de Gironella —pienso sobre todo en la serie *El sueño del caballero*— tiene más de una analogía con el mundo de *Terra Nostra,* la novela de Carlos Fuentes. El parecido nace del encuentro de dos sensibilidades poderosas, pero opuestas, en un centro magnético y contradictorio: México. Un México que no es México sino la Sevilla de Valdés Leal y la Granada de la Cartuja, esa prodigiosa y fúnebre construcción en la que la piedra se vuelve azúcar y el azúcar polvo de huesos pecadores molidos en los molinos del diablo. Un México español sin cesar de ser la Gran Tenochtitlan de los aztecas, cubierta por su doble manto de plumas y sangre. El siglo de Gironella es el siglo dorado de la pudrición hispánica, el XVII, pero un XVII fuera del tiempo de la historia, un siglo XVII que se roe sin cesar las entrañas y que salta de un siglo a otro, de pronto al siglo XX y otras al XIX, tiempo en que el ángel barroco de la melancolía se transforma en Doña Marina y su quimérico imperio de oro y jade, Doña Marina en una catira —la mulata rubia, la blonda negra, la muerte vivaz y desnuda como el agua—, la catira en el obscuro objeto de nuestro deseo que tiene la misma cara que Conchita —la bailarina de flamenco de la película de Buñuel—, la Conchita en una Quimera y... Distintas apariciones de América, el gran sueño español del que sólo la muerte nos despierta. América-vulva, América-vagina, América-piedra-de-sacrificios, América-tumba, América-trono-y-estercolero, reina y puta, América de Donne *(my kingdom safeliest when with one man manned),* que no es un continente sino una mujer, que no es una mujer sino un ánima en pena.

El sueño del Caballero es nuestro sueño. ¿Soñamos al tiempo? ¿El tiempo nos sueña, somos su sueño? Gironella reponde a estas preguntas con una cita de Reverdy: *el sueño es un jamón.* Hay dos versiones de ese cuadro y en las dos, mientras el Caballero sigue dormido, el ángel se ha convertido en un lujoso esqueleto alado y una mujer desnuda aparece tendida sobre la mesa, en actitud de entrega lasciva, como una alegoría más, la más deseable y terrible, de la vanidad de esta vida. Sólo es real la vida/Sólo es real la muerte. Pero otro cuadro comenta el sueño del Caballero con un refrán popular: "Camarón que se duerme, se lo lleva la corriente." El Caballero no oye, el Caballero sigue dormido y la mujer desnuda sigue tendida y el esqueleto alado de la muerte sigue siendo el testigo de la escena. ¿El testigo o el autor? No, el autor es un pintor que no se llama ni Gironella ni Pereda sino Orbaneja, pintor de Úbeda, esos cerros que están entre Ningunaparte y Cualquierlado. ¿Fin de la historia del Caballero y su sueño, alegoría final de la alegoría? No, hay otro cuadro que yo veo como el comentario último, la moraleja de esta alegoría voluptuosa y fúnebre: *El sueño del caballero* es un grabado del papel con que se envuelve el mazapán de Toledo. El Sueño (papel de envoltura), obra de Orbaneja, Artista pintor, *Pinxit.* Orbaneja es el *alter ego* del Caballero. Orbaneja pinta al Caballero dormido y mientras lo pinta sueña que él es el Caballero y sueña su sueño: descubrir, conquistar, dormir, ser enterrado en América. Gironella pinta a Orbaneja pintando un cuadro de Pereda en el que aparece un Caballero dormido y en cuyo sueño aparece un ángel, encarnación de la muerte y desencarnación del tiempo. El ángel es la catira y Doña Marina, América y Conchita, la Quimera alada que se desmorona en un montón de huesos y podre. Gironella se pinta a sí mismo al pintar a Orbaneja repintando y despintando al sueño descomunal e irrisorio del Caballero.

En un libro curioso e inteligente sobre los locos, los bufones y los enanos de los Austria, el poeta Moreno Villa dice que el siglo XVII fue el de la domesticación de los locos. Añado: domesticidad dorada. Los locos y los enanos de los Austria —Moreno Villa contó 123 durante los 180 años que duró la dinastía: cerca de uno por año— no sólo recibían dádivas y dinero de sus señores sino títulos palaciegos. Algunos incluso tuvieron influencia política. Suprema distinción: los locos llevaban los nombres de la familia real y hubo uno que se llamó Don Juan de Austria, como el vencedor de Lepanto. Es revelador que hasta el siglo XVIII la distinción entre *loco* y *bufón* fuese más bien vaga; no es menos indicativo que bufones y locos fuesen llamados también ''hombres de placer''. Precisamente la noción de *placer* sería expulsada del circuito social un siglo más tarde. Hombres de placer, los locos y los bufones hablaban impunemente, impulsados por el deseo de hablar y sin pensar en las consecuencias de sus palabras. Así, la figura del bufón con su gorro y sus cascabeles sólo en apariencia es el reverso de la figura del poeta. El bufón y el poeta son ''hombres de placer'' y encarnan el mito de la *irresponsabilidad* de la palabra original. Por ellos habla una voz impersonal, colectiva, anterior a los individuos, las jerarquías y las convenciones sociales. El mito opuesto, el de la responsabilidad del artista, es un mito moderno, protestante y capitalista, que los marxistas han heredado y canonizado. Por boca del bufón y del poeta habla la voz inmemorial de las pasiones, los delirios, los deseos, los temores, los dioses y los diablos, las obsesiones y las distracciones, los deseos y las cóleras —la voz de todos los poderes que nos habitan y nos lanzan fuera de nosotros mismos en busca de Américas fantasmales. Es justo que Don Juan de Austria, el Loco, se llame como Don Juan de Austria, el Príncipe; es justo que el pintor Alberto Gironella se llame a veces Orbaneja y otras El Caballero dormido sobre un sillón de cuero una noche del año del seiscientos y tantos.

México, marzo de 1978

Sábado 38, México, 5 de agosto de 1978

EL ESPACIO MÚLTIPLE

Entre 1960 y 1970 Manuel Felguérez, escultor y pintor, realizó una poderosa y numerosa obra mural. Algunas de esas composiciones son extraordinarias tanto por sus dimensiones como por el rigor y la novedad de la hechura. Pienso particularmente en el gran mural del cine Diana y, sobre todo, en la admirable composición del edificio que alberga a la CONCAMIN. Esta última es un vasto e intrincado juego de palancas, tornillos, ruedas, tornos, ejes, poleas y arandelas. Sorprendente imagen del movimiento en un instante de reposo, ese fantástico engranaje evoca inmediatamente el mundo sobrecogedor de la *Oda triunfal* de Álvaro de Campos. Sin embargo, como para confirmar una vez más que entre nosotros los mejores esfuerzos están condenados a la indiferencia pública, casi nadie ha querido enterarse de la importancia y la significación de estas obras. Desde la rebelión de Tamayo contra el muralismo ideológico, la mayoría de nuestros buenos artistas apenas si han hecho incursiones en el arte público. El único que opuso al muralismo tradicional una concepción distinta del muro fue Carlos Mérida. En dirección distinta a la de Mérida, aunque en cierto modo complementaria, Manuel Felguérez ha hecho *otro* arte mural, de veras monumental, en el que la pintura se alía a la escultura. Pintura mural escultórica o, más exactamente, relieve policromado.

El nuevo muralismo de Felguérez rompió tanto con la tradición de la Escuela Mexicana como con su propia obra juvenil. Sus primeras obras se inscriben dentro del informalismo y el tachismo, tendencias estéticas predominantes en su juventud. Pero ya desde entonces una mirada atenta habría podido descubrir, debajo del informalismo no figurativo de aquellos cuadros, una geometría secreta. El expresionismo abstracto, más que destruir, recubría la estructura racional subyacente. No es extraño que un orden invisible sostuviese aquellas construcciones y destrucciones pasionales: Felguérez es ante todo un escultor y viene del constructivismo. Sus preocupaciones plásticas están más cerca de un Zadkine o un Gabo que de un Pollock o un De Kooning.

Su predilección por la geometría lo llevó a la arquitectura y ésta al arte público. El espacio arquitectónico no sólo obedece a las leyes de la geometría y a las de la estética sino también a las de la historia. Es un espacio construido sobre un espacio físico que es asimismo un espacio social. Hacia 1960 Felguérez se interesa menos y menos en la producción de cuadros y esculturas para las galerías y busca la manera de insertar su arte en el espacio público: fábricas, cines, escuelas, teatros, piscinas. No se propuso, naturalmente, repetir las experiencias del arte ideológico —patrimonio de los epígonos sin ideas— y menos aún *decorar* las paredes públicas. Nada más ajeno a su temperamento ascético y especulativo que la decoración. No, su ambición era de índole muy distinta: mediante la conjunción de pintura, escultura y arquitectura, inventar un nuevo espacio.

Los años de consolidación del régimen nacido de la Revolución Mexicana (1930-1945) fueron también los del gradual apartamiento de las corrientes universales en la esfera del arte y la literatura. Al final de este periodo el país volvió a encerrarse en sí mismo y el movimiento artístico y poético, originalmente fecundo, degeneró en un nacionalismo académico no menos asfixiante y estéril que el europeísmo de la época de Porfirio Díaz. Los primeros en rebelarse fueron los poetas y, casi inmediatamente, los siguieron los novelistas y los pintores. Entre 1950 y 1960 la generación a que pertenece Felguérez —Cuevas, Rojo, Gironella, Lilia Carrillo, García Ponce— emprendió una tarea de higiene estética e intelectual: limpiar las mentes y los cuadros. Aquellos muchachos tenían un inmenso apetito, una curiosidad sin límites y un instinto seguro. Rodeados por la incomprensión general pero decididos a restablecer la circulación universal de las ideas y las formas, se atrevieron a abrir las ventanas. El aire del mundo penetró en México. Gracias a ellos los artistas jóvenes pueden ahora respirar un poco mejor.

Después, en la década siguiente, cada uno prosiguió su aventura personal y se enfrentó a sus propios fantasmas. Temperamento especulativo y que desmiente por la claridad, precisión y profundidad de su pensamiento el célebre dicho de Duchamp (''tonto como un pintor''), Felguérez terminó este periodo de búsqueda exterior con una búsqueda interior. No en busca de sí mismo sino en busca de otra plástica. El resultado de ese examen crítico fueron los relieves policromos de 1960-1970. Esta experiencia, como era de preverse en un artista tan lúcido y exigente consigo mismo, lo llevó a otra experiencia: la constituida por las obras que componen esta exposición y que el artista, acertadamente, ha llamado *El espacio múltiple*.

Con sus nuevas obras Felguérez pasa del espacio público del muro al espacio multiplicador de espacios. A partir de una forma y de un color de dos dimensiones, por sucesivas combinaciones tanto más sorprendentes cuanto más estrictas, llega al relieve y del relieve a la escultura. Tránsito lógico que es también metamorfosis de las formas y construcción visual. Cada forma es el punto de partida hacia otra forma: espacio productor de espacios. El artista disuelve así la separación entre el espacio bidimensional y el tridimensional, el color y el volumen.

El espejo, que es el intrumento filosófico por excelencia: emisor de imágenes y crítico de las imágenes que emite, ocupa un lugar privilegiado en los objetos plásticos de Felguérez: es un re-productor de espacios. Otra nota distintiva: el artista no concibe al *múltiple* como mera producción en serie de ejemplares idénticos; cada ejemplar engendra otro y cada una de esas reproducciones es la producción de un objeto realmente distinto. El arte público de Felguérez es un arte especulativo. Juego de la variedad y de la identidad, el gran misterio que no cesa de fascinar a los hombres desde el paleolítico. En la regularidad cósmica —revoluciones de los cuerpos celestes, giros de las estaciones y los días— se enlazan repetición y cambio. *El espacio múltiple* de Felguérez es una analogía plástica e intelectual del juego universal entre lo uno y lo otro: las diferencias no son sino los espejismos de la identidad al reflejarse a sí misma; a su vez, la identidad sólo es un momento, el de la conjunción, en la unión y separación de las diferencias.

En *El espacio múltiple* Felguérez hace la crítica de su obra de muralista-escultor. A través de esa crítica logra una nueva síntesis de su doble vocación, la especulativa y la social. Su análisis de las formas se resuelve en una suerte de conceptualismo, para emplear un término de moda, que podría acercarlo a la descendencia de Duchamp. Pero el conceptualismo de esos artistas es una desencarnación y Felguérez tiende precisamente a lo contrario: su arte es visual y táctil. No es un texto que habla sino un objeto que se muestra. Las proposiciones de Felguérez no nos entran por los oídos sino por los ojos y el tacto: son cosas que podemos ver y tocar. Pero son cosas dotadas de propiedades mentales y animadas no por un mecanismo sino por una lógica.

Los espacios múltiples no dicen: silenciosamente se despliegan ante nosotros y se transforman en otro espacio. Sus metamorfosis nos revelan la racionalidad inherente de las formas. Los espacios literalmente se hacen y edifican ante nuestros ojos con una lógica que, en el fondo, no es distinta a la de la semilla que se transforma en raíz, tallo, flor, fruto. Lógica de la vida. *Formas-ideas*, dice Felguérez, excelente crítico de sí mismo. Pero no hay nada estático en ese mundo: las formas, imágenes de la perfección finita, producen por la combinación de sus elementos metamorfosis infinitas. No un espacio para contemplar sino un espacio para construir otros espacios. Un arte que tiene el rigor de una demostración y que, no obstante, en las fronteras entre el azar y la necesidad, produce objetos imprevisibles. Los objetos de Felguérez son proposiciones visuales y táctiles: una lógica sensible que es asimismo una lógica creadora.

Cambridge, Mass., 16 de noviembre de 1973

IN

DESCRIPCIÓN DE JOSÉ LUIS CUEVAS*

José Luis Cuevas (Puma, León mexicano o gato montés: *Felis concolor*). Artista carnívoro cuya atracción principal reside en su gracia flexible, sus movimientos sinuosos, la ferocidad elegante de su dibujo, la fantasía grotesca de sus figuras y los resultados con frecuencia mortíferos de sus trazos. Este artista pasa, en un abrir y cerrar de ojos, sin causa aparente, de momentos de reposo plácido a otros de furia relampagueante. Los artistas de esta familia felina suelen ser osados, temerarios y, al mismo tiempo, pacientes y solícitos; después, sin transición, salvajemente crueles. La natural sutileza del ejemplar que describimos roza con la crueldad. Esta mezcla contradictoria le ha conquistado la admiración general pero también la envidia y el resentimiento de muchos.

Es originario del hemisferio occidental; a veces se le encuentra en el Golfo de Hudson y otras en los llanos de la Patagonia. Sin embargo, recientemente ha emigrado a Lutecia y ha comenzado a aterrorizar a los vecinos y vecinas del XVI *arrondissement*. Es el rival del jaguar, el león, el águila, el rinoceronte, el oso, el unicornio y las otras grandes bestias de presa que merodean por las selvas del arte. Es el enemigo natural de las víboras de cascabel, los ratones, las ratas, los pavorreales, los zopilotes y los otros críticos, pintores y literatos que se alimentan de cadáveres y otras inmundicias. Lo menos parecido a este artista: los tlaconetes.

* Para una futura *Historia natural de los artistas mexicanos*.

Su figura es popular en los anales de la hechicería y el folklore. En algunos poblados ha sido divinizado, sobre todo entre las llamadas "sectas furiosas", como las bacantes y las ménades; en ciertos barrios de las afueras, eternamente crepusculares, su nombre es anatema y lo exorcisan con el antiguo método del "ninguneo" y con el no menos antiguo del ladrido.

Poderosamente construido, aunque no de gran talla, sus movimientos son rápidos y bien coordinados. Su ágil imaginación se complementa con su sentido del equilibrio: cuando salta para dar el zarpazo o se precipita de una altura, cae siempre de pie. Su cerebro es grande y su lengua es capaz de arrojar proyectiles verbales con gran puntería, lo que la convierte en un arma ofensiva y defensiva de gran alcance.

Pero sus miembros más especializados y eficaces son los ojos y las manos. Los ojos están adaptados a tres funciones: clavar, inmovilizar y despedazar. El artista clava con la mirada a su víctima, real o imaginaria; a continuación la inmoviliza en la postura más conveniente e, inmediatamente, procede a cortarla en porciones pequeñas para devorarla. Canibalismo ritual.

Las manos, especialmente la derecha, completan la operación. Provista de un lápiz o un pincel, guiada por los ojos e inspirada por la imaginación, la mano traza sobre el papel figuras y formas que, de una manera imprevisible, corresponden a la víctima, pero ya transfigurada y vuelta *otra*. Esta segunda parte de la operación consiste simplemente en la resurrección de la víctima, convertida en obra de arte.

Cazador solitario, sus hábitos son nocturnos; su retina es extrasensitiva por la presencia de una crecida dosis de imaginación que la hace brillar en la oscuridad como si fuese un faro. Su olfato está desarrolladísimo. Sus hábitos sexuales, muy conocidos, confirman la ley fourierista de la "atracción apasionada" o universal gravitación sexual de los cuerpos. El pensamiento de este artista está regido por los principios del magnetismo y la electricidad.

IN   México, 10 de marzo de 1978

EL DIABLO SUELTO

Constelación del deseo y de la muerte
Fija en el cielo cambiante del lenguaje
Como el dibujo obscenamente puro
Ardiendo en la pared decrépita.

CONOCÍ a Antonio Peláez cuando tendría unos diecisiete años. Acababa de regresar de España y vivía con uno de sus hermanos, el escritor Francisco Tario, mi vecino y amigo. Un día Francisco me dijo: "Toño pinta y me gustaría que vieses lo que hace. Como él no se atreve a mostrarte sus cosas, lo mejor será que las veas cuando no esté en casa." Unos días después Francisco y Carmen, su mujer, me llamaron: Antonio había salido y ellos me esperaban para enseñarme las pinturas. Lo primero que me sorprendió fue la singular (ejemplar) indiferencia de aquel muchacho frente al arte que dominaba aquellos años. Pero si en sus cuadros no había reminiscencias de los muralistas y sus epígonos, en cambio sí era indudable que había visto con una *sensibilidad inteligente* la pintura de Julio Castellanos y la de Juan Soriano. Esas preferencias indicaban una doble pasión: la voluntad de orden y el impulso poético. La geometría y el juego. En sus cuadros de adolescente ya estaban las semillas de su obra futura. Se me ocurrió que a José Moreno Villa —poeta, pintor y crítico de arte: tres alas y una sola mirada de pájaro verderol— le interesaría conocer la pintura de Antonio. No me equivoqué. Se conocieron y unas pocas semanas más tarde Peláez trabajaba en el estudio de Moreno Villa. Mientras pintaban, oían jazz, bebían jarros de cerveza y el viejo poeta español recordaba a García Lorca o a Buñuel, a Juan Ramón o a Gómez de la Serna. Así empezaron los años de aprendizaje de Antonio Peláez, pintor y amigo de los poetas.

No creo que el tímido surrealismo de Moreno Villa haya dejado huellas en la pintura de Antonio. Creo, sí, que su conversación y su poesía le abrieron ventanas. Más tarde hubo un encuentro decisivo: Rufino Tamayo. Después, viajes: París, Madrid, Nueva York, Milán, Llanes, Salónica, Constantinopla. Otros encuentros: Micenas y Tapiès, un montón de pedruscos golpeados por el Cantábrico y Rothko, Dubuffet y un insoportable mediodía en Maine Street, en Olivo Seco, Arizona. Viajar para ver, ver para pintar, pintar para vivir. Un día el pintor se quedó solo consigo mismo: fin del aprendizaje, comienzo de la exploración interior. Había abierto los ojos para ver el mundo: los cerró para verse a sí mismo. Cuando los abrió de nuevo, había olvidado todo lo aprendido. Los cuadros de esta exposición son el resultado de ese desaprendizaje.

El espacio que configuran la mayoría de las telas de Antonio Peláez es otro espacio: el muro urbano. Pared de colegio o de prisión, de patio de vecindad o de hospital; superficie que es más tiempo que espacio, sufrida extensión sobre la que el tiempo escribe, borra y vuelve a escribir sus signos adorables o atroces: las pisadas del amanecer, las huellas de las rodillas desolladas de la noche, la violencia que germina bajo un párpado entreabierto, el horror que deshabita una frente, la memoria que golpea puertas, la memoria que palpa a tientas la pared. Peláez pinta el espacio del espacio: el cuadro es la pared y la pared es el cuadro. Espacio donde se despliegan los otros espacios: el mar, el cielo, los llanos, el horizonte, otra pared. La función del muro es doble: es el límite del mundo, el obstáculo que detiene a la mirada; y es la superficie que la mirada perfora. Los ojos, guiados por el deseo, trazan en el muro sus imágenes, sus obsesiones. La mirada lo convierte en un espejo magnético donde lo invisible se vuelve visible y lo visible se disipa. El cuadro es una pared: la casa de lo azul, el jardín de las esferas y los triángulos, la torre de los soles, la cal que guarda las huellas digitales de la luz. En el cielo rosado del cuadro amanece un paisaje —más exactamente: el presentimiento de un paisaje— iluminado apenas por un sol infantil que sale por entre las grietas que han hecho en el muro las uñas de los días. La pared es el mundo reducido a unos cuantos signos: orden, lujo, calma, voluptuosidad: hermosura.

Las cuatro palabras que acabo de citar (Baudelaire) se asocian en parejas contradictorias: orden/lujo, calma/voluptuosidad. El orden es un valor que alcanza su perfección cuando no le falta ni le sobra nada; el lujo es una demasía, un exceso: el lujo trastorna al orden. La calma es la recompensa espiritual del orden, pero la voluptuosidad la altera: la agitación del placer transforma en jadeo a la calma. El lujo y la voluptuosidad son transgresiones del orden y la calma. Unos son potencias sensuales, corporales; los otros son valores intelectuales, morales. El orden es economía, la sensualidad es gasto vital; uno es proporción visual, la otra es oscuridad sexual. En la pintura de Peláez la transgresión del orden por la sexualidad se expresa por la irrupción de un niño que pintarrajea el cuadro con monos obscenos, araña los colores, pincha los volúmenes, traza figuras indecentes o agresivamente idiotas sobre los triángulos y hexágonos sacrosantos, viola continuamente los límites del cuadro, pinta al margen garabatos y así vuelve irrisoria o inexistente la frontera entre el arte y la vida. La crítica pueril opera dentro del cuadro-pared y lo convierte en una verdadera pared-cuadro. El rito público de la pintura se transforma en la transgresión privada del *graffito*. El cuadro del pintor Peláez sufre continuamente la profanación del niño Peláez. Esa profanación a veces es la agresión de la sexualidad fálica; otras veces, las más, se manifiesta como vuelta a la sexualidad pregenital, perversa y poliforme: erotización infantil de todo el cuerpo y todo el universo. La libido pregenital es risueña, paradisíaca y total; vive en la indistinción original, antes de la separación de los sexos y las funciones fisiológicas, antes del bien y el mal, el yo y el tú. Antes de la muerte. Es la gran subversión. La gran pureza.

Como otros pintores de nuestra época, Antonio Peláez ha sentido la fascinación de la pared. En su caso no se trata de una predilección estética sino de una fatalidad psíquica. Como todo artista auténtico, Peláez ha transformado esa fatalidad en una libertad y con esa libertad ha construido una obra. Su pintura nos seduce por las cualidades estéticas que designan las palabras orden y calma; también por la sobriedad —lujo supremo. Pero la verdadera seducción es de orden moral: el artista se propone poner en libertad al niño que todos llevamos dentro. Antonio Peláez podría decir como Wordsworth: ''el hombre es el hijo del niño''. Los poderes infantiles son los poderes del juego. Esos poderes son terribles y son divinos: son poderes de creación y destrucción. Los niños, como los dioses, no trabajan: juegan. Sus juegos son creaciones y destrucciones, lo mismo si juegan en un excusado o en Teotihuacán. En la pared metafísica de Peláez las inscripciones delirantes, obscenas o indescifrables son la transcripción de las danzas, los prodigios, los sacrificios, los crímenes y las copulaciones que nos relatan las mitologías. Los garabatos del niño son la traducción al lenguaje del cuerpo de los cuentos de la creación y destrucción de los mundos y los hombres. Todos los días y en todas las latitudes los niños repiten (*re-producen*) en sus juegos los mitos sangrientos y lascivos de los hombres. Todos los días los padres y los maestros —jueces y carceleros— castigan a los niños. La pintura de Peláez es la venganza del niño que ha tenido que pasar horas y horas de cara a una pared. El muro del castigo se volvió cuadro y el cuadro se volvio espacio interior: lugar de revelación no del mundo que nos rodea sino de los mundos que llevamos dentro. Los soles infantiles que arden en la pintura-pared son explosiones psíquicas; no son signos, no son legibles —salvo como los signos de un estallido. Son las devastaciones y resurrecciones del deseo. El desaprendizaje de Antonio Peláez fue la reconquista de la mirada salvaje del niño.

IN   México, 27 de agosto de 1973

PINTURAS DE RODOLFO NIETO*

EL POETA Juan Ramón Jiménez decía: "hay que ser entusiasta con los jóvenes, exigente con los maduros, implacable con los viejos". Confieso que el método me parece más pedagógico que crítico. Cierto, los muchachos merecen estímulo; pero toda obra, cualquiera que sea la edad del artista, ha de ser juzgada con entusiasmo, exigencia y de una manera implacable. Con entusiasmo porque sólo podemos hablar con verdad de aquello que nos inspira y apasiona; con exigencia porque nuestro amor ha de ser lúcido y debe someter a prueba al objeto que de tal modo nos arrebata; y nuestro juicio tiene que ser implacable porque, dentro de este aquí y este ahora, es un juicio absoluto. No importa que la obra, considerada perfecta un día, bajo otra luz nos revele flaquezas que no advertimos al principio; o que nuestra comprensión, cerrada durante años ante aquel poema o este cuadro, descubra de pronto que la opacidad no estaba en ellos sino en nuestro espíritu. No digo que nuestros juicios efectivamente sean absolutos; afirmo que todo juicio, si de veras lo es, tiende a ser absoluto. Y esto por dos motivos. Uno: la necesidad interior del lector, espectador u oyente, que busca siempre en la obra de arte un más allá o un más acá (llámense como se llamen esos extremos: perfección, maravilla, vacío, beatitud, horror, esencia, realidad). Y el otro: las obras de arte no tienen edad o, mejor dicho, aspiran a no tenerla; aunque son

* Presentación de Rodolfo Nieto, en el catálogo de su primera exposición en París (Galerie de France), 1964.

tiempo quieren ser más que tiempo —sin dejar de serlo: instantes absolutos. Nada más natural que nos exijan opiniones simultáneamente instantáneas y absolutas.

Después de escrito el párrafo anterior, ¿qué decir de las pinturas de Rodolfo Nieto? Como joven, merecería estímulo. Como artista, lo que pide y merece es un juicio entusiasta, exigente e implacable. Procuraré justificar mi entusiasmo; si lo consigo, habré sido lúcido —única manera, en arte, de ser implacable.

Conocí a Rodolfo Nieto y a su mujer cuando acababan de llegar de París, hace unos tres años. Parecían dos pájaros o dos ardillas, perdidos en la ciudad. Pensé que eran demasiado frágiles. Olvidaba que ahí donde la piedra se rompe, el grano crece; ahí donde la punta de acero se embota, la gota de agua perfora un camino. Vivían en un cuartito de la Ciudad Universitaria. Tenían un gato, una guitarra y unos cuantos libros. Rodolfo trabajaba sin cesar. Lo vi pintar cientos de cuadros y cubrir de líneas todos los trozos de papel que caían en sus manos. A los pocos meses, casi todas aquellas obras desaparecían. Con la misma pasión inflexible con que las había creado, las desechaba. El estudio, inmaculado siempre, volvía a quedarse desnudo. El ascetismo me inspira cierta desconfianza, pero tanto rigor, aliado a tanta juventud, me impresionó. Pronto descubrí que su exigencia no era inhumana. La destrucción de unos cuadros, como si se tratase de un holocausto ritual, provocaba la aparición de otros. Su rigor alimentaba una incesante alegría de crear. Se mantenía así en un continuo equilibrio, nunca demasiado seguro de sí, nunca por completo desfalleciente, siempre con la cara seria y los ojos sonrientes. Avanzaba con gran velocidad y, al cabo de la jornada, no había cambiado de lugar. En realidad, giraba en torno de sí mismo. Buscaba su centro. Aún lo busca.

Rodolfo Nieto es mexicano. En su caso esto es un dato —como la fecha de nacimiento o el color del pelo— no una definición ni una estética. Su mexicanismo —si en verdad existe lo que llaman carácter nacional o racial— es secreto e involuntario, algo más dado que buscado. No le hubiera sido difícil, por lo demás, pescar (ésa es la palabra) en el mar del pasado precolombino y extraer de sus profundidades dos o tres novedades milenarias. O recoger las migajas del arte popular de su provincia y ofrecer con esos restos un banquete a los hambrientos de arcaísmo o exotismo. Para lograr ciertos efectos basta un poco de olfato y de habilidad maliciosa. Se dirá que Tamayo descubrió un mundo de relaciones espaciales en la antigua escultura mexicana y que su color tiene una viva correspondencia con el arte popular. Pero eso fue, más que un descubrimiento, una creación auténtica. Algo irrepetible. La tradición en las artes se define por la invención; cada obra realmente importante es única y en su esencia inimitable. Inclusive dentro de un estilo o una manera, lo que cuentan son las variaciones: la historia de un estilo es la de sus cambios. Al prohibirse la facilidad del gesto de imitación, Nieto se salvó de la impostura moral. Con la misma sencillez con que se negó a manufacturar objetos curiosos, se rehusó a convertirse en un objeto de curiosidad. Nada más alejado de su actitud que esa ingenua, aunque indecente, superchería que consiste en pasearse por los salones de los civilizados con un atavío de salvaje de vitrina.

Junto a la tentación del folklore, la otra acaso más poderosa del objeto *up to date,* es decir, la tentación del folklore urbano.[1] La primera es una nostalgia de lo que nunca fuimos; la segunda es una rabiosa avidez de presente. Es la seducción del vacío porque el presente nunca se nos da

---

[1] O sea: *pop-art* y sus aledaños.

como presencia sino como acto. Su esencia es ser posibilidad y por eso no tiene forma o, lo que viene a ser lo mismo, tiene mil formas a la vez. El presente es literalmente invisible. Nunca se presenta y sólo se hace presente cuando deja de ser acto y se transfigura en obra. Mientras vivimos no nos damos cuenta de que vivimos. En las pausas del vivir —recreaciones de la memoria o creaciones de la imaginación— lo vivido encarna en una presencia que al fin podemos contemplar.

El amor por el presente es fúnebre en su vivacidad. En su forma más extendida es la moda (máscara de la muerte, decía Leopardi). En sus expresiones más osadas y lúcidas es el elemento trágico del arte moderno (pienso en la poesía de Apollinaire). Algunas de las obras más vitales de los últimos años —las que no son repeticiones sin riesgo de los gestos de los dadaístas y surrealistas— están atravesadas, por decirlo así, por este gran apetito de morir. Ahora bien, el folklore contemporáneo tiene en común con el folklore tradicional su tendencia a cubrir el hueco del presente no con la presencia sino con sus atributos, con aquello que la engendra o que la evoca. Por eso, en su forma más pura, es más un acto que una obra. Otras veces es un simulacro, una ceremonia en torno a una ausencia. O es un hacer pintura sin pintar (como en el *collage*, el gran hallazgo de los maestros modernos). Si se piensa que la esencia de la pintura es la presencia —la presentación ante los ojos, cualquiera que sea lo que se presenta a condición de ser la apariencia pintada y no la cosa misma—, no es difícil advertir que esta tendencia, por los medios que emplea o por los resultados a que llega, es un ir más allá de la pintura. La resistencia de Nieto ante este camino se inspira sin duda en las mismas razones de su repulsa del arcaísmo. A pesar de su juventud —¿o a causa de ella?—, escogió lo más difícil: quedarse en la pintura, ir hacia la presencia.

Vivimos en un mundo repleto de objetos que se disputan nuestra atención. Unos nos amenazan, otros nos sonríen. Son las dos caras de la ciudad. La industria lanza todos los días combinaciones de formas, sonidos y colores que de esta o aquella manera nos invitan a usar las cosas; y con pareja abundancia, por todas partes se levantan muros y letreros que nos advierten: no hay paso. Alto y adelante, obstáculos y convites, constituyen un sistema de señales. Y todo está a la vista. Sólo que la distancia entre las cosas y el hombre, que es lo que hace posible la visión y la reflexión, ha cesado prácticamente de existir. Roger Munier ha dedicado hace poco un penetrante ensayo a esta "civilización de la mirada" que, en realidad, ha perdido la visión: son los objetos los que nos miran e hipnotizan.[2] Mundo abigarrado de signos, más que de imágenes, del que ha desaparecido aquello que podemos contemplar sin miedo de ser poseído o sin avidez de poseer —aquello que no se gasta con el uso: las presencias. Nadie sabe a dónde se han ido pero todos sabemos que se fueron por el mismo hoyo que se tragó a las esencias.

Desde hace más de medio siglo —o sea con cierto retraso, ya que la poesía y la filosofía lo descubrieron antes— la pintura se enfrenta a esta situación y, por decirlo así, nos la ha hecho visible: al abrirnos los ojos, nos reveló que no había nada que ver. Inmediatamente, con el mismo encarnizamiento, se dedicó a inventar otra vez las presencias. Es inútil discutir si lo ha conseguido o no. La pintura moderna es un acto de fe. Yo diría que su tentativa no le ha devuelto al mundo su presencia, pero le ha dado al hombre la posibilidad de verse a sí mismo como un inagotable surtidor de visiones. Y así, la pintura se ha convertido en un rival de la poesía y la música, artes más libres de la

[2] *Contre l'image*, Gallimard, 1963.

apariencia exterior. Desde esta perspectiva el caso de Nieto me entusiasma y me intriga. Dije que escogió lo más difícil: quedarse en la pintura. Esto significa empezar por el principio: saber que no hay presencias. Saberlo con los ojos y con el espíritu: aceptar ser un principiante. Nieto lo sabe y no tiene miedo de serlo. Los cuadros que nos muestra, sin orgullo y sin rubor, son cuadros de un principiante. ¿Principia algo en ellos?

Líneas, trazos, pinceladas y, en general, el ritmo de sus formas, es rápido y tiende a la espiral o al torbellino. En el centro o en un extremo del cuadro el movimiento se fija, sin congelarse, en una prefiguración de ojos, bocas, picos. A veces los trazos negros o blancos, sobre un fondo vibrante de color, hacen pensar en una escritura de huesos, danza de esqueletos a la luz de los fuegos de artificio. Sus colores van de lo solar a lo lunar con una intensidad que se detiene justo al borde de la violencia. Mariposas, plumas, sedas —un mundo de espectros coloridos y en el que aparecen de pronto una garra, unas uñas, un fémur, una boca cruel. Lo delicado y lo terrible. Y todo como si desde el fondo de la tela —cálido, sacudido por ondas sombrías o centelleantes— ascendiese un oscuro deseo de encarnación que nunca llega a cumplirse, a saciarse, en una forma final. Animación que se resuelve en fijeza y horror. Pintura lírica, en el sentido en que las cosas están más sugeridas que dichas. En los *gouaches* abundan —aunque también aparecen, con menos frecuencia, en los óleos— alusiones a un mundo fantástico, principalmente animal. El arte de Nieto se inspira en la tradición visionaria de la pintura y la poesía.

Gran enamorado de la literatura de imaginación, Nieto ha ilustrado un libro de Jorge Luis Borges (*Zoología fantástica*) con una comprensión y una sensibilidad admirables. Su devoción por el escritor argentino, y por otros poetas de la misma familia espiritual, confirma la impresión que producen sus cuadros: estamos ante un artista en el que la imaginación ocupa un lugar central. Pero imaginación es una palabra demasiado vasta. En su caso se trata de lo que podría llamarse *razón fantástica*. O sea: una fantasía en la que lo maravilloso es el resultado de una necesidad lógica. Paso a paso, de manera gradual e inexorable, se nos conduce por un sinuoso corredor a cuyo término nos espera una imagen (o una proposición) que, aceptada por la razón, es intolerable para el espíritu. Los mejores cuadros de Nieto son evocaciones o convocaciones de esa imagen final. Experiencia que consiste, para decirlo apresuradamente, en mostrarnos el carácter indescifrable de la realidad. Para este joven la pintura no es sino un manera de conjurar esa presencia que se enconde en cada cosa y en cada ser, que no está en ninguna parte y que nos sale al paso en los lugares y en los momentos más inesperados. Rodolfo Nieto ha puesto sus grandes e indudables dones de pintor al servicio de su visión interior. Esta exposición podría llamarse: Ejercicios de Contemplación. La presencia —no la que inventamos sino la que descubrimos, la que llevamos dentro— está a punto de aparecer en estos cuadros.

Delhi, 7 de diciembre de 1963

PC

467

PINTURA MEXICANA
CONTEMPORÁNEA *

HAY expresiones engañosas. Por ejemplo, *pintura moderna*: tiene la edad del siglo. Otra denominación ambigua: *Escuela de París*. No fue realmente una escuela sino una sucesión de tendencias y maneras, un conjunto de movimientos en los que participaron decisivamente grandes pintores de distintos países: españoles, italianos, holandeses, alemanes, rusos. El carácter cosmopolita de la *Escuela de París* subraya, precisamente, su modernidad. Mejor dicho, subraya su caracter paneuropeo: la pintura moderna nació, casi simultáneamente, en París y en Munich, en Milán y en Petrogrado, para citar sólo a los centros de irradiación más conocidos. Fue una de las últimas expresiones de esa Europa que nació en el siglo XVIII y que, no sin desgarramientos, sobrevivió hasta 1914 sólo para ser destruida por los nacionalismos imperialistas. Después de la Primera Guerra, uno a uno se apagaron los focos del arte moderno, salvo el de París. Aunque es un fenómeno que no ha sido estudiado todavía, es razonable atribuir la extinción de esos movimientos a la combinación de dos circunstancias adversas. La primera: entre todas las ciudades en donde surgieron movimientos artísticos de importancia, la única verdaderamente internacional era París; la segun-

* Presentación de la exposición "Pintado en México", Madrid, 1983. Artistas: Gunther Gerzso, Juan Soriano, Manuel Felguérez, Alberto Gironella, Vicente Rojo, Roger von Gunten, José Luis Cuevas y Francisco Toledo.

da: las revoluciones y contrarrevoluciones que triunfaron en Rusia, Italia y Alemania eran enemigas consubstanciales del arte moderno y, sobre todo, de dos de sus principios cardinales: el internacionalismo y la libertad de creación. No es extraño, así, que las distintas y contradictorias tendencias que habían hecho del arte moderno un todo vivo, emigrasen y se concentrasen en París. Era la única gran ciudad europea libre y que, desde el principio del siglo, a diferencia de Londres, estaba abierta a todos los vientos del arte. La Segunda Guerra acabó con París como centro mundial, fue el fin del periodo puramente europeo del arte del siglo XX.

El movimiento artístico moderno nació en Europa pero pronto conquistó a los otros continentes. La expansión comenzó en América: en 1913 se celebró en Nueva York una gran exposición (Armory Show), en la que los artistas europeos de vanguardia mostraron sus obras por primera vez fuera del Viejo Continente. Sin embargo, hubo que esperar más de treinta años para que el arte norteamericano se desprendiese del europeo y dejase de ser un mero reflejo provincial. Lo mismo sucedió en otras partes. La excepción fue México: aquí surgió, hacia 1920, un arte moderno con caracteres propios e inconfundibles. Entre 1920 y 1940 el arte mexicano combinó, no pocas veces con fortuna, dos elementos en apariencia irreductibles: un vocabulario estético internacional y una inspiración nativa. Los artistas mexicanos adoptaron y recrearon ciertas tendencias del arte de esa época, especialmente el expresionismo. La reelaboración de esas tendencias fue muchas veces poderosa y original: más que un transplante fue una metamorfosis. La fusión fue fecunda porque el elemento natural, el suelo y el cielo en que crecieron esos estilos, fue no tanto una naturaleza como una historia. Quiero decir: una naturaleza —gentes, cosas, formas, colores, paisajes, atmósfera— vista y vivida a través de una historia singular e irreductible a la historia europea. Conjunción de dos descubrimientos: los artistas mexicanos descubrieron el arte moderno al mismo tiempo en que, por obra de la Revolución de México, descubrían la realidad oculta pero viva de su propio país. Sin ese doble descubrimiento no habría existido el movimiento pictórico mexicano. La Revolución reveló a los mexicanos la realidad de su tierra y su historia; el arte moderno enseñó a los artistas a ver con ojos nuevos esa realidad.

En su mejor momento la pintura mexicana fue una vertiente original del arte de la primera mitad del siglo. Hacia 1930 alcanzó su mediodía; después, como todos los movimientos, comenzó a declinar, aunque no sin antes haber influido en varios conocidos pintores norteamericanos que más tarde abrazarían el expresionismo abstracto. La pintura mexicana fue víctima de una doble infección, dos supersticiones que fueron dos prisiones: la ideología y el nacionalismo. La primera cegó la fuente de la renovación interior: la libertad y la crítica; la segunda cerró las puertas de la comunicación con el exterior. Esclerosis y repetición: los pintores comenzaron a imitarse a sí mismos. Hacia 1940 un grupo de artistas notables rompió el aislamiento, renunció a la retórica ideológica y decidió explorar por su cuenta dos mundos: el de la pintura universal y el suyo propio. Estos artistas no sólo cambiaron y renovaron el arte mexicano sino que a ellos les debemos algunas de sus obras mejores.

Al mismo tiempo, en Nueva York, el arte norteamericano, representado por poderosas personalidades, apareció como el heredero directo de la vanguardia europea. Continuidad y, asimismo, ruptura: el expresionismo abstracto se presentó como una síntesis y una superación del automatismo pasional surrealista y de las geometrías neoplatónicas de la pintura abstracta. Al expresionismo abstracto sucedió una tendencia menos vigorosa, el *pop-art,* que en su desenfado recordó a Dadá, aunque aligerada de pasión metafísica y ya sin fascinación ante la muerte.

Durante esos años Nueva York ocupó el lugar central que París había tenido antes de la Segunda Guerra. Sin embargo, las diferencias eran (y son) enormes. En realidad, desde hace ya bastante tiempo, Nueva York ha sido antes que nada el teatro —o más exactamente: el circo— de la descomposición de la vanguardia. En menos de treinta años, después de convertirse en una academia, es decir: en procedimiento y manera, la vanguardia se ha transformado en moda. El arte como objeto, a un tiempo, de uso y de especulación financiera. Nueva York sigue siendo un centro, pero no hay que confundir la hegemonía del mercado con la fertilidad, la imaginación y la facultad de creación.

La verdad es que debe renunciarse a la superstición de los centros: la creación artística, en todas las épocas, ha sido rebelde lo mismo a la uniformidad que a la centralización. Los mejores periodos artísticos han sido los de la coexistencia de diversos focos de creación; los estilos locales son siempre vivaces mientras que en los imperiales triunfa la máscara sobre el rostro vivo. Desde hace más de veinte años hemos sido testigos del renacimiento de escuelas, movimientos, tendencias y personalidades que pertenecen a una nación o una ciudad, no a un centro mundial. Es un fenómeno que se despliega en dirección contraria al proceso de centralización que ha terminado por esterilizar a los artistas y uniformar a sus creaciones. La existencia simultánea de distintos focos nacionales, verdaderos ejes en relación unos con otros pero autónomos, es un movimiento análogo al que se advierte en otros campos: la política, la religión, la cultura. Más que un regreso es una re-

471

surrección. Estos movimientos, probablemente, le devolverán la salud al arte moderno. La salud: la diversidad, la espontaneidad, la auténtica originalidad, que es algo muy distinto a la engañosa novedad. Es alentador que uno de los primeros sitios en que se ha manifestado esta saludable reacción haya sido, justamente, España.

La situación de México no es esencialmente distinta a la que he descrito en forma sumaria. Nuestros artistas han sufrido, como todos, la fascinación y el vértigo del centro mundial pero, en general, han sabido ser fieles a sí mismos. Las tradiciones propias, que en el caso de México dan una suerte de gravedad espiritual al país, han sido un factor de equilibrio. Equidistantes de la seducción del mercado mundial, que da dinero y fama pero seca el alma, y de la fácil complacencia del provinciano que se cree el ombligo del mundo, nuestros pintores deben, al mismo tiempo y sin contradicción, conservar su herencia y cambiarla, exponerse a todos los vientos y no cesar de ser ellos mismos. Es un desafío al que se enfrenta cada generación y al que todas responden de una manera distinta.

Los ocho artistas que hoy exponen en Madrid, en un recinto del Banco Exterior de España, representan sin duda la porción central de nuestra pintura contemporánea. Gracias a ellos el arte mexicano de esta década posee carácter y diversidad, osadia y madurez. Tal vez faltan, para mi gusto, dos o tres nombres, pero no sobra ninguno: la exposición reúne a un conjunto de artistas que en sus obras nos muestran no sólo lo que es hoy la pintura mexicana sino lo que, en algunos casos, será mañana. Aunque las disyuntivas estéticas han sido y son las mismas para todos, las obras de cada uno de estos artistas expresan una visión individual del mundo y de la realidad. En contra de mis deseos, no puedo referirme a ninguno de ellos en particular: el objeto de estas páginas es, más bien, *situarlos*

472

en su contexto histórico y dentro de la perspectiva contemporánea. Por otra parte, he escrito varios estudios y poemas sobre casi todos ellos. Así, sólo debo repetir lo que he dicho varias veces: si se quiere saber lo que es la pintura viva de México, hay que ver las obras de estos pintores. Agrego que, entre ellas, se encuentran algunas que son centrales en el arte contemporáneo de América Latina.

Los artistas mexicanos que hoy presentan sus obras en España tuvieron, primero, que apropiarse el lenguaje de la pintura contemporánea y, después, hacerlo suyo. En esto procedieron como todos los artistas jóvenes del mundo. Además, han tenido que hacer frente a una circunstancia singular: son hombres de la segunda mitad del siglo XX pero pintan en un país en el que el pasado milenario es todavía un presente vivo (apenas si necesito recordar, por ejemplo, la persistencia y la vitalidad de las artes populares) ¿Se puede ser un artista de su tiempo y de su país cuando ese país es México? La respuesta a esta pregunta no es unívoca. Cada una de las obras de los ocho artistas es una respuesta, cada respuesta es distinta y cada una es válida. La pluralidad y aun el carácter contradictorio de esas respuestas no les quita validez. Tampoco invalida a la pregunta. Cada respuesta la cambia y, sin anularla, la transfigura. La pregunta es la misma siempre y, no obstante, en cada caso es distinta. En verdad, la pregunta no es sino un punto de partida: responderla es internarse en lo desconocido, descubrir una realidad enterrada o descubrirnos a nosotros mismos.

Por más diversas y desemejantes que sean las obras con que estos pintores responden a la informulada pregunta que les hace la realidad mexicana, hay un elemento que los une y que, en cierto modo, es una contestación que los engloba a todos: el arte no es una nacionalidad pero, asimismo, no es un desarraigo. El arte es irreductible a la tierra, al pueblo y al momento que lo producen; no obstante, es inseparable de ellos. El arte escapa de la historia pero está marcado por ella. La obra es una forma que se desprende del suelo y no ocupa lugar en el espacio: es una imagen. Sólo que la imagen cobra cuerpo porque está atada a un suelo y a un momento: cuatro chopos que se elevan del cielo de un charco, una ola desnuda que nace de un espejo, un poco de agua o de luz que escurre entre los dedos de una mano, la reconciliación de un triángulo verde y un círculo naranja. La obra de arte nos deja entrever, por un instante, el allá en el aquí, el siempre en el ahora.

México, 27 de septiembre de 1983

PM

TRIBUTOS

POEMA
CIRCULATORIO*
(PARA LA DESORIENTACIÓN GENERAL)

A Julián Ríos

ALLÁ
     sobre el camino espiral
insurgencia hacia
          resurgencia
sube a convergencia
          estalla en divergencia
recomienza en insurgencia
          hacia resurgencia
allá
     sigue las pisadas del sol
sobre los pechos
          cascada sobre el vientre
terraza sobre la gruta
          negra rosa
de Guadalupe Tonantzin
          (tel. YWHW)
sigue los pasos del lucero que sube
          baja
cada alba y cada anochecer
          la escalera caracol

* Escrito para la exposición "El Arte del Surrealismo", organizada por el Museo de Arte Moderno de Nueva York en la ciudad de México (1973). El poema fue pintado en el muro de una galería espiral que conducía a la exposición.

que da vueltas y vueltas
                    serpientes entretejidas
sobre la mesa de lava de Yucatán
                              (Guillaume
jamás conociste a los mayas
                              ((*Lettre-Océan*))
muchachas de Chapultepec
                         hijo de la çingada)
(Cravan en la panza de los tiburones del Golfo)

el surrealismo
               pasó pasará por México
espejo magnético
                 síguelo sin seguirlo
es llama y ama y llama
                      allá en México
no éste
        el otro enterrado siempre vivo
bajo tu mármomerengue
                      palacio de bellas artes
piedras sepulcrales
                   palacios
municipales arzobispales presidenciales

Por el subterráneo de la insurgencia
                              bajaron
subieron
        de la cueva de estalactitas
a la congelada explosión del cuarzo
                              Artaud
Breton Pèret Buñuel Leonora Remedios Paalen
                                        Alice

Gerzso Frida Gironella
                    César Moro
convergencia de insurgencias
                         allá en las salas
la sal as sol a solas olas
                    allá
las alas abren las salas
                    el surrealismo
NO ESTÁ AQUÍ
               allá afuera
                         al aire libre
al teatro de los ojos libres
                         cuando lo cierras
los abres
          no hay adentro ni afuera
en el bosque de las prohibiciones
                              lo maravilloso
canta
     cógelo
          está al alcance de tu mano
es el momento en que el hombre
                              es

el cómplice del rayo
                    Cristalización
aparición del deseo
                    deseo de la aparición
no aquí no allá sino entre
                    aquí/allá

NOTAS al "Poema Circulatorio"

• Este poema evoca (convoca) a distintos poetas y pintores surrealistas que vivieron (o viven aún) en México: Antonin Artaud, André Breton, Benjamin Péret, Luis Buñuel, Leonora Carrington, Remedios Varo, Wolfang Paalen, Alice Raho, Gunther Gerzso, Alberto Gironella, César Moro.

•• Guillaume Apollinaire: "Lettre-Océan". Fue el primer caligrama publicado por Apollinaire (1914). Dedicado a su hermano, Albert Kostrowitzky, que vivía en México (llegó en 1913 y murió aquí en 1919), está escrito sobre una "tarjeta postal de la República Mexicana". En "Lettre-Océan" se encuentra la frase que tanto intrigaba a André Breton (tu ne connaitras jamais bien les Mayas) y varias expresiones mexicanas como "hijo de la chingada" (escrito curiosamente a la italiana).

••• Arthur Cravan, poeta y boxeador. Huyendo de la guerra, se refugió en Barcelona, en 1916 (en Madrid el campeón Jack Johnson lo puso fuera de combate, por K.O., en el primer round), y después, en 1917, en Nueva York, donde la policía lo detuvo cuando intentaba desnudarse en el curso de una conferencia sobre el arte moderno (Marcel Duchamp: "Quelle belle conférence!"). A la entrada de los Estados Unidos en la guerra, Cravan se fugó y se estableció en México. Parece que fue profesor de cultura física y que en 1919 dio unas conferencias sobre el arte egipcio nada menos que en el Colegio Militar. El mismo año quiso cruzar, a bordo de una ligera embarcación, el Golfo de México y desapareció en sus aguas para siempre, como el dios Quetzalcóatl. Tenía 33 años.

SER NATURAL

A Rufino Tamayo

I

Despliegan sus mantos, extienden sus cascadas, desvelan sus profundidades, transparencia torneada a fuego, los azules. Plumas coléricas o gajos de alegría, deslumbramientos, decisiones imprevistas, siempre certeras y tajantes, los verdes acumulan humores, mastican bien su grito antes de gritarlo, frío y centelleante, en su propia espesura. Innumerables, graduales, implacables, los grises se abren paso a cuchilladas netas, a clarines impávidos. Colindan con lo rosa, con lo llama. Sobre sus hombros descansa la geometría del incendio. Indemnes al fuego, indemnes a la selva, son espinas dorsales, son columnas, son mercurio.

En un extremo arde la media luna. No es joya ya, sino fruta que madura al sol interior de sí misma. La media luna es irradiación, matriz de madre de todos, de mujer de cada uno, caracol rosa que canta abandonado en una playa, águila nocturna. Y abajo, junto a la guitarra que canta sola, el puñal de cristal de roca, la pluma de colibrí y el reloj que se roe incansablemente las entrañas, junto a los objetos que acaban de nacer y los que están en la mesa desde el Principio, brillan la tajada de sandía, el mamey incandescente, la rebanada de fuego. La media fruta es una media luna que madura al sol de una mirada de mujer.

Equidistantes de la luna frutal y de las frutas solares, suspendidos entre mundos enemigos que pactan en ese poco de materia elegida, entrevemos nuestra porción de totalidad. Muestra los dientes el Tragaldabas, abre los ojos el Poeta, los cierra la Mujer. Todo es.

II

Arrasan las alturas jinetes enlutados. Los cascos de la caballería salvaje dejan un reguero de estrellas. El pedernal eleva su chorro de negrura afilada. El planeta vuela hacia otro sistema. Alza su cresta encarnada el último minuto vivo. El aullido del incendio rebota de muro a muro, de infinito a infinito. El loco abre los barrotes del espacio y salta hacia dentro de sí. Desaparece al instante, tragado por sí mismo. Las fieras roen restos de sol, huesos astrales y lo que aún queda del Mercado de Oaxaca. Dos gavilanes picotean un lucero en pleno cielo. La vida fluye en línea recta, escoltada por dos riberas de ojos. A esta hora guerrera y de sálvese el que pueda, los amantes se asoman al balcón del vértigo. Ascienden suavemente, espiga de dicha que se balancea sobre un campo calcinado. Su amor es un imán del que cuelga el mundo. Su beso regula las mareas y alza las esclusas de la música. A los pies de su calor la realidad despierta, rompe su cáscara, extiende las alas y vuela.

III

Entre tanta materia dormida, entre tantas formas que buscan sus alas, su peso, su otra forma, surge la bailarina, la señora de las hormigas rojas, la domadora de la música, la ermitaña que vive en una cueva de vidrio, la hermosa que duerme a la orilla de una lágrima. Se levanta y danza la danza de la inmovilidad. Su ombligo concentra todos los rayos. Está hecha de las miradas de todos los hombres. Es la balanza que equilibra deseo y saciedad, la vasija que nos da de dormir y de despertar. Es la idea fija, la perpetua arruga en la frente del hombre, la estrella sempiterna. Ni muerta ni viva, es la gran flor que crece del pecho de los muertos y del sueño de los vivos. La gran flor que cada mañana abre lentamente los ojos y contempla sin reproche al jardinero que la corta. Su sangre asciende pausada por el tallo tronchado y se eleva en el aire, antorcha que arde silenciosa sobre las ruinas de México. Árbol fuente, árbol surtidor, arco de fuego, puente de sangre entre los vivos y los muertos: todo es inacabable nacimiento.

CARA AL TIEMPO*

A Manuel Álvarez Bravo

Fotos,
             tiempo suspendido de un hilo verbal:
Montaña negra/nube blanca,
                   Muchacha viendo pájaros.
Los títulos de Manuel
                no son cabos sueltos:
son flechas verbales,
             señales encendidas.
El ojo piensa,
           el pensamiento ve,
la mirada toca,
            las palabras arden:
Dos pares de piernas,
            Escala de escalas,
Un gorrión, ¡claro!,
            Casa de lava.
Instantánea
         y lenta mente:
lente de revelaciones.
Del ojo a la imagen al lenguaje
(ida y vuelta)
              Manuel fotografía
(nombra)
         esa hendedura imperceptible
entre la imagen y su nombre,

* Las palabras en cursiva son títulos de fotografías de Manuel Álvarez Bravo.

la sensación y la percepción:

                    el tiempo.

La flecha del ojo

            justo

en el blanco del instante.

                  Cuatro blancos.

cuatro variaciones sobre un trapo blanco:

lo idéntico y lo diferente,

cuatro caras del mismo instante.

Las cuatro direcciones del espacio:

el ojo es el centro.

                  El punto de vista

es el punto de convergencia.

La cara de la realidad,

                la cara de todos los días,

nunca es la misma cara.

                  Eclipse de sangre:

la cara del obrero asesinado,

planeta caído en el asfalto.

Bajo las sábanas de su risa

                  esconden la cara

Las lavanderas sobrentendidas,

grandes nubes colgadas de las azoteas.

¡Quieto, un momento!

                El retrato de lo eterno:

en un cuarto obscuro

                un racimo de chispas

sobre un torrente negro

                (el peine de plata

electriza un pelo negro y lacio).

El tiempo no cesa de fluir,

        el tiempo
no cesa de inventar,
           no cesa el tiempo
de borrar sus invenciones,
             no cesa
el manar de las apariciones.
                  Las bocas del río
dicen nubes,
         las bocas humanas
dicen ríos.
         La realidad tiene siempre otra cara,
la cara de todos los días,
             la que nunca vemos,
la otra cara del tiempo.

Manuel:
        préstame tu caballito de palo
para ir al otro lado de este lado.
La realidad es más real en blanco y negro.

NOTA ARRIESGADA

A Leonora Carrington

Templada nota que avanzas por un país de nieve y alas, entre despeñaderos y picos donde afilan su navaja los astros, acompañada sólo por un murmullo grave de cola aterciopelada, ¿adónde te diriges? Pájaro negro, tu pico hace saltar las rocas. Tu imperio enlutado vuelve ilusorios los precarios límites entre el hierro y el girasol, la piedra y el ave, el fuego y el liquen. Arrancas a la altura réplicas ardientes. La luz de cuello de vidrio se parte en dos y tu negra armadura se constela de frialdades intactas. Ya estás entre las transparencias y tu penacho blanco ondea en mil sitios a la vez, cisne ahogado en su propia blancura. Te posas en la cima y clavas tu centella. Después, inclinándote, besas los labios congelados del cráter. Es hora de estallar en una explosión que no dejará más huella que una larga cicatriz en el cielo. Cruzas los corredores de la música y desapareces entre un cortejo de cobres.

REVERSIBLE

A Alberto Gironella,
pequeño homenaje de admiración grande

En el espacio
          estoy
dentro de mí
          el espacio
fuera de mí
          el espacio
en ningún lado
          estoy
fuera de mí
          en el espacio
dentro
          está el espacio
fuera de sí
          en ningún lado
estoy
          en el espacio
etcétera

TOTALIDAD Y FRAGMENTO

A José Luis Cuevas

En hojas sueltas
                    arrancadas cada hora
hoja suelta cada hora
                    José Luis
traza un pueblo de líneas
                            iconografías del sismo
grieta vértigo tremedal
                            arquitecturas
en ebullición demolición transfiguración
sobre la hoja
                    contra la hoja
desgarra acribilla pincha sollama atiza
acuchilla apuñala traspasa abrasa calcina
pluma lápiz pincel
                            fusta vitriolo escorpión
conmemora condecora
                            frente pecho nalgas
inscribe el santo y seña
                            el sino
el sí y el no de cada día
su error su errar su horror
su furia bufa
                    su bofa historia
su risa
        rezo de posesa pitonisa
la filfa el fimo el figo
el hipo el hilo el filo
desfile baboso de bobos bubosos

tarántula tarantela

tarambana atarantada

teje trama entrelaza

líneas

sinos

un pueblo

una tribu de líneas

vengativo ideograma

cada hora

una hoja

cada hoja

página del juicio final

de cada hora

sin fin

fragmento total

que nunca acaba

José Luis dibuja

en cada hoja de cada hora

una risa

como un aullido

desde el fondo del tiempo

desde el fondo del niño

cada día

José Luis dibuja nuestra herida

ÍNDICES

ÍNDICES

ÍNDICE DE ILUSTRACIONES

metro: 15.9 cm. Altura: 20.5 cm. Museo de Arte de Dallas, Texas.

11. Arte maya. Guerrero. Numen de la orden "Los caballeros águilas". Fragmento de *La batalla*. Mural. Post-clásico temprano (900 d.C.). Cacaxtla, Tlax.

12. Arte maya. Escena de batalla. Mural. Post-clásico temprano (900 d.C.). Cacaxtla, Tlax.

13. Arte de Monte Albán, Oaxaca. Urna funeraria. Cerámica policroma. Monte Albán II (1-200 d.C.). Altura: 80 cm. Museo Nacional de Antropología, México.

14. Arte azteca. Escudo cubierto con mosaico de plumas. Post-clásico (siglos XIV-XVI). Museo Württembergisches Landes, Stuttgart.

15. Hermenegildo Bustos: a) *José María Aranda*, 1864. Óleo sobre tela. 41 × 22 cm. Colección Rubén Aranda Solórzano, Guanajuato, Gto. b) *Jesús Muñoz*, 1867. Óleo sobre tela. 40.5 × 29.5 cm. Colección Alhóndiga, Guanajuato, Gto. c) *Alejandra Aranda*, 1871. Óleo sobre tela. 39 × 28 cm. Colección Torres Landa, Guanajuato, Gto. d) *Emiliana Muñoz de Aranda*, 1872. Óleo sobre lámina. 25 × 12 cm. Colección Torres Landa, Guanajuato, Gto.

16. Hermenegildo Bustos. *Francisca Valdivia*, 1856. Óleo sobre lámina. 24.8 × 17.7 cm. Colección Guerra Chávez, León, Gto.

17. José María Velasco. *Vista del Valle de México desde el Cerro de Guadalupe*, 1905. Óleo sobre tela. 75 × 105 cm. Museo Nacional de Arte, México.

18. José Guadalupe Posada. Ilustración del cuento *Perlina la Encantadora*. Gmt. Coloreado a mano. 16.3 × 10.2 cms. Edición de A. Vanegas Arroyo. Colección V. Fosodo, México.

19. José Guadalupe Posada. *Todo lo vence el amor*. Gmt. 26.4 × 19.6 cm. Apareció en 1903 en un programa del teatro Abreu. Colección Taller de Gráfica Popular, México.

20. Diego Rivera. *El baño de Tehuantepec*, 1924. Mural. 4.52 × 2.53 m. Secretaría de Educación Pública, México.

21. Diego Rivera. *La niña sentada*, 1944. Acuarela sobre papel. 58 × 48 cm. Colección particular, México.

22. José Clemente Orozco. *Indio vendado* (de la serie *Los teules*), 1947. Piroxilina y masonita. 1.95 × 1.32 m. Instituto Cultural Cabañas, Guadalajara, Jal.

23. José Clemente Orozco. *El caballo mecánico*. (Representa a la Es-

paña del siglo XVI). 1938-1939. Fresco. Capilla del ex Hospicio Cabañas, hoy Instituto Cultural Cabañas.

24. David Alfaro Siqueiros. *Los elementos*, 1922-1924. Mural. Encáustica. Techo abovedado de la escalera del Colegio Chico de la Escuela Nacional Preparatoria (San Ildefonso), México.

25. David Alfaro Siqueiros. *Calabazas*, 1946. Piroxilina sobre tela. 1.20 × 1.00 m. Museo Carrillo Gil, México.

26. Rufino Tamayo. *Mujer llamando*, 1941. Óleo sobre tela. 91 × 61 cm. Colección Lee A. Ault, Nueva York.

27. Rufino Tamayo. *Personaje*, 1979. Acrílico sobre tela. 1.95 × 1.30 m. Colección S. Jacobson.

28. Marius de Zayas. *Retrato ideográfico del poeta Paul B. Haviland*, 1914. Dibujo. 31 × 24 cm. Colección particular, México.

29. Luis Barragán. *Acueducto*. Cuadra San Cristóbal, 1967. Los Clubes, Edo. de México.

30. Manuel Álvarez Bravo. *Retrato de lo eterno*, 1935. 18.5 × 15 cm. Colección del artista.

31. Manuel Álvarez Bravo. *Bicicletas en domingo*, 1966. 14.4 × 19 cm. Colección del artista.

32. Wolfang Paalen. *Selam*, 1947. Óleo sobre tela. 1.94 × 1.30 m. Colección G. Dupin, París.

33. Leonora Carrington. *¿Quién eres tú, rostro blanco?*, 1959. Óleo sobre tela. 70 × 100 cm. Colección G. Pasquel, México.

34. Gunther Gerzso. *Azul-verde-rojo*, 1970. Óleo sobre masonita. 64 × 60 cm. Colección particular.

35. Gunther Gerzso. *Paisaje*, 1986. Óleo sobre masonita. 92 × 73 cm. Colección Ramón López Quiroga, México.

36. Juan Soriano. *Pescado luminoso*, 1956. Óleo sobre tela. 2.40 × 1.50 m. Museo de Arte Moderno, México.

37. Juan Soriano. *Retrato de Lupe Marín*, 1962. Óleo sobre tela. 1.78 × 1.05 m. Colección particular.

38. Pedro Coronel. *Pintura número 13*, 1965. Óleo sobre tela. 1.82 × 2.07 m. Museo de Arte de Ponce, Puerto Rico.

39. Pedro Coronel. *Playa de soles*, 1968. Óleo sobre tela. 1.50 × 1.80 m. Colección particular.

40. Alberto Gironella. *Luis Buñuel*, 1975. Collage. 1.17 × 1.87 m. Colección del artista.

41. Alberto Gironella. *El sueño de la catira 1*, 1977. Óleo sobre tela. 1.50 × 1.00 m. Colección Fundación Cultural Televisa, México.

42. Manuel Felguérez *La invención destructiva*, 1964. Relieve mural (chatarra de maquinaria, hilo plástico y pintura). 10 × 5 m. Oficinas de la Confederación de Cámaras Industriales, México.

43. Manuel Felguérez. *Caracol de sombras*, 1985. Óleo sobre tela. 1.80 × 1.50 m. Colección Aseguradora Mexicana, S.A.

44. José Luis Cuevas. *El acróbata*, 1971. Litografía en color. 56 × 77 cm. Colección particular, México.

45. José Luis Cuevas. *Tres personajes*, 1978. Tinta y acuarela sobre papel. 120 × 80 cm. Colección Margot Gordon, Nueva York.

46. Remedios Varo. *Naturaleza muerta resucitada*, 1963. Óleo sobre tela. 110 × 80 cm. Colección Ignacia V. vda. de Varo, España.

47. Antonio Peláez. *Ruptura de planos*, 1974. Óleo sobre tela. 1.00 × 1.00 m. Colección particular, México.

48. Rodolfo Nieto. *Guajolote*, 1975. Óleo sobre tela. 65 × 50 cm. Colección particular, México.

[Trabajo de reproducción fotográfica:
Carlos Franco.]

ÍNDICE ONOMÁSTICO

504

ÍNDICE GENERAL

511

ÍNDICES

Este libro se terminó de imprimir el día
16 de julio de 1987 en los talleres de
Lito Ediciones Olimpia, S.A. Sevilla 109,
y se encuardernó en Encuadernación Progreso, S.A. Municipio Libre 188, México
03300, D.F. Se tiraron 20,000 ejemplares.